16	3	2	13
5	10	11	8
9	6	7	12
4	15	14	1

Jairo Severiano

UMA HISTÓRIA DA MÚSICA POPULAR BRASILEIRA

Das origens à modernidade

editora 34

EDITORA 34

Editora 34 Ltda.
Rua Hungria, 592 Jardim Europa CEP 01455-000
São Paulo - SP Brasil Tel/Fax (11) 3811-6777 www.editora34.com.br

Edição conforme o Acordo Ortográfico da Língua Portuguesa.

Capa, projeto gráfico e editoração eletrônica:
Bracher & Malta Produção Gráfica

Reproduções fotográficas do arquivo da Biblioteca Nacional:
José Reis de Lacerda

Índice onomástico:
André Albert

Revisão:
Roberto Homem de Mello
Fabrício Corsaletti
Mell Brites

1ª Edição - 2008, 2ª Edição - 2009, 3ª Edição - 2013,
4ª Edição - 2017, 5ª Edição - 2022

CIP - Brasil. Catalogação-na-Fonte
(Sindicato Nacional dos Editores de Livros, RJ, Brasil)

Severiano, Jairo, 1927
S386h Uma história da música popular brasileira:
das origens à modernidade / Jairo Severiano. —
São Paulo: Editora 34, 2022 (5ª Edição).
504 p.

ISBN 978-85-7326-396-1

Inclui bibliografia.

1. Música popular brasileira - História.
2. Música popular brasileira - Séculos XVIII, XIX
e XX. I. Título.

CDD - 780.92

UMA HISTÓRIA DA
MÚSICA POPULAR BRASILEIRA

Apresentação 9

Primeiro tempo: A FORMAÇÃO (1770-1928)

1. Domingos Caldas Barbosa 13
2. A modinha e o lundu 17
3. A Família Real, o piano e as danças de salão 21
4. A chegada da polca e de outras danças estrangeiras 26
5. O tango brasileiro e o maxixe 28
6. A formação do choro 34
7. Ernesto Nazareth 38
8. Chiquinha Gonzaga 42
9. Anacleto de Medeiros e as bandas 47
10. A modinha e o lundu no final do século XIX 50
11. A entrada em cena do teatro de revista 54
12. Os primórdios do disco no Brasil 58
13. Os cantores e músicos pioneiros do disco 60
14. Catulo 65
15. O advento do samba e da canção carnavalesca 69
16. Nosso Sinhô do samba e de outras bossas 73
17. A marchinha invade o carnaval 77
18. O jovem Pixinguinha 81
19. O auge do teatro de revista 88
20. Três invenções ditam novos rumos à música popular 96

Segundo tempo: A CONSOLIDAÇÃO (1929-1945)

21. A geração que desencadeou a Época de Ouro 107
22. O canto coloquial de Mario Reis 112
23. Os sambas e os bambas do Estácio 118
24. Lamartine e Braguinha consolidam a marchinha 126
25. O fenômeno Noel Rosa 135
26. Uma pequena notável 146
27. O apogeu de Ary Barroso 155
28. Novos valores juntam-se à geração de 1930 162

29. O samba na Época de Ouro 173
30. Aconteceu no Nice 187
31. Pixinguinha, Radamés e as orquestras populares 193
32. A canção romântica 202
33. Os Quatro Grandes 206
34. O cinema musical brasileiro 218
35. Um baiano chamado Dorival 229
36. Os caipiras chegam ao disco 234
37. O Rio descobre a música nordestina 242
38. O frevo e o maracatu 248
39. A força dos conjuntos regionais e vocais 254
40. O Estado Novo e a música popular 265

Terceiro tempo: A TRANSIÇÃO (1946-1957)

41. A geração pós-Época de Ouro 273
42. O estouro do baião 279
43. A hegemonia do samba-canção na música romântica 288
44. O último trovador 302
45. O choro em meados do século XX 308
46. O melhor da Era do Rádio 316

Quarto tempo: A MODERNIZAÇÃO (1958-)

47. A bossa nova 329
48. Os festivais televisivos 346
49. A geração que fixou a moderna canção brasileira 361
50. O Tropicalismo 383
51. A Jovem Guarda 396
52. A renovação do samba 405
53. Depois dos festivais 420
54. O BRock, o neossertanejo, o pagode e outras novidades 436
55. Um panorama da música popular brasileira na virada do milênio 454

Bibliografia 463
Agradecimentos 468
Índice onomástico 469

UMA HISTÓRIA DA MÚSICA POPULAR BRASILEIRA

Das origens à modernidade

APRESENTAÇÃO

Este livro nasceu em agosto de 1999 no Centro Musical Antônio Adolfo, no Rio de Janeiro, onde eu ministrava o curso "A MPB em Quatro Tempos". Na ocasião, alunos incentivaram-me a desenvolver o tema em livro, tarefa aceita e agora concluída.

A obra divide a história da música popular brasileira em quatro tempos, ou seja, em quatro períodos. O primeiro, que se estende da década de 1770 à de 1920, explica sua lenta formação, com o surgimento de seus gêneros, originários principalmente da fascinante fusão de melodias e harmonias de inspiração europeia com a rítmica africana. O segundo (1929-1945) representa a sua consolidação, em que, tendo os gêneros básicos — o samba, o choro, a marchinha — já cristalizados, nossa música adquire fisionomia própria e integra-se à realidade do século XX. Registra o terceiro (1946-1957) um período de transição, com a experimentação de novas ideias que aceleram a passagem do tradicional para o moderno. Finalmente, o quarto tempo, iniciado em 1958 com o estouro da bossa nova, inaugura a era de sua modernização, que inclui novos estilos de composição, harmonização e interpretação. É nessa fase que, aprimorando-se em seu já requintado grau de elaboração, a música popular brasileira desperta maior interesse e amplia seu prestígio no âmbito internacional.

Cada um desses períodos focaliza os gêneros e os artistas que o identificam, além dos variados fatores que influem em seus rumos. Assim, o primeiro tempo apresenta, descreve e analisa o lundu, a modinha, o choro, o samba e outros ritmos, em sua gênese e desenvolvimento, a vida e a obra de seus ícones — Caldas Barbosa, Ernesto Nazareth, Chiquinha Gonzaga e Sinhô, entre outros —, a importação de danças europeias e de inventos tecnológicos, como o disco, o rádio e o cinema.

O período seguinte estuda a extraordinária geração de 30 — Ary Barroso, Carmen Miranda, Noel Rosa, Orlando Silva, Dorival Caymmi —, as orquestras e conjuntos populares, a evolução da canção carnavalesca e as características dos gêneros regionais, enquanto o breve terceiro tempo dá conta dos grandes modismos do período — o baião e o samba-canção — e seus personagens, além da atuação dos precursores da bossa nova.

A obra completa-se com a dissecação do quarto tempo que, sob o signo da modernidade, desdobra-se num sem número de movimentos — a bossa nova, o tropicalismo, a Jovem Guarda e, mais adiante, o rock nacional, o pagode, o neossertanejo — e de grandiosas realizações, como os festivais televisivos. Tudo isso valorizado pelo talento de uma segunda excepcional geração de compositores, músicos e cantores do porte de Antônio Carlos Jobim, João Gilberto, Chico Buarque, Caetano, Gil, Elis, Bethânia e outros astros.

Uma síntese de mais de meio século de pesquisa, transmitindo em linguagem simples, direta, concisa, uma considerável quantidade de informações, muitas das quais inéditas, este livro pretende passar aos seus leitores conhecimentos essenciais que facilitem o entendimento da música popular brasileira.

Jairo Severiano

Primeiro tempo
A FORMAÇÃO (1770-1928)

1.
DOMINGOS CALDAS BARBOSA

O primeiro nome a entrar para a história de nossa música popular é o do poeta, compositor e cantor Domingos Caldas Barbosa, no final do século XVIII. Naturalmente, houve compositores anônimos que o precederam, além de conhecidos como o baiano Gregório de Matos Guerra, o Boca do Inferno (1633-1696), o padre Lourenço Ribeiro (1648-1724), rival de Gregório, e o malogrado Antônio José da Silva, o Judeu (1705-1739), queimado aos 34 anos numa fogueira da Inquisição, em Lisboa. Antônio José, cuja vida inspirou o livro *Vínculos de fogo*, de Alberto Dines, e o filme *O judeu*, de Jom Tob Azulay, foi o criador da ópera em língua portuguesa, sendo de sua autoria duas árias, publicadas entre 1792 e 1795, descobertas por Mozart de Araújo e tidas como os mais antigos documentos musicais assinados por um brasileiro. Mas, tendo em vista o que se conhece desses pioneiros, pode-se afirmar que é a obra de Caldas Barbosa a que mais se aproxima do que depois se chamaria música popular brasileira.

Filho do português Antônio de Caldas Barbosa, funcionário da Fazenda lusa, de 1731 a 1734, depois negociante na praça do Rio de Janeiro, e de uma escrava angolana alforriada, chamada Antônia de Jesus, segundo seu biógrafo José Ramos Tinhorão, Domingos Caldas Barbosa nasceu em terra carioca em 1740. Há, todavia, dúvidas sobre o local do nascimento, que pode ter ocorrido num navio, quando o casal viajava de Angola para o Brasil. Essa versão é corroborada por Januário da Cunha Barbosa, sobrinho do poeta, que o descreve de forma pitoresca como "homem de muitos talentos, nem preto nem branco, nem d'África nem da América" e informa: "seu pai, apenas desembarcado, o reconheceu e o fez batizar". Além disso, deu-lhe sustento e educação, fazendo-o frequentar um colégio dos jesuítas.

Quando ainda frequentava a escola, Barbosa começou a revelar vocação poética, demonstrando grande facilidade para a improvisação. Então, com a desenvoltura com que mais tarde se dirigiria às mulheres, passou a exercitar sua veia satírica, escolhendo como alvo alguns poderosos da época. A imprudência custou-lhe punição imediata, sendo ele despachado como soldado para a longínqua Colônia de Sacramento, por ordem do próprio capitão-general Gomes Freire de Andrade, Conde de Bobadela, governador da chamada Repartição Sul.

Regressando ao Rio em 1762, Barbosa foi logo tratando de se livrar da farda, resolvendo, com o apoio paterno, viajar para Portugal, onde pretendia completar os estudos. Tal propósito seria dificultado pela morte repentina do pai, valendo-se então o poeta da amizade de seus antigos condiscípulos, os irmãos José Luís de Vasconcelos e Luís José de Vasconcelos e Souza, filhos do Marquês de Castelo Melhor, que passaram a protegê-lo. Figuras de projeção na corte, José Luís se tornaria sucessivamente Conde de Pombeiro e Marquês de Belas, enquanto Luís José chegaria ao posto de Vice-Rei do Brasil no período 1779-1790. Foram esses amigos que abriram as portas da fama, ou seja, da sociedade lisboeta, ao talentoso mulato brasileiro, que muito bem soube aproveitar a oportunidade.

Tendo em vista a cor e a origem modesta de Barbosa, empecilhos à sua aceitação pela elite portuguesa, seus protetores fizeram-no receber ordens menores, sendo ele nomeado capelão da Casa da Suplicação. É assim, de batina e se acompanhando numa viola de arame, que o poeta-compositor entra em cena na década de 1770, cantando suas modinhas e lundus para a corte de D. Maria I. A presença de tão pitoresca figura, um mestiço da Colônia que apresentava um tipo de canção diferente de tudo o que se conhecia naquele meio, causou forte impacto e a consagração do cantador, principalmente por parte das damas, sempre cortejadas, às vezes até de forma atrevida, nos improvisos do brasileiro.

Uma consequência desse sucesso seria a sua designação para liderar a Nova Arcádia, a Academia de Belas Artes de Lisboa, entidade que se propunha a continuar as tradições da Arcádia Lusitana, defensora do ideal de cultivo da música e da poesia. O encargo aconteceu por indicação do Conde de Pombeiro, patrono da Academia, que aliás se reunia em dependências de seu palácio.

Nem tudo, porém, era aplauso no convívio do artista com a aristocracia portuguesa. Sua popularidade nos salões e, sobretudo, seu prestígio literário, tido como imerecido por figuras como Felinto Elísio, Nicolau Tolentino e o próprio Manoel Maria du Bocage, acabaram por desencadear a ira desses e de outros medalhões, que passaram a hostilizá-lo com feroz entusiasmo. Há mesmo um escrito do erudito doutor Antônio Ribeiro dos Santos, que condena, indignado, a influência de Caldas Barbosa

A obra de Domingos Caldas Barbosa (1740-1800) pode ser considerada o marco zero da música popular brasileira.

sobre a juventude: "Eu não conheço um poeta mais prejudicial à educação [...] do que este trovador de Vênus e Cupido: a tafularia do amor, a meiguice do Brasil, e em geral a moleza americana, que faz o caráter das suas trovas, respiram os ares voluptuosos de Pafus e Cítara, e encantam com venenosos filtros a fantasia dos moços e o coração das damas". O mais importante é que a estocada do doutor Ribeiro é um atestado de que as modinhas de Caldas Barbosa eram tipicamente brasileiras, pouco tendo a ver com as modas lusitanas, tese defendida com empenho pelo historiador José Ramos Tinhorão.

Em 1798 foi publicado em Lisboa o volume I da *Viola de Lereno: colecção de improvizos e cantigas de Domingos Caldas Barbosa*. Lereno Selinuntino era o nome arcádico adotado por Barbosa, uma homenagem ao também poeta Francisco Rodrigues Lobo (1580-1622), o "Lereno Pastoral". O livro registra o que de melhor se conhece de sua obra. No primeiro quarto do século XIX, saíram mais quatro edições desse volume, uma das quais (em 1814) publicada na Bahia. Em 1826 seria lançada, ainda em Lisboa, a primeira edição completa em dois volumes. Considerando-se o acanhado movimento editorial da época, o fato mostra que o livro foi um sucesso. No século XX, novas edições seriam realizadas, duas das quais no Brasil (1944 e 1980).

Segundo Mozart de Araújo, todo o material publicado na *Viola de Lereno* foi musicado por Barbosa. Infelizmente, nenhuma de suas melodias chegaria até nós, embora seja provável que algumas tenham sido incorporadas ao folclore. O que há são cinco peças publicadas no *Jornal de Modinhas*, de Lisboa, na década de 1790, descobertas por Mozart e cujas letras estão na *Viola de Lereno*. Essas modinhas foram musicadas pelos portugueses Antônio José do Rego ("Ora a Deus, senhora Ulina") e Marcos Antônio ("Raivas gostosas", "Se dos males", "A doce união do amor" e "Você trata amor em brinco"), omitindo o jornal o nome do letrista. A propósito, Marcos Antônio é um dos pseudônimos do vaidoso compositor luso Marcos Portugal. Há ainda o poema "Desde o dia em que nasci", musicado pelo brasileiro Joaquim Manoel no início do século XIX.

Domingos Caldas Barbosa morreu no dia 9 de novembro de 1800, no palácio do Conde de Pombeiro, em Bemposta, Lisboa, sendo sepultado na igreja de Nossa Senhora dos Anjos, que servia de capela aos duques de Lafões. A causa da morte, esclarece o historiador Varnhagen, foi "uma rápida enfermidade que apenas permitiu prover-se dos sacramentos". Em 1911, sendo a igreja demolida, ficou soterrado o túmulo do poeta.

2.
A MODINHA E O LUNDU

Conforme foi dito, a modinha, nascida no século XVII, viveu o seu primeiro momento de glória na década de 1770, quando foi introduzida em Portugal por Domingos Caldas Barbosa. O sucesso extraordinário então alcançado pelo gênero — chamado de modinha para diferenciar-se da moda portuguesa — despertou o interesse de músicos de formação erudita, que passaram a tratá-lo de forma requintada, sob nítida influência da música operística italiana. Os mais antigos exemplos conhecidos dessa modinha elitizada são as já referidas composições sobre letras de Caldas Barbosa, publicadas no *Jornal de Modinhas* no final do século XVIII.

Assim modificada, a cantiga oriunda da Colônia aproximou-se das árias portuguesas, transformando-se praticamente em canção camerística. É com esse feitio que ela retorna ao Brasil com a corte de Dom João VI em 1808. Ao mesmo tempo suave e romântica, chorosa quase sempre, a modinha foi por todo o século XIX o nosso melhor meio de expressão poético-musical da temática amorosa. Composta geralmente em duas partes, com o predomínio do modo menor, das linhas melódicas descendentes e dos compassos binário e quaternário, a modinha oitocentista jamais se prendeu a esquemas rígidos, primando por suas variações.

O primeiro modinheiro a se destacar no começo dos 1800 foi o compositor, violonista e cavaquinista Joaquim Manoel da Câmara, conhecido como Joaquim Manoel. Embora incapaz de ler uma partitura, esse músico encantou nativos e estrangeiros como o capitão de navio Louis Freycinet, que sobre ele escreveu: "nada me pareceu mais espantoso do que o raro talento na guitarra de um [...] mestiço do Rio de Janeiro chamado Joaquim Manoel. Sob os seus dedos o instrumento tinha um encanto inexprimível, que nunca mais encontrei entre os [...] guitarristas europeus". Além de capitães de navio, Joaquim Manoel impressionou também músicos notáveis como o austríaco Sigsmund Neukomm, que harmonizou vinte de suas modinhas.

Tendo morrido por volta de 1840, Joaquim Manoel deixou várias modinhas de qualidade, como "Foi o momento de ver-te", "Se me desses um suspiro", "Se queres saber a causa", "Triste salgueiro", "Desde o dia em que nasci" e "A melancolia", sendo desta o tema utilizado por Neukomm na fantasia para piano e flauta intitulada "L'Amoureux".

Também da época foi o compositor e letrista Cândido José de Araújo Viana, o Marquês de Sapucaí, que daria nome à avenida, transformada em passarela das escolas de samba do Rio de Janeiro a partir de 1984. De vida longa (1793-1875), este mineiro de Sabará exerceu importantes funções no Império, tendo sido deputado, senador, conselheiro de Estado, presidente de Alagoas e do Maranhão, ministro da Fazenda e da Justiça e, no âmbito do Judiciário, juiz em Minas Gerais e desembargador em Pernambuco, Bahia e Rio de Janeiro. Com tantos encargos, o marquês ainda arranjou tempo para dedicar-se à música, sendo de sua autoria três composições que alcançaram popularidade: a quadrilha "Primeiro amor" e as modinhas "Já que a sorte destinara" e "Mandei um eterno suspiro", elogiadas pelo historiador Vincenzo Cernicchiaro. Não seria porém o Marquês de Sapucaí o único personagem histórico a se interessar pela modinha. Nosso Imperador Pedro I, além de compositor, tinha boa voz e gostava de cantar modinhas.

Mas o maior autor de modinhas dessa geração foi Cândido Inácio da Silva, compositor, letrista, cantor e tocador de viola francesa, nome que aqui era dado ao violão na época. Nascido no Rio de Janeiro em 1800, Cândido foi aluno do padre José Maurício, que o encaminhou na carreira artística. De sua autoria são as modinhas "Batendo a linda plumagem", "Cruel saudade", "De uma pastora de olhos belos", "A hora que não te vejo", "Impere dentro do meu peito", "Minha Marília não vive", "Um só tormento de amor" e as famosas "Busco a campina serena" e "Quando as glórias eu gozei", publicadas em *Modinhas imperiais*, de Mário de Andrade. Aliás, Mário considerava Cândido, "salvas as proporções, o Schubert de nossas modinhas de salão". Artista popular, deixou ainda valsas e lundus, e mais não fez porque a morte o surpreendeu aos 38 anos, três dias antes da data marcada para o seu casamento.

Outros modinheiros do período são Quintiliano da Cunha Freitas ("Já não existe a minha amante" e "Quando vejo o lindo rosto da mimosa Olina Bela"), Lino José Nunes ("Se os meus suspiros pudessem"), Francisco da Luz Pinto ("Já não pode a natureza inverter a tua sorte"), os padres baianos Augusto Baltazar da Silveira ("Lamentos") e Guilherme Pinto da Silveira Sales ("Deixa mulher que eu te ame"), João Francisco Leal, Gabriel Fernandes Trindade e José Joaquim Goiano, além de um tal padre Teles, de quem só se sabe que era bom compositor e vestia batina.

Há também os eruditos, que compunham música sacra e de concerto e que, eventualmente, faziam modinhas e lundus, como o padre José Maurício Nunes Garcia (1786-1830), autor da conhecida "Beijo a mão que me condena", editada sete anos depois de sua morte; Francisco Manoel da Silva (1795-1865), autor do "Hino nacional brasileiro" e que fez "Confissões de uma senhora", "Márcia gentil, um teu sorriso" e "Se o triste pastor do prado"; Manoel Pimenta Chaves, tocador de oboé e responsável pela afinação dos pianos dos palácios imperiais, que compôs "Quem socorre um desgraçado"; Domingos da Rocha Mussorunga (1807-1856), nascido em Salvador e participante das lutas da Independência, que deixou doze modinhas (opus 42 a 53); e finalmente o baiano de Itaparica Damião Barbosa (1778-1856), autor de "Tristes saudades". Completam a relação de modinheiros da primeira metade do século XIX diversos músicos estrangeiros que se radicaram ou apenas viveram por algum tempo no Brasil, como João Paulo Mazziotti, José Francisco Dorison, Joseph Fachinetti, Marcos Portugal e Franz Ludwig Wilhelm Varnhagen, pai do historiador Francisco Adolfo Varnhagen.

Pertence ainda ao período grande número de modinhas de autores desconhecidos, muitas delas de excelente qualidade, como é o caso de "Vem cá minha companheira", "Se te adoro", "Vem a meus braços", "Róseas flores da alvorada", "Deixa dália, flor mimosa" e "Acaso são estes" (que tem letra de Tomás Antônio Gonzaga), consideradas clássicos após sua publicação na coletânea *Modinhas imperiais*.

Ao contrário da modinha, o lundu surgiu da fusão de elementos musicais de origens branca e negra, tornando-se o primeiro gênero afro-brasileiro da canção popular. Na verdade, essa interação de melodia e harmonia de inspiração europeia com a rítmica africana se constitui em um dos mais fascinantes aspectos da música brasileira. Situa-se portanto o lundu nas raízes de formação de nossos gêneros afros, processo que culminaria com a criação do samba.

Originalmente uma dança sensual praticada por negros e mulatos em rodas de batuque, só tomaria forma de canção nas décadas finais do século XVIII. Assim, a referência mais antiga encontrada sobre o lundu-música está, conforme José Ramos Tinhorão, na coletânea *Viola de Lereno*. Composto em compasso binário e na maioria das vezes no modo

Francisco Manoel da Silva (1795-1865), autor do "Hino nacional brasileiro" e do pitoresco "Lundu da marrequinha".

maior, o lundu é uma música alegre, de versos satíricos, maliciosos, variando bastante nos esquemas formais.

Praticamente, todos os autores de modinhas citados também fizeram lundus, pertencendo a esse repertório peças de grande popularidade como "Lá no Largo da Sé" (Cândido Inácio da Silva, com letra de Araújo Porto Alegre), "Lundu da marrequinha" (Francisco Manoel da Silva, com letra de Francisco de Paula Brito), "Eu não gosto de outro amor" (Padre Teles), "Onde vai senhor Pereira de Morais" (Domingos da Rocha Mussorunga) e "Os beijos do frade" (Henrique Alves de Mesquita, com letra de E. D. Villas Boas).

Num processo semelhante ao ocorrido com a modinha, o lundu também passou a ser composto de forma elitizada por músicos de escola, chegando à posteridade quase que apenas partituras editadas a partir dessa fase. É o chamado lundu de salão.

3.
A FAMÍLIA REAL, O PIANO E AS DANÇAS DE SALÃO

Na manhã de 29 de novembro de 1807, uma multidão aglomerada às margens do Tejo assistiu desolada à partida da esquadra que levava para o Brasil a corte portuguesa, em fuga das tropas de Napoleão. Embarcados há várias horas nos navios estacionados por falta de vento, os cortesãos viveriam na ocasião momentos de angústia, na expectativa de serem alcançados pelos invasores. Mas, por sorte, os franceses atrasaram-se, só entrando em Lisboa um dia depois da partida, permitindo à Família Real e aos quinze mil componentes de seu séquito chegarem em paz ao Rio de Janeiro em 7 de março de 1808, após breve estada na Bahia. A vinda da corte provocou no Brasil um surto de civilização e desenvolvimento, representado por iniciativas como a criação da Academia de Belas Artes, da Biblioteca Pública, do Banco do Brasil, do Jardim Botânico e, no âmbito da música, a introdução do piano, da valsa e de outras novidades europeias.

O piano foi inventado em 1711 por Bartolomeu Cristofori, italiano de Pádua, que o chamou de "*gravecembalo col piano e forte*", nome depois simplificado para pianoforte ou simplesmente piano. A estranha denominação inicial, que significa "cravo com a faculdade de produzir sonoridades fracas e intensas", mostra que Cristofori não tinha a intenção de criar um novo instrumento e sim a de aperfeiçoar o cravo, que já fabricava. Acontece que os tais melhoramentos (substituição das lamelas por martelos e a criação de abafadores) resultaram em vantagens tão evidentes, que o pianoforte logo despertaria o interesse de vários fabricantes, inclusive nos Estados Unidos. Assim, com seus aprimoramentos, ele já chegaria ao século XIX como o mais completo dos instrumentos.

Foi Alfredo d'Escragnolle Taunay, o Visconde de Taunay, escritor consagrado e compositor, quem registrou a chegada dos primeiros pianos ao Brasil, na bagagem da Família Real. Segundo ele, esses instrumentos eram ingleses, fabricados pela empresa Broadwood. Provavelmente, seriam exemplares de um modelo de seis oitavas, muito comum na épo-

D. Pedro I toca ao piano o "Hino da Independência", de sua autoria (óleo do pintor Augusto Bracet).

ca. Os modernos têm, geralmente, sete oitavas e um terço, com 88 teclas. Há um quadro de Augusto Bracet — *Primeiros sons do Hino da Independência* —, feito para as comemorações do centenário da Independência, que mostra Pedro I, rodeado de damas da corte, supostamente tocando num desses pianos o hino que acabara de compor.

A partir do final da década de 1820, quando começaram no Brasil a impressão musical e a venda de pianos, a aceitação do instrumento cresceria de forma acentuada, tornando-o anos depois presença obrigatória nas salas das famílias remediadas. Dizia o crítico Andrade Muricy que "tocava-se, cantava-se, recitava-se e dançava-se com fundo pianístico", o que fazia do piano "o centro de interesse dos serões familiares". Além disso, sua posse tornou-se símbolo de *status* social, emprestando aos seus possuidores uma certa aura de bom gosto.

O reinado do piano no Brasil durou cerca de oitenta anos, situando-se aproximadamente entre 1850 e 1930. Dois fatores contribuíram de forma decisiva para o seu declínio. Primeiro, a expansão e popularização do rádio, que fez dos aparelhos receptores seus substitutos no lazer familiar. Segundo, o processo de verticalização das cidades, quando as pessoas trocaram a casa pelo apartamento, não mais dispondo de espaço para instrumentos do porte de um piano. Então, o violão, barato e portátil, livrou-se da pecha de "instrumento de capadócio", ganhando o seu lugar na preferência popular.

Outra novidade trazida pela Família Real foi uma série de danças europeias: o minueto, a gavota, o solo inglês, a valsa e a contradança, com seus derivados *cotillon*, quadrilha e lanceiro. Delas todas, vingaram no Brasil apenas a quadrilha e a valsa, de caráter mais popular.

Originária da Alemanha e conhecida desde o século XV, a valsa só seria aceita nas cortes da Europa a partir do início do século XIX, quando se expandiu como uma das danças de salão mais apreciadas no mundo ocidental. Composição ternária, primeira a ser dançada por pares enlaçados, ganhou estilos distintos ao adaptar-se ao gosto dos países que a importaram. Assim aconteceu no Brasil, onde marca presença em todos os níveis musicais, do folclore ao erudito, destacando-se principalmente no popular.

A mais remota notícia que se tem de valsas brasileiras foi encontrada pelo incansável Mozart de Araújo na Biblioteca do Conservatório de Música de Paris. Lá, no diário de Sigsmund Neukomm, importante músico austríaco que viveu no Brasil entre 1816 e 1821, está registrado: "6 de novembro de 1816 — Fantasia e grande orquestra sobre uma pequena valsa de S.A.R., o Príncipe Real D. Pedro; 16 de novembro de 1816 — 6 valsas compostas por S.A.R. o Príncipe D. Pedro e arranjadas para orquestra, com trios". Pertenceria assim a Sua Alteza Real, o então príncipe, depois Imperador Pedro I, a primazia na autoria de valsas no Brasil.

A próxima informação sobre o gênero no país é dada pelo maestro Baptista Siqueira (no livro *Ficção & música*), que afirma ter sido a valsa o motivo principal nos bailes mascarados do Hotel Itália, no Rio de Janeiro, em 1836. Siqueira também nos dá conta das "valsas puladas", novidade francesa difundida pelo editor Pierre Laforge, o mesmo que em 1837 publicaria uma coleção de doze valsas de Cândido Inácio da Silva. Citadas pelo maestro há ainda edições de outras valsas brasileiras na década de 1830 como, por exemplo, a de "Uma saudade para sempre", de Manoel Pimenta Chaves, arranjada pelo renomado professor Maurício Dooltinger.

Em 1841, chegam ao Brasil as valsas vienenses dos dois Johann Strauss (pai e filho) e de outros compositores, o que ampliaria o prestígio do gênero, dançado nas festas da coroação do imperador Pedro II. Prosseguirá assim, em sucesso crescente, a trajetória da valsa difundida como música instrumental, até a virada do século, quando muito ganhará em popularidade ao se tornar música com letra. Então, consagrada como canção romântica, reinará pelas décadas seguintes, só perdendo essa hegemonia para o samba-canção no final da década de 1940.

Atendo-se ao século XIX, são autores de belas valsas figuras como Cândido Inácio da Silva, José Joaquim Goiano, Henrique Alves de Mesquita, Antônio dos Santos Bocot, Ernesto Nazareth, Chiquinha Gonzaga e Anacleto de Medeiros, embora não seja o gênero predominante em seus repertórios. Também na área da música de concerto, a valsa — valsa brilhante, valsa de bravura — está na obra de vários compositores, a começar por Carlos Gomes.

Ainda trazida pela Família Real, a quadrilha de origem francesa desfrutou de forte prestígio pela maior parte do século, declinando com a queda da Monarquia. Esse prestígio deveu-se em parte ao fato de ser a dança que abria os bailes da corte, uma praxe da realeza europeia que encantou os brasileiros. Diante de tal sucesso, a maioria de nossos compositores passou a escrever quadrilhas, que em nada ficavam a dever às peças importadas. Curiosamente, ao sair de moda, essa dança aristocrática acaipirou-se, trocando os salões pelos terreiros juninos, sobrevivendo apenas em variantes popularescas como a saruê, a mana-chica e a quadrilha do interior paulista.

Igualmente curiosa foi a maneira como a quadrilha entrou para a história do carnaval, segundo o historiador Vieira Fazenda em suas *Antiqualhas*. José Nogueira de Azevedo Paredes, um sapateiro português, estava numa segunda-feira de carnaval, por volta de 1850, relembrando com alguns patrícios costumes da terrinha, como os desfiles de zabumbas nas festas de Braga e Viana do Castelo. De repente, talvez estimulado pelo vinho, Zé Nogueira propôs saírem todos pelo centro do Rio, onde tinha sua oficina na rua São José, tocando bombos e tambores. Então o desfile realizou-se com grande algazarra e muitos vivas a um tal de Zé Pereira (que poderia ser o próprio Zé Nogueira), alcançando enorme sucesso e repetindo-se nos carnavais seguintes.

Anos depois, em 1869, a folia do sapateiro iria inspirar ao ator Vasques (Francisco Correia Vasques) a ideia de reproduzi-la num entreato cômico intitulado *O Zé Pereira carnavalesco*. Dono do teatro Fênix Dramática, Vasques era rival do empresário Arnaud, do Teatro Lírico Francês, cujo grande sucesso na ocasião era a peça musical "Les Pompiers de Nanterre", de Larone e Martinaux. Classificada pelos autores como uma "*excentricité burlesque*" e estrelada pela "demoníaca" Zélia Lafourcale e a "salerosa" Rafaela Monteiro (os adjetivos são de um cronista da época), a peça apresentava uma quadrilha homônima, de L. C. Desormes, calcada em canções populares francesas. Realmente, para se manter em cena por mais de dez meses, um espetáculo tinha mesmo que mostrar algo mais interessante do que uma historinha sobre os bombeiros de Nanterre, e esse algo mais era uma cançoneta de Antonin Louis, reproduzida na quadrilha de Desormes, que o povo adorou.

Foi justamente sobre essa melodia que Vasques escreveu a versalhada cantada por seus atores, ao ritmo de zabumbas, no *Zé Pereira carnavalesco*. Mozart de Araújo, que desvendou o mistério do tema original, esclarece: "as três primeiras partes da quadrilha nada apresentam que se relacione com o Zé Pereira. A quarta parte, porém, como a coda final da quinta parte, são, nota por nota, a famosa melodia do nosso carnaval". E era isso mesmo que Vasques pretendia, ou seja, depreciar o concorrente grã-fino misturando o seu maior sucesso com a zabumbada popular. Tanto assim que, à guisa de esclarecimento, informava na propaganda da peça: "cousa cômica que deve parecer muito com *Les Pompiers de Nanterre*". O que ele não podia prever era a consagração do tema como uma espécie de hino do carnaval brasileiro: "e viva o Zé Pereira/ que a ninguém faz mal/ e viva a bebedeira/ nos dias de carnaval...".

4.
A CHEGADA DA POLCA E DE OUTRAS DANÇAS ESTRANGEIRAS

Em meados do século XIX, chegaram ao Brasil a polca, a mazurca, a schottisch, a habanera e o tango, formas de música dançante que, juntamente com a valsa, predominaram nos salões do mundo inteiro até os primeiros anos do século XX.

Dança de origem camponesa, em binário alegro, muito viva e impetuosa, a polca nasceu na Boêmia por volta de 1830. Introduzida em Praga sete anos depois, logo se espalhou, alcançando Viena e São Petersburgo (em 1839), Paris (1840), Londres, Nova York e o Rio de Janeiro (1844), este precisamente em outubro de 1844, segundo Baptista Siqueira. Há ainda, em 7 de dezembro do mesmo ano, uma notícia no *Jornal do Comércio* sobre uma representação no Teatro São Francisco de um *vaudeville* intitulado *La Polka*. Meses depois, na noite de 3 de julho de 1845, uma composição de Felipe Catton, de nome "A polca", era dançada no palco do Teatro São Pedro, no Rio, pelos pares Felipe e Carolina Catton e De Vecchi e Farina. O sucesso foi tão grande que logo o casal Catton abriu um curso para ensinar a nova dança. Outras provas da rápida aceitação do gênero seriam um comentário no jornal humorístico *Charivari*, ironizando "a mania da polca" (em outubro de 1845) e a criação da Sociedade da Constante Polca (em 1846). Na verdade, ao final da década de 1840, com brasileiros já compondo polcas, não restava dúvida de que a dança tinha vindo para ficar e se integrar à vida do país.

Chegada ao Brasil também nos anos 1840 — foi dançada em 1846 numa peça teatral no Rio —, a mazurca é uma dança ternária polonesa, difundida através da Alemanha e que alcançou as salas de concerto ao ser estilizada por Chopin numa coleção de trinta peças. Mesmo sendo bem recebida, jamais atingiu o sucesso da polca, embora tenha gozado de relativa popularidade em Pernambuco no final do século XIX. Daí, sua presença na música nordestina, disso sendo exemplos as composições "Dança Mariquinha" e "Cortando pano", do repertório de Luiz Gonzaga. "Dança Mariquinha", aliás, foi a primeira gravação cantada de Gonzaga.

Mais prestigiada do que a dança polonesa foi a schottisch, que aqui chegou em 1851. Isso talvez em razão de sua semelhança com a polca, o que levou os ingleses a chamá-la de polca alemã. Sem dúvida, a novidade da schottisch deve ter despertado o entusiasmo de muitos brasileiros, entre os quais a figura de José Maria da Silva Paranhos, o Visconde do Rio Branco, pai do Barão do Rio Branco. Na época com 31 anos, Paranhos escreveu nas *Cartas a um amigo ausente*: "A *schottische*, eis uma das novidades mais interessantes da semana, do Campestre, do Cassino, do Rio de Janeiro! A *schottische* está destinada para dar brados em todas as nossas reuniões dançantes, a esta hora terá proscrito a estouvada e voluptuosa polca, e há que disputar o terreno palmo a palmo à delirante valsa da Germânia. A *schottische* é uma melodia alemã, cheia de cadência e de graça — como se fora feita para o caráter e o gosto dos brasileiros. A música é maviosa, dessas que o nosso povo sabe tocar, cantar e assobiar. Depois dos alemães, dela enamoraram-se os ingleses e os franceses, e mesmo que alguns outros mais nos precedessem, a *schottische*, a sedutora compatriota de Meyerbeer, há de morrer de amores por nós e nós por ela. Viva a *schottische*! Viva o sr. Toussaint que no-la apresentou!".

Além da declaração de amor à schottisch, o visconde nos fez o favor de informar o nome de seu introdutor no Rio de Janeiro, o professor de dança Jules Toussaint. Suas previsões sobre um grande êxito do gênero, porém, não se confirmaram. Depois de um período de razoável presença no repertório de nossos compositores, caiu em desuso, só sobrevivendo na música rural sulina e nordestina, e dividindo-se em variantes com denominações especiais. Um fato curioso sobre essa dança é que batizada com uma palavra alemã que significa "escocês", nada tem a ver com qualquer dança ou gênero musical da Escócia.

Finalmente, o tango e a habanera entram no Brasil na década de 1860. Primeiramente em 1863, aparece uma composição intitulada "Tango-chanson havanaise", de Lucien Boucquet, que Baptista Siqueira identifica como "música tradicional incluída na peça *L'Ile de Calypso*, opereta em um ato, apresentada no Lírico Fluminense". Depois, em 1866, chega uma coleção de habaneras do compositor espanhol Sebastian Yradier, entre as quais as conhecidas "La paloma" e "El arreglito", sendo esta usada por Bizet como tema para a habanera da ópera "Carmen". Gêneros binários, de fórmula rítmica semelhante, muito populares na Espanha e na América Latina no século XIX, o tango andaluz e a habanera cubana têm provavelmente origem em cantos remotos da África do Norte, levados pelos árabes para a Espanha e pelos negros para Cuba.

5.
O TANGO BRASILEIRO E O MAXIXE

Submetidas desde a chegada a um processo de nacionalização, as danças importadas seriam fundidas por nossos músicos populares a formas nativas de origem africana, conhecidas pelo nome genérico de batuque. Foi assim que, na década de 1870, nasceram o tango brasileiro, o maxixe e o choro, ao mesmo tempo em que se abrasileirava a técnica de execução de vários instrumentos, como o violão, o cavaquinho e o próprio piano. Parentes próximos, os três gêneros teriam em comum o ritmo binário e a utilização da síncope afro-brasileira, além da presença da polca em sua gênese.

O mais antigo tango brasileiro que se conhece chama-se "Olhos matadores" e é da autoria do compositor, regente, trompetista e organista carioca Henrique Alves de Mesquita (1830-1906). Iniciando cedo os estudos musicais com Desidério Dorison e prosseguindo-os com Gioacchino Giannini, Mesquita já exercia aos 23 anos a direção, com Antônio Luís de Moura, do Liceu Musical e Copisteria, situado na antiga praça da Constituição (depois Tiradentes), número 79. O estabelecimento lecionava música, copiava partituras, afinava pianos, aceitava encomendas de composições, organizava orquestras e "fornecia pianistas para *soirées*".

Diplomado com medalha de ouro nos cursos de órgão e contraponto do mestre Giannini, o jovem músico recebeu um prêmio oficial de viagem à Europa, para aperfeiçoamento dos estudos, viajando para a França em julho de 1857. Matriculado no Conservatório de Paris, onde teve a oportunidade de estudar harmonia com o famoso professor François Bazin, Mesquita permaneceu na França por nove anos, período em que compôs obras como a abertura sinfônica *L'Étoile du Brésil*, a opereta cômica *La nuit au château* e a ópera *O vagabundo*. Provavelmente, sua estada no exterior teria sido maior, não houvesse o artista se envolvido num escândalo amoroso, jamais esclarecido pelos historiadores. O obscuro episódio custou-lhe a perda da proteção do Imperador, a expulsão do conservatório e uma temporada numa prisão parisiense.

Músico de formação erudita, com longa passagem pela França, Henrique Alves de Mesquita (1830-1906) é o criador do tango brasileiro.

De regresso ao Brasil em julho de 1866, Mesquita retomou a carreira. Compôs polcas como "Minha estrela" e "Laura", a romança "Moreninha" e voltou a tocar em orquestras, prática que abandonara na Europa. Foi nesse período, em que lutou para reafirmar o seu prestígio em nosso meio, que ele criou o tango brasileiro — uma mistura da habanera e do tango espanhol com elementos da polca e do lundu —, compondo "Olhos matadores" (em 1868, mas só editado em 1872) e "Ali Babá", música integrante da peça homônima, estreada em 28 de setembro de 1872.

O sucesso dessa peça — ópera mágica em três atos e doze quadros, com libreto de Eduardo Garrido —, encenada repetidas vezes nos anos consecutivos ao seu lançamento, chamou a atenção para o tango e levou ao apogeu a carreira de Mesquita, um de nossos músicos de maior talento no século XIX. Além das composições citadas, ele deixou polcas como "Aurora", "Minha Virgínia" e "Corrupio"; quadrilhas como "Carnaval no Rio", "Coquette", "Soirée brésilienne" e "Raios de sol"; os lundus "Nono mandamento" e "Os beijos do frade", a ópera *Noivado em Paquetá* e uma dança característica denominada "Batuque", sobre a qual

Catulo da Paixão Cearense escreveu extenso poema. Jubilado como mestre do Conservatório de Música, Mesquita era muito estimado e admirado pelos colegas, especialmente Ernesto Nazareth, que em 1914 o homenageou com o tango "Mesquitinha". Aliás, os dois compositores terão para sempre seus nomes ligados, pela atuação, ao desenvolvimento do tango brasileiro. Afirmava o biógrafo de ambos, Baptista Siqueira: "o maestro Mesquita é o verdadeiro criador do tango brasileiro, sendo Nazareth seu sistematizador genial".

Na verdade, ao compor mais de noventa tangos — quase metade da sua obra — Ernesto Nazareth deu-lhes uma formulação rítmica bem brasileira, ou seja, mais próxima do batuque e do lundu, numa variante diferente dos tangos de Mesquita e de outros compositores da época, mais próximos da habanera e do tango espanhol. A origem desses tangos está muito bem explicada num trecho do ensaio "Ernesto Nazareth na música brasileira", de Brasílio Itiberê: "Certa vez meu amigo Oscar Rocha, melômano e folclorista e um dos homens que melhor conhecem a vida e a obra de Nazareth, perguntou-lhe como é que ele tinha chegado a compor os seus tangos, com esse caráter rítmico tão variado. Nazareth respondeu com simplicidade que ele ouvia muito as polcas e lundus de Viriato, Calado, Paulino Sacramento e sentiu o desejo de transpor para o piano a rítmica dessas polcas-lundu". Pertence assim à polca-lundu a rítmica que o compositor levou para os seus tangos ou, por outras palavras, os tangos de Nazareth são uma requintada estilização pianística da polca-lundu. Entre esses tangos podem ser citados, além das obras-primas "Brejeiro", "Bambino", "Fon-fon", "Odeon" e "Turuna", peças como "Tenebroso", "Nenê", "Menino de ouro", "Plangente", "Escorregando", "Escovado", "Favorito", "Dengoso" e até um tango argentino intitulado "Nove de julho", composto em 1917. A propósito, o tango argentino tem também sua origem na habanera e no tango espanhol, que em território portenho fundiram-se com a milonga crioula, adaptada ao gosto urbano, com alguma influência da polca e da schottisch. Seu surgimento aconteceu na década de 1870, um pouco depois do nosso tango.

Descendendo ainda do tronco habanera-tango espanhol, adaptado à sincopação afro-brasileira, e com seu aparecimento ocorrido na citada década de 1870, o maxixe entrou para a história como a primeira dança urbana brasileira.

Bem mais importante como dança do que como música, o maxixe começou a ser dançado ao ritmo de outros gêneros como a polca, o tango e, principalmente, a polca-lundu, o tango-lundu e o tango-batuque, híbridos que revelavam o vasto processo de miscigenação musical que se desenvolvia na época. Isso é comprovado na exaustiva pesquisa realizada pelo jornalista-historiador Jota Efegê (João Ferreira Gomes) para o seu livro *Maxixe: a dança excomungada*. Pesquisando em jornais e revistas publicados nas décadas de 1870 e 1880, Efegê recolheu curiosas informações, a maioria em notas carnavalescas, lançadas sob o nome de "*puffs*". Assim, em fevereiro de 1876, um anúncio de bailes de máscaras do Imperial Teatro Pedro II prometia, além de novas valsas e quadrilhas, a execução pela orquestra do maestro D. Gusman de "polcas de quebradinhas, *schottisches* mui amorosas e galopes assás inebriantes". Para os seus "eletrizantes bailes à fantasia" no carnaval de 1877, o Teatro Cassino comunicava que a orquestra tocaria "as mais dengosas habaneras, mazurcas quebradiças e polcas crepitantes". Por fim, em fevereiro de 1880, um *puff* do Clube dos Democráticos convidava os associados para "as quatro noitadas carnavalescas", mas advertindo: "ai daquele que não se colocar na altura de um verdadeiro democrático, não dançando uns rasgadinhos cancãs, umas lânguidas e requebradas habaneras, umas dengosas e melífluas polcas".

Já se encontravam assim, nos bailes dos teatros e sociedades carnavalescas, os volteios e requebros da sensual coreografia criada pelo povão da Cidade Nova, então populoso bairro da Zona Centro do Rio. Só que dançada ao som das "lânguidas e requebradas habaneras" e das "dengosas e melífluas polcas", porque a música "maxixe" ainda não existia. Estava sendo aprontada pelos músicos populares que, para provocarem os passos lúbricos dos dançarinos, submetiam tangos, polcas e habaneras a uma intensa sincopação, que acabou por transformá-las no maxixe, gênero musical. Curiosamente, muitos compositores da época ignoraram o termo — segundo Tinhorão, proveniente de uma gíria que significava ordinário, chinfrim, desprezível —, preferindo chamar os seus maxixes de polcas-lundu, tangos-lundu ou simplesmente tangos.

Finalmente, no carnaval de 1883, o persistente Jota Efegê encontrou a palavra "maxixe" num informe em versos do Clube dos Democráticos, publicado em 4 de fevereiro no *Jornal do Comércio*: "Cessa tudo quanto a musa antiga canta/ que no Castelo este brado se levanta/ caia tudo no maxixe, na folgança/ que com isso dareis gosto a Sancho Pança". O "Castelo" e o "Sancho Pança" eram os apelidos, respectivamente, da sede e do secretário do clube. Ainda no mesmo ano, no dia 17 de abril, o maxixe chegaria ao palco pela primeira vez, ao ser cantado e dançado no

Teatro Santana pelo ator Vasques, numa cena cômica intitulada *O caradura*. Então, a seguir e por cerca de quarenta anos, essa dança passou a fazer parte de tudo quanto era peça musical do teatro carioca, servindo mesmo de chamariz para o público.

Eram comuns na imprensa notas do tipo:

"Monumental maxixe por todos os artistas da *troupe* francesa de variedades e canto do Palace Theâtre" (*A Notícia*, 15 de abril de 1906);

"A revista faz rir, possui originalidade e está cheia de danças brasileiras, principalmente maxixes, que é de todas as danças a mais curiosa" (*Jornal do Brasil*, outubro de 1913, sobre a peça *O reino do maxixe*);

"Estreia dos elegantes e vitoriosos Les Zuts, os reis do maxixe, que farão três números sensacionais: o passo da urucubaca, o tangolomango e o *one-step* infernal" (promoção da peça *Mexe-mexe*, em 5 de fevereiro de 1915).

Ao mesmo tempo em que o maxixe causava furor nos palcos do Rio, acontecia em Paris o incrível sucesso do dançarino baiano Antônio Lopes do Amorim Diniz, o Duque (1884-1953). Incrível porque, além de não conhecer ninguém importante na capital francesa, Duque não era sequer dançarino profissional: era dentista... Uma noite, divertindo-se num cabaré com a amiga Maria Lino, uma atriz brasileira em visita à cidade, ele resolveu dançar um maxixe. Ocorre que o par, exímio conhecedor da dança, começou a exibir de forma primorosa (embora bailando ao ritmo de uma polca) o "parafuso", a "cobrinha", o "balão caindo" e outros passos, despertando a atenção dos frequentadores e do dono do cabaré, ávidos de novidades e que jamais haviam visto coreografia semelhante. Resultado: foram os dois contratados na hora, esmerando-se então Duque a estilizar a dança dos rudes maxixeiros da Cidade Nova, criando uma versão digna do público parisiense e do rival tango argentino. Isso aconteceu em 1911, segundo o memorialista Luís Edmundo, percorrendo o bailarino em trajetória ascendente casas como o Olympia, o Alhambra, o Theâtre des Capucines, o Alcazar d'Eté e o London Hippodrome, de onde partiu para o Palace, em Nova York, sob contrato de 15 mil francos mensais. Depois de Maria Lino, Duque teve como parceiras as *mademoiselles* Dorgère, Albony e Gaby, sendo esta a melhor. Com ela, dançou para o rei da Inglaterra, George V, e para o presidente da França, Raymond Poincaré.

Esgotada a sua fase de sucesso na França, onde chegou a dirigir o luxuoso Dancing Palace, no Luna Park, Duque voltou a radicar-se no Rio de Janeiro, passando a ganhar a vida como crítico teatral e empresário, tendo fundado, em 9 de setembro de 1932, a afamada Casa de Caboclo, para a apresentação de espetáculos populares.

Sem jamais ter sido aceito pela classe média, o maxixe praticamente desapareceu na década de 1930. Os motivos foram a chegada de novos ritmos americanos e o crescimento do samba, que afinal também proporciona uma coreografia sensual, porém bem mais comportada. Paradoxalmente, depois de uma presença de quase meio século na vida musical do país, o maxixe canção não deixou um grande legado. Em parte isso se deve ao fato de que, embora muitos tenham composto maxixes, não há a rigor especialistas a se destacarem no setor. As exceções, que poderiam ser Chiquinha Gonzaga e Sinhô, tiveram a maioria de seus maxixes disfarçados em outros ritmos — em tangos, os de Chiquinha, e em sambas, os de Sinhô. Aliás, disfarçados e editados. De qualquer maneira, incluindo-se algumas composições classificadas em outros gêneros, pode-se formar uma seleção de ótimos maxixes: "Corta-jaca" (Chiquinha Gonzaga), "Amapá" (Chiquinha Gonzaga), "Maxixe aristocrático" (José Nunes), "São Paulo futuro" (Marcelo Tupinambá e Danton Vampré), "Cigana do Catumbi" (J. Rezende), "Café com leite" (Freire Júnior), "Cristo nasceu na Bahia" (Sebastião Cirino), "Ora vejam só"(Sinhô), "Jura" (Sinhô), "Dorinha meu amor" (José Francisco de Freitas) e "Gosto que me enrosco" (Sinhô).

6.
A FORMAÇÃO DO CHORO

Uma invenção carioca, aperfeiçoada por gerações de músicos notáveis, o choro é o mais importante gênero instrumental brasileiro, além de constituir uma maneira de tocar que tem no improviso uma de suas características principais. Sua maior influência é a polca, que figura na gênese de outros binários. Mas é no choro que ela se faz mais presente. Tão presente que, até a década de 1910, os choros em sua maioria eram chamados de polca. Pode-se assim dizer que os nossos choros primitivos eram polcas tocadas à moda brasileira, ou seja, polcas que incorporavam a síncope do batuque. À proporção que o tempo avançou, cresceu a influência nacional, tornando o choro mais sincopado, mais próximo do samba, embora tenha permanecido, de modo geral, a forma rondó de três partes, herdada da polca. Paralelamente, evoluiu de música dançante para música virtuosística, feita para ser ouvida e apreciada.

A figura de maior expressão do período de formação do choro — denominação adotada possivelmente em razão da forma plangente utilizada na execução de choros românticos — é a do flautista e compositor carioca Joaquim Antônio da Silva Calado (1848-1880), conhecido por Caladinho ou Calado Júnior, por ser filho do músico homônimo que era mestre de banda e trompetista. Um virtuose, professor de flauta do Imperial Conservatório de Música aos vinte e poucos anos, Calado interessou-se desde cedo pelos conjuntos à base de violões e cavaquinhos. Foi desse interesse, somado ao seu espírito de organização e conhecimento musical, que surgiu a formação básica dos primeiros grupos de choro, mui justamente chamada de "choro do Calado": uma flauta ou outro instrumento solista, dois violões e um cavaquinho. Em tais grupos, geralmente, só o solista sabia ler música, cabendo aos demais improvisarem os acompanhamentos harmônicos.

Ao mesmo tempo em que tocava com esse pessoal, Calado dedicava-se à composição, tendo formado um repertório cuja maior parte se perdeu por não estar editada. Restaram porém 66 peças, em que predominam polcas e quadrilhas, várias delas com nomes femininos ("Conceição", "Ernestina", "Florinda", "Laudelina", "Manuela", "Maria", "Rosinha", "Salomé"...), o que denuncia a presença de muitas mulheres em sua vida — pelo menos como admiradoras — embora já fosse o compositor casado desde os 19 anos com uma moça chamada Feliciana Adelaide. Aliás, uma de suas admiradoras foi Chiquinha Gonzaga, a quem ele dedicou em 1869 sua primeira composição editada, a polca "Querida por todos". Curiosamente, não pertencem à série feminina suas músicas mais apreciadas: o "Lundu característico" e as polcas "Cruzes, minha prima", "Lembrança do Cais da Glória", "Linguagem do coração", "Saudosa" e "A flor amorosa".

Única de suas peças que se tornou um clássico do choro, "A flor amorosa" é uma composição ligeira e graciosa, como a maioria das polcas de Calado, não chegando a ser considerada uma obra-prima. Sua terceira parte tem uma curiosidade: reproduz um trecho da "Marcha fúnebre" de Chopin. Como foi publicada onze dias depois da morte do autor, provocou uma especulação de seu biógrafo Baptista Siqueira: seria realmente esta terceira parte de autoria de Calado? Uma mensagem fatalista, digamos, induzida pelo pressentimento da morte iminente? Ou teria sido acrescentada por outro compositor, sob o impacto do desaparecimento inesperado do colega?

Na verdade, a morte de Joaquim Calado provocou grande comoção no Rio de Janeiro. Forte e saudável, no vigor de seus 31 anos, ele era na ocasião o músico mais popular da cidade, muito solicitado para participar de festas e recitais. No auge da carreira e jamais parecendo fadado a uma morte prematura, Calado foi atingido por uma epidemia de meningo-encefalite que grassava no Rio, logo morrendo, em 20 de março de 1880, em sua casa na rua Visconde de Itaúna. Em razão do caráter contagioso da doença, poucas pessoas compareceram ao enterro.

Embora representasse grande perda, o desaparecimento de Calado aconteceu num momento em que já estava consolidada a formação dos conjuntos de choro e o uso desta palavra para designá-los. Já o emprego do termo para denominar o gênero só ocorreu quando, obviamente, este se fixou na década de 1910. No decorrer dos anos 1880, começaram a proliferar os choros (conjuntos) que, além de tocarem música para ser dançada ou apreciada, assumiram a função de acompanhadores de modinheiros e solistas de serenatas. Foi desses choros que surgiriam na Era do Rádio os chamados conjuntos regionais, de grande popularidade.

Naturalmente, a importância de Calado para a música brasileira não se restringe à sua atuação como organizador dos primitivos grupos de choro e solista número um do gênero. A conhecida flautista-pesquisadora Odette Ernest Dias o considera, ao lado do belga Reichert, o fundador da escola de flauta brasileira. Ela acha que essa escola muito deve ao "encontro da técnica virtuosística de Reichert com a malícia rítmica de Calado". Em termos musicais, "a amizade dos dois modificou e beneficiou a linguagem de ambos".

M. A. Reichert (1830-1880) é um dos mais conceituados flautistas europeus do século XIX. Filho de um músico ambulante, tocava em cafés e botequins de Bruxelas quando foi descoberto e levado para o Real Conservatório belga. Depois de firmar reputação, atuando em vários países, seria contratado por ordem de D. Pedro II para fazer música na corte brasileira. No dia 8 de junho de 1859, ele desembarcava no Rio de Janeiro em companhia de um grupo de artistas, igualmente contratados, que incluía os italianos Cavalli (trompistas) e Cavallini (clarinetista) e os holandeses Gravenstein, pai e dois filhos (violinistas).

Bem adaptado ao país, que conheceu de norte a sul em excursões, Reichert encantou-se com nossa música e expressou esse encanto em várias de suas composições. É ainda Odette Ernest Dias — autora do livro *Mathieu-André Reichert, um flautista belga na corte do Rio de Janeiro* — quem analisa algumas de suas peças: "'O rondó caractéristique' [...] parece irmão gêmeo do 'Lundu característico' de Calado [...] e tem semelhança também com o 'Lundum' apresentado por Mário de Andrade em *Modinhas imperiais*. Na polca 'La sensitive' a adoção do ritmo brasileiro sincopado se faz mais evidente ainda". E sobre a polca "La coquette", subintitulada "A faceira": "Aqui Reichert declara abertamente seu brasileirismo. O título já vem traduzido. Essa mesma 'Faceira' aparece copiada à mão nos cadernos de chorões [...] o que mostra como ela se tornou popular". Dono de uma personalidade cativante, Reichert era dado, porém, ao vício da bebida, adquirido em sua juventude boêmia na Europa. Isso arruinou cedo a sua saúde, sendo ele obrigado a viver longas temporadas na Santa Casa de Misericórdia. Por fim, decadente e envelhecido, morreria em 15 de março de 1880, vítima da mesma epidemia que mataria Calado cinco dias depois.

Uma característica predominante entre os músicos que formaram as primeiras rodas de choro, nas décadas finais do século XIX, era a sua condição de amadores, sendo eles na maioria funcionários subalternos de repartições como a Alfândega, os Correios, a Central do Brasil, o Tesouro Nacional e a Casa da Moeda. Os que eram músicos profissionais tocavam quase todos em bandas militares. Entre os chorões contemporâneos de Calado, destacam-se as figuras da maestrina-pianista-compositora Chiquinha Gonzaga, sua amiga e protegida, de Viriato Figueira da Silva e de Virgílio Pinto da Silveira. O flautista-compositor macaeense Viriato Figueira (1851-1883) seria por certo o continuador de Calado se não tivesse morrido três anos depois do mestre, de tuberculose pulmonar. Deixou algumas boas composições como as polcas "Só para moer" e "Macia", esta dedicada a José do Patrocínio. Já o flautista-cantor-compositor Virgílio Pinto da Silveira teve editadas treze composições. Outros da mesma época são os flautistas Bacuri e Jerônimo Silva, os violonistas Guilherme Cantalice e Capitão Rangel e o trompetista Soares Barbosa, todos eles compositores.

Um pouco mais para o fim do século, já no período republicano, situam-se o multi-instrumentista Irineu de Almeida (1873-1916) — chamado de Irineu Batina, por usar uma comprida sobrecasaca —, os cavaquinistas Galdino Barreto e Mário Álvares da Conceição, o Mário Cavaquinho — a quem Ernesto Nazareth dedicou a polca "Apanhei-te cavaquinho" —, o flautista Pedro Galdino, o trompetista Luís de Souza e o maestro Anacleto de Medeiros, grande organizador de bandas. Além de instrumentistas foram eles autores de excelentes composições como "Daineia", "Os olhos dela", "Morcego" (Irineu de Almeida); "Honória" (Galdino Barreto); "Teu beijo", "Soledade" (Mário Cavaquinho); "Flausina" (Pedro Galdino); "Mimo", "Corroca" (Luís de Souza); "Em ti pensando" e "Três estrelinhas" (Anacleto de Medeiros). Além desses, há Ernesto Nazareth, que enriqueceu o repertório do choro com várias obras-primas, mas que não é propriamente um chorão, sendo antes um estilizador do gênero.

7.
ERNESTO NAZARETH

Ernesto Nazareth, Chiquinha Gonzaga e Anacleto de Medeiros são as maiores figuras de nossa música popular no século XIX. Encontrando, ao entrarem em cena, a MPB ainda indefinida, os três prenunciaram em suas obras o potencial de beleza que ela poderia oferecer.

Filho de um pequeno funcionário público, Vasco Lourenço da Silva Nazareth, e de sua mulher, Carolina Augusta da Cunha Nazareth, Ernesto Júlio Nazareth nasceu no Morro do Nheco, no dia 20 de março de 1863. O Morro do Nheco, depois Morro do Pinto, situa-se no bairro carioca de Santo Cristo, entre a Zona Portuária e a via férrea da Central do Brasil. Apesar do modesto padrão de vida da família, Carolina possuía um piano e o conhecimento teórico para iniciar o filho no aprendizado do instrumento. Mas morreu prematuramente, em 1873, tendo o menino que continuar os estudos com Eduardo Madeira, um funcionário do Banco do Brasil que ensinava piano nas horas vagas. Logo superando o mestre, Nazareth iria estudar com Lucien Lambert, um renomado pianista e compositor francês aqui radicado, membro honorário do Instituto Nacional de Música. Com Lambert, deu por encerrada a fase de aprendizado com professores, passando a aprimorar sua técnica pianística por conta própria.

Em 1877, Nazareth descobriu a vocação de compositor, lado mais forte de seu talento musical, fazendo a polca-lundu "Você bem sabe", dedicada ao pai. Na ocasião tinha catorze anos e era aluno do Colégio Belmonte, na praça Tiradentes, o mesmo em que estudava Olavo Bilac. Entusiasmado com a composição, Eduardo Madeira levou-a a Artur Napoleão, que a editou. Sócio da casa homônima, ponto de encontro dos grandes músicos da época, o português Artur Napoleão dos Santos (1843-1925) foi exímio pianista e compositor. Morando no Rio de Janeiro desde 1866, tornou-se personagem marcante na história da impressão musical no Brasil.

Ernesto Nazareth (1863-1934) captou a alma do choro e a levou para o piano.

Considerando-se as peças datadas, pode-se afirmar que Ernesto Nazareth aos vinte anos já tinha, pelo menos, oito composições editadas — sete polcas e uma valsa. Daí em diante, sua produção seria contínua, num total aproximado de 220 composições, só decaindo no final da década de 1920. Depois de uma fase inicial caracterizada pelo predomínio da polca, aparece pela primeira vez em seu repertório, em 1892, a palavra "tango", na polca-tango "Rayon d'or". Essa composição abre assim a tal série de quase cem tangos, como foi visto, que é o segmento mais importante de sua obra. Tão importante que, juntamente com as polcas, constitui uma espécie de síntese da música de choro.

Ao contrário dos colegas, Nazareth não compôs simplesmente tangos, polcas, schottisches. Ele captou o esquema rítmico-melódico criado pelos chorões — enfim, a alma do choro — e o levou para o piano, estilizando-o de forma magistral. E como era grande compositor, enriqueceu-

-o com belas melodias. Uma característica peculiar de sua obra é a localização na fronteira do popular com o erudito. Um tango, como o "Brejeiro", por exemplo, se executado ao piano como o autor o escreveu, é uma peça refinada, digna de qualquer sala de concerto. Se, entretanto, é interpretada por um músico popular, passa a ser uma composição chorística autêntica, retornando às origens.

Complementa a valiosa obra que Nazareth legou à nossa música sua série de mais de quarenta valsas, uma contrapartida à altura do repertório dos grandes valsistas europeus do século XIX, como Berger, Cremieux, Waldteufel e os Strauss. Nacionalizando a influência desses compositores, mais a do próprio Chopin, perceptível em várias peças, Nazareth incorporou às suas valsas a singela melancolia brasileira das canções seresteiras. Isso pode ser apreciado em "Confidências", "Coração que sente", "Faceira", "Elegantíssima", "Eponina" e outras obras-primas.

Ernesto Nazareth herdou da mãe o piano, e do pai quase herdou a sina de funcionário público, pois em 1907 foi nomeado escriturário interino do Tesouro Nacional. O ordenado de 83 mil e 333 réis não era grande coisa, porém havia a possibilidade de uma carreira, o que significava a segurança que a profissão de músico não lhe podia dar. Na época, aos 44 anos, casado há 21, o compositor sustentava a mulher, Teodora Amália, a Dora — a quem dedicou a valsa homônima —, e quatro filhos: Eulina, Dinis, Maria de Lourdes e Ernestinho. Mas não durou muito sua passagem pelo serviço público. Chamado a prestar concurso, que o efetivaria, desistiu por não se sentir preparado em inglês. Na verdade, o que ele desejava mesmo era restringir o seu tempo às atividades musicais, isto é, dar aulas de piano, tocar em clubes, saraus familiares, lojas de música, salas de espera de cinemas — onde tinha fiéis admiradores — e, sobretudo, compor. Em 1917, Nazareth mudou-se para a então pouco habitada avenida Vieira Souto, em Ipanema. Uma enfermidade pulmonar da filha Maria de Lourdes, que, na opinião do médico, poderia regredir com os ares marinhos, determinou a mudança. Infelizmente, a moça morreu ao final do ano, um choque do qual o pai jamais se recuperou inteiramente. É possível que se tenha iniciado nessa ocasião seu processo de perturbação psíquica, que culminaria dezessete anos depois. Mesmo assim, Nazareth continuou compondo e tocando e até melhorou de vida no começo dos anos 20, ao ser contratado pela Casa Carlos Wehrs, editora musical e vendedora de instrumentos. Recebendo o ordenado de 120 mil réis, ele tocava diariamente, das 12 às 18 horas, as músicas expostas à venda.

Compositor consagrado e instrumentista virtuose — que além do mais tinha o "balanço" dos pianistas populares, conforme testemunho de Radamés Gnattali —, Ernesto Nazareth só realizou o primeiro recital com músicas exclusivamente de sua autoria aos 69 anos de idade, por incrível que isso possa parecer. Nesse concerto, que aconteceu na tarde de 5 de janeiro de 1932, no Estúdio Nicolas, na Cinelândia, ele tocou pela última vez para o público carioca.

Viúvo há quatro anos, sentindo-se no ostracismo e cada vez mais deprimido por uma surdez que mal lhe permitia ouvir o que tocava, Nazareth teve agravada a sua perturbação mental, sendo internado, em abril de 1933, na Colônia de Psicopatas Juliano Moreira, no subúrbio de Jacarepaguá. No dia 1º de fevereiro de 1934, iludindo a vigilância dos enfermeiros, ele fugiu da colônia, "trajando calça de linho branco e um paletó de pijama", segundo um jornal da época. Finalmente, na tarde do dia 4, domingo de carnaval, foi encontrado numa mata próxima, seu corpo semimergulhado nas águas rasas de um córrego. Havia equimoses no frontal direito e no supercílio e a causa mortis atestada pelo Instituto Médico Legal informava: asfixia por submersão.

8.
CHIQUINHA GONZAGA

Em julho de 1848, foi batizada na Igreja de Santana, Francisca Edwiges Neves Gonzaga —, mais tarde celebrizada como Chiquinha Gonzaga —, nascida no Rio de Janeiro em 17 de outubro de 1847. No ato, seu pai, o tenente do Exército José Basileu Neves Gonzaga, a reconheceu como se tivesse nascido de legítimo matrimônio, embora não fosse casado com sua mãe, a mestiça Rosa Maria de Lima.

Branco, filho de brigadeiro, aparentado e protegido do futuro Duque de Caxias, José Basileu teve muito que lutar para que a família aceitasse sua união com a moça de origem humilde, que lhe daria mais cinco filhos. Entrementes, propiciou a Chiquinha uma educação formal, igual a de qualquer sinhazinha no segundo reinado, que incluiu a iniciação no piano. Aos onze anos, Chiquinha fez a sua primeira composição, que, ensaiada pelo tio e padrinho, Antônio Elizeu, flautista amador, apresentou com um grupo de crianças na festa de Natal da família. Tratava-se de uma musiquinha ingênua, "Canção dos pastores", em louvor ao Menino Jesus, com versos de seu irmão Juca, de nove anos de idade.

Os Neves Gonzaga formavam uma família honesta, com amigos importantes, mas uma família pobre, sem acesso aos privilégios que uma convivência com a corte poderia oferecer. Um bom casamento para a filha mais velha poderia, assim, funcionar como meio de ascensão social. Acontece que essa filha chamava-se Chiquinha Gonzaga, que já na adolescência demonstrava possuir temperamento rebelde e decidido. Conta sua biógrafa, Edinha Diniz, que reminiscências familiares revelam ter sido a compositora "uma moça trigueira e danada, que namorava até padre". De qualquer modo o casamento se realizou: a noiva com 16 anos, o noivo, Jacinto Ribeiro do Amaral, com 24. Louro, elegante, de compleição atlética, Amaral era um rapaz rico, muito ocupado com a administração dos negócios herdados do pai português. Em casa, a exemplo da maioria dos homens da época, exigia da mulher dedicação integral, enquanto esta teimava em devotar dedicação integral ao... piano. O resultado foi o fim do casamento após cinco anos de desavença, com Chiquinha abandonando o marido, o que lhe valeu o afastamento definitivo da família.

Assim, aos 21 anos, mãe de três filhos, dos quais apenas o primeiro, João Gualberto, desejou criar, Chiquinha estava livre para começar uma nova vida. Mas, apesar de bem-recebida no meio musical carioca, onde seria cortejada por Joaquim Calado, ela logo estaria deixando a cidade. O motivo foi um novo relacionamento amoroso, que iniciara com o engenheiro João Batista de Carvalho Júnior. Bem-apessoado, dado a conquistas galantes e à vida mundana, Carvalho seria a grande paixão de Chiquinha. A situação dos dois, entretanto, vivendo juntos sem serem casados, era intolerável para a sociedade da época, principalmente porque o rapaz fora frequentador assíduo da casa de Jacinto do Amaral. A solução do problema veio com a contratação do engenheiro para trabalhar na construção da Estrada de Ferro Mogiana, em Minas Gerais.

Novamente de volta ao Rio, depois de uma segunda união fracassada e com mais uma filha — que deixou com Carvalho —, Chiquinha Gonzaga começa em 1877 sua vida profissional como musicista e compositora. E começa lançando uma de suas mais inspiradas composições, a polca "Atraente", que é anunciada no *Jornal do Comércio* em 7 de fevereiro. Feita durante uma reunião de chorões na residência de Henrique Alves de Mesquita, "Atraente" ajudou, com uma boa vendagem, na instalação da autora em uma modesta casa alugada na rua da Aurora (depois General Bruce) em São Cristóvão. Chiquinha, porém, não poderia manter-se, e ao filho, somente com a venda de partituras. Por isso passou a tocar em bailes (a 10 mil réis por noite) e a lecionar piano. Tudo com a ajuda inestimável do amigo Calado, que, além de abrir-lhe as portas do meio musical e arranjar-lhe alunos, a incluía sempre que possível em seu próprio conjunto. Foi seguindo a sua orientação, observando o seu estilo de compor e tocar, que ela tornou-se a primeira profissional a levar o choro para o piano.

Enquanto se sucediam os sucessos de Chiquinha Gonzaga — as valsas "Desalento" e "Harmonias do coração", as polcas "Sultana" e "Não insistas, rapariga", o tango "Sedutora" —, firmando-lhe o prestígio de compositora e popularizando-lhe o nome, crescia o repúdio ao seu comportamento contestador e independente. Desafiar as convenções sociais era naquele tempo um procedimento imperdoável, que irritava as pessoas, ainda mais sendo, como era a desafiante, uma mulher jovem, bonita e talentosa. Daí, começaram a aparecer as anedotas, as paródias debocha-

Além de seu valor artístico, Chiquinha Gonzaga (1847-1935) foi uma contestadora dos costumes de seu tempo, desafiando preconceitos e incompreensões.

das, as historinhas maledicentes sobre os feitos de "Chica Polca". Mas, ignorando os detratores, ela seguiu em frente com seus hábitos boêmios, frequentando com os amigos a noite dos cafés-concerto e vivendo fortuitos casos amorosos.

O período de maior rejeição à figura de Chiquinha iria declinar no fim da década de 1880, quando ela chega aos quarenta anos e amadurece como compositora e cidadã. É então que participa das campanhas abolicionista e republicana, além de começar a se destacar como criadora de composições para o teatro musicado. Essa atividade acabaria por se tornar a vertente mais importante de sua obra, consolidando-lhe o prestígio musical.

São inúmeras as peças de sucesso musicadas por Chiquinha Gonzaga, em parceria com outros compositores — *Abacaxi*, *A mulher ho-*

mem, *Amapá*, *Cá e lá* — ou sozinha — *Não venhas*, *A bota do diabo*, *Pudesse esta paixão*, *A sertaneja*, *Juriti* e a popularíssima *Forrobodó*, seu maior êxito, recordista de representações e montagens. Para essas peças — operetas, burletas, revistas — ela fornecia todo o tipo de composição, sendo, porém, quase obrigatória a presença de maxixes, depois editados na maioria como tangos. É, por exemplo, de duas dessas peças — *Zizinha Maxixe* e *Cá e lá* — o tango "Gaúcho", mais conhecido como "Corta-jaca", ou "Dança do corta-jaca", na verdade, um sacudido maxixe, sucesso nacional nos primeiros anos do século XX. Foi o "Corta-jaca" pivô involuntário de uma crise política no final do governo Hermes da Fonseca. Interpretado ao violão pela primeira-dama, Nair de Teffé, numa recepção no palácio do Catete, em 26 de outubro de 1914, provocou faniquitos de indignação na oposição, tendo Rui Barbosa se manifestado em preconceituosa arenga na tribuna do Senado: "Mas o corta-jaca, [...] que vem a ser ele, Senhor Presidente? A mais baixa, a mais chula, a mais grosseira de todas as danças selvagens, irmã gêmea do batuque, do cateretê e do samba. Mas nas recepções presidenciais o corta-jaca é executado com todas as honras de música de Wagner, e não se quer que a consciência deste país se revolte, que as nossas faces se enrubesçam e que a mocidade se ria!".

Chiquinha Gonzaga deixou mais de trezentas composições, das quais podem ser destacadas — além das já mencionadas — os tangos "Bionne", "Faceiro", "Tupã", "Não se impressione", "Bijou" e "Água de vintém"; as polcas "Anita", "Catita" e "Camila"; as valsas "Genéa", "Plangente", "Pudesse esta paixão", a cançoneta "Machuca", a modinha "Lua branca" (originalmente "Siá Zeferina"), e a marcha-rancho "Ó abre alas". Com esta marcha, composta em 1899, Chiquinha antecipou-se em quase vinte anos à prática de fazer-se música para o carnaval.

Com uma situação financeira que lhe permitiu três viagens à Europa, a compositora teve uma velhice tranquila, embora salpicada por alguns entreveros familiares. Alcançando afinal o reconhecimento de sua obra e de sua importância para a música brasileira, Chiquinha viveu o último estágio da vida cercada da admiração e do aplauso de todos. Pioneira na luta pela defesa dos direitos autorais e uma das fundadoras da Sociedade Brasileira de Autores Teatrais (SBAT), elegeu como sua principal distração nos últimos anos as visitas que fazia a esta associação para conversar com os colegas e inteirar-se das novidades.

Mas, mesmo na maturidade, Chiquinha Gonzaga manteve-se fiel ao seu temperamento e à sua ética pessoal, ao levar para casa e apresentar à sociedade como filho adotivo um novo amante de 16 anos de idade. Isso aconteceu em 1899, quando ela, com 52 anos, conheceu no clube Euterpe o adolescente português João Batista Fernandes Lage, o Joãozinho, músico amador, e seu auxiliar na organização dos concertos do clube. Dessa convivência nasceu uma paixão, que os uniu até a morte da maestrina. Apesar da grande diferença de idade, João Batista manteve-se sempre leal, cumprindo, além do mais, as funções de secretário e acompanhante da velha senhora. Chegou até a registrar-se como seu filho, segundo a biógrafa Edinha Diniz.

Chiquinha Gonzaga morreu aos 87 anos de idade, no dia 28 de fevereiro de 1935.

9.
ANACLETO DE MEDEIROS E AS BANDAS

Dezenove anos mais moço do que Chiquinha, Anacleto Augusto de Medeiros nasceu na rua dos Muros (depois Príncipe Regente), na ilha carioca de Paquetá, em 13 de julho de 1866. Filho natural da escrava liberta Isabel de Medeiros, recebeu o nome incomum de Anacleto, em homenagem ao santo do dia de seu nascimento.

Mulato dotado de forte vocação musical, como seus antecessores Mesquita e Calado, foi estimulado a desenvolvê-la pelo padrinho e protetor, doutor Pinheiro Freire, começando os estudos com o maestro Santos Bocot, quando aprendiz no Arsenal de Guerra. Transferindo-se para a Imprensa Nacional, lá fundou com vários colegas o Clube Musical Guttenberg. Em 1884, já tocando flautim e saxofone, matriculou-se no Conservatório de Música, onde foi aluno do clarinetista Antônio Luís de Moura e colega do futuro grande compositor Francisco Braga, recebendo em 1886 o diploma de professor de clarinete.

Com experiência na formação de conjuntos musicais, adquirida na própria Paquetá, onde fundara o Recreio Musical Paquetaense, Anacleto foi convidado em 1896 pelo comandante do Corpo de Bombeiros do Rio de Janeiro, tenente-coronel Eugênio Jardim, para organizar e dirigir a banda da corporação. Com autonomia para trabalhar, ele convidou para integrar a banda músicos de competência reconhecida, como Luís de Souza e Casemiro Rocha (cornetim), Edmundo Otávio Ferreira (requinta), Manoel Salgado (fagote), João Ferreira de Almeida (bombardino) e Oscar José Luís de Souza (saxofone). O resultado foi que ao estrear, em 5 de novembro de 1896, na inauguração da sede do 4º Batalhão de Incêndio, no largo do Humaitá, a banda já exibia um padrão que a classificaria entre as melhores do país. Tanto assim que poucos anos depois estaria participando dos primeiros lançamentos de discos brasileiros, com dezenas de gravações.

As bandas militares brasileiras só começaram a existir de forma organizada a partir da permanência da corte portuguesa no Rio de Janei-

Músico, arranjador e líder de bandas, Anacleto de Medeiros (1866-1907) foi sobretudo um inspirado compositor.

ro, no início do século XIX. Assim, já se tem notícia da presença, em 1818, de numerosa banda de música nos festejos da aclamação, como rei, do príncipe D. João. No começo restrita aos regimentos da guarnição da corte, a formação dessas bandas, depois da Independência, passou a se estender às outras unidades. Então com a prática difundida no país, as bandas militares assumiram na segunda metade dos oitocentos nas grandes cidades a função de principais difusoras da música instrumental, marcial e popular, enquanto nas cidades menores esta tarefa era desempenhada pelas bandinhas civis.

Convidadas para tocar, a qualquer pretexto, nos mais diversos lugares, essas bandas acabaram concorrendo para o desaparecimento da chamada música de barbeiros. Surgido na Bahia e no Rio de Janeiro no século XVIII, esse precário modelo de conjunto musical, integrado basicamente por negros e mulatos, escravos ou descendentes de escravos, era a única opção com que contava a população para levar música aos seus festejos. Diga-se de passagem que o costume dos barbeiros exercerem paralelamente vários ofícios — arrancavam dentes e realizavam sangrias, além da atividade musical — não nasceu no Brasil, tendo a sua origem na Europa medieval.

Compositores na maioria, nenhum de nossos mestres de banda chegou a igualar-se a Anacleto, que criou boa parte de sua obra ao assumir a banda dos bombeiros. Deixando cerca de noventa composições, todas essencialmente instrumentais, ele revelou-se um ótimo melodista e harmonizador, dentro da aparente singeleza de suas concepções. Um exemplo disso é a schottisch "Iara" — que serviu de tema ao "Choros nº 10", de Villa-Lobos — sucesso absoluto na forma instrumental e depois transformada por Catulo da Paixão Cearense na canção "Rasga o coração", também de grande sucesso. Outras boas schottisches de Anacleto são "Benzinho" e "Implorando", que, ainda com letras de Catulo, passaram a se chamar "Sentimento oculto" e "Palma de martírio". Aliás, seu biógrafo, Baptista Siqueira, o considerava sistematizador da schottisch brasileira. Obras-primas de sua autoria são também as valsas "Terna saudade", "Farrula" e "Predileta"; as polcas "Três estrelinhas", "Quiproquó", "Em ti pensando" e "Buquê"; o tango "Os Boêmios" e os dobrados "Jubileu", "Avenida", "Pavilhão" e "Arariboia". Fora da música popular, deixou algumas peças sacras, como um *Te Deum*, cantado nas igrejas de Paquetá.

Orquestrador, instrumentista — preferia o sax soprano, mas dominava a maior parte dos instrumentos de sopro —, compositor, regente, Anacleto unia essas qualidades ao dom de transmitir com facilidade conhecimentos aos seus músicos. A vocação de educador o levaria a dirigir não só a Banda do Corpo de Bombeiros, mas também outras bandas, como a de Magé e as das fábricas Confiança e Bangu, além de diversos pequenos conjuntos particulares. Antigos moradores de Bangu relembravam, muitos anos depois, sua figura desfilando compenetrada à frente da banda da fábrica nos festejos do bairro. Essas bandas operárias chegaram a constituir no Rio de Janeiro uma tradição, desaparecida na década de 1920.

Solteiro, sem filhos, Anacleto morreu em consequência de uma insuficiência cardíaca, aos 41 anos, no dia 14 de agosto de 1907. Conviveu com os maiores músicos de seu tempo, era admirado por Villa-Lobos e Carlos Gomes, que o chamava de "meu caboclo".

10.
A MODINHA E O LUNDU NO FINAL DO SÉCULO XIX

No final do século XIX, a modinha democratiza-se e ganha as ruas nas vozes dos cantores de serenatas. Esse período, em que ela vive o seu momento de maior prestígio, estende-se por cerca de quarenta anos, a partir de 1870. Realizando, então, sem diminuição de seu teor romântico, a troca do acompanhamento pianístico pelo violonístico e a adoção do ritmo ternário, a modinha adquiriu uma caracterização bem mais brasileira e popular, o que lhe facilitaria o sucesso. Também simplificou sua grande variedade de planos, agora restritos, basicamente, à forma de três estrofes ou à de estrofe e refrão.

Um aspecto curioso desse processo renovador são as parcerias que ocorreram entre músicos do povo e poetas ilustres, ressaltadas por José Ramos Tinhorão no livro *História social da música popular brasileira*. Entre essas parcerias pode-se citar a do poeta carioca Laurindo Rabelo com o cantor e violonista João Luís de Almeida Cunha, o Cunha dos Passarinhos. Mestiço, de sangue cigano e origem muito pobre, Laurindo José da Silva Rabelo (1826-1864) — chamado de Poeta Lagartixa por ser magro e desengonçado — foi infeliz em sua curta existência, fracassando na Medicina, que tentou sem vocação. Ao contrário, mesmo desgastado pela boemia, conseguiu se impor no terreno da poesia com uma obra em que intercalava sofrimento e pessimismo com sátira e bom humor, característica que reproduziu nas modinhas e lundus.

Intérprete ele mesmo de suas composições, além de conversador mordaz e espirituoso, Laurindo era sempre o centro das atenções onde quer que estivesse, nos meios boêmios ou na loja de Paula Brito, na praça da Constituição (Tiradentes), ponto de encontro dos intelectuais do Rio de Janeiro. Aliás, Francisco de Paula Brito, editor, livreiro, jornalista e poeta, foi também letrista, sendo parceiro de Francisco Manoel no "Lundu da marrequinha" (como foi visto) e de José Joaquim Goiano no lundu "Ponto final".

Laurindo Rabelo deixou pelo menos umas quinze ou vinte composições musicadas por João Cunha (como as modinhas "De ti fiquei tão escravo", "A despedida", "Que queres mais", "Dá-me um beijo", "O cego do amor"), além de outras com Henrique Alves de Mesquita ("Moreninha"), Januário da Silva Arvellos ("O desalento"), ou sem parceiros ("Se eu fora poeta"). Há ainda os lundus da "Romã", da "Bengala" e do "Gosto que excede a todos", citados por seu biógrafo, Melo Moraes Filho (tio-avô de Vinicius de Moraes), e que teriam música do velho Cunha.

O movimento de renovação da modinha desenvolveu-se paralelamente no Rio e na Bahia, de onde saiu o mais importante compositor e cantor de modinhas e lundus da época, o também ator Xisto Bahia de Paula (1841-1894). Filho do major Francisco de Paula, um veterano das campanhas Cisplatina e da Independência, o mulato Xisto Bahia nasceu e cresceu em Salvador, na Fortaleza de Santo Antônio de Além do Carmo, administrada por seu pai. Dono de uma bela voz de barítono, que o fez seresteiro, iniciou ainda adolescente sua vida artística em 1858.

Representando, compondo, cantando e se acompanhando ao violão, ele já era bem conhecido na Bahia quando, em 1862, foi contratado pela companhia do ator Couto Rocha para uma excursão ao Norte, excursão essa que se prolongou por mais de dez anos. Apesar de uma crise depressiva — que o levou a ser vaiado no Ceará —, Xisto Bahia conseguiu nesse período consolidar a sua reputação artística, regressando consagrado à Bahia em 1873.

Finalmente, com muita disposição para vencer, chegou ao Rio em 1875, onde estreou em janeiro na companhia Vicente Pontes de Oliveira, ao lado da conterrânea Clélia Araújo. Num meio onde ainda predominavam as composições do falecido Laurindo Rabelo, Xisto logo se mostrou um rival à altura do poeta carioca, destacando-se simultaneamente nos palcos e nos salões aristocráticos. E tanto quanto o cantor-compositor, brilhava também o ator, que, em nova excursão, inaugurou em 15 de fevereiro de 1878 o Teatro da Paz, em Belém do Pará.

Por toda a década de 1880 continuaram de forma intensa suas atividades musicais e teatrais. Atuando em variados papéis ou até mesmo cantando nos entreatos das peças, Xisto trabalhou para companhias como Furtado Coelho, Braga Júnior, Souza Bastos, Fanny Vernaut, Jacinto Heller e Guilherme da Silveira. Uma de suas glórias na época, relembrada pelo historiador Ary Vasconcelos, foi um elogio que mereceu do Imperador Pedro II, em carta à Duquesa de Barral, sobre a sua participação em um espetáculo comemorativo da Batalha de Riachuelo: "gostei de um cômico chamado Xisto Bahia. [...] Declamou com muito talento a descrição da Batalha de Riachuelo".

Mas, apesar do sucesso nacional, Xisto chegou a 1891 cansado e desiludido da vida artística, pedindo e conseguindo do presidente do Estado do Rio, Francisco Portela, sua nomeação para um modesto posto de amanuense na penitenciária de Niterói. Durou pouco, entretanto, sua tentativa de abandonar o teatro. Em 1892, com a deposição de Portela, o amanuense foi demitido, voltando ao palco no elenco da Companhia Garrido. No ano seguinte, depois de decepcionar-se com o cancelamento de uma temporada em Lisboa, adoeceu gravemente e se mudou a conselho médico para a cidade de Caxambu, onde morreu em outubro de 1894. Casado com a atriz portuguesa Maria Vitorina de Lacerda Bahia, deixou quatro filhos.

Artista intuitivo, incapaz de ler uma nota musical, Xisto Bahia foi um dos compositores mais cantados pelos brasileiros no final do século XIX. Isso porque, além de criativo, conhecia bem o gosto popular, sabendo como explorar a malícia dos lundus e o sentimentalismo das modinhas. Entre suas composições que ficaram — muita coisa se perdeu por falta de impressão ou entrou para o folclore — destacam-se as modinhas "Quis debalde varrer-te da memória" (com Plínio de Lima), um clássico do gênero, "Que valem as flores", "Ainda e sempre", "As duas flores" (sobre versos de Castro Alves), "A luz dos teus olhos", "Minha dor" e "Sê clemente" (com Joaquim Serra); os lundus "O mulato", "O pescador" (com Artur Azevedo), "A preta mina", "Tirana" (sobre versos de Castro Alves), "O homem" e "Isto é bom", gravado no primeiro disco brasileiro, a canção "A mulata" (com Melo Moraes Filho) e o arranjo do tema popular "O camaleão".

Outros autores importantes de modinhas e lundus na segunda metade do século XIX são Miguel Emídio Pestana, que virou personagem de Machado de Assis no conto "Um homem célebre" e escreveu os clássicos "A casa branca da serra" (com Guimarães Passos) e "Bem-te-vi" (com Melo Moraes Filho), modinha conhecida pelo verso inicial "À sombra frondosa de enorme mangueira"; Januário da Silva Arvellos, que era filho do músico homônimo e tocava piano e órgão (as modinhas "Uma chaga me abriste no peito", "Donzela, por piedade não me perturbes" e os lundus "A feijoada", "Os fandangos da baiana" e "A lavadeira"); José Martins de Santa Rosa, também pianista (as modinhas "Quem és tu", com Melo Moraes Filho, "Marília, teus olhos tristes", com J. Veríssimo da Silva, e "No meu rosto ninguém vê"); o pródigo Cazuzinha (José de

Souza Aragão), baiano de Cachoeira, violinista e regente, que compôs mais de cem modinhas (entre elas "Minha lira", "Os sonhos", "Tarde e bem tarde", "Caso de amor tão fingido", "As baianas", com Tito Lívio, e "A mulher cheia de encantos"); Salvador Fábregas ("O gondoleiro do amor", sobre versos de Castro Alves), "Ó virgem" (com Ernesto França Filho); o português Francisco de Sá Noronha, que teve participação importante na vida musical carioca (são dele as modinhas "A ti" e "Meu fiel juramento" e o lundu "Um jogo"); o mineiro Venancinho Costa (modinhas "Desejo" e "Despedida"); os baianos José Bruno Correia (modinha "O meu penar"), João G. Efrem (modinha "Quando os teus olhos"), Francisco Magalhães Cardoso (modinhas "Vai, ó sensível saudade" e "Do que me serve esta vida"), os irmãos Silveira Sales: Possidônio, Olegário e Guilherme, sendo este padre; e, finalmente, João Luís de Almeida Cunha, que, sem parcerias, fez também belas composições, como as modinhas "Acorda, escuta", "Por teu riso" e "Descrença" e o lundu "O banqueiro".

Eventuais compositores de modinhas foram os ilustres Henrique Alves de Mesquita, Chiquinha Gonzaga, Artur Napoleão e Carlos Gomes, autor do célebre "Quem sabe", com Bittencourt Sampaio, que teria sido inspirada por uma jovem campineira de nome Ambrosina. Houve ainda diversos anônimos, que deixaram clássicos como "Elvira, escuta", "Mucama" (sobre poema de Gonçalves Crespo) e "Perdão, Emília", que o pesquisador e modinheiro Paulo Tapajós atribuía à dupla José Henrique da Silva e J. Pedaço.

A última grande figura de nossa música popular a aparecer no século XIX foi Catulo da Paixão Cearense. Letrista prolífico, afamado já nos anos noventa, quando o público tomou conhecimento de seus primeiros livros de modinhas, ele atingiu o auge da carreira na década seguinte, tornando-se famoso nacionalmente.

No início do século XX, quando a valsa com letra começou a se popularizar no Brasil, este gênero passou pouco a pouco a ocupar o espaço da modinha como expressão maior da canção de amor. Fenômeno parecido aconteceu com o lundu, muito usado em quadros do teatro musicado até a década de 1890, e que a partir de então praticamente desapareceu, cedendo lugar ao maxixe.

11.
A ENTRADA EM CENA DO TEATRO DE REVISTA

Artur Azevedo, nosso primeiro grande revistógrafo, definiu em versos o teatro de revista: "Pimenta, sim, muita pimenta/ e quatro ou cinco ou seis lundus/ chalaças velhas, bolorentas/ pernas à mostra e seios nus...". Complementando a definição zombeteira, pode-se dizer que o gênero foi, em seus tempos áureos, uma forma de espetáculo cômico-musical em que se mesclava a sátira política e social com a exploração de um humor livre, malicioso, e a exibição generosa da plástica das atrizes.

Focalizando acontecimentos marcantes do ano — daí a classificação "*revue de fin d'année*" —, o teatro de revista nasceu em Paris no início do século XIX, passando em seguida a países como a Espanha, a Inglaterra e a Alemanha, para alcançar Portugal em 1856. Três anos depois, em janeiro de 1859, chegou ao Brasil. Chegou e foi mal recebido, pois a peça pioneira, *As surpresas do Sr. José da Piedade*, de autoria do funcionário do Tesouro Nacional Justino de Figueiredo Novaes, ficaria apenas três ou quatro dias em cartaz. O cancelamento teria acontecido por falta de público ou, como acreditava Artur Azevedo, por proibição policial. Encenada no Teatro Ginásio e referindo-se a fatos de 1858, a revista tinha dois atos e muitos personagens, entre os quais o roceiro José da Piedade, o Tenente Baiacu, um astrônomo, um dentista leiloeiro, um tocador de realejo e um marinheiro inglês.

A partir de então, e até 1875, não houve revistas no teatro brasileiro. Isso, porém, não significou a ausência de música popular nos palcos, pelo menos no Rio de Janeiro. O principal supridor de canções às noites cariocas do período foi o café-cantante Alcázar Lyrique, inaugurado em fevereiro de 1859 e mais tarde transformado em Teatro Lírico Francês, sob a direção de Joseph Arnaud. Enquanto os teatros São Pedro e Lírico Fluminense se restringiam ao repertório operístico, o Alcázar oferecia música ligeira para todos os gostos, trazendo para a rua da Vala (atual Uruguaiana), onde funcionava nos números 47, 49 e 51, as últimas novidades parisienses. E com as novidades vinham os músicos, os comediantes e... as vedetes.

Segundo o crítico Mário Nunes (na obra *40 anos de teatro*, vol. I), o Alcázar "remodelou os hábitos burgueses da cidade e propagou o gosto pelos espetáculos ligeiros, de moral pouco exigente". Ajudou mesmo a criar a vida noturna e a primeira geração de boêmios do Rio — formada por velhos senhores endinheirados e jovens candidatos a galã —, que se digladiava pelo amor daquelas francesas. Num meio fascinado por tudo que chegava de Paris, gozaram de real prestígio vedetes como Suzana de Castera, Rose Mignon, Josephine Rossi, Rose Marie, Lilia Desaiques e a famosa Aimée, que teria regressado rica à Europa. Por sua causa, o ciumento comerciante português Antônio Teixeira de Melo matou a tiro, na porta do teatro, o soldado de polícia José Borges Ribeiro. Mas houve também desfechos mais amenos para os romances de nossos boêmios, como, por exemplo, o de Juca Paranhos com a corista belga Marie Stevens, que acabou em casamento depois do nascimento de uma criança. Juca seria no futuro o Barão do Rio Branco (José Maria da Silva Paranhos Júnior), nosso grande chanceler.

O sucesso do Alcázar concorreu certamente para que o povo aceitasse o teatro de revista. Só que a aceitação aconteceu paulatinamente, ao longo de alguns anos. Assim, não foram animadoras as primeiras tentativas de relançar o gênero, efetuadas pelo cômico Antônio de Souza Martins e a Empresa Heller, que, respectivamente, estrearam a *Revista do ano de 1874*, em 1º de janeiro de 1875, e a comédia-revista *Rei morto, rei posto*, quatro dias depois. Assinadas pelo maranhense Joaquim Serra, ambas as peças tiveram fria acolhida do público, embora a segunda chegasse a merecer uma crítica elogiosa de Machado de Assis.

A situação começou a melhorar em 1878, quando a companhia do ator José Antônio do Vale lançou *O Rio de Janeiro em 1877*, peça que marcou a estreia como revistógrafo de Artur Azevedo, ao lado do português Lino de Assunção. Com marchas e lundus compostos pelo maestro João Pedro Gomes Cardim, também português, o espetáculo alcançou relativo sucesso. Agradou, inclusive, o General Osório, herói militar muito popular na época, caricaturado no palco pelo artista Rangel.

Posteriormente, já familiarizado com o padrão das revistas de Lisboa, Madri e Paris, que conheceu em uma viagem à Europa em 1882, Artur Azevedo juntou-se a Moreira Sampaio para escrever *O mandarim* e *Cocota*, sendo a primeira lançada em 1884 e a segunda em 1885. Essas duas revistas obtiveram, afinal, o sucesso que firmou o gênero e consagrou a parceria Azevedo-Sampaio. Teve *Cocota* ainda o mérito de apresentar, segundo José Ramos Tinhorão, a primeira música a tornar-se popular a partir do nosso teatro de revista, o lundu "Araúna" ou "Chô, Araúna", de autor desconhecido. A música era cantada pelo tenor Felipe de Lima.

Nas quatro revistas de 1886 — *A mulher homem*, de Valentim Magalhães e Filinto D'Almeida, *O bilontra* e *O carioca*, de Artur Azevedo e Moreira Sampaio, e *Há alguma novidade?*, de Moreira Sampaio — novas composições se destacaram. Explorando o hilário caso de um sujeito que, vestido de mulher, empregou-se como doméstica, *A mulher homem* ficou marcada pelo tango "Bilontra da Cidade Nova". Ainda sobre o mesmo episódio, a revista *O bilontra*, que chegou a cem representações, entrou para a história com o lundu "Recreio da Cidade Nova", de Gomes Cardim, cujo refrão "Ataca, Felipe!" caiu no gosto do povo. Felipe era o empresário Felipe José, dono de um teatrinho de nome idêntico ao do lundu. Em *O carioca* o sucesso foi o relato de um golpe sofrido pelo comendador Joaquim José de Oliveira, que comprou de um escroque um título de barão. A vigarice era contada em versos de Artur Azevedo sobre a melodia de "La Donna é Mobile", do *Rigoletto* de Verdi, de nada adiantando os protestos aflitos do comendador. Por fim, "Há alguma novidade?", era uma cançoneta cômica de Chiquinha Gonzaga e Moreira Sampaio, que o revistógrafo aproveitou como tema para a peça.

Aliás, a cançoneta, um gênero leve e espirituoso, geralmente satírico, chegou ao Brasil na década de 1860, diretamente importada da França pelo pessoal do Alcázar Lyrique. Aqui, abrasileirada e adaptada às exigências de nossas revistas, tornou-se presença constante nos palcos por mais de meio século, só decaindo na década de 1920, quando apareceu a marchinha. Ainda assim, aparece esporadicamente no repertório de artistas nos anos 30, como Carmen Miranda, que gravou "Tenho um novo namorado" e "Espere que preciso me pintar", cançonetas de Desmond Gerald.

Dos espetáculos mostrados em 1887 e 1888, fez sucesso somente um número musical, a cançoneta "A missa campal". Cantada por Machado Careca na revista *1888*, de Oscar Pederneiras, a composição focalizava o piquenique de uma família em São Cristóvão, com versos do próprio Pederneiras sobre uma melodia francesa de L. C. Desormes.

Sucesso maior, entretanto, jamais superado por outra composição de nosso teatro musicado no século XIX, foi a cançoneta (ou tanguinho) "As laranjas da Sabina", da revista *A República*, dos irmãos Artur e Aluísio

Azevedo. Integrando um alentado repertório, que incluía músicas de compositores como Abdon Milanez, Francisco Manoel da Silva, Henrique Alves de Mesquita, Offenbach e até Carlos Gomes, "As laranjas da Sabina" glosava um incidente criado por um subdelegado de polícia, Jácomo D'Azzali, com estudantes de Medicina. Em represália a uma vaia sofrida por um ministro à porta da faculdade, que funcionava anexa à Santa Casa, na rua Santa Luzia, o desastrado Dr. Jácomo resolveu proibir o comércio de laranjas da velha Sabina, uma escrava alforriada, que tinha o seu tabuleiro frequentado pelos alunos da escola. O resultado foi uma ruidosa passeata, misto de protesto e gozação, organizada pelos estudantes, com a Sabina vivendo o seu dia de glória, ao desfilar sob aplausos da multidão. Com letra de Artur Azevedo e música de Francisco Carvalho, a cançoneta foi cantada na revista pela atriz Anna Manarezzi (grega, apesar do nome), em um quadro que marcaria, talvez, a primeira aparição no palco de uma artista vestindo traje típico de baiana. Em tempo: a venda das laranjas foi prontamente restabelecida e o subdelegado demitido.

Pródiga em boas revistas — *O tribofe* (1892), *O major* (1895) e *A fantasia* (1896), de Artur Azevedo, *O Rio nu* (1896), de Moreira Sampaio, *Zizinha Maxixe* (1897), de Machado Careca, e a portuguesa *Tim tim por tim tim* (1892), de Souza Bastos — a década de 1890 teve poucas canções oriundas do teatro cantadas pelo povo. A verdade é que a vasta produção musical para as revistas da época — assinada por figuras como Assis Pacheco, Chiquinha Gonzaga e Nicolino Milano, entre outros — nascia e morria no palco, ao contrário do que aconteceria alguns anos mais tarde, quando o nosso teatro musicado viveu os seus melhores momentos. A rigor, ficaram desses últimos dez anos do século os sucessos do tango "Gaúcho", de Chiquinha Gonzaga, cantado e dançado em *Zizinha Maxixe* por Machado Careca e Maria Lino, e do lundu "O Mungunzá", do maestro luso Fernando Carvalho, consagrado pela espanhola Pepa Ruiz em *Tim tim por tim tim*.

12.
OS PRIMÓRDIOS DO DISCO NO BRASIL

A era do disco no Brasil começa em agosto de 1902. Nos dias 2 e 5 daquele mês a *Gazeta de Notícias*, o *Jornal do Brasil* e o *Correio da Manhã* publicavam um anúncio da Casa Edison, comunicando a chegada ao Rio de Janeiro da "maior novidade da epocha, as chapas para gramophones e zonophones, cantadas pelo popularíssimo Bahiano e apreciado Cadete". Essas chapas, num total de 228, compunham o primeiro catálogo de discos brasileiros (de 76 rotações por minuto), gravados pelo sistema mecânico em um estúdio montado na própria Casa Edison (rua do Ouvidor, 105) e prensados em Berlim pela International Zonophone Co.

Divididos em duas séries, a de número 10000 (de sete polegadas de diâmetro) e a de número 1000 (de dez polegadas), e utilizando a marca Zon-O-Phone, os discos registravam modinhas, lundus, tangos, valsas e dobrados — na maioria interpretados pelos citados Bahiano e Cadete e a Banda do Corpo de Bombeiros —, além de catorze discursos de personalidades, lidos por locutores da casa. Entre as músicas gravadas estavam vários sucessos do século recém-terminado como "As laranjas da Sabina", "Perdão, Emília", "O gondoleiro do amor" e o lundu "Isto é bom", que, cantado pelo Bahiano, ocupava uma face do primeiro disco (nº 10001) da série menor.

Ao trazer para o Brasil a tecnologia de uma grande empresa internacional, criando as bases de nossa indústria fonográfica, apenas seis anos depois de ter sido iniciada a comercialização do disco, o dono da Casa Edison, Frederico Figner, foi o primeiro indivíduo a acreditar no potencial de vendagem de gravações da música brasileira. Acreditou e acertou, pois a sua empresa dominaria o nosso mercado fonográfico pelos próximos trinta anos.

Filho de família judia, Fred Figner (1866-1946) nasceu na Boêmia, província da atual República Tcheca, de onde emigrou muito jovem para os Estados Unidos. Aos 25 anos, já negociando com fonógrafos, percorreu vários países da América Latina, para finalmente desembarcar no Rio de Janeiro em 24 de abril de 1892, depois de passar por diversas cidades do Norte e Nordeste brasileiros. Oito anos mais tarde fundou a Casa Edison. Nesse ínterim, além de fonógrafos e rolos para gravação do som, ele explorou espetáculos de ilusionismo, como o da famosa Inana, mulher que parecia flutuar no ar graças a um engenhoso jogo de espelhos. A mágica alcançou tal sucesso que originou o dito popular "vai começar a Inana".

A Casa Edison vendia máquinas de escrever, geladeiras, fonógrafos, gramofones, cilindros e discos importados. Antes de lançar o disco brasileiro, vendeu também cilindros gravados por vários artistas que estariam em seu primeiro suplemento discográfico. A propósito, no Brasil a prática da gravação comercial em cilindro começou em 1897, com o próprio Figner, que teria como concorrente o negociante português Artur Augusto Vilar Martins, dono da casa Ao Bogary.

Figner substituiria em seus discos a marca Zon-O-Phone pela Odeon em 1904, ano da criação desta marca na Alemanha. Produzindo mais discos do que todas as concorrentes reunidas, a Casa Edison consolidou sua hegemonia no mercado a partir de abril de 1913, quando sua fábrica entrou em funcionamento no bairro carioca da Tijuca, instalada pelos técnicos da International Talking Machine Co.

Outras empresas fonográficas que tentaram a sorte no Brasil no início do século foram a Casa Faulhaber, a Brazil-Grand Record, a Savério Leonetti (dos discos Gaúcho), a Popular, a Phoenix e as americanas Victor e Columbia. Nenhuma delas, entretanto, teve força para competir com a Casa Edison, desaparecendo ou desistindo após existência efêmera.

Numa avaliação do período inicial de nossa fonografia — agosto de 1902 a junho de 1927 —, em que vigorou o sistema de gravação mecânica (único existente na ocasião), pode-se dizer que foram lançados cerca de 7 mil discos, a maioria pelo selo Odeon. Em que pese a precariedade das gravações, esse acervo sonoro, ou melhor, o que dele restou — graças aos cuidados dos colecionadores —, constitui o mais importante documento para o estudo de nossa produção musical da época.

13.
OS CANTORES E MÚSICOS PIONEIROS DO DISCO

Na abertura do século XX, as opções oferecidas pelo Rio de Janeiro aos que pretendiam viver profissionalmente da música popular se restringiam ao teatro de variedades e aos cafés-cantantes — para os consagrados —, e aos picadeiros circenses, às casas de chope e às bandas — para os menos conhecidos. Foi nessa última categoria, principalmente, que Fred Figner recrutou os artistas que gravariam os seus discos iniciais. Aliás, vários deles, como foi visto, já vinham fazendo gravações em cilindros. Assim, a chegada da indústria fonográfica criava em nosso acanhado meio musical uma nova classe: a dos cantores de disco.

Apresentados como atrações no catálogo histórico de 1902, Bahiano (Manoel Pedro dos Santos) e Cadete (Manoel Evêncio da Costa Moreira) são os primeiros integrantes da nova classe a se destacar. Trabalhando para Figner durante vinte e tantos anos, Bahiano foi o artista que mais gravou na Casa Edison, tendo registrado cerca de 400 fonogramas. Entre os seus maiores sucessos estão "Pelo telefone", "O meu boi morreu", "Caboca de Caxangá" e "A viola está magoada". Mas, mesmo com tantas gravações, ainda lhe sobrou tempo para atuar como cantor e ator em teatros e chopes-berrantes, tendo representado várias vezes o papel de Conde Danilo na opereta *A viúva alegre*. Chegou mesmo a aparecer em pequenos filmes, por volta de 1910 e 1911, como *O cometa*, *Seresta caipora* e *Serrana*. Ostentando a fama de conhecer mais de mil modinhas, publicava folhetos com letras de músicas, sendo algumas de sua autoria, como a valsa "Dores íntimas". Preocupado em documentar os seus feitos artísticos, colecionou catálogos da Casa Edison, que na velhice doou ao radialista-pesquisador Almirante. Muitos anos depois, esses catálogos seriam de grande utilidade para o levantamento da discografia brasileira patrocinado pelo Ministério da Educação. Bahiano nasceu em Santo Amaro da Purificação (BA), em 5 de dezembro de 1870, e morreu no Rio de Janeiro em 15 de julho de 1944.

Quatro anos mais moço, o pernambucano Cadete (1874-1960) foi o maior rival de Bahiano no limiar da era do disco. Transferindo-se para o Rio em 1887, a fim de cursar a Escola Militar — daí a origem do apelido —, acabou abandonando a caserna pela boemia. Cantor, compositor e repentista, reconhecido no meio musical, logo se profissionalizou, popularizando-se nacionalmente quando passou a gravar. Isso lhe valeu a oportunidade de realizar muitas excursões, tendo numa delas, ao Amazonas, contraído beribéri. Então, a conselho médico, mudou-se para o Paraná, onde constituiu família, tornou-se farmacêutico e entrou para a política. Não abandonou de todo, porém, a atividade musical, gravando esporadicamente quando visitava o Rio de Janeiro. Versátil como Bahiano, superava-o no repertório romântico em razão de seu timbre de voz.

Também importante entre esses cantores é Eduardo das Neves (1871-1919), o nosso artista negro de maior sucesso no início do século. Guarda-freios da Central do Brasil e soldado do Corpo de Bombeiros, demitido da primeira por participar de uma greve e expulso do segundo por frequentar fardado rodas boêmias, Dudu das Neves tornou-se aos 24 anos palhaço e cantor de circo, profissão, aliás, de seu irmão Sabino Antônio das Neves.

Doze anos depois, já conhecido por suas atuações nos melhores circos e pavilhões da época — como o Circo e Pavilhão Internacional, o Teatro-Circo François e o Palanque-Teatro do Passeio Público —, estreou em discos pela marca Odeon. Curiosa foi a maneira como se deu a sua contratação. Indignado, ao saber que algumas de suas músicas estavam sendo gravadas sem indicação de autoria e com as letras deturpadas, dirigiu-se à Casa Edison para reclamar do abuso. Lá, ao invés de um ambiente hostil, encontrou o próprio Figner, que, sempre jeitoso, transformou o reclamante em artista da casa.

Melhor compositor do que os colegas Bahiano e Cadete, Eduardo Sebastião das Neves foi o primeiro a explorar em canções fatos e personagens da vida brasileira. Exemplo disso são as composições "O 5 de novembro" (sobre o assassinato do Ministro da Guerra, Marechal Bittencourt), "O bombardeio", "A guerra de Canudos", "O aumento das passagens", "O Aquidaban" (sobre a explosão desse navio), "A conquista do ar" (sobre os feitos de Santos Dumont) e "Minas Gerais" (sobre o encouraçado homônimo, aproveitando a melodia da valsa veneziana "Vieni sul mar").

Apresentando-se no auge da carreira de *smoking* azul, monóculo e chapéu de seda, o palhaço-poeta teve coletâneas de versos publicadas pela Livraria Quaresma, como *O cantor das modinhas* (1900), *Trovador da malandragem* (1902) e *Mistérios do violão* (1905). Natural de São Paulo, conforme declarou ao se engajar no Corpo de Bombeiros em 1892, Neves morreu aos 48 anos, deixando três filhos: Iracema, Araci e Cândido — este último também compositor de renome, autor dos clássicos "Página de dor" (com Pixinguinha), "Noite cheia de estrelas" e "Última estrofe".

O quarto grande cantor da Casa Edison é o campista Mário Pinheiro. Do pouco que se conhece de sua biografia — ignora-se até a data do nascimento — pode-se dizer que exerceu atividade artística intensa, no disco e no palco. Após um início penoso em circos de baixa categoria, em que tentou a profissão de palhaço, começou a gravar na Casa Edison em 1904. Nessa empresa chegou a rivalizar com Bahiano em número de gravações, registrando canções dos mais variados gêneros, como "O sertanejo enamorado", versão de "Brejeiro", de Nazareth, com letra de Catulo, e a primeira gravação de "Casinha pequenina". Essa foi a fase de maior prestígio de sua carreira, que incluiu uma participação no espetáculo inaugural do Teatro Municipal do Rio de Janeiro, em 14 de julho de 1909. Na ocasião, interpretou o papel de Tapir na ópera *Moema*, de Delgado de Carvalho. A encenação aconteceu na terceira parte do programa por artistas do Centro Lírico Brasileiro, sendo Mário o único profissional no elenco.

Entre 1910 e 1917 ele viveu no exterior. A princípio nos Estados Unidos, quando realizou uma série de gravações para a Victor Talking Machine, em Nova Jersey, e depois, presumivelmente, na Itália, onde teria se casado e tido dois filhos com uma harpista do Teatro Scala de Milão. As informações sobre este período são de Ary Vasconcelos (no livro *Panorama da música popular brasileira na Belle Époque*), baseado em depoimento do cantor Paraguaçu (Roque Ricciardi).

O certo é que, de volta ao Brasil, de 1917 até 1920 Mário gravou esporadicamente e se apresentou em palcos do Rio e de São Paulo. Internado na Casa de Saúde Afonso Dias, no bairro carioca do Rio Comprido, morreu esquecido em 10 de janeiro de 1923. Dono de uma bela voz de barítono, Mário Pinheiro foi o melhor cantor popular brasileiro de sua geração.

Outros cantores que se destacam na fase pioneira do disco são Geraldo Magalhães, quase sempre em dupla com várias parceiras, Artur Castro Budd, Nozinho (Carlos Vasquez), César Nunes, Roberto Roldan, Caramuru (Belchior da Silveira), Neco (Manoel Ferreira Capellani), o cançonetista Edmundo André e o jovem, mais tarde famoso, Vicente Celestino, que estreou em 1915.

Patápio Silva (1880-1907) é cronologicamente o segundo de uma linhagem de virtuoses da flauta brasileira, que inclui nomes como Calado, Pixinguinha e Benedito Lacerda.

Já na classe das cantoras não há nomes a destacar. Deve-se o fato, simplesmente, à inexistência desse tipo de atividade profissional em nossa sociedade machista do começo do século XX. O que havia eram atrizes do teatro musicado — como Pepa Delgado, Abigail Maia e Júlia Martins — que cantavam e eventualmente gravavam. No Brasil, cantoras populares antes da Era do Rádio só existiram, talvez, as duas moças que aparecem na série Zon-O-Phone, entre 1902 e 1904, cerimoniosamente tratadas como Srta. Odete e Srta. Consuelo.

Ao contrário do que aconteceria na era da gravação eletromagnética, a maioria de nossos fonogramas (60%) da fase mecânica são de música instrumental. Essa superioridade, que se inicia em 1912 com as bandas, aumenta a partir de 1914, com o crescimento dos grupos de choro. Daí a existência no período de um bom número de instrumentistas competentes. O mais importante deles é o flautista e compositor Patápio Silva. Nascido em Itaocara (RJ), em 22 de outubro de 1880, e demonstrando desde cedo sua vocação musical, Patápio começa a tocar profissionalmente aos 14 anos. Depois de passar por várias bandas do interior, chega ao

Rio em 1901, matriculando-se na classe de flauta do Instituto Nacional de Música. O curso era de seis anos, mas o talentoso flautista o realizou em dois, sendo aprovado com distinção e medalha de ouro em 13 de janeiro de 1903.

A partir daí, desenvolve uma carreira vitoriosa, que seria interrompida pela morte, aos 27 anos, no dia 21 de abril de 1907, em meio de uma temporada artística em Florianópolis (SC). Causado por uma possível infecção intestinal, mal tratada, o desaparecimento do músico ficou para sempre envolvido em um clima de mistério, havendo até uma versão rocambolesca de que ele teria sido envenenado, a mando de um enciumado figurão político.

Infelizmente, o êxito artístico não lhe rendeu o suficiente para concretizar sua aspiração maior, a de aperfeiçoar os estudos no exterior. Mas, pelo que se pode observar em seus últimos concertos, é provável que ele se dedicaria exclusivamente à música erudita se tivesse vivido mais tempo. A melhor prova do sucesso de Patápio Silva está na consagração popular de sua pequena discografia — quinze fonogramas que incluem peças de sua autoria, como "Serenata d'amore", "Zinha" e a obra-prima "Primeiro amor", e de outros compositores, como "Alvorada das rosas" (Júlio Reis), "Serenata" (Schubert) e "Serenata oriental" (Kohler). Esses discos permaneceram em catálogo por mais de vinte anos após a morte do artista, o que significa a sua inclusão entre os mais editados da Casa Edison.

Muito popular também foi o paulista, filho de napolitanos, Américo Jacomino, o Canhoto (1889-1928), nosso primeiro violonista de sucesso nacional. Autor de composições como "Abismo de rosas" e "Marcha triunfal brasileira", que se tornaram clássicos do violão, Canhoto começou a gravar em 1913, na Casa Edison, tendo deixado uma razoável discografia.

Outros instrumentistas que se destacam em nossos discos pioneiros são o pianista Artur Camilo, os flautistas Antônio Maria Passos e Agenor Bens, os pistonistas Luís de Souza e Paulino Sacramento, os clarinetistas Malaquias e Louro (Lourival Inácio de Carvalho), o cavaquinista Luís Carlos dos Santos Farias (Lulu, o Cavaquinho) e o trombonista e chorão Candinho Silva (Cândido Pereira da Silva), autor de mais de trezentas composições.

Finalmente, estreante em gravações ainda menino, entra em ação também nessa época (1911) Alfredo da Rocha Viana, o Pixinguinha, futura glória de nossa música popular.

14.
CATULO

O ourives Amâncio José da Paixão morava e exercia o seu ofício na antiga rua Grande, 66, em São Luís do Maranhão. Como nascera no Ceará e a clientela costumava tratá-lo de Cearense, resolveu acrescentar a palavra ao sobrenome. Assim, o maranhense Catulo, seu terceiro filho, nascido em 31 de janeiro de 1866 no mencionado endereço, tornou-se Catulo da Paixão Cearense. Aliás, há uma diferença entre essa data e a data oficial do nascimento do poeta (8 de outubro de 1863), o que resultou numa antecipação de três anos na comemoração do seu centenário. Deveu-se o erro ao desleixo de Catulo, que utilizava como sendo sua a certidão de um irmão homônimo, morto em tenra idade. O fato foi relatado pelo próprio a Mozart de Araújo e outros amigos em 1946.

Com a mudança da família para o Rio de Janeiro, em 1880, Catulo teve o interesse despertado pela música, recebendo as primeiras noções de violão e flauta. Um pouco mais adiante, começou a frequentar uma animada república de estudantes, na rua Barroso (depois Siqueira Campos), na primitiva Copacabana. Ali conheceu alguns músicos ilustres como Viriato Figueira da Silva, Quincas Laranjeiras, o cantor Cadete e o então aprendiz Anacleto de Medeiros. Tais amizades seriam de grande importância para a sua formação.

Xará do poeta latino Gaius Valerius Catullus, considerado o fundador da elegia romana, o nosso Catulo logo demonstrou vocação para a poesia, compondo ainda adolescente sua primeira canção, a modinha "Ao luar": "Vê que amenidade/ que serenidade/ tem a noite em meio...". Nos anos seguintes, tendo perdido o pai, passou a trabalhar duro no cais do porto, sem abandonar, entretanto, a atividade musical, continuando a compor, cantar e participar da vida boêmia da cidade. Isso ensejou-lhe a oportunidade de publicar, muito jovem, o seu livro de estreia, *O cantor fluminense*, de 1887.

O crescimento da popularidade de Catulo na virada do século pode ser medido pelos sucessivos lançamentos e reedições de seus livros *Can-*

Catulo da Paixão Cearense (1866-1946), o letrista brasileiro de maior popularidade no início do século XX.

cioneiro popular, *Lira dos salões*, *Novos cantares*, *Lira brasileira*, *Trovas e canções*, *Florilégio dos cantores* e *Canções da madrugada*. O *Cancioneiro popular*, por exemplo, alcançou 50 edições.

Estimulado pelo sucesso, o imaginoso bardo soltou-se então por completo, produzindo versos em profusão. Mas enquanto sobrava-lhe inspiração poética, faltava-lhe talento musical. Segundo o testemunho de seu amigo e admirador Heitor Villa-Lobos (em carta a Almirante de 13 de janeiro de 1947), "Catulo era incapaz de escrever uma célula melódica que fosse". Isso, porém, não significou a menor dificuldade para o poeta. Numa época em que o direito autoral era matéria de menor importância, ele elegeu como "colaboradores" nossos melhores compositores — alguns até já falecidos — e utilizou à vontade as suas melodias como veículo para os seus versos. Aliás, achava isso muito natural, quando, em depoimento a João do Rio (publicado em *A alma encantadora do Rio*), definia a sua arte como "o trabalho de escrever poesias para adaptar a músicas que já preexistiam de há muito". Na realidade, ao receberem letras, essas músicas ampliavam a sua popularidade, só que, geralmente, passavam a ser editadas como "modinhas de Catulo", esquecendo-se os parceiros.

Assim, mudando-lhes os títulos, o poeta transformou em canções dezenas de peças instrumentais como "Por um beijo" ("Terna saudade"), "Iara" ("Rasga o coração"), "Três estrelinhas" ("O que tu és"), "Benzinho" ("Sentimento oculto") e "Implorando" ("Palma de martírio"), de Anacleto de Medeiros; "Nair" ("Talento e formosura"), de Edmundo Otávio Ferreira; "Fantasias ao luar" ("Templo ideal"), de Albertino Pimentel; "Choro e poesia" ("Ontem ao luar"), de Pedro de Alcântara; "Nenê" ("Sertaneja"), "Bambino" ("Você não me dá") e "Brejeiro" ("O sertanejo enamorado"), de Ernesto Nazareth; "Só para moer" ("Não vê-la mais"), de Viriato Figueira da Silva; "Dainéa" ("Vai, meu amor ao Campo Santo"), de Irineu de Almeida; "Luar do sertão" e "Caboca de Caxangá", que recebeu de João Pernambuco, e várias outras em que preferiu manter os títulos originais, como "A flor amorosa", de Calado, "Clélia", de Luís de Souza, e "Tu passaste por este jardim", de Alfredo Dutra. Isso para citar apenas as de maior sucesso, pois, além dessas, ele ainda fez letras para cerca de 150 composições alheias, inclusive de autores estrangeiros como Cremieux, Waldteufel e Berger.

Em 1908, o quarentão Catulo estava no auge da carreira, cercado de admiradores, cantando em salões grã-finos e tendo suas canções tocadas em todos os gramofones do país. É na tarde de 5 de julho desse ano que ele vive o seu maior momento de glória, ao apresentar no auditório do Instituto Nacional de Música (então na rua Luís de Camões) um recital de suas obras. O espetáculo, além da consagração do artista, tem um significado especial, pois o trovador canta acompanhado de um violão, quebrando o preconceito que perseguia o instrumento, considerado indigno de entrar num conservatório musical. O recital, que superlotou as dependências do INM, contou com a fina flor do mundo musical e intelectual carioca — Alberto Nepomuceno, Francisco Braga, Henrique Oswald, Luís Murat, Alberto de Oliveira, entre outros —, além de uma entusiasmada plateia feminina, o que comprova o prestígio do concertista.

Cabotino por natureza, Catulo tornou-se com a fama um delirante megalômano, assumindo por vezes atitudes que chegam às raias do ridículo, como quando passou a se considerar um dos maiores poetas da humanidade, em todos os tempos... ou, quando no prefácio de uma de suas coletâneas, afirmou: "como vê o leitor, venci em tudo".

A obra de Catulo da Paixão Cearense pode ser dividida em duas fases: a modinheira (entre as décadas de 1880 e 1910), em que ele é essencialmente letrista de música popular; e a poética, propriamente dita (a partir de 1918), em que brilha com os poemas sertanejos, decaindo depois, ao pretender se mostrar como "poeta culto". Caudaloso sempre, Catulo deixou como letrista a marca de um estilo personalíssimo, desbragadamente romântico e tendendo para o pernóstico com o uso de expressões como "luar taful", "cerúlea borboleta", "feral cipreste", "noite rórida"... Já na poesia sertaneja o poeta se supera, explorando criativamente, numa linguagem caipira, os mais diversos temas — "O marroeiro", "O lenhador", "A vaquejada", "O cangaceiro" — e justificando a opinião de Mário de Andrade, que o considerava "o maior criador de imagens da poesia brasileira". Ressalta finalmente, como aspecto primordial de sua obra, o espírito de brasilidade que a domina, característica decisiva para que conquistasse o público de seu tempo.

Contrastando com o sucesso que desfrutou em sua longa carreira, Catulo foi pobre a vida inteira, mantendo-se num modestíssimo padrão de baixa classe média. Isso mesmo depois de nomeado para um cargo público pelo presidente Hermes da Fonseca. Suas principais fontes de sustento eram as aulas de violão — por algum tempo lecionou também português, francês e matemática —, os cachês dos recitais, que escassearam à medida que foi envelhecendo, e os direitos autorais, que pouco rendiam em sua época.

Também não combina com a glória artística sua prosaica vida amorosa. Embora admirado por muitas mulheres, o poeta não chegou a se realizar sentimentalmente. Para isso concorreu, talvez, um inacreditável incidente acontecido em sua mocidade, quando foi submetido à farsa de um casamento, em seguida a uma falsa acusação de estupro. Na verdade, ele teve inúmeros relacionamentos com mulheres de humilde condição social, sendo chamado de Navio Negreiro pelo irreverente crítico Agripino Grieco, seu amigo de longa data.

Catulo viveu seus últimos anos num barracão de madeira (que apelidou de Palácio Choupanal) situado na rua Francisco Meyer, 21 (hoje rua Catulo da Paixão Cearense), no subúrbio do Engenho de Dentro. Ali morreu, ao lado da mulata Maria, sua derradeira companheira, em 10 de maio de 1946, sendo enterrado três dias depois no cemitério do Catumbi. Na ocasião, o povo cantou o "Luar do sertão", seu maior sucesso. A propósito, numa entrevista ao jornalista Joel Silveira, nos anos 40, ele vaticinou: "escrevi mais de duzentas modinhas [...]. De todo esse florilégio lírico só não morrerá o 'Luar do sertão'".

15. O ADVENTO DO SAMBA E DA CANÇÃO CARNAVALESCA

O samba não existiria se antes não tivessem existido o maxixe, o lundu e as múltiplas formas de samba folclórico, praticadas nas rodas de batuque. A síntese de todas essas influências deu o samba urbano carioca, gênero musical binário, sincopado, fixado por compositores populares. Sua formação começou já no século XVI, com a chegada ao Brasil dos primeiros negros de Angola e do Congo com seus baticuns festivos.

Ensina o compositor-historiador Nei Lopes, um estudioso da cultura afro-brasileira, no ensaio "Uma breve história do samba" (anexo à coleção de CDs *Apoteose ao Samba*, da EMI): "O vocábulo (samba) é africaníssimo. [...] Legitimamente banto, das bandas de Angola e Congo. 'Samba', entre os quiocos (*chokwe*) de Angola, é verbo que significa 'cabriolar, brincar, divertir-se como cabrito'. Entre os bacongos angolanos e congueses o termo designa 'uma espécie de dança em que um dançarino bate contra o peito do outro'. E essas duas formas se originam da mesma raiz banta que deu origem ao quimbundo '*di-semba*', umbigada — elemento coreográfico fundamental no samba primitivo".

Nas últimas três décadas do século XIX, cresceu de forma considerável a população negra e mestiça do Rio de Janeiro. Deveu-se o fenômeno a vários fatores, como o declínio das lavouras de café no Vale do Paraíba, o término das guerras do Paraguai (1870) e de Canudos (1897), a grande seca nordestina (1877-79) e, principalmente, a Abolição da Escravatura (1888). Isso ocasionou um movimento migratório de vastos contingentes de negros libertos, que se deslocaram para a então capital e maior cidade do país, em busca de oportunidades de trabalho. De acordo com a Fundação IBGE, a população do Rio de Janeiro era, em 1872, de 274.972 habitantes; em 1890, 522.651; e em 1900, 691.565, sendo que, do total registrado em 1890, aproximadamente 180 mil indivíduos (34%) eram negros ou mestiços.

A maior parte dessa gente acomodou-se nas zonas Centro e Portuária, ocupando uma área que se estendia das cercanias da atual praça

Mauá ao bairro da Cidade Nova, abrangendo os morros da Conceição e da Providência. Nessa área localizavam-se os principais pontos em que se praticava o samba primitivo. Em entrevista ao *Correio da Manhã* (em 13 de fevereiro de 1958), o lendário compositor Getúlio Marinho, conhecido como Amor, enumerava, saudoso, alguns desses pontos: "o Café Paraíso, na rua Larga de São Joaquim, hoje Marechal Floriano; a esquina da rua Senador Pompeu com João Ricardo; o 'Cabeça de Porco' (cortiço), que ficava na Barão de São Félix; as casas das tias Ciata, Bebiana e Gracinda. [...] Roda de samba no morro, só se fosse para fugir dos perseguidores do samba...".

Assim, não foi por acaso que nesse território nasceu o samba como canção urbana, da mesma forma que antes já haviam nascido o maxixe e os ranchos carnavalescos. E nasceu, pode-se dizer, em agosto de 1916, no quintal de uma casa situada na rua Visconde de Itaúna, 117, onde morava a baiana Hilária Batista de Almeida, a Tia Ciata. No local — segundo o historiador Edigar de Alencar no livro *Nosso Sinhô do samba* — uma roda de batuqueiros, integrada por Donga, Germano Lopes da Silva, Hilário Jovino Ferreira, Sinhô, João da Mata e a própria Tia Ciata, criou, em noites sucessivas, uma composição chamada "O roceiro", que Donga (Ernesto dos Santos) registrou com o título de "Pelo telefone". Lançada em discos Odeon, em dezembro de 1916, simultaneamente pelo cantor Bahiano e a Banda da Casa Edison, essa composição tornou-se o primeiro samba de sucesso nacional, deflagrando o processo de popularização do gênero.

Objeto de várias controvérsias — como a da autoria, oficialmente atribuída a Donga e Mauro de Almeida —, "Pelo telefone" possui uma estrutura ingênua e desordenada, apresentando cada uma de suas partes melodias e letras que nada têm em comum. A impressão que dá é a de que foi sendo construído aos pedaços, juntando-se melodias escolhidas ao acaso com trechos de cantigas folclóricas, como a da quarta parte ("Ai a rolinha/ sinhô, sinhô..."), originária do Nordeste. Mas "Pelo telefone" caiu no gosto do povo, ganhou perenidade e transformou-se, pelo que representou como sucesso, no marco zero da história do samba urbano, mesmo não se constituindo um modelo a ser imitado pelos sambistas pioneiros.

Nos anos que se seguiram ao seu aparecimento, o gênero passou a ser explorado por compositores e cantores, sucedendo-se os lançamentos em quantidades crescentes, que chegam a 59 sambas durante o ano de 1925, contando-se apenas os gravados pela Casa Edison. Entre os autores

Donga, os cantores Paraguaçu e Bahiano, da Casa Edison, e Pixinguinha.

que se incluem na primeira geração de sambistas, destacam-se as figuras de Donga ("O malhador", "Fica calmo que aparece"), Pixinguinha ("Já te digo", "Samba de nego"), José Luís de Morais, o Caninha ("Quem vem atrás fecha a porta", "Esta nega qué me dá"), Luís Nunes Sampaio, o Careca ("Bê-á-bá", "O casaco da mulata") e, sobretudo, José Barbosa da Silva, o Sinhô ("Quem são eles", "Confessa meu bem"), sistematizador do samba e o nosso compositor popular de maior sucesso nos anos 20.

Nesse período inicial, que se estende de 1917 a 1928, o samba vive sob forte influência do maxixe. Ao contrário do que possa parecer, essa influência foi benéfica, no sentido de que apressou o seu processo de aceitação pelo público, que agora já podia dispor de um novo tipo de música cantante e dançante, também sensual e sacudida, porém sem a pecha de imoral do maxixe. Mal comparando, a função do maxixe no caso seria como a do foguete que conduz e põe em órbita um satélite. Então, ao chegar o ano de 1929, o samba estava firme em sua "órbita" e pronto para receber as modificações que lhe imporiam os sambistas do Estácio, fundadores da primeira escola de samba, a histórica Deixa Falar.

O sucesso do "Pelo telefone" no carnaval de 1917 mostrou que os festejos carnavalescos exigiam um tipo de música especial e que essa música poderia ser o samba. O surpreendente é que ninguém percebera isso antes. Até então, musicalmente, não havia diferença entre um baile de carnaval e outro qualquer. O repertório era o mesmo — polcas, tanguinhos, valsas e até trechos de operetas. Um levantamento dos sucessos carnavalescos do início do século comprova o fato: em 1906, o tango-chula "Vem cá mulata"; em 1913, a embolada "Caboca de Caxangá"; em 1915, a valsa "Pierrô e colombina"; em 1904, 1909 e 1915, respectivamente, as polcas "Rato rato", "No bico da chaleira" e "Ai, Filomena"; e em 1913, o one-step "Caraboo", trazido para o Brasil pelo jamaicano Sam Lewis e aqui popularizado pela dupla Os Geraldos.

Mas veio o "Pelo telefone", os compositores despertaram para o carnaval, o povo criou o hábito de cantar nos bailes — antes só dançava — e a canção carnavalesca entrou em cena para reinar nos 50 anos seguintes. A princípio, com sambas como "Quem são eles" (1918), "Já te digo" (1919), "Fala meu louro" (1920), mas logo recebendo o reforço das marchinhas — "Pé de anjo" (1920), "Ai amor" (1921), "Eu só quero é beliscá" (1922) —, esse reinado tornou-se tão forte que, nos últimos anos da década de 1930, a produção de música para o carnaval ocupava mais de 40% do repertório das gravadoras brasileiras. Para o êxito das novas práticas, concorreu ainda a onda de liberalização de costumes que se espalhou pelo mundo após a Primeira Grande Guerra e que no Brasil tornou o carnaval mais democrático, atenuando as barreiras entre ricos, remediados e pobres, frequentadores, respectivamente, do corso, das batalhas de confete e dos desfiles de blocos.

Assim, juntamente com todas essas novidades, a canção carnavalesca tornou o carnaval mais animado e, principalmente, bem mais musical.

16.
NOSSO SINHÔ DO SAMBA E DE OUTRAS BOSSAS

Como vários de seus contemporâneos na música popular (Donga, Caninha, Pixinguinha), é pelo apelido de infância, Sinhô, que se conhece José Barbosa da Silva, o primeiro grande nome da história do samba. Filho do pintor de paredes Ernesto Barbosa da Silva, conhecido por Tené, e de sua mulher Graciliana, Sinhô nasceu na rua do Riachuelo, 90, zona Centro do Rio de Janeiro, em 8 (ou 18) de setembro de 1888.

Depois de uma infância movimentada, com muita brincadeira de rua, ele começou aos 17 anos a estudar flauta, por insistência do pai. Logo, porém, descobriu o piano e o violão, instrumentos a que se dedicaria pelo resto da vida. Assim, ainda adolescente, Sinhô estava tocando em todos os lugares do Rio em que se fazia música, principalmente na efervescente Cidade Nova.

Um desses lugares era a casa de Tia Ciata, onde, segundo Pixinguinha, "tocava-se choro na sala e samba no quintal". Nesse endereço, berço de "Pelo telefone", como foi dito, Sinhô descobriu que fazer samba poderia render prestígio, dinheiro e até boas polêmicas, três coisas muito de seu agrado. Na época (1917), ensaiando os primeiros passos como compositor, ele era razoavelmente conhecido, pois já havia atuado profissionalmente como pianista (de ouvido) em várias agremiações dançantes e carnavalescas, entre as quais o Dragão Clube Universal (1910), no largo do Catumbi, 6, os grupos Tome Abença à Vovó (1914), na rua Senador Euzébio, 146, e os Netinhos do Vovô (1915), na praça da República, 25, além da Sociedade Dançante Carnavalesca Kananga do Japão, famosa gafieira situada na rua Senador Euzébio, 44, à qual se prendia por ligações de família.

Liderando a geração inicial de sambistas, formada na esteira do sucesso de "Pelo telefone", Sinhô lançou no final de 1917 "Quem são eles", sua primeira composição gravada e editada. Grande sucesso no carnaval de 1918, o samba era dedicado a um bloco homônimo, formado por foliões do Clube dos Fenianos. Mas como os ânimos no meio musical ain-

Sinhô (1888-1930), o compositor que mais contribuiu para a popularização do samba em sua fase inicial.

da estavam exaltados, em razão da polêmica sobre a autoria de "Pelo telefone", "Quem são eles" foi considerado uma provocação por rivais do compositor — Pixinguinha, China, Donga, Hilário Jovino —, originando nova polêmica. Essas contendas, que o afastaram da turma de Pixinguinha, prenunciavam outras mais que aconteceriam na vida do irrequieto sambista, ajudando-o em sua permanente busca de promoção.

Depois de "Quem são eles", Sinhô lançou uma série de composições de sucesso — os sambas "Confessa meu bem" (1919), "Fala meu louro", "Alivia esses olhos" e "Vou me benzer" (1920) e a marcha "O pé de anjo" (1920) —, consolidando sua carreira de compositor e criando um personalíssimo estilo, que iria contribuir de forma efetiva para a popularização do samba. Foi ouvindo as músicas de Sinhô que o Brasil aprendeu a gostar de samba.

Compositor nato, com escassos conhecimentos teóricos, ele foi, pode-se dizer, o sistematizador intuitivo desse gênero musical. Seus sambas, quase sempre no modo maior, eram melodiosos, inventivos, fáceis de memorizar e marcados por um forte sincopado herdado do maxixe. Embora mais melodista do que poeta, fazia letras com razoável competência, misturando versos ingênuos e pitorescos com imagens rebuscadas — "Quem pintou o amor foi um ceguinho/ mas não disse a cor que ele tem..." ("Amar a uma só mulher"); "Vê agora a ingratidão da humanidade/ o poder da flor sumítica amarela..." ("A favela vai abaixo"). Seus temas favoritos eram a crônica do cotidiano e as agruras do amor, sempre enfatizando o dinheiro e a mulher, principais objetos de suas preocupações na vida real. Também recorria, vez por outra, a certo misticismo supersticioso, em que invocava proteção superior contra as pragas dos desafetos — "Mas eu tenho um guia sacrossanto/ que conduz-me à luz do Ser..." ("A medida do Senhor do Bonfim").

Na verdade, Sinhô teve uma biografia atribulada, marcada por aventuras amorosas, rixas musicais e uma penúria financeira que o perseguiu mesmo na fase de maior sucesso. Mulato magro, embora de compleição atlética (segundo Mario Reis), narigudo e desdentado, o compositor compensava a feiura com uma lábia prodigiosa que, aliada ao seu prestígio popular, o tornava irresistível em suas investidas galantes. Além de múltiplos casos passageiros, ele teve as seguintes companheiras: Henriqueta, jovem portuguesa que lhe deu três filhos; Cecília, pianista da Casa Beethoven; Carmen, mundana de rara beleza; e por fim Nair, que o acompanhou nos derradeiros anos.

Entretanto, ao mesmo tempo em que vivia tantos episódios sentimentais, continuava batalhando no meio musical, construindo uma obra que lhe asseguraria para sempre um lugar entre os grandes de nossa música popular. Bem-sucedida desde o começo, sua carreira continuou em trajetória ascendente — "Sete coroas" (1922), "Macumba Gegê" (1923), "Dor de cabeça" (1925), "Amor sem dinheiro" (1926), "Ora vejam só" (1927), todos eles sambas — até a consagração da fase final, em que atingiu o auge da carreira — com sambas como "Amar a uma só mulher", "A favela vai abaixo", "Deus nos livre dos castigos das mulheres" (1928), mais a trinca "Jura", "Gosto que me enrosco" e "Cansei" (1929) —, demonstrando um evidente refinamento de suas concepções musicais.

Nessa fase, Sinhô tornou-se um dos compositores mais solicitados pelo teatro musicado, figurando seus sambas na maioria das revistas. Houve até a repetição de alguns em peças diferentes. Os lançamentos de suas composições eram disputados por Francisco Alves, astro maior da Odeon, e o então promissor Mario Reis, seu aluno de violão e cantor que melhor entendeu o espírito de sua obra, emprestando-lhe a interpretação mais adequada. Dizia Mozart de Araújo que foi o próprio Sinhô quem induziu Mario a cantar de forma coloquial. Seu prestígio era tão forte, que o vaidoso José Barbosa da Silva, numa jogada de ingênuo cabotinismo, passou a apresentar-se como o Rei do Samba, apelido que teria recebido do amigo José do Patrocínio Filho.

Pouco tempo, porém, durou esse reinado. Na tarde de 4 de agosto de 1930, Sinhô morreu fulminado por uma hemoptise, a sétima sofrida em curto período, a bordo de uma barca em que viajava da Ilha do Governador (onde então residia) para a Praça Quinze. Num de seus bolsos foi encontrado o rascunho do último samba, "O homem da injeção", em que comentava um acontecimento policial recente que tinha como protagonista um maluco que, seringa em punho, procurava aplicar injeções nos transeuntes. Realizado no dia seguinte, o velório, concorridíssimo, foi descrito em crônica antológica pelo poeta Manuel Bandeira: "era tudo gente simples, malandros, soldados, marinheiros, donas de *rendez-vous*, meretrizes, *chauffeurs*, macumbeiros, sambistas de fama, pretinhos dos choros, mulheres dos morros, baianas de tabuleiros, vendedores de modinhas...". E no meio de todo esse pessoal, a estrela Aracy Cortes, então no auge da popularidade, cuja presença teria provocado uma cena de ciúmes, com troca de empurrões, entre a cantora e a viúva Nair.

17.
A MARCHINHA INVADE O CARNAVAL

Com seu ritmo binário, vivo, saltitante, suas melodias alegres e ao mesmo tempo sentimentais, suas letras brejeiras, maliciosas, a marchinha invadiu o carnaval na década de 1920, passando a dividir a hegemonia da canção carnavalesca com o samba. Ao contrário deste, porém, oriundo das camadas mais humildes da população, ela é uma invenção de compositores de classe média, ligados ao teatro de revista carioca, como Eduardo Souto, Freire Júnior e José Francisco de Freitas. Inspiradas nas marchas portuguesas, trazidas pelas companhias teatrais, e em ritmos americanos como o one-step e o charleston, as marchinhas seriam ainda descendentes da polca-marcha, matriz de todos esses gêneros.

Entre os sucessos que abriram o seu longo ciclo de permanência no carnaval, estão "O pé de anjo" (Sinhô) e a graciosa "Pois não" (Eduardo Souto e Filomeno Ribeiro), lançadas em 1920; "Ai amor" (Freire Júnior), que tratava de melindrosas e almofadinhas (1921); "Eu só quero é beliscá" (Eduardo Souto) e "Ai, seu Mé" (Freire Júnior e Careca), que, por razões políticas, rendeu maus momentos aos seus autores (1922); "Goiabada" (Eduardo Souto) e "Não olhe assim" (Freire Júnior), lançadas em 1923; "Não sei dizê" e "Pai Adão", ambas de Eduardo Souto (1924); e, finalmente, as atrevidas "Eu vi Lili" ("Eu vi/ eu vi/ você bolinar Lili..."), "Zizinha" ("Minha santinha/ também quero tirar uma casquinha...", de 1926) e "Dondoca" (1927), que marcam a entrada de José Francisco de Freitas no carnaval e mostram mais nitidamente a influência da música norte-americana.

Além de trabalharem e comporem para o teatro musicado, esses pioneiros da marchinha possuíam em comum um alto senso de dedicação profissional, raro entre os seus colegas de geração. O paulista Eduardo Souto (1882-1942), que veio para o Rio menino, foi dono de loja de música, pianista, organizador de orquestras e corais, diretor artístico de gravadoras (Odeon e Parlophon) e um dinâmico propagandista de suas composições. Isso nas mais variadas frentes: na loja, a Casa Carlos Gomes, onde havia sempre música sua sendo tocada ao piano, na tradicional festa da Penha, nos palcos da praça Tiradentes e nos discos das gravadoras que dirigiu. Compositor eclético, autor de clássicos como o "Hino a João Pessoa" (com Osvaldo Santiago) e os tangos "O despertar da montanha" e "Do sorriso da mulher nasceram as flores", além das inúmeras marchinhas, Eduardo Souto tem uma singularidade em sua biografia: ao declinar seu prestígio musical, assumiu um modesto posto de bancário, atividade que já exercera na juventude.

Pianista, como Souto, o filho de fazendeiro Francisco José Freire Júnior, é um de nossos mais prolíficos autores de música para teatro, tendo 172 revistas encenadas. Foi, aliás, para uma dessas revistas que escreveu "Ai amor", sua primeira marcha de sucesso. Compondo para um grupo amador já aos 14 anos, Freire fez música pela vida inteira, inclusive durante o tempo em que se tornou diretor de companhias. Embora romântico — seus maiores êxitos fora da área carnavalesca são o tango-fado "Luar de Paquetá" (com Hermes Fontes) e as valsas "Malandrinha" e "Revendo o passado" —, sabia também explorar a sátira política, conforme mostrou em "Ai, seu Mé" e em "Seu Julinho vem". Com tantos afazeres, o ativo Freire Júnior ainda achou tempo para formar-se em Odontologia e clinicar em um consultório instalado na "rua do Ouvidor, 124, sobrado".

Concorrente de Souto e Freire, até mais empreendedor do que os dois, José Francisco de Freitas (1897-1956) reinou nos últimos carnavais dos anos 20, cantando as suas heroínas em ritmo de marcha ("Zizinha", "Lili", "Dondoca") ou de maxixe ("Dorinha, meu amor"). Mas todo esse sucesso não se deveu apenas à qualidade de sua produção. Na verdade, Freitinhas "trabalhava" intensamente suas canções, conforme confessou em artigo escrito em janeiro de 1929 para a revista *Weco*. Tal trabalho tinha como agente principal uma pequena banda — saxofone, trompete, tuba, banjo e instrumentos de percussão — que, durante o carnaval e nos meses que o antecediam, comparecia ao maior número possível de bailes, batalhas de confete, corsos e desfiles de blocos. Enquanto a banda tocava, o compositor e seus auxiliares realizavam farta distribuição de folhetos com as letras das músicas, não escapando folião algum. Freitinhas costumava complementar a promoção de seu repertório nas peças de teatro e, sobretudo, atuando ele próprio como pianista da Casa Carlos Wehrs, onde mantinha contato direto com os compradores de música impressa. Foi assim que o seu fox-trot "Vênus", dedicado à Miss Brasil Zezé Leone, vendeu mais de 50 mil partituras em 1923.

Ao chegarem os anos 30, com a entrada em ação de uma nova e talentosa geração de artistas, deixaram de brilhar as estrelas de Eduardo Souto, Freire Júnior e José Francisco de Freitas. Embora tenham continuado a compor, jamais voltaram a alcançar um sucesso sequer. Isso porque não foram capazes de acompanhar o processo evolutivo das canções, permanecendo presos a fórmulas que não tinham mais vez na Era do Rádio.

Paralelamente à popularização da marchinha, ocorreu o desenvolvimento de um outro tipo de marcha carnavalesca, a marcha-rancho. Caracterizado por melodias singelas, nostálgicas, sentimentais, executadas em andamento lento, esse gênero inspirou-se no lirismo sereno dos desfiles de ranchos cariocas.

Pertencendo originalmente à tradição folclórica natalina da Bahia, o rancho consiste na reunião de um grupo misto — pastores, pastoras, mestres-salas, porta-bandeiras — que, trajando vistosas vestimentas, percorre um determinado trajeto em direção a um presépio, objeto de sua homenagem. Acompanhados por pequenas orquestras, esses grupos desfilam dançando e cantando músicas próprias para a ocasião, em que pedem dinheiro, sendo atendidos pelos moradores das casas por onde passam.

O principal responsável pela transposição dos ranchos para o Rio de Janeiro e sua transformação em grupamento carnavalesco, chamava-se Hilário Jovino Ferreira e era carinhosamente tratado por Lalu de Ouro. Em entrevista ao *Jornal do Brasil*, em 18 de janeiro de 1913, Hilário relatou a história dos primeiros ranchos cariocas: "Em 1872, quando cheguei da Bahia a 17 de junho, já encontrei um rancho formado. Era o Dois de Ouros, que estava instalado no beco João Inácio, 17 (no morro da Conceição). Ainda me lembro: o finado Leôncio foi quem saiu na burrinha. Vi e, francamente, não desgostei da brincadeira, que trazia recordação do meu torrão natal. E como residisse ao lado (no nº 15), fiz-me sócio e depressa aborreci-me com alguns rapazes e resolvi então fundar um rancho. [...] Fundei o Rei de Ouros, que deixou de sair no dia apropriado, isto é, a 6 de janeiro, porque o povo não estava acostumado com isto. Resolvi então transferir a saída para o carnaval. Foi um sucesso! Deixamos longe o Dois de Ouros".

Assim começou uma das mais importantes manifestações do carnaval carioca, o desfile dos ranchos. Expandindo-se a partir da década de 1890, quando ainda eram organizados por figuras como Hilário Jovino, João Câncio, Maria Alabá, Tito da Praia, Germano, as tias Ciata e Bebiana, autênticos baianos na maioria, os primitivos ranchos — Rosa Branca, Botão de Rosa, Caçadores da Montanha, Flor do Lírio, União das Flores, A Camélia — mantiveram-se fiéis ao modelo baiano até 1908. Neste ano surgiu o Ameno Resedá, que libertou os ranchos cariocas da forma afrorreligiosa. Segundo Jota Efegê (no livro *Ameno Resedá: o rancho que foi escola*), a inovadora agremiação "tinha feitio operístico, pomposo e exuberante de musicalidade. Seu desfile fazia-se cadenciado no andamento das marchas lentas, porém triunfais, que davam melodia própria a versos glorificantes. [...] Por toda essa conexão cenográfica e aparatosa, a imprensa [...] cognominou o novo rancho de 'teatro lírico ambulante'".

Constituíram essas marchas lentas da Sociedade Dançante Carnavalesca Ameno Resedá e de outros grandes ranchos que lhe seguiram o estilo — como o Flor do Abacate, o Kananga do Japão, o Lira de Ouro e, mais tarde, o Turunas de Monte Alegre, o Decididos de Quintino e o União dos Caçadores — o modelo inspirador de obras-primas, como "Pastorinhas" (João de Barro-Noel Rosa), "Dama das Camélias" (Alcir Pires Vermelho-João de Barro), "Mal me quer" (Newton Teixeira-Cristóvão de Alencar), "Os rouxinóis" (Lamartine Babo), "Estão voltando as flores" (Paulo Soledade), "Rancho da Praça Onze" (João Roberto Kelly-Francisco Anísio), "Máscara negra" (Zé Kéti-Pereira Matos), "Bandeira branca" (Max Nunes-Laércio Alves) e muitas outras, que consagraram a marcha-rancho como o mais poético gênero da música carnavalesca.

Após viverem o seu período áureo nas décadas de 1920 e 1930, quando desfilavam na avenida Rio Branco e eram considerados, juntamente com as chamadas grandes sociedades, a maior atração do carnaval carioca, os ranchos entraram em declínio, sendo superados pelas escolas de samba. Permanecem, porém, incorporados à organização das próprias escolas vários elementos característicos de seus préstitos, como a comissão de frente, as alegorias de mão, os carros alegóricos, os mestres-salas, as porta-bandeiras e o uso dos enredos temáticos.

18.
O JOVEM PIXINGUINHA

Na década de 1910, começa a tocar e a compor profissionalmente o jovem Pixinguinha, Alfredo da Rocha Viana (1897-1973), que iria se tornar a figura mais importante de nossa música popular na primeira metade do século XX.

Filho de numerosa família — foram 14 irmãos, frutos dos dois casamentos de sua mãe, Raimunda Maria da Conceição —, Pixinguinha cresceu cercado de música e de músicos, a começar por seu pai, também Alfredo da Rocha Viana, funcionário dos Telégrafos e flautista esforçado nas horas vagas.

"Lá em casa, uns tocavam violão, outros cavaquinho" — relatou o mestre, em depoimento ao Museu da Imagem e do Som do Rio de Janeiro, em 6 de outubro de 1968 — "gostavam muito de mim porque era garoto e tinha um ouvido muito bom. [...] Meu pai não era grande flautista, mas adorava o instrumento. Ele gostava muito do choro e eu acabei por acompanhar aquelas músicas executadas por grandes figuras da época, que se reuniam lá em casa. Desse grupo de chorões faziam parte o Irineu de Almeida, o Candinho do Trombone, o Viriato, o Neco, o Quincas Laranjeiras e outros. Eu, menorzinho, ficava apreciando... Gostava de música. Por volta das 20 ou 21 horas, meu pai dizia: menino, vai dormir! E eu, perfeitamente, ia para o quarto. Mas não dormia, não. Ficava ouvindo aqueles chorinhos. [...] Na época, eu já tinha uma flauta de folha. No dia seguinte, executava os chorinhos que tinha aprendido na véspera, de ouvido. Meu professor — Irineu de Almeida —, que estava morando lá em casa, dizia: esse menino promete".

Foi Irineu de Almeida, o Irineu Batina, conceituado tocador de trombone, bombardino e oficleide, verdadeiramente o primeiro professor de música de Pixinguinha, que antes tivera noções de cavaquinho com os irmãos Henrique e Léo e de teoria musical com César Borges Leitão, colega de seu pai. Entusiasmado com o talento do aluno, então já dedicado ao estudo da flauta, Irineu não só o incluiu em seu conjunto, como o levou para a orquestra do rancho Filhas da Jardineira, do qual era primeiro diretor de harmonia. Nesse rancho, o pequeno flautista tornou-se amigo de Donga e João da Baiana.

Ao completar 14 anos, em 1911, Pixinguinha já podia ser considerado um músico profissional, tocando quase todas as noites e aderindo a certas preferências dos colegas, como o cigarro e a cerveja. Foi nesse ano que começou a trabalhar na casa de chope A Concha, na Lapa, levado pelo irmão Otávio, o China. Isso significou o abandono definitivo dos estudos, que tivera a alfabetização com um tal professor Bernardes e passagens pelo Liceu Santa Teresa e o Mosteiro de São Bento. Mas o ano de 1911 ainda ficaria marcado na biografia de Pixinguinha por mais dois acontecimentos: sua entrada para a orquestra do Teatro Rio Branco, em substituição ao flautista Antônio Maria Passos, e a gravação de seus primeiros discos.

Embora Pixinguinha afirmasse que sua estreia em gravações tinha sido com a música "São João debaixo d'água" (disco Favorite 1.450006, matriz nº 11141), integrando o Choro Carioca, de Irineu de Almeida, há pelo menos três fonogramas do mesmo conjunto com matrizes de numeração inferior — "Isso não é vida" (11126), "Nhonhô em sarilho" (11129) e "Salve" (11135) —, o que, habitualmente, significa precedência na ordem de gravação. O mais importante nesses fonogramas, porém, é que eles mostram um estreante deveras especial, de características inovadoras. Isso é ressaltado pelo músico Henrique Cazes em seu livro *Choro: do quintal ao Municipal*: "o sopro da flauta de Pixinguinha [...] não se parecia nem um pouco com o dos flautistas acadêmicos da época. Era muito mais rítmico, sem *vibrato*, e conforme nos explica a tese *Flautistas populares brasileiros*, de Andréa Ernest Dias, um som gerado com muito ar, em golpes enérgicos".

Habilitado pelos ensinamentos de Irineu Batina a ler e escrever música fluentemente, o que lhe facilitou a integração no meio musical, Pixinguinha teve como primeira composição editada (pela Casa Carlos Wehrs) o tango "Dominante", constando o seu nome na partitura como Alfredo da Rocha Viana (Pizidin). A composição — na realidade, um choro — foi gravada na Casa Edison, em 1915, pelo Bloco dos Parafusos. Deve-se o reconhecimento da gravação a Henrique Cazes, que afirma ser o conjunto formado por clarinete, trompete e tuba. Possivelmente, esta seria a terceira música gravada de Pixinguinha, precedida apenas pelas polcas "Carne assada" e "Não tem nome", lançadas pelo grupo Choro Carioca em 1914. Já a sua primeira composição é, segundo ele próprio, o choro "Lata de leite", feito aos 11 ou 12 anos, quando ainda usava calças curtas.

Em 1917, finalmente, Pixinguinha grava um disco (Odeon 121364-121365) à frente de um trio, o *Choro Pechinguinha* (como está registrado no catálogo de 1920 da Casa Edison), interpretando dois de seus eternos sucessos: o choro "Sofres porque queres" e a valsa "Rosa". Antecedendo este disco, o trio — flauta, cavaquinho e violão — já lançara pela mesma gravadora os maxixes "Morro da Favela" e "Morro do Pinto", obras menores do mestre.

Cinco anos mais tarde, ostentando no currículo vários discos gravados, participações em diversas orquestras e conjuntos e, como compositor, um grande sucesso popular, o samba "Já te digo", Pixinguinha e seu grupo, Os Oito Batutas, seriam contratados pelo bailarino-empresário Duque para uma temporada em Paris.

Os Oito Batutas eram o desdobramento de outro conjunto, o Grupo de Caxangá, a princípio um bloco carnavalesco, formado somente por músicos como Pixinguinha, João Pernambuco, Donga e Caninha. A razão desse nome era a toada-embolada "Caboca de Caxangá" (de João Pernambuco e Catulo da Paixão Cearense), lançada em 1913 e que aqueles músicos se propunham divulgar no carnaval de 1914. Como deu certo, o bloco engrossou e continuou saindo nos anos seguintes.

No carnaval de 1919, a pedido de Manuel Muratori Barreto, presidente do clube Tenentes do Diabo, Donga recrutou um conjunto de 19 músicos para tocar num coreto, armado ao lado da sede dos Tenentes, no largo da Carioca. O conjunto, que era o próprio Grupo de Caxangá, chamou a atenção de Isaac Frankel, gerente do Cine Palais, que o contratou, numa versão reduzida para oito músicos. A estreia na sala de espera do elegante cinema aconteceu em 7 de abril de 1919, atuando Os Oito Batutas com a seguinte constituição: Pixinguinha (flauta), Donga (violão), China (violão e canto), Raul Palmieri (violão), Nelson Alves (cavaquinho), Jacó Palmieri (pandeiro), Luís Pinto da Silva (bandola e reco-reco) e José Alves de Lima, o Zezé (bandolim e ganzá).

Situado na avenida Rio Branco, nº 145-149, esquina com a rua Sete de Setembro, o Palais era frequentado por um público seleto, que incluía figuras como Ernesto Nazareth, Rui Barbosa e o milionário Arnaldo Guinle, que se tornou uma espécie de protetor do conjunto. Assim, quando no dia 29 de janeiro de 1922, os Batutas embarcaram no navio Massília, para realizar a temporada no *dancing* parisiense Sheherazade, foi o doutor Arnaldo quem pagou as passagens.

Como muitas vezes já foi dito, a Paris dos anos 20 era uma festa. Em suas centenas de bares, cafés, *dancings* e cabarés exibia-se uma profusão de orquestras, conjuntos e cantores das mais diversas procedências — principalmente do Caribe e dos Estados Unidos — para divertir os milhares de turistas que infestavam a cidade.

Perfeito conhecedor do *show-business* francês e dos Oito Batutas, com quem convivera no cabaré Assírio, Duque acreditava nas possibilidades de sucesso do conjunto, desde que devidamente explorados os fatores novidade e exotismo, além, naturalmente, do potencial artístico, cujo maior trunfo era o virtuosismo de seu flautista. E tudo aconteceu mais ou menos como era esperado, mantendo-se a Orchestre de Batutas, dignamente, num período de quase seis meses (de meados de fevereiro ao final de julho de 1922), em atuações nos palcos do Sheherazade, do Chez Duque e de La Reserve Saint-Cloud, entremeadas de apresentações em festas particulares. Na realidade, nem foi um sucesso estrondoso, como alardearam os depoimentos de Donga, nem um fracasso vergonhoso, como desejaram os racistas, detratores dos Batutas.

Com a deserção do percussionista J. Tomás, por motivo de doença, às vésperas da viagem, Os Oito Batutas realizaram a temporada com sete elementos: Pixinguinha, Donga, China, Nelson Alves, José Alves de Lima, o pandeirista Feniano (Sizenando Santos) e o cantor-ritmista José Monteiro. Tornaram-se então Os Batutas, ou "Les Batutás", para os franceses. Pelo instrumental utilizado — flauta, dois violões, cavaquinho, bandolim e percussão — o grupo era o que mais tarde seria considerado um regional. Quanto às músicas mais tocadas, Pixinguinha apontou os sambas "Les Batutas" (Pixinguinha-Duque), "E vem vovó" (Álvaro Sandim), a marcha "Fala baixo" (Sinhô), o choro "Gargalhada" (Pixinguinha) e a valsa "Dádiva de amor" (Donga). Além do trabalho, os rapazes divertiram-se a valer na noite parisiense, namorando e bebendo do bom e do melhor. Em entrevista à revista *Manchete*, pouco antes de morrer, Pixinguinha relembrou: "eu andava em tudo que era lugar. E onde aparecesse era aquele negócio: 'ô, Pixinguinha, *viens boire avec nous*?' [...] Aí, eu ia beber!". E como ia...

Na manhã de 14 de agosto de 1922, Os Batutas desembarcaram do navio Lutetia no porto do Rio de Janeiro. Na bagagem, como novidade, três instrumentos: um banjo-violão e um banjo-cavaquinho, adquiridos para aumentar a sonoridade do conjunto, e um saxofone em dó, presente de Arnaldo Guinle a Pixinguinha, instrumento que anos depois ele iria adotar em substituição à flauta. Prestigiados pela atuação no exterior, Os

Os Batutas, com Pixinguinha, ao fundo, empunhando sua flauta.

Batutas se reintegraram imediatamente ao meio musical carioca, destacando-se em suas atividades uma participação nos festejos do Centenário da Independência, com apresentações diárias no pavilhão da General Motors.

Mas logo eles estariam de viagem outra vez, agora rumo a Buenos Aires, para estrear em 7 de dezembro no Teatro Empire. Além do núcleo habitual — Pixinguinha (que levou também o saxofone), Donga, China, Nelson e José Alves —, o conjunto passou a contar com o pianista J. Ribas, o violonista Josué de Barros e o baterista J. Tomás. Diga-se de passagem que a bateria de pedal era na época grande novidade no Brasil.

Em termos de sucesso, esta excursão superou em muito a francesa. Depois de um mês no Empire, o grupo passou a exibir-se em diversos locais, como o Cine El Prata, o Eden Park (em Rosário), o Teatro Ideal e Avenida Hall (La Plata) e o Teatro Español (Chivilcoy). Uma decorrência desse sucesso foi a gravação na Victor argentina de uma série de 20 fonogramas, editados em 10 discos de 78 rpm e reeditados em um CD do selo Revivendo em 1994. Com o tempo, a série adquiriu uma importância extraordinária, sendo o único documento de que dispõem os estudiosos para conhecer o som dos Batutas. Mostra, inclusive, de forma clara, as limitações do conjunto, carente de uma melhor organização musical, e a considerável superioridade do solista Pixinguinha sobre os seus comandados.

Quando, em abril de 1923, encerravam a temporada no Teatro Español, Os Batutas se desentenderam, bipartindo-se o grupo. Enquanto Donga, Nelson, J. Tomás, J. Ribas e o ritmista Aristides Júlio de Oliveira (incorporado ao conjunto em Buenos Aires) regressavam ao Brasil, Pixinguinha, China, José Alves e Josué resolviam permanecer na Argentina. Tal decisão seria um erro, pois, abandonados pelos empresários, os quatro sofreram sérias dificuldades, só resolvidas com o auxílio do consulado brasileiro, que lhes possibilitou a viagem de retorno.

Reorganizados no Rio, Os Batutas receberiam de volta, em agosto de 1923, o reforço dos antigos desertores, formando uma nova orquestra, a Bi-Orquestra Os Batutas. A razão do estranho título era o ecletismo a que se propunha a orquestra, um misto de "*jazz-band* e grupo de choro", segundo China, capacitada para executar qualquer tipo de sucesso, nacional ou estrangeiro.

Os Batutas sobreviveram até 1926, quando Pixinguinha foi convidado pelo cançonetista-ator-empresário De Chocolat (João Cândido Ferreira) a juntar-se à sua recém-fundada Companhia Negra de Revistas, constituída inteiramente por artistas negros. Embora a empreitada fosse um tanto arriscada, em razão do preconceito reinante na época, Pixinguinha aceitou o convite com entusiasmo, pois, entre as estrelas da companhia, estava sua namorada Jandira Aimoré (nome artístico de Albertina Nunes Pereira), com quem se casaria em 5 de janeiro de 1927. Ao casar-se, a noiva adotou o nome de Jandira da Rocha Viana e abandonou o palco. O casamento durou até sua morte, em 1972.

Depois de deixar a Companhia Negra de Revistas, com a qual chegou a viajar para São Paulo e Minas, Pixinguinha teve breves atuações em diversas orquestras, aí incluindo-se uma tentativa de ressuscitar Os Batutas, com uma excursão ao Sul do país. Em 28 de agosto de 1927, quando o grupo estreava em Florianópolis, morria no Rio, aos 37 anos, Otávio da Rocha Viana, o China, vítima de um aneurisma aórtico.

Ao aproximar-se o final da década, com a chegada da gravação eletromagnética e a incrementação da produção fonográfica brasileira, Pixinguinha passou a ter intensa participação em discos das empresas Odeon e Parlophon. Nessa participação, além do lançamento de mais de vinte composições de sua autoria, gravadas por outros artistas, apareceria ele mesmo como intérprete e arranjador, integrando as orquestras Típica Pixinguinha, Típica Pixinguinha-Donga e Oito Batutas. É da época uma crítica ridícula do jornalista Cruz Cordeiro, da revista *Phono Arte*, que considerava influenciadas "pelos ritmos e melodias da música de *jazz*" as gravações iniciais de "Lamento" e "Carinhoso". Numa demonstração de seu gosto equivocado, o crítico afirmava ser o maxixe "Não diga não", de um compositor chamado Peri, superior a "Carinhoso", lançado no mesmo disco.

Em 1929, quando foi contratado pela gravadora Victor para dirigir a Orquestra Victor Brasileira, Pixinguinha tinha 32 anos e exercia plenamente as funções de músico total, tocando, compondo e arranjando. Autor dos clássicos "Rosa", "Sofres porque queres" e "Carinhoso" (1917), "Um a zero" (1919) e "Lamento" (1928), ele mudara o curso da história da flauta brasileira e do choro, gênero que renovou e consolidou com suas concepções geniais. Em suma, era já uma glória de nossa música popular e não sabia.

19.
O AUGE DO TEATRO DE REVISTA

Com os palcos ocupados pelas revistas portuguesas, encenadas até por grupos brasileiros, além das peças trazidas por companhias de outras nacionalidades, nosso teatro musicado começou mal o século XX, nada pressagiando os bons tempos que estavam por chegar. Desfalcado pela morte de dois grandes revistógrafos — Moreira Sampaio (em 4 de outubro de 1901) e Artur Azevedo (em 4 de agosto de 1908), que não tiveram de imediato substitutos à altura —, o meio permanecia dominado por uma leva de autores e empresários de notória mediocridade. Naturalmente, isso refletiu-se na qualidade dos espetáculos, ocorrendo um empobrecimento flagrante dos textos, das músicas, dos cenários e figurinos, sobrando como atração a beleza de algumas atrizes.

Mesmo assim, salvaram-se na primeira década dos novecentos umas poucas revistas como *Cá e lá* (1904), que relançou o tanguinho "Corta-jaca" ("Gaúcho"), de Chiquinha Gonzaga, agora com letra de Tito Martins e Bandeira Gouveia, autores da peça; *O maxixe* (1906), na qual Maria Lino cantava e dançava o tango-chula "Vem cá mulata", grande sucesso de Arquimedes de Oliveira e Bastos Tigre; *O cordão* (1908), último trabalho de Artur Azevedo, merecedor de oito remontagens nos anos seguintes; e *Pega na chaleira* (1909), de Raul Pederneiras e Ataliba Reis, que explorava a popularidade da polca "No bico da chaleira", de Juca Storoni (João José da Costa Júnior), uma sátira aos bajuladores do senador Pinheiro Machado. Esta revista relançou o "Fado liró", do paulista Nicolino Milano, que já era sucesso em Lisboa, e difundiu a expressão "chaleirar".

No decorrer dos anos 10, a situação mudou para melhor, a começar pela temporada de 1912, que teve dois lançamentos excepcionais: *Forrobodó* e *Gato, Baeta e Carapicu*. Assinada por dois novatos, que logo iriam se impor como pródigos criadores de espetáculos — o revistógrafo Carlos Bittencourt e o poeta, caricaturista, pintor e não menos revistógrafo Luís Peixoto —, *Forrobodó* constituiu-se num fenômeno no teatro musicado brasileiro, alcançando, segundo se calcula, mais de 1.500 representações, nas inúmeras remontagens que recebeu. Burleta de costumes cariocas, em três atos, a peça, encenada pela empresa Paschoal Segreto, apresentou na estreia, no Teatro São José, em 11 de junho de 1912, um elenco em que se destacavam artistas como Cinira Polônio, Alfredo Silva, Pepa Delgado e Cecília Porto. Em sua trilha musical — 13 composições de Chiquinha Gonzaga — estavam o tango "Forrobodó", gravado pelo cantor Bahiano, e a canção cômica "Siá Zeferina" (nome de uma personagem da peça), que seria transformada na modinha "Lua branca".

Gato, Baeta e Carapicu, rival à altura de *Forrobodó*, é outro marco no teatro musicado. Tanto assim que antecipou a aceitação da revista de carnaval como substituta das antigas revistas inspiradas em acontecimentos do ano. De autoria de Cardoso de Menezes, música de Bento Mossurunga, o espetáculo explorava a grande rivalidade existente entre os principais clubes carnavalescos cariocas, sendo "gatos" os adeptos dos Fenianos, "baetas" os dos Tenentes do Diabo e "carapicus" os dos Democráticos. Essa rivalidade, que na época superava a dos clubes de futebol, era marcada pela predominância da classe média na torcida dos Fenianos e das classes mais pobres na dos Democráticos, clubes que adotavam as cores vermelha e preta, o primeiro, e branca e preta, o segundo.

Relacionado à melhoria dos espetáculos, verificou-se no período 1912-1920 um expressivo crescimento de público e do número de peças encenadas — de 100 a 120 por ano —, destacando-se as seguintes: *Dengo! Dengo!*, *O gabiru*, *Ai, Filomena*, *O meu boi morreu*, *Contramão* e *O pé de anjo*. *Dengo! Dengo!* (1913), revista carnavalesca de Cardoso de Menezes, teve como ponto alto a polca homônima, de E. Duque Estrada Faria, uma das mais cantadas no ano. *O gabiru* (1914), de J. Brito, com música de Luís Moreira, alcançou 114 representações na temporada. "Gabiru" era o nome dado pelos cariocas a galanteadores inconvenientes. *Ai, Filomena* (1915), de José Praxedes e Marino, tinha em seu elenco o ator açoriano José Brandão, conhecido como Brandão, o Popularíssimo; Júlia Martins, que fazia a Filomena; Zazá Soares e Sara Nobre, entre outros. Tendo por motivo a polca homônima, um arranjo de J. Carvalho Bulhões, Praxedes e Marino sobre a canção italiana "Viva Garibaldi", *Ai, Filomena* caricaturava o ex-presidente Hermes da Fonseca (apelidado de Dudu) e sua fama de azarado. Daí os versos: "Ó Filomena/ se eu fosse como tu/ tirava a urucubaca/ da cabeça do Dudu...". *O meu boi morreu* (1916), de Raul Pederneiras e José Praxedes, era mais uma revista inspirada numa música de sucesso, a toada de autor desconhecido "O meu boi morreu", que a atriz Abgail Maia soube valorizar no palco e a dupla Bahiano-Eduardo das Neves, no disco; *Contramão* (1919), de Alfredo Breda e Romano Coutinho, foi o espetáculo que levou o futebol para o teatro musicado, homenageando os clubes do Rio nas figuras das atrizes, devidamente uniformizadas: Otília Amorim era o Botafogo; Cândida Leal, o Fluminense; Rosália Pombo, o Flamengo; e Maria Ruiz, o São Cristóvão. O Vasco não entrou porque na época ainda não adotara o futebol. Por fim, em 1920, um sucesso estrondoso, a revista *O pé de anjo*, que alcançou o recorde de mais de 400 representações consecutivas. De autoria de Carlos Bittencourt e Cardoso de Menezes, com música de Bento Mossurunga, Bernardino Vivas e Julio Cristóbal e um elenco de primeira — Otília Amorim, Alfredo Silva, João de Deus, Cândida Leal, Júlia Martins... —, *O pé de anjo* entrou em cena em 28 de abril de 1920, no Teatro São José, tendo sua carreira se alongado ao primeiro semestre de 1921. Utilizando várias canções de compositores populares, entre as quais a marcha de Sinhô que lhe emprestou o título, a peça ajudou a intensificar o aproveitamento desses compositores pelo teatro de revista.

Em 1922, realizou uma temporada no Rio de Janeiro a companhia de revistas Ba-ta-clan, de Paris. Fugindo ao estilo de outras companhias que nos visitavam, ainda presas às tradições da Belle Époque, a Ba-ta--clan, dirigida por madame Rasimi, apresentava o suprassumo das novidades do pós-guerra mundial: uma esmerada seleção de coristas, com coreografia rigorosamente marcada; cenários e *féeries* deslumbrantes; música vibrante e funcional; uma perfeita integração do colorido e da iluminação, realçando os efeitos cenográficos; e, coroando o esquema, uma generosa exposição de erotismo, oferecida pelos nus femininos. Então, sob o impacto do sucesso da Ba-ta-clan, nossos revistógrafos abandonaram antigos conceitos e, de imediato, procuraram assimilar toda aquela modernidade, adaptando-a à realidade brasileira. Com isso levaram o nosso teatro de revista à sua fase de maior prestígio e esplendor, que se estenderia de 1922 a 1929.

Assim, já nos últimos meses de 1922, algumas audácias copiadas das francesas podiam ser apreciadas em *Vamos pintar o sete*, de Raul Pederneiras, que exibia ao natural a plástica de Pepita Abreu, e em *Meu bem não chora*, da dupla Bittencourt & Menezes, a primeira revista brasileira a assumir plenamente o novo modelo. Nesta peça, dançava-se e cantava--se numa cena carnavalesca a marcha "Sai da raia", de Sinhô. Isso confirma a presença da marchinha, desde o seu começo, nas revistas, registrando-se, além de "Sai da raia" e "O pé de anjo", o sucesso de "Ai amor" (de Freire Júnior), cantada por Otília Amorim em *Reco-reco* (1921).

Em 1923, além de uma nova temporada da Ba-ta-clan, o Rio recebeu outra grande companhia europeia, a madrilenha Velasco. Informa o historiador Salvyano Cavalcanti de Paiva (no livro *Viva o rebolado*) que, "tal como no século passado o Alcázar Lyrique fora o refúgio dos ditadores da opinião pública, em 1923, literatos, jornalistas e *enfants gatés* cariocas, deslumbrados com as francesas e espanholas, faziam ponto à porta de saída dos artistas nos teatros Lírico e República", onde atuavam, respectivamente, a Ba-ta-clan e a Velasco.

No mesmo ano, sobressaíram-se as revistas *Tatu subiu no pau*, dos Irmãos Quintiliano, com música de Freire Júnior, Careca (Luís Nunes Sampaio) e Eduardo Souto, autor do "samba à moda paulista" que dava nome à peça; *Meia-noite e trinta*, de Luís Peixoto, que mostrava Francisco Alves, fardado de guarda-civil, cantando modinhas e dançando um maxixe com sua irmã Nair; e *Sonho de ópio*, de Oscar Lopes e Duque, em que Aracy Cortes, aos 19 anos, fazia a sua segunda aparição em revistas, cantando o samba "Ai, Madame", de Paulino Sacramento.

Os maiores sucessos de 1924 foram: *Alô, quem fala?*, de Bittencourt & Menezes, música de Assis Pacheco, uma das recordistas de público na temporada, onde Chico Alves fazia um *cabarétier* que contracenava com a veterana Maria Lino; e *À la garçonne*, de Marques Porto e Afonso de Carvalho, a revista do ano, com 300 representações. Concorreu para o seu êxito a popularidade do romance feminista *La Garçonne*, de Victor Margueritte, editado no Brasil com o título de *A emancipada*, que escandalizou os tradicionalistas, deflagrando algumas modas femininas, como a do cabelo curto aparado na nuca. *À la garçonne* levou para as revistas a bela comediante Margarida Max, que estreou cantando o fox-trot "Cabeleira *à la garçonne*", depois transformado em marchinha carnavalesca pelo maestro Sá Pereira.

O mesmo Sá Pereira, com Ari Pavão, foi o responsável pelo lançamento, em 1925, do clássico "Chuá chuá", número principal da revista *Comidas, meu santo*. Estreada no Recreio em 4 de junho, a peça de Marques Porto e Ari Pavão repetia Margarida Max, ao lado de Mesquitinha e grande elenco, tendo lançado ainda o maxixe "Suspira, nega, suspira", também de Pedro de Sá Pereira. Outros sucessos de 1925: *Verde e amarelo*, uma patriotada de José do Patrocínio Filho e Ari Pavão, com mais de 200 representações e na qual era apresentada a toada "Nosso ranchinho", de Donga; *Se a moda pega*, que lançou com Otília Amorim o sucesso "Zizinha", composto por José Francisco de Freitas e pelos autores da peça, Carlos Bittencourt e Cardoso de Menezes, marcha consagrada no carnaval de 1926; e, nos últimos dias do ano, aproveitando mais um samba de Sinhô, a pré-carnavalesca *Amor sem dinheiro*, de Alfredo Breda e Rubem Gil.

Ano de campanha eleitoral, que elegeu para a presidência da república Washington Luís Pereira de Souza, 1926 mostrou duas boas revistas políticas: *Café com leite*, de Freire Júnior, título de um maxixe do próprio revistógrafo, alusivo à decantada política que alternava no poder paulistas e mineiros; e *Prestes a chegar*, de Marques Porto e Luís Peixoto, cujo título prestava-se a uma dupla interpretação: para os situacionistas, vaticinava a escolha do presidente de São Paulo, Júlio Prestes, como futuro sucessor de Washington Luís; para o oposicionistas, homenageava o capitão Luís Carlos Prestes, então em plena evidência, conduzindo Brasil afora a revolucionária Coluna Prestes. Para não parecerem subversivos, os autores criaram um quadro no qual um grupo de coristas, fantasiadas de marinheiras, desfilava ao som do "Cisne branco" (ou seja, a "Canção do marinheiro", de A. M. do Espírito Santo e B. Xavier de Macedo), cantado por todo o elenco. Estrelaram as peças Otília Amorim, Antônia Denegri e Pinto Filho (*Café com leite*) e Lia Binatti, Henriqueta Brieba e J. Figueiredo (*Prestes a chegar*). Outras revistas de sucesso em 1926: *Sol nascente*, de Bittencourt, Menezes e Vitor Pujol, em que Margarida Max lançava a marchinha "Dondoca" (de José Francisco de Freitas) para o carnaval de 1927; *Tudo preto*, de De Chocolat e Sebastião Cirino, com elenco de artistas negros e que apresentava Dalva Espíndola cantando o maxixe "Cristo nasceu na Bahia", de Cirino e Duque; e *Plus-ultra*, de Goulart de Andrade e Hekel Tavares, encenada pela Companhia Tro-lo-ló, de Jardel Jercolis, com Aracy Cortes.

A grande fase do teatro de revista brasileiro viveu os seus momentos mais altos nesse final dos anos 20, quando alcançou um equilíbrio perfeito entre a graça das cortinas cômicas e a exuberância dos quadros musicais. Concorreu para isso a conjunção de três fatores, que seriam a atuação de bons cômicos interpretando textos realmente espirituosos, a atração exercida sobre o público por um grupo de belas e sensuais atrizes — Aracy Cortes, Margarida Max, Antônia Denegri, Lia Binatti e Otília Amorim — e o aproveitamento maciço do que havia de melhor na música popular. Nesse setor, pode-se dizer, tudo começava ou acabava

Aracy Cortes (1904-1985), uma das maiores estrelas do teatro de revista brasileiro.

nas revistas cariocas. Assim, no período, além de ter a seu serviço compositores como Sinhô (o mais requisitado), Eduardo Souto, Pixinguinha, Donga, Freire Júnior, José Francisco de Freitas, Henrique Vogeler e os novatos Lamartine Babo e Ary Barroso, maestros-arranjadores como Pedro de Sá Pereira, Antônio Lago, Assis Pacheco, José Nunes, Bernardino Vivas e os estrangeiros Julio Cristóbal e Antonio Rada, a fina flor dos instrumentistas e cantores do porte de Vicente Celestino e Francisco Alves, o nosso teatro musicado ainda absorvia a maior parte das canções, tendo lançado, ou aproveitado, futuros clássicos como "Jura", "Gosto que me enrosco", "Não quero saber mais dela", "A favela vai abaixo", "Amar a uma só mulher" e "Sabiá" (de Sinhô), "No morro" ("Boneca de piche"), "Vamos deixar de intimidade" e "Vou à Penha" (de Ary Barroso), "Linda flor" (de Henrique Vogeler, Luís Peixoto e Marques Porto), "Gavião calçudo" (de Pixinguinha) e "Casa de caboclo" (de Hekel Tavares e Luís Peixoto).

Mas, voltando aos sucessos anuais, brilharam em 1927: *Paulista de Macaé*, revista de Marques Porto e Luís Peixoto, uma bajulação ao presidente Washington Luís, paulista na política, mas, macaense de nascença; *O cruzeiro*, dos Irmãos Quintiliano, cujo título referia-se a uma nova moeda, prometida e não adotada pelo governo; *Braço de cera*, de Freire Júnior, baseada no sucesso do samba carnavalesco homônimo, de Nestor Brandão; e *Ouro à beça*, de Djalma Nunes, Jerônimo Castilhos e Lamartine Babo, com Margarida Max, Luiza del Valle e a curvilínea Antônia Otero, que estendeu seu êxito ao ano seguinte. Nesta revista, Lamartine lançou duas de suas belas composições, os foxes "Oh! as mulheres", depois transformado em marcha, e "Oh! Nina" (parceria de Ary Barroso), não gravado na época e que seria ressuscitado 49 anos depois, na minissérie da TV Globo, *Memórias de um gigolô*.

Já em 1928 destacaram-se *Seminua*, *É da fuzarca*, *Que buraco, seu Luís* e *Microlândia*. *Seminua*, de Paulo de Magalhães, com a bailarina Norka Rousskaya, Aracy Cortes, Nelly Flores, Luísa Fonseca e outros, tinha no repertório os sambas de Sinhô "Deus nos livre do castigo das mulheres", cantado por Nelly, e "Gosto que me enrosco", cantado por Luísa. *É da fuzarca*, da dupla Bittencourt & Menezes, era animada pela vibrante marchinha "Sou da fuzarca" (de Vantuil de Carvalho), sucesso no carnaval seguinte, e apresentava também Vicente Celestino cantando "Sabiá" (de Sinhô). *Que buraco, seu Luís*, de Gastão Tojeiro, encenada por Jardel Jercolis, criticava o presidente em cenas cômicas e músicas como a marchinha de Eduardo Souto "Seu Doutor". *Microlândia*, de Marques Porto, Luís Peixoto e Alfredo de Carvalho, teve o mérito de lançar o samba "Jura" (de Sinhô), cantado por Aracy Cortes, bisado ou trisado em todas as sessões.

Estreada em 20 de dezembro, *Miss Brasil*, de Marques Porto e Luís Peixoto, é a revista de maior sucesso nos anos de 1928 e 1929. E um dos motivos desse sucesso foi o lançamento do samba-canção, paradigma do gênero, "Linda flor" ("Ai, Ioiô"), de Henrique Vogeler, Luís Peixoto e Marques Porto, interpretado de forma inesquecível por Aracy Cortes. No auge da forma, aos 24 anos, Aracy lançava também no espetáculo o samba "Medida do Senhor do Bonfim" (de Sinhô), repetia "Jura" e ainda dançava, com o cômico Palitos, um requebrado maxixe que levava a plateia ao delírio. Completavam o elenco figuras como Itália Fausta, Luísa Fonseca, Mesquitinha, Lídia Campos e Judite de Souza. Outros sucessos do fértil ano de 1929 foram *Laranja da China*, *Guerra ao mosquito*, *Banco do Brasil* e *Pátria amada*. *Laranja da China*, do poeta Olegário Mariano, foi uma das primeiras a caricaturar Getúlio Vargas, ex-ministro da Fazenda e então presidente do Rio Grande do Sul, que começava a se projetar nacionalmente, ao se opor à candidatura de Júlio Prestes à sucessão presidencial. Rica em texto e canções, tinha Vicente Celestino cantando a valsa "Hula" (de Olegário e Joubert de Carvalho) e Aracy Cortes em excelentes números musicais, como os sambas "A polícia já foi lá em casa" (de Olegário e Julio Cristóbal), "Vamos deixar de intimidade" e "Vou à Penha" (de Ary Barroso). *Guerra ao mosquito*, ainda dos incansáveis Luís Peixoto e Marques Porto, tinha como pontos altos o samba "Gavião calçudo" (de Pixinguinha) e o monólogo "Guerra ao mosquito" (de Peixoto e Porto), interpretado no palco e no disco pelo cômico Pinto Filho. *Banco do Brasil*, mais um sucesso da dupla Peixoto & Porto, insistia na fórmula boas piadas-ótimas canções, com o trio Aracy, Palitos e Mesquitinha. E, finalmente, repetindo os autores e atores da peça anterior, mais a sensacional novata Zaíra Cavalcânti, então com 17 anos, a revista *Pátria amada* encerrou o ano de 1929.

A chegada da década de 1930, com a popularização do rádio e do cinema falado, constituiu-se num poderoso golpe no prestígio do teatro musicado. Então, embora tenha continuado intensa a produção de revistas, preservando uma boa parte do público, que lhe seria fiel por vários anos, o gênero entrou em processo de decadência, com suas vedetes sendo ofuscadas pelo brilho de uma nova geração formada pelo rádio. Não por acaso, essa geração seria a mesma a construir a glória e o encanto de nossos filmes musicais — verdadeiras revistas filmadas —, que começaram a ser lançados regularmente a partir de 1933.

20.
TRÊS INVENÇÕES DITAM NOVOS RUMOS À MÚSICA POPULAR

À zero hora do dia 7 de setembro de 1922, a cidade do Rio de Janeiro foi sacudida por uma formidável salva de 21 tiros de canhão, disparada simultaneamente por todos os navios de guerra — brasileiros e estrangeiros — fundeados na baía de Guanabara. O ruidoso espetáculo anunciava à população e aos visitantes a abertura da programação oficial comemorativa do centenário de independência do Brasil.

Oito horas depois, no Campo de São Cristóvão, o presidente da República, Epitácio Pessoa, passava em revista a tropa formada para a parada militar. Participavam do desfile cerca de 30 mil homens, juntando-se às unidades do Exército, Marinha e Polícia nacionais, contingentes representativos dos Estados Unidos, Inglaterra, Japão, Portugal e de vários países americanos. Completavam a programação do dia um préstito luminoso, em homenagem a vultos históricos, um *Te Deum* solene na catedral metropolitana, uma representação da ópera *O Guarani* no Teatro Municipal e, como ponto alto das festividades, a inauguração da grande Exposição Internacional do Centenário.

Montada em vasta área no Centro do Rio, a exposição dividia-se em dois setores: o estrangeiro, destinado aos pavilhões dos 50 países participantes e que se estendia das imediações do Passeio Público à ponta do Calabouço; e o brasileiro, onde se erguiam os pavilhões dos estados e do Distrito Federal, ocupando a então chamada Esplanada do Mercado, que ia do Calabouço à Praça Quinze. Foi no ambiente entusiástico da inauguração, presenciada por milhares de pessoas, que se fez ouvir a primeira transmissão radiofônica brasileira. Inaugurava-se assim, além da exposição, o rádio no Brasil.

Surpreendentemente, o fato não despertou o interesse que merecia. O grande jornal *O País*, por exemplo, na exaustiva cobertura que realizou dos festejos, não lhe dedicou uma linha sequer. Havia, porém, uns poucos brasileiros que sabiam de sua importância, entre os quais o ilustre professor Edgard Roquette Pinto, testemunha do acontecimento. Em sua opinião, a indiferença do público deveu-se à péssima qualidade do som emitido pelos alto-falantes, conforme afirmou numa palestra realizada na Associação Brasileira de Telecomunicações, em 1953: "Discursos e músicas (eram) reproduzidos em meio de um barulho infernal, tudo roufenho, distorcido, arranhando os ouvidos. [...] Uma curiosidade, sem maiores consequências".

A responsabilidade por essa transmissão — que se iniciou com um discurso de Epitácio Pessoa e terminou com a irradiação de *O Guarani* — foi das empresas americanas Westinghouse e Western Electric, que instalaram duas pequenas emissoras, uma no alto do Corcovado, a outra na Praia Vermelha. Naturalmente, a intenção era vendê-las para os brasileiros, o que acabou acontecendo à segunda, graças aos esforços de Roquette Pinto: "No começo de 1923" — relembra o professor na citada palestra — "desmontava-se a estação do Corcovado e a da Praia Vermelha ia seguir o mesmo destino se o governo não a comprasse. Ora, eu vivia angustiado com essa história, porque já tinha a convicção profunda do valor informativo e cultural do sistema. [...] Mas uma andorinha não faz verão. Resolvi interessar no problema a Academia de Ciências. Era presidente o nosso querido mestre Henrique Morize e eu era secretário. Foi assim que nasceu a Rádio Sociedade do Rio de Janeiro, a 20 de abril de 1923".

E nasceu somente dois anos e meio depois da KDKA, de Pittsburgh (Filadélfia), a primeira estação radiofônica a ser oficialmente autorizada a funcionar na América do Norte. Considerável, entretanto, era em 1923 a diferença entre o número de emissoras existentes no Brasil e nos Estados Unidos. Enquanto possuíamos apenas uma, os americanos ostentavam o total de 569. Mas, ao contrário da rapidez com que se expandiu o *broadcast* norte-americano, o processo de invenção do rádio foi trabalhoso e demorado, alongando-se por mais de meio século.

Tudo começou no ano de 1864, em Cambridge, quando o escocês James Clerk Maxwell provou matematicamente que um fenômeno elétrico era capaz de produzir efeito a considerável distância e vaticinou que a energia eletromagnética poderia expandir-se para fora de sua fonte, em ondas que se moveriam à velocidade da luz. Estava aberta assim a vereda inicial que conduziria à criação da radiodifusão de sons (radiofonia) e de sons e imagens (televisão), através de ondas eletromagnéticas. O próximo passo importante na pesquisa foi do alemão Heinrich Rudolf Hertz, que em 1888 provou a veracidade das previsões de Maxwell e desenvolveu meios para produzir e captar ondas de rádio, as quais tomariam o seu nome. Morto aos 37 anos, Hertz teve um continuador à altura em Guglielmo Marconi, que inventaria o telégrafo sem fio. Este obstinado italiano viveu seu maior momento de glória no dia 12 de dezembro de 1901, quando realizou a primeira transmissão radiotelegráfica transatlântica, numa distância de 3.200 quilômetros. Finalmente, no período 1903-1906, uma combinação de inventos do inglês John Ambrose Fleming e do americano Lee De Forest resultaram na criação da válvula eletrônica, componente-chave que possibilitaria o funcionamento do rádio. Doze anos mais tarde, empresas americanas e europeias já estariam aptas a fabricar transmissores e receptores. Em razão da Grande Guerra, porém, só começaram a fazê-los em escala industrial a partir de 1920, quando ocorreu a citada expansão de emissoras nos Estados Unidos.

Enquanto isso, no Rio de Janeiro, a Rádio Sociedade se manteria solitária até 1º de outubro de 1924, quando entrou no ar a Rádio Clube do Brasil. A esta seguiram-se mais três estações cariocas: a Mayrink Veiga (20 de janeiro de 1926), a Educadora (11 de junho de 1927) e a Philips (março de 1930). Ainda na década de 1920, outras rádios foram fundadas pelo Brasil afora, a saber: a Rádio Clube de Pernambuco (que fazia experiências de radiotelefonia desde 1919), a Rádio Pelotense (6 de junho de 1925), no Rio Grande do Sul, e as paulistas Rádio Educadora (30 de novembro de 1923), Rádio Clube de Ribeirão Preto (23 de dezembro de 1923), Rádio São Paulo (junho de 1924), Rádio Clube de Santos (26 de dezembro de 1926), Rádio Hertz de Franca (1927), Rádio Cruzeiro do Sul (1927), Rádio Sociedade Record (23 de outubro de 1928) e Rádio Clube de Rio Preto (1928).

A inexistência de leis que permitissem a exploração comercial da radiofonia brasileira tornou extremamente difícil sua sobrevivência no período inicial. Incapazes de se manterem às custas de clubes ou de sociedades de ouvintes — porque as pessoas, podendo ouvir as transmissões de graça, acabavam não pagando as mensalidades —, as emissoras dependiam da dedicação de abnegados colaboradores, ou da vontade de aparecer de alguns amadores, para permanecer em atividade. Isso significava improvisações, desacertos, falhas técnicas, baixa qualidade artística, ou seja, uma programação rigorosamente amadorística no pior sentido do termo. Era comum, por exemplo, ouvir-se um locutor (*speaker*, na época) anunciar pomposamente: "Em visita aos nossos estúdios, a gentil senhorinha fulana de tal vai agora nos brindar com alguns números de seu seleto repertório". E tome "Ciribiribin", "Estrellita", a valsa "Frou-frou"... Também comuns eram os agradecimentos às lojas que emprestavam discos para a programação. Já o noticiário falado da Rádio Sociedade era feito pelo próprio Roquette Pinto, que, por telefone, lia de sua residência as notícias selecionadas nos jornais do dia. Segundo o radialista Almirante (Henrique Foréis Domingues), houve mesmo por algum tempo um acordo entre as pioneiras, rádios Clube e Sociedade, para alternarem suas transmissões: "uma irradiava nas segundas, quartas e sextas; a outra, nas terças, quintas e sábados. Aos domingos, descansavam".

Mas um dia esses tempos de penúria chegaram ao fim. Isso aconteceu em 1º de março de 1932, quando Getúlio Vargas, chefe do governo instituído pela Revolução de 30, assinou o decreto redentor, autorizando o rádio a fazer propaganda comercial remunerada. Então, dois programas, o "Esplêndido Programa", de Valdo de Abreu, e o "Programa Casé", de Ademar Casé, cresceriam para se tornar as primeiras grandes atrações do rádio brasileiro.

Desde a invenção do fonógrafo, em 1877, até 1925, só foi possível gravar-se o som no rudimentar sistema mecânico. Com o desenvolvimento da ciência eletrônica, após a invenção da válvula termiônica, começaram a se desenvolver experiências para a criação de um processo de gravação eletromagnética. Essas experiências ganharam força com a publicação, em 1919, de um trabalho de Arthur Gordon Webster — sobre impedância e seu balanceamento num circuito elétrico —, que levaria à concretização do invento.

Assim, no dia 25 de fevereiro de 1925, a Columbia americana efetuava a primeira sessão de gravação elétrica comercial, com o pianista Art Gilham. Dotado de recursos impossíveis no sistema mecânico, que se limitava a armazenar no disco a energia mecânica, o sistema elétrico transforma ondas sonoras em energia eletromagnética. Quando o disco é tocado num fonógrafo, essa energia é novamente transformada por um amplificador em ondas sonoras. Com o novo sistema atingiu-se então notável melhoria de qualidade do som gravado, o que desencadeou verdadeira revolução no mercado fonográfico.

Foi a Odeon que trouxe a gravação elétrica para o Brasil, em julho de 1927. Seu primeiro disco elétrico (nº 10001) mostrava Francisco Alves cantando duas músicas de Duque, a marcha "Albertina" e o samba "Passarinho do má". Além de Alves, que aparecia em mais três faces de discos, participaram desse suplemento histórico o violinista Anselmo

Zlatopolsky (dois discos), o bandolinista Francisco Neto, o cantor Carlos Serra, o violonista Canhoto (Américo Jacomino), o Trio Odeon e a Orquestra Pan American, num total de nove discos.

Em julho de 1928, a onda expansionista das gravadoras, resultante do sucesso do disco elétrico, alcançou o Brasil com a instalação no Rio, e logo em São Paulo, da inglesa Parlophon. A revista *Phono Arte*, noticiando o fato, informava: "O aparelhamento da Parlophon obedece aos mais aperfeiçoados métodos de manufatura, sendo que todos os seus discos serão gravados pelo processo de enregistramento elétrico". Como pertencia ao mesmo grupo da Odeon, a nova gravadora utilizava boa parte dos contratados desta, inclusive seu cantor maior, Francisco Alves, que gravava com o nome verdadeiro na primeira e com o pseudônimo de Chico Viola na segunda.

Seis meses depois da Parlophon, chegou a Columbia, cujo suplemento inicial saiu em fevereiro de 1929. Representada por Byington & Cia., que vendia aparelhos elétricos, a empresa fixou-se em São Paulo, recrutando nesta cidade a maior parte do elenco, inclusive seu diretor artístico, o pianista Gaó (Odmar do Amaral Gurgel). Integrando sua equipe, veio o americano Wallace Downey, que exerceria grande atividade em nossos meios musical e cinematográfico nos anos seguintes.

À Columbia seguiu-se a Victor, instalada no Rio de Janeiro no segundo semestre de 1929 e que lançou seus primeiros discos em novembro. Incumbido de organizar o quadro artístico da gravadora, o violonista Rogério Guimarães realizou um bom trabalho, contratando, entre outros, Pixinguinha e os futuros astros Sílvio Caldas e Carmen Miranda. A Victor seria a única das novatas a se firmar em curto prazo e competir em condições de igualdade com a tradicional Odeon.

Por fim, em dezembro de 1929 inaugurou-se em um barracão no bairro carioca de São Cristóvão a Brunswick, de efêmera duração, pois encerraria suas atividades nos primeiros meses de 1931. Mesmo assim, ainda teve o mérito de lançar alguns nomes como Benedito Lacerda, o Bando da Lua e a própria Carmen Miranda, que provavelmente (não há registro de datas) efetuou nesta companhia suas gravações de estreia, cantando "Se o samba é moda" e "Não vá s'imbora", composições de seu padrinho artístico Josué de Barros.

A entrada no mercado brasileiro, então feudo da Odeon, de quatro gravadoras no curto espaço de um ano e meio, marcou de forma auspiciosa o início da era da gravação elétrica entre nós, agitando o meio musical e despertando a atenção do público. Isso refletiu-se na imprensa, com o aparecimento de sessões dedicadas ao disco em diversos órgãos — como *O País* e *O Cruzeiro* — e até de uma revista, *Phono Arte*, especializada no assunto.

O sonho de sincronizar som e imagem nasceu no mesmo momento em que se inventou o cinema. Uma prova disso seriam as remotas experiências de Thomas Edison e William Dickson, tendo este último chegado a criar um tosco modelo de sincronização. Entretanto, as inúmeras tentativas realizadas no início do século XX para fazer o cinema "falar" esbarraram sempre nas limitações da gravação mecânica. O sonho começou a se tornar realidade a partir da invenção da válvula eletrônica, que possibilitou a amplificação do som. O avanço seguinte e decisivo veio no pós-guerra com o osciloscópio, aparelho capaz de converter sons em feixes de luz, o que permitiu a gravação no próprio celuloide em que se registravam as imagens.

Ao chegar-se à metade dos anos 20, proliferavam nos Estados Unidos e na Europa pequenos filmes, que focalizavam cantores populares e operísticos, orquestras e números de *vaudeville* (eram os videoclipes da época), às vezes exibidos de forma precária como complemento da programação de longas-metragens mudos. Esses curtas (*shorts*) utilizavam os dois sistemas de sincronização em desenvolvimento na ocasião: a sonorização em disco (*sound-on-disc*) ou a sonorização em filme (*sound-on-film*) — sendo este pioneiramente explorado pela Phonofilm, empresa do inventor Lee De Forest. Foi então que surgiu em 1926 o sistema Vitaphone, desenvolvido pela Western Electric, que, associada à Warner Bros., levou o cinema falado aos longas-metragens. Menos de um ano depois, ao mesmo tempo que em realizava curtas, a Warner inseriu quatro sequências cantadas e um pequeno diálogo no longa *O cantor de jazz* (*The Jazz Singer*), com o popular cantor-ator Al Jolson. Estreado em 6 de outubro de 1927, o filme alcançou tamanho sucesso que encorajou a empresa a produzir, em julho de 1928, *Lights of New York*, realmente o primeiro longa-metragem totalmente sincronizado da história do cinema.

A adesão das principais companhias de Hollywood à novidade foi imediata, começando em maio de 1928 com a Paramount, a United Artists e a Metro, que adotaram a tecnologia da Western Electric. Ao mesmo tempo em que se popularizava o sistema Vitaphone (com sonorização em disco), William Fox, associado a Theodore Case e Earl Sponable, com o apoio técnico da General Electric, formava a Fox-Case Corporation, para desenvolver um outro sistema, o Movietone, baseado na sincronização em filme. E já em 1927, a Fox enriquecia *Aurora* (*Sunrise*), filme de estreia do diretor Murnau em Hollywood, com uma trilha sonora orquestral gravada na película. Mas enquanto no sistema Vitaphone a filmagem era feita com a câmera acoplada a um gravador de som e a projeção com o projetor acoplado a um toca-discos, no Movietone ambas as operações se realizavam de forma muito mais simples, com câmera e projetor dotados de dispositivos capazes de gravarem e "lerem" o som transformado em feixes luminosos. O reconhecimento da superioridade do Movietone não demorou muito, acabando por decretar o desaparecimento do Vitaphone em 1931.

Mais rapidamente do que o rádio e a gravação elétrica, o cinema falado chegou ao Brasil apenas sete meses depois de seu lançamento comercial nos Estados Unidos. A estreia histórica ocorreu em 13 de abril de 1929, com a exibição do filme *Alta traição* (*The Patriot*) no Cine Paramount, na capital paulista. O filme, dirigido por Ernst Lubitsch, tinha como ator principal o alemão Emil Jannings (no papel do czar Paulo I), coadjuvado por Florence Vidor e Lewis Stone. Abria a programação um filmete com o nosso cônsul em Nova York, Sebastião Sampaio, explicando para os brasileiros a novidade. Construído em estilo neoclássico na avenida Brigadeiro Luís Antônio, o Paramount permaneceu no tempo, entrando em evidência no final dos anos 60, quando, arrendado pela TV Record para a realização de parte de sua programação, serviu de palco a shows históricos e a alguns festivais.

Já no Rio de Janeiro, a chegada do cinema falado aconteceu no dia 20 de junho de 1929, de forma mais destacada ainda, pois o filme estreante era um grande musical, *Melodia da Broadway* (*The Broadway Melody*), anunciado no mundo inteiro como "a nova maravilha da tela, totalmente falada, cantada e dançada". Na verdade, um marco na cinematografia americana, este filme da Metro — dirigido por Harry Beaumont, com Charles King, Bessie Love e Anita Page, um trio que sabia cantar e atuar — foi o primeiro a ter canções especialmente compostas para a sua produção, sendo que uma delas, "You Were Meant for Me", tornou-se um clássico.

Aguardada com expectativa na cidade, esta estreia atraiu ao Palácio Teatro, na rua do Passeio, grande número de espectadores e convidados, como o próprio presidente Washington Luís. Em razão do entusiasmo despertado, o cinema falado seria logo implantado em todo o Brasil. E para isso não faltavam filmes, pois, ainda em junho de 1929, o jornal O

País anunciava que existiam no estoque de uma grande exibidora mais de vinte esperando a vez de serem exibidos.

O rádio, a gravação elétrica do som e o cinema falado foram tão valiosos para a música popular, que, pode-se dizer, o século XX musical começou na década de 1920, quando surgiram essas três invenções. No caso da música popular brasileira, a evolução da radiofonia, da indústria fonográfica e, um pouco depois, da produção de filmes musicais carnavalescos, foi primordial não só para o aproveitamento das novas gerações, como também para que nossos músicos, cantores e compositores adquirissem uma consciência profissional e aprendessem a se valorizar. Realmente, no acanhado meio em que então viviam, dependendo quase que exclusivamente do teatro de revista para se sustentarem, eles eram, na maioria, pouco mais do que amadores ingênuos e malremunerados.

Por outro lado, ao mesmo tempo em que esse pessoal perdia a inocência e começava a desfrutar de todo um conjunto de oportunidades para crescer artística e profissionalmente, suas canções, além de mais bem gravadas, ganhavam os ares através das ondas radiofônicas e as telas dos cinemas, para rapidamente se tornarem conhecidas em toda parte.

Foi assim que, ajudada pelo extraordinário poder de comunicação desses veículos, na ocasião ainda mais sedutores por serem novidade, nossa música popular viveu a sua primeira grande fase, a chamada Época de Ouro, em que se consolidou e estabeleceu padrões que a consagraram como uma das mais importantes do mundo.

Segundo tempo
A CONSOLIDAÇÃO (1929-1945)

21.
A GERAÇÃO QUE DESENCADEOU A ÉPOCA DE OURO

Além da renovação musical iniciada no período anterior, com a criação de gêneros como o samba e a marchinha, contribuiu decisivamente para que acontecesse a Época de Ouro (1929-1945) o aparecimento de um grande número de artistas talentosos numa mesma geração, a geração de 30.

Começando por seus compositores, destacam-se entre os primeiros a chegar duas figuras que logo entrariam para o rol dos grandes nomes da música popular brasileira: Ary Barroso (1903-1964) e Lamartine Babo (1904-1963). Mineiro, radicado no Rio desde os 18 anos, Ary entrou para o meio musical tocando piano em cinemas e orquestras. Um extraordinário compositor, escolheu o samba como principal meio de expressão, dando-lhe novas formas em um processo de sofisticação que culminou em obras-primas como "Aquarela do Brasil" e "Na Baixa do Sapateiro". Já o carioca Lamartine Babo, surgido também no final da década de 20 e que era tão bom melodista quanto letrista, dedicou-se especialmente à marchinha, podendo ser considerado, juntamente com João de Barro, como o fixador do gênero.

Outro personagem notável da Época de Ouro é o letrista e compositor Noel Rosa (1910-1937), que revolucionou a poética de nossa música popular. Nascido e criado no bairro carioca de Vila Isabel, ali iniciou em 1929 sua carreira, participando de um conjunto vocal, o Bando de Tangarás, tendo no ano seguinte gravado suas primeiras canções. A partir de então, até sua morte prematura, lançaria mais de 250 composições.

Também integrante do Bando de Tangarás e, como Noel, iniciando sua carreira em 1929, o carioca Braguinha (Carlos Alberto Ferreira Braga, 1907-2006), o João de Barro, é um de nossos compositores mais talentosos e prolíficos, especialmente na área carnavalesca.

Entre os componentes dessa geração, merece especial destaque o contingente de compositores que estabeleceu padrões definitivos para o samba, liberando-o da herança do maxixe. No topo dessa lista de sambistas estão os três principais representantes da chamada Turma do Estácio: Ismael Silva (1905-1978), Nilton Bastos (1899-1931) e Alcebíades Barcelos, o Bide (1902-1975).

Distinguindo-se dos companheiros por sua capacidade de liderança, Ismael Silva viveu sua grande fase entre 1929 e 1934, quando compôs ao lado de Nilton Bastos, até 1931, e Noel Rosa, de 1932 a 1934. Nilton Bastos, considerado por alguns como o mais talentoso de seu grupo, morreu aos 32 anos, tendo o nome ofuscado pela fama do parceiro Ismael. Por fim, Alcebíades Barcelos foi, dos três, o que criou obra mais extensa e equilibrada. Bide formou com seu parceiro preferido, Armando Marçal (1902-1947), uma das melhores duplas de compositores da história do samba. Outros bambas do Estácio foram Edgar Marcelino dos Passos (1900-1931), Baiaco (Osvaldo Vasques, 1913-1935) e Brancura (Sílvio Fernandes, 1908-1935). Pertence ainda a essa safra de sambistas o grande Cartola (Angenor de Oliveira, 1908-1980), da Mangueira, glorificado somente na velhice.

Completam o grupo de compositores que iniciou a Época de Ouro o requintado melodista Joubert de Carvalho (1900-1977), Custódio Mesquita (1910-1945), um dos precursores da moderna música brasileira, André Filho (1906-1974), autor de "Cidade maravilhosa", Alberto Ribeiro (1902-1971), que fez 85 composições com João de Barro, Antônio Nássara (1910-1996), Osvaldo Santiago (1902-1976), Valfrido Silva (1904-1972), Gadé (Osvaldo Chaves Ribeiro, 1904-1969), Eratóstenes Frazão (1901-1977) e os letristas Orestes Barbosa (1898-1966) e Cândido das Neves, o Índio (1889-1934), dois expoentes da canção seresteira.

Paralelamente à chegada desses compositores, entra em cena um considerável número de cantores, que logo se projetariam no meio musical. O primeiro a impressionar foi um jovem grã-fino do bairro da Tijuca chamado Mario Reis (1907-1981). Apaixonado por música, Mario criou um estilo de interpretação coloquial e despojado, que revolucionou o nosso canto popular. Foi o primeiro brasileiro a explorar as possibilidades oferecidas pelo microfone e a gravação elétrica do som.

Com seu disco de estreia lançado em janeiro de 1930, a estrela Carmen Miranda (1908-1955), dona de um estilo encantador, surgiu para se tornar a maior figura feminina da MPB na primeira metade do século XX. Ainda no começo de 1930, iniciou sua caminhada para o sucesso o carioca Sílvio Caldas (1908-1998), seresteiro veemente, de voz expressiva, que se manteria em atividade artística por mais de 50 anos. Companheiro de Braguinha e Noel Rosa no Bando de Tangarás, também despontou na ocasião o cantor, e depois produtor de rádio e pesquisador de música popular, Almirante (Henrique Foréis Domingues, 1908-1980), um dos poucos astros de primeira grandeza da época a não ter a música romântica como propulsora do sucesso. Outros ótimos cantores celebrizados nessa geração foram o paulista Gastão Formenti (1894-1974) e o alagoano Augusto Calheiros (1891-1956), que intercalavam em seus repertórios música romântica e sertaneja.

Integrando o naipe feminino, podem ser citadas mais quatro cantoras que desfrutaram de relativo sucesso: Stefana de Macedo (1903-1975), Jesy Barbosa (1902-1987), Alda Verona (Celeste Coelho Brandão, 1898-1989) e Elisa Coelho (1909-2001), que lançou o clássico "No Rancho Fundo".

Destacam-se ainda nessa geração os cantores João Petra de Barros (1914-1947), Luís Barbosa (1910-1938), Arnaldo Pescuma (1903-1968), Jorge Fernandes (1907-1989), Castro Barbosa (1909-1975), Jonjoca (João de Freitas Ferreira, 1911-2006), Moreira da Silva (1902-2000), fixador e grande intérprete do samba de breque, Joel e Gaúcho, dupla formada pelo cantor Joel de Almeida (1913-1993) e o cantor e violonista Francisco de Paula Brandão Rangel (1911-1971), e o pioneiro conjunto vocal Bando da Lua.

Para acompanhar todos esses artistas, a geração de 30 contou com um alentado número de excelentes instrumentistas, entre os quais ressalta o grande pianista-compositor-arranjador gaúcho Radamés Gnattali (1906-1988). Fixando-se no Rio de Janeiro no começo dos anos 30, Radamés passou a exercer intensa atividade, movimentando-se à vontade nas áreas popular e erudita. Também maestro e pianista era o paulista Gaó (Odmar Amaral Gurgel, 1908-1992), que teria uma longa e brilhante carreira, iniciada já aos 20 anos, quando assumiu a direção artística da gravadora Columbia. Herdeiros autênticos da tradição dos pianistas populares, que animavam as festas dançantes dos brasileiros no início do século XX, foram Nonô (Romualdo Peixoto, 1901-1954) e Carolina Cardoso de Menezes (1916-2000). O balanço, a bossa, os improvisos de Carolina podem ser apreciados nos numerosos discos que deixou, ao contrário de Nonô, que só gravou um disco solo.

Chorão, compositor, líder do mais famoso conjunto regional da Era do Rádio, Benedito Lacerda (1903-1958) foi também o principal flautista de sua geração, tendo participado de centenas de gravações. Seguidor de

Francisco Alves (1898-1952), o Rei da Voz, recordista de gravações em 78 rotações.

uma carreira idêntica, porém mais modesta, foi o flautista e compositor Dante Santoro (1904-1969). Sempre requisitado pelas melhores orquestras, o sergipano Luís Americano (1910-1960) é um dos maiores saxofonistas (sax alto) e clarinetistas brasileiros de seu tempo, salientando-se ainda como autor de valsas e choros clássicos. Tocando os mesmos instrumentos, o paraibano Ratinho (Severino Rangel, 1896-1972) dividiu sua vida entre a música e o humorismo, tendo formado por muitos anos dupla com o parceiro Jararaca (José Luís Calazans, 1896-1977).

Já no setor de cordas dedilhadas, há um vasto elenco, pontilhado de talentos, a começar pelo multi-instrumentista Aníbal Augusto Sardinha, o Garoto (1915-1955), que esbanjava maestria no domínio de instrumentos como o violão, o violão tenor, o banjo, o bandolim, o cavaquinho e até a guitarra havaiana. Outro talentoso músico de muitos instrumentos, José do Patrocínio de Oliveira, o Zé Carioca (1904-1987), paulista como Garoto, apesar do apelido adquirido nos estúdios Disney, teve longa carreira, iniciada no Brasil e terminada nos Estados Unidos. O terceiro multi-instrumentista de São Paulo é Aimoré (José Alves da Silva, 1908-1979), de atuação intensa, todavia restrita ao seu estado. Entre os violonistas, muito se destaca o campinense, radicado no Rio, Rogério Guimarães (1900-1980), que além de músico foi o primeiro diretor artístico da gravadora Victor no Brasil. Mas há também o excelente Meira (Jaime Florence, 1909-1982), um pernambucano atuante no Rio de Janeiro a partir de 1928. Completa esse setor o exímio bandolinista, chorão e compositor recifense Luperce Miranda (1904-1977).

Encerrando a lista dos bons músicos que pertencem à geração de 30, devem-se ressaltar duas figuras importantes em suas especialidades, o acordeonista Antenógenes Silva (1906-2001) e o baterista Luciano Perrone (1908-2001). Também compositor, o mineiro Antenógenes foi o acordeonista das valsas românticas, que sempre executou com exacerbado sentimentalismo, bem ao gosto de grande parte do público de sua época. Já o carioca Perrone foi o nosso primeiro grande percussionista, o preferido do maestro Radamés Gnattali, com quem aperfeiçoou os seus conhecimentos musicais.

Para maior brilho da Época de Ouro, juntaram-se a esses artistas várias grandes figuras vindas de períodos anteriores: os cantores Francisco Alves (1898-1952), Vicente Celestino (1894-1968), Patrício Teixeira (1893-1972), Aracy Cortes (1904-1985) e Paraguaçu (Roque Ricciardi, 1884-1976); os instrumentistas Pixinguinha, Bonfiglio de Oliveira (1894-1940), Josué de Barros (1888-1954), Donga (Ernesto dos Santos, 1890-1974), Nelson Alves (1895-1960), Tute (Artur de Souza Nascimento, 1886-1954) e João da Baiana (João Machado Guedes, 1887-1974); os compositores Zequinha de Abreu (José Gomes de Abreu, 1880-1935), Hekel Tavares (1896-1969), Heitor dos Prazeres (1898-1968) e os poetas-letristas Luís Peixoto (1889-1973) e Olegário Mariano (1889-1958).

22.
O CANTO COLOQUIAL DE MARIO REIS

"Todo mundo me pergunta se eu fiz um truque para derrubar os outros. Não foi intencional. Eu fiz isso porque achava que a maneira certa (de cantar) era essa. Mas não tive a menor intenção de vencer ou de convencer. [...] Foi uma coisa espontânea, não foi com a intenção de acabar com coisa alguma." Assim se pronunciou Mario Reis sobre o seu modo de cantar, em entrevista ao jornalista Sílio Boccanera, em agosto de 1971, às vésperas do espetáculo que realizaria no Copacabana Palace.

Na verdade, mesmo excluindo alguns exageros autoelogiativos do artista, há de se reconhecer a importância extraordinária que seu estilo teve para a história do canto popular brasileiro. Até o aparecimento de Mario Reis, predominava entre nossos cantores populares a escola do *bel canto* italiano. Era a época do vozeirão, dos tenores e barítonos de voz empostada, como Vicente Celestino e Francisco Alves. Isso acontecia não apenas por razões de gosto ou tradição, mas pela impossibilidade de o indivíduo se fazer ouvir cantando à meia-voz em recintos amplos ou em gravações no precário sistema mecânico. Com a chegada ao Brasil, em 1927, da gravação e amplificação eletromagnética, com seus microfones e alto-falantes, superou-se a necessidade de se possuir voz forte para gravar ou cantar em público. E, como foi dito, o primeiro brasileiro a perceber e tirar proveito disso foi Mario Reis.

Acreditando que a maneira certa de cantar exigia uma aproximação da língua falada — o que representava o oposto à eloquência do *bel canto* — e utilizando ao máximo sua apurada musicalidade, sua dicção impecável e seu perfeito domínio sobre a divisão do fraseado musical, Mario desenvolveu uma técnica de interpretação que revolucionou nossa maneira de cantar. Suas gravações, especialmente da fase inicial da carreira, passam uma impressão de extrema leveza, como se ele cantasse sorrindo. Era o canto coloquial, quase falado, que, praticado por um jovem aristocrata, abria ao samba, então em fase de afirmação, boas possibilidades de aceitação pela classe média e até por parte da alta sociedade.

A história do canto popular brasileiro divide-se em duas fases: antes e depois de Mario Reis (1907-1981).

Mario Reis teve uma carreira artística bem diferente das de seus colegas de geração. A rigor, durou somente oito anos (de 1928 a 1936) com cinco retornos esporádicos — em 1939, 51, 60, 65 e 71 — para gravar alguns discos. O início aconteceu quando Mario aceitou um convite de Sinhô, seu professor de violão, para gravar na Odeon. Na ocasião, desfrutando de grande popularidade, o esperto compositor — cujo repertório era na maior parte gravado por Francisco Alves — pressentiu em Mario o intérprete ideal para suas músicas.

Embora os dois primeiros discos tenham merecido comentários favoráveis da crítica, o grande sucesso só aconteceu mesmo com o terceiro, lançado em novembro de 1928, que apresentava os sambas "Jura" e "Gosto que me enrosco", duas obras-primas de Sinhô. Então, seguiu-se uma série de gravações do que havia de melhor na época, destacando-se os sambas "Dorinha, meu amor" (de José Francisco de Freitas), "O destino Deus é quem dá" (de Nilton Bastos) e "Vamos deixar de intimidade" (de Ary Barroso), de 1929; "Sofrer é da vida" (de Ismael Silva e Francisco Alves), de 1932; "Se você jurar" (de Ismael Silva, Nilton Bastos e Francisco Alves), de 1931; e "A razão dá-se a quem tem" (de Ismael Silva, Noel Rosa e Francisco Alves), de 1933, os dois últimos cantados em dupla com Francisco Alves, com quem Mario Reis gravou 24 faces de discos. A primeira fase na Odeon terminou em maio de 1933, quando foi lançado o disco 11003, com os sambas "Quando o samba acabou" e "Capricho de rapaz solteiro", ambos de Noel Rosa. No total, são 76 fonogramas, que apresentam 70 sambas, 4 marchas e 2 canções, uma das quais ("Carinhos de vovô") é classificada pelo autor, Sinhô, como "romance pedagógico".

O cantor gravaria então dois discos na Columbia — já havia gravado um, disfarçado sob o nome de C. Mendonça —, transferindo-se em seguida para a Victor, onde permaneceria até 17 de julho de 1935, quando gravou os sambas "Adeus saudade" (de Raul Rezende e Kid Pepe) e "Sonho de jardineiro" (de Zé Pretinho e Kid Pepe). Nesta gravadora registrou 47 fonogramas, contendo 28 sambas, 18 marchas (duas das quais são marchas-frevo) e 1 cateretê. Devido à grande presença de composições de Lamartine Babo no repertório, pertence às marchinhas carnavalescas — como "Linda morena" (1933), "Ride palhaço" (1934) e "Rasguei a minha fantasia" (1935) — e juninas — "Chegou a hora da fogueira" (1933) e "Isto é lá com Santo Antônio" (1934), ambas em dueto com Carmen Miranda — a maioria de seus êxitos no período, embora os sambas continuassem a predominar em quantidade, com sucessos como "Fui louco" (de Alcebíades Barcelos), 1933, e "Agora é cinza" (de Alcebíades Barcelos e Armando Marçal), 1934.

De setembro de 1935 a janeiro de 1936, Mario retornaria à Odeon para gravar nove discos, a maioria com músicas para o carnaval de 1936. Então, inesperadamente, ele abandonou a carreira artística para assumir o cargo de chefe de gabinete do prefeito da cidade do Rio de Janeiro, então Distrito Federal, cônego Olímpio de Melo. O mais surpreendente dessa decisão é que na ocasião Mario Reis, aos 28 anos de idade, encontrava-se no auge da popularidade, tendo acabado de participar de seu terceiro filme, *Alô, alô, Carnaval*, com possibilidades de se tornar um astro de cinema. Muitos anos depois, em 1971, em entrevista ao repórter José Márcio Mendonça, do *Jornal da Tarde*, ele justificaria assim a renúncia: "não tente descobrir nenhum motivo especial para explicar por que parei de cantar. [...] Eu achei que não tinha mais nada de especial, mais nada de novo para fazer em termos de música e parei. Não queria me repetir, não gosto de me repetir. E só voltei quando quis, quando senti necessidade de gravar, atendendo aos amigos".

O primeiro desses retornos aconteceu em 1939, quando se realizou o espetáculo beneficente *Joujoux e Balangandãs*, patrocinado pela primeira-dama, dona Darcy Vargas, e que reuniu no palco do Teatro Municipal do Rio de Janeiro um elenco de 280 pessoas da alta sociedade. Uma dessas pessoas era Mario Reis, que cantou o samba "Voltei a cantar" e, ao lado da amadora Mariah (Maria Clara de Araújo), a marcha-cançoneta de título igual ao do espetáculo, sendo ambas as músicas de Lamartine Babo. Naturalmente, "atendendo aos amigos", o cantor consentiu em gravar na Columbia as duas composições e, aproveitando o embalo, gravou mais quatro para o carnaval de 1940: as marchas "Iaiá boneca" (de Ary Barroso) e "Vírgula" (de E. Frazão e Alberto Ribeiro), e os sambas "Deixa essa mulher sofrer" (de Ary Barroso) e "Você me maltrata" (de Xavier de Souza, Arlindo Marques Júnior e Roberto Roberti). Delas todas, fizeram sucesso "Joujoux e Balangandãs" e "Iaiá boneca".

Em 1951, a convite de Braguinha, diretor da Continental, Mario Reis realizou o seu segundo retorno artístico, gravando seis músicas de Sinhô para um álbum de três discos: "Jura", "Sabiá", "Gosto que me enrosco", "Fala meu louro", "Ora vejam só" e "A favela vem abaixo", figurando as três últimas pela primeira vez em seu repertório. A iniciativa de reviver Sinhô foi muito justa, pois, desde 1932, quando Carmen Miranda lançou o samba "Feitiço gorado", não se gravava uma música sequer de sua autoria. O álbum inteiro foi gravado em um só dia (22 de agosto de 1951), sendo lançado dois meses depois. Animado com a repercussão do empreendimento, Mario registrou mais um disco (em 26 de outubro de 1951), com a marcha "Flor tropical" (de Ary Barroso) e o samba "Saudade do samba" (de Fernando Lobo).

A terceira volta aos estúdios de gravação deu-se em 1960, já em plena era do vinil, com o LP *Mario Reis canta suas criações em hi-fi*. O disco, que só aconteceu por insistência de Aloísio de Oliveira, então diretor artístico da Odeon, tem doze músicas, das quais três inéditas: os sambas "Palavra doce", de Mário Travassos de Araújo, "Isso eu não faço não" e "O grande amor", feitos especialmente para o cantor por Antônio Carlos Jobim, sendo o último em parceria com Vinicius de Moraes. As demais faixas são regravações de seis sambas, "Vamos deixar de intimidade" e "Mulato bamba" (de Noel Rosa), "O que vale a nota sem o carinho da mulher" e "Deus me livre do castigo das mulheres" (de Sinhô), "A tua vida é um segredo" (de Lamartine Babo), "Vai-te embora" (de

Francisco Matoso e Nonô) e três marchas, "Linda Mimi" (de João de Barro), "Iaiá boneca" e "Rasguei a minha fantasia", todas lançadas por Mario na década de 1930.

Depois de colher os elogios da crítica — o jornalista Lúcio Rangel considerou o LP "o acontecimento artístico do ano" —, o cantor saiu de cena para só retornar em 1965, quando resolveu homenagear o quarto centenário do Rio de Janeiro. Então, novamente produzido por Aloísio de Oliveira, agora na Elenco, e com arranjos de Lindolfo Gaya, que já arranjara o álbum anterior, fez o LP *Ao meu Rio*, com dez regravações de músicas lançadas por ele próprio — os sambas "Quando o samba acabou" (de Noel Rosa), "Jura", "O destino Deus é quem dá", "Agora é cinza", "Sofrer é da vida", "Dorinha meu amor" e as marchas "Cadê Mimi" (de João de Barro e Alberto Ribeiro), "Formosa" (de Nássara e J. Rui), "Flor tropical", "Linda morena" e mais duas novidades, os sambas "Pelo telefone" (de Donga e Mauro de Almeida) e "Gavião calçudo" (de Pixinguinha e Cícero de Almeida). A nota curiosa dessa produção foi que Mario não consentiu em ser fotografado para a capa do disco — detestava fotografias de seu rosto envelhecido —, levando Aloísio a contratar um artista para desenhar o seu retrato.

Finalmente, em 1971, Mario Reis gravou o seu disco de despedida. A ideia inicial era fazer um compacto com cinco músicas que desejava regravar. Depois o projeto evoluiu para o LP, quando o cantor resolveu acrescentar outras músicas antigas, mais duas de um compositor novo, Chico Buarque, que ele considerava "o melhor do momento". Assim o disco foi feito, mais uma vez na Odeon, com o maestro Gaya respondendo pelos arranjos e pela direção musical e com as seguintes composições: os sambas "Cansei" (de Sinhô), "Filosofia" (de Noel Rosa e André Filho), "Gosto que me enrosco", "Fui louco", "Voltei a cantar", "Se você jurar" e a marcha "Rasguei a minha fantasia", todas de seu velho repertório, os sambas "Amar a uma só mulher" (de Sinhô), "Nem é bom falar" (de Ismael Silva, Nilton Bastos e Francisco Alves), a marcha "Moreninha da praia" (de João de Barro) e as composições de Chico Buarque, "A banda" e "Bolsa de amores".

Mario adorou o disco: "a voz é a mesma, o estilo é o mesmo, mas eu estou melhor, sei que estou melhor", comentou com o repórter José Márcio Mendonça. Só não gostou do veto estúpido da censura a "Bolsa de amores", samba feito especialmente para ele por Chico Buarque. Então o álbum foi editado apenas com 11 faixas, só saindo completo numa reedição em CD, 22 anos depois. O projeto se desdobrou em um espetáculo, que lotou o Golden Room do Copacabana Palace nos dias 2, 3 e 4 de julho de 1971. No final o cantor declarou: “a partir de hoje, quem quiser me ouvir vai ter que tirar os discos do baú”.

Realmente, depois do último show, Mario Reis voltou à vidinha rotineira, que na época restringia-se à sua frequência em três locais: o Copacabana Palace, onde morava num pequeno quarto, e as sedes do Jockey Clube, no Centro do Rio, e do Country Clube, em Ipanema. Esse esquema era seguido desde 1957, quando ele vendeu o apartamento em que vivia e mudou-se para o Copacabana Palace. A única diferença era que em 1957 ainda dava expediente na prefeitura. Mas depois da aposentadoria sua vida passou a dividir-se por esses três lugares. Dois, aliás, a partir de 1974, quando a velha sede do Jockey foi demolida. Então, restaram o hotel para dormir e o clube para passar o dia.

Sem ser rico, todavia dispondo do suficiente para viver confortavelmente, Mario Reis foi um solteirão convicto que, embora cultivasse inúmeras amizades femininas, sempre rejeitou qualquer possibilidade de casamento. “Ele não tinha condições de casar. Era muito estranho, muito solitário”, declarou ao seu biógrafo, Luís Antônio Giron, dona Maria Cândida da Silveira, esposa de Joaquim Guilherme da Silveira, primo e grande amigo de Mario. Toda essa esquisitice, porém, não o impedia de ser um conversador extraordinário, contador de casos, irônico e observador, quando se encontrava entre amigos.

Dono de boa cultura geral e de uma prodigiosa memória, lembrava-se de tudo o que dizia respeito às suas maiores paixões, a música popular e o futebol. Sua mente era um precioso arquivo que se perdeu com a morte, pois jamais concedeu depoimentos nem deixou nada escrito. Muito vaidoso, “um perfeccionista cheio de vontades”, como se autodefinia, evitava ao extremo expor-se à mídia, talvez para que o público guardasse na lembrança somente a imagem do rapaz elegante, pinta de galã, que foi na juventude.

Numa possibilidade aventada por Luís Antônio Giron, isso pode ter concorrido para abreviar sua vida. O fato é que, operado em 9 de setembro de 1981 para corrigir um aneurisma na aorta abdominal, rebelou-se ao ver a enorme cicatriz que marcaria seu corpo para sempre. Então, depois de um período de 27 dias preso ao leito do hospital, em que se negou a cooperar com o tratamento a que era submetido, Mario da Silveira Meireles Reis, nascido no Rio de Janeiro em 31 de dezembro de 1907, morreu na manhã de 5 de outubro de 1981, vítima de insuficiência renal aguda, embolia pulmonar e septicemia.

23.
OS SAMBAS E OS BAMBAS DO ESTÁCIO

Construído sobre os terrenos que margeavam o antigo caminho de Mata-Porcos — atual rua Frei Caneca —, o bairro de Estácio de Sá situa-se nas imediações do centro do Rio de Janeiro, sendo vizinho do Catumbi, Cidade Nova e Rio Comprido, incluindo-se em seu território, pode-se dizer, os morros de São Carlos e de Santos Rodrigues. Embora habitado principalmente por pessoas de modesta condição social — operários, comerciários, pequenos funcionários públicos —, já possuía na década de 1920 um comércio bem razoável, com armarinhos, sapatarias, lojas de tecidos, uma cervejaria, uma fábrica de gelo, um cineminha e muitos bares e cafés — o Porta Larga, o Madureira, o Apolo, o do Pavão, o do Compadre...

Mui justamente, este último merece entrar para a história do samba. Em artigo para o número inicial da *Revista da Música Popular* (outubro de 1954), o compositor Evaldo Rui assim o descreve: "Duas portas davam para a velha rua do Estácio. Do lado da rua Pereira Franco, ficavam as outras três. As mesas eram de mármore, daquelas que hoje já não existem. No fundo, sobre um palanque, uma enorme vitrola 'ortofônica', e colocada acima da vitrola, uma imagem de São Jorge. Era assim o Café do Compadre, naquele tempo em que minha presença no recinto significava nada...". "Aquele tempo" era o final dos anos 20, quando Evaldo, adolescente, morador da Tijuca, ia ao Estácio só para ver seus ídolos, os sambistas do bairro: "Eu gostava de me postar diante de suas portas, quase todas as tardes, porque ali se reuniam os meus ídolos... [...] Parece que ainda estou vendo, sentado naquela mesa que ficava bem defronte da rua do Estácio, o Ismael Silva, no seu irrepreensível terno azul-marinho, com sua camisa imaculadamente branca e aquela gravata de *tricot* preto... Ao seu lado está sentado o Nilton Bastos, uma das figuras maiores do café. Ele usa chapéu de feltro marrom, combinando com seu terno também marrom e sapatos da mesma cor. O que estarão dizendo neste justo momento? Impossível reproduzir. [...] Mas, mesmo sem saber o que conversavam, eu podia adivinhar. [...] Eles deviam estar falando de samba: daquele samba que o Brasil inteiro cantava. [...] Assim, aprendi muita coisa naquelas portas do Café do Compadre... Aprendi, por exemplo, qual a diferença entre o bom, o puro samba, e o mau, o falso samba. Conheci Ismael, conheci Nilton, Bide, Rubem, o inigualável Edgar, Aurélio, Brancura, Baiaco e tantos outros que sem querer torceram o meu destino".

Esses frequentadores do Café do Compadre eram os chamados Bambas do Estácio, que reformularam o samba, dando-lhe personalidade própria, ou seja, um padrão que o consolidou e o tornou o mais importante gênero da música popular brasileira. Não por acaso, esses mesmos bambas seriam ainda os criadores da primeira escola de samba, a Deixa Falar.

A turma do Estácio começou a se formar por volta de 1925, quando os irmãos Alcebíades (Bide) e Rubem Barcelos criaram com amigos um bloco de sujo para sair no carnaval. A princípio sem nome, depois chamado de A União Faz a Força, o bloco saía do Estácio com umas cinquenta pessoas e chegava à Praça Onze com mais de trezentas. Esse bloco, reorganizado em outubro de 1927, foi o embrião da Deixa Falar, cuja data de fundação seria o dia 12 de agosto de 1928, como informou, de memória, Ismael Silva ao historiador Sérgio Cabral.

Embora chamada de escola de samba, a Deixa Falar quase nada teria a ver com as futuras escolas. Era um bloco igual aos outros que proliferavam na época em vários pontos da cidade. As principais novidades que apresentou foram um tipo de samba diferente do tradicional e a utilização do surdo e da cuíca, invenções, respectivamente, de Alcebíades Barcelos e João Mina — parceiro de Noel Rosa no partido-alto "De babado". Quanto à denominação "escola de samba", deveu-se a uma natural vaidade dos Bambas do Estácio — alguns já compositores profissionais na ocasião — que, querendo se distinguir dos rivais, proclamavam-se professores, pois, além de viverem na vizinhança da Escola Normal (que formava professores), então localizada no Largo do Estácio, eram, afinal, os criadores de um novo samba.

Em seus depoimentos, Ismael Silva sempre afirmou que esse tipo de samba foi criado para facilitar a fluidez dos desfiles do grupo. "Fui eu que comecei com esse ritmo. [...] No carnaval, o grupo que saía na rua precisava de uma música que facilitasse isso. Precisava andar, mas andar dentro da música. Andar (deslocar-se) com espalhafato, com vida, assim conforme se vê hoje em dia, e aquele ritmo (antigo) não deixava." Assim ele se expressou no depoimento prestado ao MIS do Rio de Janeiro (em

16 de julho de 1969), exagerando sua importância na implantação da novidade. Realmente, Ismael era um destacado integrante da turma do Estácio, não só por seu valor como compositor, mas, principalmente, pela capacidade de liderança que exercia. Não foi, porém, o criador do novo samba, mas um dos criadores, participante que era da turma. Chamado de paradigma do Estácio pelo musicólogo Carlos Sandroni, esse novo padrão diferenciava-se do antigo pela originalidade de sua sincopação, mais rica e livre da influência do maxixe. "No maxixe (e no samba amaxixado) a síncope está contida dentro de um tempo, enquanto no samba (lançado pelo pessoal do Estácio) a síncope transborda de um tempo para outro e até de um compasso para outro", explica o maestro Antônio Adolfo. É ainda Ismael quem procura exemplificar essa diferença, em depoimento prestado em 1974 a Sérgio Cabral (publicado no livro *As escolas de samba do Rio de Janeiro*): "O samba era assim: tan tantan tan tantan. Não dava. [...] Aí, a gente começou a fazer um samba assim: bum bum paticumbum prugurundum...".

Presidido pelo estivador Osvaldo Lisboa dos Santos, o Osvaldo da Papoula ou Boi da Papoula, a Deixa Falar teve como sede inicial o porão de uma casa de cômodos de número 21 na rua do Estácio. Sua estreia no carnaval aconteceu em 1929, quando desfilou nos três dias, cumprindo o trajeto Largo do Estácio-Praça Onze, com seus integrantes vestindo fantasias alvirrubras, uma homenagem ao bloco A União Faz a Força, repetindo-se o fato no carnaval seguinte. Em 1931, Osvaldo da Papoula, que era assim chamado por ter pertencido ao Rancho da Papoula, aproveitando uma sugestão do mestre-sala Antônio Faria, o Buldogue da Praia, começou a implantar uma estrutura de rancho na Deixa Falar. Procurava assim valorizar a agremiação, tendo em vista que na época os ranchos gozavam de grande prestígio popular. Nesse ano — segundo Sérgio Cabral no livro citado — o grupo contou com as participações "de Nilton Bastos, como primeiro diretor de canto, Ismael Silva, como segundo, o tocador de cavaquinho Júlio dos Santos, como primeiro mestre-sala, e Alcebíades Barcelos como segundo".

Na noite de 7 de fevereiro de 1932, domingo de carnaval, realizou-se na Praça Onze o primeiro desfile-competição das escolas de samba, uma promoção do jornal *Mundo Sportivo*. Ausente do certame, a Deixa Falar trocaria a Praça Onze pela avenida Rio Branco, onde, dois dias depois, teria lugar o concurso dos ranchos. Este foi o seu último desfile. Um desfile pobre e mal-organizado, que, além de não render prêmios, desencadeou grave crise na diretoria, culminando com o desaparecimento da agremiação. A última notícia que se tem da Deixa Falar foi publicada em 29 de março de 1933 no *Diário Carioca*: "De ordem do Sr. Presidente da Junta Governativa, participo a todos os componentes dos extintos Deixa Falar e União das Cores que, devido à fusão de ambos, nasceu o bloco carnavalesco União do Estácio de Sá". A nota, que terminava dando instruções sobre o pagamento de mensalidades, era assinada por Júlio dos Santos, secretário do novo bloco.

À exceção de Ismael Silva e Alcebíades Barcelos, os bambas do Estácio tiveram vida curta, tal qual a escola de samba que fundaram. Ismael, nascido na praia niteroiense de Jurujuba (em 14 de setembro de 1905) e criado desde os 3 anos de idade no Rio de Janeiro, começou ainda adolescente a frequentar rodas de samba e a compor. Aos 19 anos já era personagem típico do meio em que vivia, ou seja, o malandro sambista que rejeitava qualquer espécie de trabalho alheio à música. Como era talentoso, suas composições logo começaram a se espalhar pela cidade, tendo aos 22 anos vendido a Francisco Alves, por 100 mil réis, o samba "Me faz carinhos", sua primeira música gravada. O disco, com a autoria atribuída apenas ao cantor, foi lançado em janeiro de 1928. O sucesso dessa gravação levou Alves a propor a Ismael um negócio, que seria a grande oportunidade de sua vida. Para isso, procurou-o uma noite no Bar Apolo — outro ponto de encontro dos bambas —, conforme relembrou o compositor no depoimento ao MIS: "O Chico chegou com o carro e gritou: 'oh, Ismael!'. Eu estava com meu pessoal no bar. Por sinal, esse bar era grande e eu estava numa mesa [...] distante da rua. Daí ele gritar. Quando o vi, saí com meu grupo. Ele, Chico, sem sair do carro [...] pediu para eu cantar o que tinha. Cantei tudo. Custou a acabar porque tinha muita coisa. Ele, [que] andava com um violão no carro, acompanhando. [Então] juntou aquela gente toda [...] me prestigiando. [...] Quando acabei de cantar entrei no carro, a pedido dele. Aí começamos a dar umas voltas pela cidade, [...] ele me propondo. A proposta foi a seguinte: gravaria tudo aquilo que ouvira, que sairia (com) o meu nome e o dele. Quando chegou a hora de responder eu disse o seguinte: que era interessante a proposta, mas, acontece que [...] eu já estava de combinação com outro, o bom compositor Nilton Bastos. [...] Com isso eu insinuei que sem o outro eu não aceitaria aquela proposta. [...] Pois bem, com essa insinuação ele viu que [...] eu não aceitaria mesmo e como tinha interesse em não me perder, [...] ele aceitou. Aí, fizemos o trio: eu, Nilton Bastos e Francisco Alves [...] e comecei a fazer sucesso, um atrás do outro".

Bamba do Estácio, Ismael Silva (1905-1978) foi um dos criadores dos padrões que fizeram do samba o mais importante gênero da MPB.

Tal sociedade durou sete anos, em que o compositor teve cerca de sessenta músicas gravadas. Foram os anos de sucessos como "Nem é bom falar", "O que será de mim" e "Se você jurar" (com Nilton Bastos); "Adeus", "A razão dá-se a quem tem", "Para me livrar do mal" e "Uma jura que fiz" (com Noel Rosa); "Rir para não chorar" e "Sofrer é da vida". Em que pese o ônus da inclusão de Alves na coautoria das composições, o trato foi vantajoso para Ismael, conforme ele mesmo reconheceu no citado depoimento ao MIS: "Foi bom pra mim e bom pro Chico. Se não fosse o Chico, talvez eu não chegasse onde cheguei". É justo, aliás, ressaltar a competência e a esperteza do cantor, que reconheceu de pronto o valor dos sambas de Ismael, então um principiante, e previu o seu sucesso, assegurando para si a exclusividade do repertório.

Por volta de 1935, Ismael Silva manteve breve romance com uma moça do Estácio, daí resultando o nascimento de uma filha. Ainda nesse mesmo ano, ele se meteu em encrenca, sendo condenado à prisão, episódio que procurou esconder até o fim da vida. Razão da condenação: o compositor acertara dois tiros de revólver na região glútea de um valentão conhecido como Edu Motorneiro, que dirigira gracejos insultuosos à sua irmã Orestina. No julgamento, bem defendido por seu amigo Prudente de Morais Neto, recebeu a pena mínima, que seria reduzida à metade por bom comportamento.

Esse fato funcionou como verdadeiro divisor de águas em sua carreira, que, ao ser retomada, após dois anos e meio de interrupção, jamais alcançaria o êxito da fase anterior. Realmente, Ismael não conseguiu se adaptar ao meio artístico, já bem comercializado, que encontrou na hora do retorno. Iniciaria então um longo período de retraimento, que se refletiu num declínio de sua produção, embora esporadicamente continuasse a fazer boas composições, como "Antonico".

A partir de meados dos anos 50, porém, já vivendo a fase da maturidade, voltaria a gravar e a participar de shows em teatro e televisão. Essa atividade, importante para que as novas gerações conhecessem sua obra, seria intensificada na década seguinte, embora pouco contribuísse para melhorar seu padrão de vida.

Ao completar 70 anos, Ismael morava numa casa de cômodos na avenida Gomes Freire, perto dos bairros de sua juventude. De lá sairia, às vésperas do Natal de 1977, para internar-se no Hospital da Lagoa, a fim de operar uma úlcera varicosa, que há tempos o afligia. Ainda no hospital, convalescendo da cirurgia, morreu de um ataque cardíaco em 14 de março de 1978.

Nascido também em Niterói (em 25 de julho de 1902) e criado no Estácio, Alcebíades Maia Barcelos foi o bamba que mais viveu (superou Ismael em dois meses), morrendo em 18 de março de 1975. Figura destacada e um dos fundadores da Deixa Falar, para qual levou o surdo e o tamborim, ele foi o primeiro elemento do Estácio a ser procurado por Francisco Alves. Como resultado desse encontro, Chico lançou "A malandragem", sucesso no carnaval de 1928 e primeira música gravada de Bide.

No começo dos anos 30, abandonou a profissão de sapateiro, que exercia na fábrica Bordallo, passando a dedicar-se exclusivamente às atividades musicais. Assim, a partir de 1933, formou com Armando Marçal, que era do Catumbi, uma das mais importantes duplas de compositores de nossa música popular, vivendo nos catorze anos seguintes a grande fase de sua carreira. São do período sambas notáveis como "Agora é cinza" (1934), "Sorrir" (1938), "Meu primeiro amor" (1939), "A primeira vez" (1940), "Que bate fundo é esse" (1941), "Violão amigo" (1942) e "Não diga a minha residência" (1945), e até algumas valsas seresteiras como "Prece à lua" (1945).

Ao mesmo tempo que compunham, Bide e Marçal desenvolviam intensa atividade como percussionistas em rádios, shows e gravações. Infelizmente, a dupla foi desfeita com a morte prematura de Marçal, em 20 de junho de 1947, fulminado por um colapso cardíaco nos estúdios da RCA Victor. Com a perda do parceiro, Alcebíades Barcelos passou a compor esporadicamente, mantendo-se até a aposentadoria apenas como percussionista. Armando Marçal foi pai e avô, respectivamente, de Nilton Delfino Marçal, o Mestre Marçal (1930-1994), e Armando Marçal, o Marçalzinho, também famosos ritmistas.

Dois anos mais moço do que o irmão Alcebíades, Rubem Barcelos foi elemento da maior importância para a formação da turma do Estácio, a qual liderou até sua morte aos 23 anos (em 15 de junho de 1927), causada por tuberculose pulmonar. Sua figura esguia à frente do bloco A União Faz a Força jamais seria esquecida pelos companheiros, especialmente Bide e Ismael, que o consideravam compositor de grande futuro. O velho sambista Juvenal Lopes, que foi presidente da Mangueira, chorava sempre que se referia a Mano Rubem.

Outro talento cedo desaparecido foi Nilton Bastos (12 de julho de 1899-8 de setembro de 1931). Branco, filho de português, morava na rua Dona Zulmira, no bairro do Maracanã, não longe do Estácio, e era mecânico do Arsenal de Guerra. Diariamente, depois do trabalho, ia ao Apolo ou ao Café do Compadre, encontrar-se com a turma, que muito o considerava. Segundo Mario Reis — que lhe atribuía a autoria exclusiva de "Se você jurar" —, Nilton se tornaria um de nossos maiores compositores se não houvesse morrido aos 32 anos. Além dos conhecidos sambas, feitos com Ismael, ele é autor de "O destino Deus é quem dá", sucesso lançado por Mario em 1929. Diz a lenda que contraiu a tuberculose galopante, que o matou, numa chuvosa noite de serenata em que usou o paletó para proteger o violão de Francisco Alves. O samba "Adeus", de Ismael, Noel e Alves, foi composto em sua homenagem.

Um bamba de voz possante, que puxava os sambas da Deixa Falar, foi Aurélio Gomes, cujas datas de nascimento e morte são desconhecidas. Embora bom improvisador, ele era incapaz de fazer um samba inteiro, segundo Bide. Daí a dúvida sobre a sua participação e a de Baiaco na autoria do grande sucesso "Arrasta a sandália", assinado pelos dois. Afirmava Ismael Silva que o samba foi roubado de um bêbado nordestino, que o cantava nos bares do Mangue. Não era assim constituída somente por honrados trabalhadores e compositores autênticos — como o sapateiro Bide e o mecânico Bastos — a turma do Estácio. Aurélio era soldado de polícia e malandro, mais malandro que soldado. Baiaco (Osvaldo Vasques, 1913-1935), além de intermediário em transações de sambas, era rufião do Mangue. Bom ritmista, acabou participando de algumas gravações na Columbia. Já Edgar Marcelino dos Passos (ou dos Santos), o Mano Edgar, que trabalhou na fábrica de cigarros Souza Cruz, era chegado ao jogo. Aliás, morreu aos 31 anos, assassinado numa roda de carteado, na rua Joaquim Palhares, na véspera do Natal de 1931. Almirante dizia que Edgar era o autor do estribilho que inspirou o samba "Fita amarela", de Noel Rosa.

Entretanto, a figura mais impressionante da malandragem do Estácio é a do negro Sílvio Fernandes, o Brancura. Jogador e cáften, alto, forte e bem-apessoado, ele ganhou esse apelido em razão do sucesso que desfrutava entre as mulheres brancas, alvo preferido de suas conquistas. Alguns de seus contemporâneos contestavam sua autoria nos diversos sambas que assinou. "Deixa essa mulher chorar", por exemplo, sucesso gravado pela dupla Francisco Alves-Mario Reis, seria de Maciste da Mangueira, segundo o compositor Buci Moreira. Outro mangueirense, o famoso Carlos Cachaça, nem sequer o considerava sambista (em depoimento ao MIS, em 1992): "Brancura era da área da valentia, das navalhadas, das pernadas, cabeçadas, já não era propriamente samba". Seu período de façanhas, todavia, teve curta duração. Brancura morreu louco aos 27 anos, em 1935.

Em depoimento concedido em 1974 a Sérgio Cabral (publicado em *As escolas de samba do Rio de Janeiro*), Buci Moreira procura aliviar a barra de Brancura e Baiaco: "Não, não eram (marginais). Eram sujeitos que se excediam um pouco. Eles não matavam, não. Não desacatavam ninguém à toa. Só brigavam. Mas eram brigas de amigos".

24. LAMARTINE E BRAGUINHA CONSOLIDAM A MARCHINHA

Entre dezenas de composições oferecidas à gravadora Victor em 1931, para eventual aproveitamento em disco, chamou a atenção de Lamartine Babo um frevo-canção dos irmãos pernambucanos Raul e João Valença intitulado "Mulata". Aprovando em parte a melodia, mas achando que a letra tinha um teor excessivamente regionalista, o compositor resolveu, com o consentimento da gravadora, adaptar "Mulata" ao gosto carioca. Um mestre na arte de melhorar canções alheias, ele transformou então o tal frevo numa excepcional marchinha, que recebeu o nome de "O teu cabelo não nega". Para isso compôs novas segunda parte e introdução, mantendo a primeira parte original, na qual alterou apenas as quatro notas finais. Aproveitou, digamos, o que merecia ser aproveitado — como o ótimo estribilho —, desprezando o que não tinha qualidade. Mas "esqueceu-se" de incluir os nomes dos autores originais no selo do disco, irregularidade que só foi corrigida mais tarde por decisão judicial.

Gravado por Castro Barbosa e lançado em janeiro de 1932, "O teu cabelo não nega" alcançou extraordinário sucesso, consagrando-se no tempo como a grande marcha do carnaval brasileiro. Foi com essa composição que Lamartine Babo inaugurou a fase áurea da marchinha, ao mesmo tempo em que a libertava da influência do charleston e do fox--trot, tão presente em seu início, e tornava-a um gênero essencialmente brasileiro. É nessa fase — de 1932 a 1939 — que ela reina nos carnavais, superando o samba, conforme pode ser constatado num inventário dos grandes sucessos do período.[1]

[1] Os grandes sucessos do período são: 1932 — marchas (3): "A.E.I.O.U." (Lamartine Babo e Noel Rosa), "Gosto, mas não é muito" (Ismael Silva e Francisco Alves) e "O teu cabelo não nega" (Irmãos Valença e Lamartine Babo); sambas (1): "Só dando com uma pedra nela" (Lamartine Babo); 1933 — marchas (7): "Aí, hein" (Lamartine Babo e Paulo Valença), "Formosa" (Nássara e J. Rui), "Good-bye" (Assis Valente), "Linda morena" e "Moleque indigesto" (Lamartine Babo), "Moreninha da praia" e "Trem blindado" (João de Barro); sambas (3): "Arrasta a sandália" (Osvaldo Vasques e Aurélio Go-

A partir dos anos 40, melhorou a produção de sambas — são desses anos obras-primas como "Ai, que saudades da Amélia" e "Atire a primeira pedra" (Ataulfo Alves e Mário Lago), "Praça Onze" (Herivelto Martins e Grande Otelo) e "É com esse que eu vou" (Pedro Caetano) — e os dois gêneros passaram a dividir a hegemonia da música carnavalesca, com ligeira predominância ora de um ora do outro.

Um dos mais cariocas de nossos compositores, Lamartine de Azeredo Babo nasceu no décimo dia do ano de 1904, na casa nº 45 da rua Teófilo Otoni, em pleno centro da cidade do Rio de Janeiro. Alguns meses mais tarde, essa casa seria demolida em razão da abertura da avenida Central, cujas obras haviam começado naquele ano. Penúltimo dos doze filhos do comerciante Leopoldo de Azeredo Babo e de sua mulher Bernardina, Lamartine foi um dos três a chegarem à idade adulta, sendo os outros, o primogênito Leopoldo e Indiana, a quarta por ordem de nascimento.

mes), "Fita amarela" (Noel Rosa) e "A tua vida é um segredo" (Lamartine Babo); 1934 — marchas (5): "Uma andorinha não faz verão" (João de Barro e Lamartine Babo), "História do Brasil" e "Ride palhaço" (Lamartine Babo), "Linda lourinha" (João de Barro) e "Se a lua contasse" (Custódio Mesquita); sambas (3): "Agora é cinza" (Alcebíades Barcelos e Armando Marçal), "O correio já chegou" (Ary Barroso) e "O orvalho vem caindo" (Noel Rosa e Kid Pepe); 1935 — marchas (4): "Deixa a lua sossegada" (João de Barro e Alberto Ribeiro), "Eva querida" (Benedito Lacerda e Luís Vassalo), "Grau dez" (Lamartine Babo e Ary Barroso) e "Rasguei a minha fantasia" (Lamartine Babo); sambas (2): "Implorar" (Kid Pepe, Germano Augusto e J. Gaspar) e "A cuíca tá roncando" (Raul Torres); 1936 — marchas (6): "A-M-E-I" (Nássara e Frazão), "Cadê Mimi" e "Pirata" (João de Barro e Alberto Ribeiro), "Marchinha do grande galo" (Lamartine Babo e Paulo Barbosa), "Pierrô apaixonado" (Noel Rosa e Heitor dos Prazeres) e "Querido Adão" (Benedito Lacerda e Osvaldo Santiago); sambas (1): "É bom parar" (Rubens Soares); 1937 — marchas (3): "Lig-lig-lig-lé" (Paulo Barbosa e Osvaldo Santiago), "Como 'vais' você" (Ary Barroso) e "Mamãe eu quero" (Vicente Paiva e Jararaca); sambas (1): "Acorda escola de samba" (Benedito Lacerda e Herivelto Martins); 1938 — marchas (4): "Periquitinho verde" (Nássara e Sá Roris), "Pastorinhas" (João de Barro e Noel Rosa), "Touradas em Madri" e "Yes, nós temos bananas" (João de Barro e Alberto Ribeiro); sambas (2): "Abre a janela" (Arlindo Marques Júnior e Roberto Roberti) e "Juro" (Haroldo Lobo e Milton de Oliveira); 1939 — marchas (6): "A casta Suzana" (Alcir Pires Vermelho e Ary Barroso), "Hino do carnaval brasileiro" (Lamartine Babo), "Florisbela" (Nássara e Frazão), "A jardineira" (Benedito Lacerda e Humberto Porto), "Pirulito" (João de Barro e Alberto Ribeiro) e "Tirolesa" (Paulo Barbosa e Osvaldo Santiago); sambas (3): "O homem sem mulher não vale nada" (Arlindo Marques Júnior e Roberto Roberti), "Meu consolo é você" (Roberto Martins e Nássara) e "Sei que é covardia" (Ataulfo Alves e Claudionor Cruz). Houve assim no período um total de 38 marchas e 16 sambas de grande sucesso.

Depois do primário, feito em escola pública, Lamartine Babo cursou, dos 11 aos 16 anos de idade, o ginasial no Colégio São Bento, de lá saindo para bacharelar-se em letras, conforme se dizia na época, no Colégio Pedro II. Criado numa casa festeira, onde sempre havia música, o menino Lamartine teve desde cedo ambiente propício ao desenvolvimento de sua extraordinária vocação de poeta e compositor. Assim, já nos tempos do São Bento, ganhou um concurso escolar com o poema "O frade que pedia esmola", e compôs a valsa "Torturas de amor" e o fox-trot "Pandoram". Consta, sem comprovação, que em seus últimos anos de colégio teria feito várias músicas sacras, inclusive um conhecido hino a Nossa Senhora.

Com a morte do pai, em 1916, e os casamentos dos irmãos, Lamartine Babo foi obrigado a trabalhar para ajudar a família, assumindo as funções de *office-boy* nos escritórios da Light, com o ordenado mensal de 50 mil réis. Ali permaneceu por quatro anos, passando a seguir para a Cia. Internacional de Seguros. Mas, ao mesmo tempo em que exercia esses humildes empregos, Lalá criava suas musiquinhas — chegou a escrever uma opereta intitulada *Cibele* —, inventava piadas, fazia trocadilhos e se constituía num divertido companheiro de pândega onde quer que estivesse. O médico, político e escritor Paulo Pinheiro Chagas, que o conheceu na época, assim o descreveu em seu livro de memórias *Esse vento de aventuras*: "Magro como um palito, quase que só ossos, agitado, nervoso, irrequieto, versátil, valia por um espetáculo".

Aos poucos enturmando-se nas rodas musicais e jornalísticas, Lamartine passou a conhecer gente importante como Eduardo Souto e Bastos Tigre. Daí surgiriam as oportunidades de aproveitamento de suas canções no teatro de revista e de seus escritos na imprensa. Estreando aos 18 anos com uma composição para a peça *Aguenta, Felipe*, ele começou a se firmar no meio teatral a partir de 1925, escrevendo, além de músicas e quadros humorísticos, suas próprias peças, como *Pequeno Polegar*, *Este mundo vai mal* e *Ouro à beça*, sendo esta, de grande sucesso, em parceria com Djalma Nunes e Jerônimo Castilho. São desse tempo composições como a marcha "Os calças largas" (com Gonçalves de Oliveira), sua primeira música gravada (janeiro de 1927), o samba "Bota o feijão no fogo", vencedor de um concurso da revista *O Cruzeiro*, o fox-trot "Oh, Nina" (com Ary Barroso), a marcha "Oh, as mulheres" e uma série de 21 canções, em parceria com Henrique Vogeler e J. Menra, dedicadas às candidatas à uma eleição de Miss Brasil. Acontece ainda no período sua entrada para o rádio, participando do programa "Casa dos

A vasta obra de Lamartine Babo (1904-1963) sempre primou pela qualidade e originalidade.

Discos", na Rádio Educadora, passo inicial de uma carreira que se prolongaria por mais de 30 anos.

Em 1930, Aracy Cortes cantava na revista *É do outro mundo* o samba "Esse mulato vai ser meu" (subtítulo "Na Grota Funda"), de autoria de Ary Barroso (música) e do caricaturista e revistógrafo J. Carlos (letra). Impressionado pela beleza da melodia, mas detestando os versos — "na Grota Funda/ na virada da montanha/ só se conta uma façanha/ do mulato da Raimunda" — Lalá não sossegou enquanto não obteve a permissão de Ary para fazer nova letra. Assim surgiu "No Rancho Fundo", uma das canções mais populares de 1931, que foi o primeiro grande sucesso de Lamartine Babo. Então, rapidamente tornando-se conhecido em todo o país, ele começou a produzir em massa composições de todos os tipos, com ênfase na marchinha, gênero em que melhor soube se expressar. E o mais importante é que nesta vasta produção sempre imperou um alto padrão de qualidade e originalidade — o toque lamartinesco —, que distinguiram suas criações, tanto nas letras como nas melodias. Além das canções carnavalescas citadas, pertencem a essa fase clássicos como as marchas juninas "Chegou a hora da fogueira" (1933) e "Isto é lá com Santo Antônio" (1934); os foxes "Lola" (1933) e "Perdão amor" (1941); os sambas "Na virada da montanha" (1936), com Ary Barroso, e "Serra da Boa Esperança" (1937); a marcha-cançoneta "Joujoux e Balangandãs" (1939); e as valsas "Mais uma valsa, mais uma saudade" (1937), com José Maria de Abreu, "Eu sonhei que tu estavas tão linda" (1941), com Francisco Matoso, e "Alma dos violinos" (1942), com Alcir Pires Vermelho.

Desacelerando sua produção musical a partir de 1942, quando já não mais compunha para o carnaval, Lamartine passou a restringir suas atividades praticamente ao rádio e à União Brasileira de Compositores (UBC), entidade em que ocupou postos importantes, inclusive o de presidente. A falta de novos sucessos musicais não lhe afetou a popularidade, graças à sua atuação em programas radiofônicos como "O Trem da Alegria", que realizou no período 1942-1956, ao lado de Iara Sales e Héber de Boscoli. Nesses quinze anos o programa percorreu as rádios Mayrink Veiga, Globo, Tupi, Clube do Brasil e Mundial. Foi em "O Trem da Alegria" que, aceitando um desafio do colega Héber, ele compôs os hinos dos clubes do futebol carioca. Aliás, o futebol seria a sua segunda grande paixão, torcedor fanático do América que foi desde menino.

O início dos anos 50 marcou uma grande transformação na vida de Lamartine Babo. Já tido como solteirão inveterado, ele casou-se em 19 de março de 1951 com Maria José Santos Barroso, uma jovem que conhecera quatro anos antes. O encontro meio pitoresco que deu início a esse romance é contado por Suetônio Soares Valença, biógrafo de Lamartine, no livro *Tra-la-lá*: "Hospedado na casa do amigo médico Gabriel Bastos", em Petrópolis, "Lalá o acompanhava nas visitas que fazia aos doentes, cantando e contando anedotas para alegrá-los". Numa dessas visitas, "o dr. Gabriel levou-o a conhecer sua paciente Ita, uma moça muito inteligente". Foi assim que, "usando uma máscara de burro e cantando a marcha 'Eu quero é rosetar', Lamartine conheceu Ita e sua irmã Maria José", na terça-feira do carnaval de 1947.

Na tarde de 13 de junho de 1963 o produtor Carlos Machado dirigia no Copacabana Palace um ensaio de *O teu cabelo não nega*, um espetáculo em homenagem a Lamartine Babo. O ensaio tinha uma importância especial porque era o primeiro a ser assistido pelo homenageado, então convalescente de um enfarte do miocárdio. Entrando no Golden Room pela portaria dos artistas — o que foi uma escolha equivocada, pois isso o obrigou a subir uma longa escada —, Lalá atingiu o palco no exato momento em que era executado o "Hino do América". Então, exausto e muito emocionado, ele levou um bom tempo para se recuperar e começar a assistir ao ensaio. Relembra Machado (em seu livro *Memórias sem maquiagem*) que, ao se despedir do amigo no final daquela tarde, pressentiu que ele não veria a estreia do espetáculo. De fato, Lamartine Babo morreu na madrugada de 16 de junho de 1963, vítima de novo enfarte. Deixava como derradeiras obras-primas as marchas-rancho "Os rouxinóis" (1958) e "Ressurreição dos velhos carnavais" (1961).

A maioria dos nossos compositores populares contemporâneos de Lamartine Babo fez marchas carnavalescas. Nenhum deles, porém, com a frequência e a eficácia de Braguinha, que dominou o gênero tão bem quanto Lamartine, podendo os dois serem considerados os consolidadores da marchinha. Carlos Alberto Ferreira Braga — Braguinha para os amigos, João de Barro para a música popular — nasceu em 29 de março de 1907, no bairro carioca da Gávea, e morreu em 24 de dezembro de 2006, também no Rio de Janeiro, três meses antes de seu centésimo aniversário. O primeiro dos sete filhos do casal Jerônimo José Ferreira Braga Neto e Carmen Beirão Ferreira Braga, fez o curso primário na Escola Joaquim Nabuco, em Botafogo, e o ginasial nos tradicionais colégios Santo Inácio e Batista. Neste último, conheceu um menino chamado Henrique Brito, que era exímio violonista. Do convívio com Brito nasceu o seu interesse pela música e a descoberta da vocação de compositor, sendo dessa época "Vestidinho encarnado", sua primeira canção.

Ainda no Colégio Batista, ele organizou em 1928 um conjunto musical chamado Flor do Tempo, influenciado pelo sucesso dos Turunas da Mauriceia. A princípio formado por alunos do colégio, o conjunto logo recebeu um reforço de fora, o jovem Almirante (Henrique Foréis Domingues), futuro grande radialista, que cantava, tocava pandeiro e tinha espírito de liderança. De atuação intensa em seu primeiro ano de existência, o Flor do Tempo acabou sendo convidado para gravar na Parlophon. Por ser demasiadamente numeroso e amadorístico, o grupo foi então reduzido a um quinteto, o Bando de Tangarás, que aproveitou da formação original Braguinha, Almirante, Brito e Alvinho (Álvaro de Miranda Ribeiro), preenchendo a quinta vaga um rapaz franzino de Vila Isabel chamado Noel Rosa, que, além de cantar e tocar violão, já demonstrava forte vocação de compositor.

Com este conjunto, Braguinha lançou, em setembro de 1929, "Pra vancê" e "Coisas da roça", suas primeiras composições gravadas. Ainda com o Bando, ele gravaria como cantor solista dezenove músicas, quinze das quais de sua autoria. Mas os Tangarás eram muito talentosos para se conformar em ser apenas componentes de um conjunto musical. Assim, em maio de 1933, o conjunto realizou a sua última gravação — "Festa no céu", de Braguinha —, deixando 73 fonogramas distribuídos em 38 discos.

No carnaval desse mesmo ano aconteceram os primeiros sucessos do compositor João de Barro, as marchinhas "Moreninha da praia" e "Trem blindado", ambas gravadas por Almirante. Já com essas composições fixavam-se os dois polos que norteariam a temática de toda a sua produção carnavalesca, ou seja, a exaltação da mulher e a crônica do cotidiano. Nos dez anos seguintes, compondo principalmente em parceria com Alberto Ribeiro (27 de agosto de 1902-10 de novembro de 1971), Braguinha integrou-se ao primeiro escalão da música popular brasileira, lançando dezenas de canções da melhor qualidade. Excelente letrista e melodista, eclético como Lamartine e outros colegas de geração, ele compôs no período, além do repertório carnavalesco citado, sucessos como o samba-choro "Carinhoso" (1937), com Pixinguinha; o samba-canção "Mané fogueteiro" (1934); as marchas "Dama das Camélias" (1940), com Alcir Pires Vermelho, e "Primavera no Rio" (1934); o samba-exaltação "Onde o céu azul é mais azul" (1941), com Alcir Pires Vermelho e Alberto Ribeiro; a marcha junina "Noites de junho" (1939); os sambas "Fon-fon" (1937) e "Seu Libório" (1936, mas só gravado em 1941); e as valsas "Sonhos azuis" (1936) e "Linda borboleta" (1938), as cinco últimas com Alberto Ribeiro.

Ao mesmo tempo em que escrevia suas canções, Braguinha participava de produções cinematográficas como roteirista, além de atuar como intermediário entre o produtor Wallace Downey e o meio artístico carioca. Seu nome inclui-se assim no rol dos pioneiros do cinema musical brasileiro, figurando nas fichas técnicas de filmes como *Alô, alô, Brasil* e *Estudantes* (1935); *Alô, alô, Carnaval* e *João Ninguém* (1936); *Banana da terra* (1938); *Anastácio* (1939); e *Laranja da China* (1940).

Casando com a professora Astréa Ribeiro Cantolino em 25 de janeiro de 1938, Carlos Alberto Ferreira Braga assumiu nesse mesmo ano a direção artística da gravadora Columbia, iniciando uma nova e importante etapa em sua vida profissional. Por essa época, ao incrementar suas atividades no Rio de Janeiro, a empresa — até então muito restrita ao

Juntamente com Lamartine Babo, Braguinha (1907-2006) aperfeiçoou e fixou a marchinha carnavalesca.

meio paulista — passaria a viver sua fase de maior sucesso no Brasil. Muito concorreu para isso a atuação do diretor, responsável pela escolha do repertório e formação do elenco. Em 1943, a firma Byington & Cia., que perdera a representação da Columbia, fundou a Continental, convidando Braguinha para dirigi-la. Superando as naturais dificuldades inerentes de uma empresa nova, ele conseguiria em menos de três anos levar a gravadora a competir em condições de igualdade com as veteranas do mercado.

Sem grandes sucessos por um breve período, a estrela de Braguinha voltou a brilhar no final da década de 1940, ganhando carnavais com as marchas "Pirata da perna de pau" (1947); "A mulata é a tal" (1948), com Antônio Almeida; "Tem gato na tuba" (1948) e "Chiquita bacana" (1949), ambas com Alberto Ribeiro. Brilhava também no meio de ano com os sambas-canção "Copacabana" (1946) e "Fim de semana em Paquetá" (1947), com Ribeiro, e a toada "A saudade mata a gente" (1948), com Almeida. Ainda nessa época, lançou em disco as historinhas infantis — por ele teatralizadas e musicadas —, empreendimento a que se dedicou com especial entusiasmo.

Um dos fundadores das primeiras sociedades arrecadadoras de direitos dos compositores brasileiros (ABCA e UBC), entidades nas quais atuou por vários anos, Braguinha entrou no mercado de editoração musical em 1945, ao criar com um grupo de amigos a empresa Todamérica, que cinco anos depois se tornou também gravadora.

Ao contrário da maioria de seus colegas compositores, João de Barro continuou a fazer música para o carnaval, mesmo quando a canção carnavalesca tradicional começou a declinar, destacando-se em 1957 com a marchinha "Vai com jeito" e na década de 1960 com uma série de composições — "Garota de Saint-Tropez" (1962), "Garota biquíni" (1964) e "Ilha do Sol" (1966) — ao lado de novo parceiro, Joaquim Antônio Candeias Júnior, o Jota Júnior. O curioso é que com essas marchas ele completou um verdadeiro *strip-tease* de suas musas, começado em 1933, quando a "Moreninha da praia" tirou as meias. Já no repertório romântico faria sucesso com a versão que escreveu (com Antônio Almeida) para o tema "Luzes da ribalta" (de Charles Chaplin), em 1953, e o belo samba "Laura", composto em 1957 com Alcir Pires Vermelho.

Nas últimas décadas do século, Braguinha reduziu suas atividades profissionais, passando a compor apenas por lazer. São dessa fase as marchas-rancho "Vagalume" (com César Costa Filho), vencedora de um concurso promovido pela TV Manchete em 1985, e "Saudosismo", que rememora o ingênuo encanto dos carnavais de antigamente. Desses anos são também suas participações em vários espetáculos realizados em sua homenagem, como os que comemoraram os seus octagésimo e nonagésimo aniversários.

Embora de grande importância, nenhuma dessas homenagens se igualaria à verdadeira consagração prestada a Braguinha pela plateia que assistiu ao desfile das escolas de samba cariocas no carnaval de 1984. Na ocasião — tema do enredo da Estação Primeira de Mangueira —, ele abria o cortejo, acenando do alto de um carro alegórico. Foi a maior aclamação até então tributada a um compositor brasileiro. Uma aclamação que traduzia o reconhecimento da multidão à obra de um grande artista. Na verdade, as canções de compositores como Braguinha e Lamartine Babo já podem ser consideradas patrimônio do povo brasileiro, integradas que estão à memória nacional.

25.
O FENÔMENO NOEL ROSA

Embora dedicado ao repertório sertanejo, o Bando de Tangarás estava programado pela Parlophon, em novembro de 1929, para gravar um disco carnavalesco. Seguindo a praxe de prestigiar os integrantes do conjunto, as músicas escolhidas eram os sambas "Com que roupa", de Noel Rosa, e "Não quero amor nem carinho", de João de Barro e Canuto, percussionista do Salgueiro. Acontece que, convidado a passar para a pauta as duas composições, o músico Homero Dornelas, amigo e vizinho de bairro dos tangarás, mostrou-lhes o estribilho de "Na Pavuna", uma batucada de sua autoria. Então, completada por Almirante, "Na Pavuna" tomou o lugar da música de Noel — com grande êxito, diga-se de passagem.

Com essa substituição, não sabiam os tangarás que estavam adiando por um ano a explosão de um sucesso maior, o primeiro de um artista que logo se projetaria como compositor e letrista, renovador de nossa lírica e cujos versos permaneceriam como exemplo de poesia popular. Na verdade, "Com que roupa", gravado por Noel Rosa em 30 de setembro de 1930 e lançado dois meses depois, obteve um sucesso arrasador. Além de muito cantado no carnaval de 1931, inspirou anúncios comerciais, paródias, charges, crônicas, entrevistas e até ajudou a fixar a expressão "com que roupa" como dito popular. E o importante é que esta composição já revela algumas características definidoras do estilo Noel Rosa, particularmente as que mostram seu humor extraordinário.

Diferente de tudo quanto tinha sido feito na música popular brasileira até então, a obra de Noel — que tem cerca de três quartos do total em tempo de samba — pode ser dividida em dois abrangentes segmentos: o amargo, pessimista, que trata das agruras do amor — paixões, ciúmes, traições — e que é muitas vezes autobiográfico e até confessional; e o alegre, otimista, que faz a crônica do cotidiano, dos fatos pitorescos, além da exaltação de Vila Isabel, do samba e de outras bossas, de forma espirituosa, por vezes satírica e irônica. À primeira (cerca de 40% da obra) pertencem sambas notáveis como "Pra que mentir" ("Pra que mentir tanto assim/ se tu sabes que já sei/ que tu não gostas de mim..."), parceria com Vadico, "Último desejo" ("Perto de você me calo/ tudo penso e nada falo/ tenho medo de chorar..."), "Cor de cinza" ("A poeira cinzenta/ da dúvida me atormenta/ não sei se ela morreu...") e o filosófico "Silêncio de um minuto" ("Luto preto é vaidade/ neste funeral de amor/ o meu luto é a saudade/ e a saudade não tem cor..."). E à segunda (cerca de 60% da obra), outros grandes sambas como "Tarzan — O filho do alfaiate" ("A minha força bruta reside/ em um clássico cabide/ [...]/ minha armadura é de casimira dura/ que me dá musculatura/ mas que pesa e faz doer..."), "Conversa de botequim" ("Se você ficar limpando a mesa/ não me levanto nem pago a despesa/ vá pedir ao seu patrão/ uma caneta, um tinteiro/ um envelope e um cartão..."), "Feitiço da Vila" ("A Vila tem/ um feitiço sem farofa/ sem vela e sem vintém/ que nos faz bem..."), e o hino de amor ao samba que é "Feitio de oração" ("Batuque é um privilégio/ ninguém aprende samba no colégio/ sambar é chorar de alegria/ é sorrir de nostalgia/ dentro da melodia..."), todos os quatro em parceria com Vadico.

Sem nunca ter pretendido mostrar-se como modernista, Noel adotava em sua poética elementos que o identificavam com o movimento de 1922, como o *nonsense* ("E o meu titio/ faz vergonha a todo instante/ foi ao circo com fastio/ e engoliu o elefante...", da marcha "Prato fundo", com João de Barro), o verso livre de métrica irregular ("O maior castigo que eu te dou/ é não te bater/ pois sei que gostas de apanhar...", do samba "O maior castigo que eu te dou"), a paródia (a opereta radiofônica *O barbeiro de Niterói*, paródia de *O barbeiro de Sevilha*, de Rossini) e o poema-piada ("Mu... mu... mulher/ em mim fi... fizeste um estrago/ eu de nervoso/ esto... tou fi... ficando gago...", do samba "Gago apaixonado").

Outro procedimento que o distingue dos letristas do seu tempo (a exceção de Lamartine Babo) é a frequente utilização de rimas ricas, extravagantes, inesperadas, como as que misturam palavras portuguesas e estrangeiras ("você-soirée", do samba "Dama do cabaré"). Todas essas características são desenvolvidas num estilo enxuto, realista, de grande poder de síntese, que valoriza a língua do povo e despreza exageros românticos, jamais mitificando o amor ou a mulher.

Já o melodista Noel Rosa, ofuscado pelo brilho do poeta, é muitas vezes subestimado. Um exemplo disso está numa afirmação de Ary Barroso, em artigo publicado na *Revista da Música Popular* (nº 11, nov.-dez.

Noel de Medeiros Rosa (1910-1937): 259 composições em 26 anos de vida e 7 de atividade musical.

de 1955): "Concordo, em parte, com as homenagens que se prestavam ao grande Noel. [...] Noel era, antes de tudo, o poeta. Como melodista às vezes tinha sorte". Não seria, porém, Ary o único a depreciar a competência do Poeta da Vila como criador de melodias. Quando, a partir do final dos anos 40, o nome de Noel passou a desfrutar de uma glorificação que ele jamais conheceu em vida, algumas figuras do meio musical apressaram-se em diminuir-lhe a fama, exaltando o poeta e ignorando o compositor.

Criou-se então o mito do Noel letrista infinitamente superior ao Noel compositor, proposição que ganhou adeptos e é pelos tempos afora aceita por muitos. Entretanto, o poeta e o músico não estão assim tão distantes. Sozinho ele fez 108 (41,6 %) das 259 composições relacionadas por seus biógrafos João Máximo e Carlos Didier (no livro *Noel Rosa, uma biografia*), o que é um número bem expressivo. Ainda mais, levando-se em conta que Noel colaborou em muitas das 151 melodias restantes, como nos casos conhecidos de "Linda pequena" ("Pastorinhas"), em que se misturam música e versos seus e de João de Barro, e de "Prazer em conhecê-lo", que tem somente a melodia da segunda parte composta por Custódio Mesquita.

Sem parceiros, ele se tornaria conhecido através dos primeiros sucessos (como "Com que roupa", "Eu vou pra Vila", "Gago apaixonado", "Mulato bamba", "Coisas nossas", "Fita amarela" e "Até amanhã"), lançados entre 1930 e 1932. Mesmo a partir de 1933, quando se intensificou a fase das grandes parcerias, Noel continuou ampliando seu universo musical. Foi nesse período, interrompido pela morte, que criou suas melhores melodias. Fazia para o povão sambas batucados como "Você vai se quiser", "O maior castigo que eu te dou" e "Onde está a honestidade", competindo num terreno onde pontificavam Bide, Marçal, Ismael Silva e outros bambas. Ao mesmo tempo oferecia a um público mais sofisticado sambas requintados como "Pela décima vez", "Três apitos" e "Último desejo", três joias de nossa música popular.

Prova incontestável de sua fertilidade musical era a facilidade que possuía para criar melodias inteiramente diferentes entre si. Ao contrário de muitos compositores, facilmente identificáveis por repetirem determinadas sequências melódicas, ele nunca recorreu a esse recurso. Comparem-se, por exemplo, "Palpite infeliz", "Silêncio de um minuto", "Três apitos", "Quem ri melhor" e "O X do problema", canções cuja ausência de qualquer parentesco musical comprova a afirmação.

Essa musicalidade empregada por Noel para compor sem parceiros mais de cem canções, nos seus escassos sete anos de atividade profissional, mostra que ele não era apenas um "melodista que às vezes tinha sorte". Com a mesma precisão que fez versos adequados para melodias alheias, soube criar a música exata para a sua própria poesia. Desde o alegre e irreverente "Capricho de rapaz solteiro" ao sombrio "Cor de cinza", do discurso sincopado do "Gago apaixonado" ao desabafo dramático de "Eu sei sofrer", suas letras e melodias se completam numa perfeita harmonia de climas, temas e estruturas. Todas elas dão uma amostra do talento musical do Poeta da Vila, que também merece ser chamado de o Compositor da Vila. Talvez seja um exagero afirmar que o músico se iguala ao poeta. Não o é, certamente, situá-lo entre os grandes melodistas da música popular brasileira.

Pouca gente que passou no começo do século XX pela rua Teodoro da Silva, uma das principais de Vila Isabel, deu atenção à casa de nº 30, um modesto chalé, em cuja sala da frente funcionava uma escolinha de alfabetização. Nessa casa, em que moravam Manoel Garcia de Medeiros Rosa e sua mulher, a professora Marta, nasceu (em 11 de dezembro de 1910) e morreu (em 4 de maio de 1937) Noel de Medeiros Rosa, o primogênito do casal. Quatro anos depois, na mesma casa, nasceu Hélio, seu único irmão.

O nascimento de Noel foi difícil e demorado. Tanto que o médico chamado para assistir à parturiente, Dr. José Rodrigues da Graça Melo — o mesmo que dezesseis anos depois cuidaria do nascimento de Antônio Carlos Jobim — pediu auxílio a um colega, o Dr. Heleno da Costa Brandão. Foi Heleno quem decidiu pela utilização do fórceps, uma vez que a criança era demasiadamente grande para a bacia da mãe. Infelizmente, tal procedimento resultou numa fratura da mandíbula do recém-nascido, de consequências funestas para o resto de sua vida. Além de deformar-lhe as feições, o queixo torto dificultava-lhe a mastigação, o que sempre o constrangia em situações sociais.

Alfabetizado pela mãe no cursinho caseiro, Noel Rosa fez a terceira e a quarta séries primárias na Escola Pública Cesário Mota, em Vila Isabel. Em 1923, aos 12 anos, começou o ginasial no Colégio São Bento, curso que concluiu aos 18. Passou, então, os dois anos seguintes tentando sem êxito bacharelar-se no Pedro II. Finalmente, em 14 de novembro de 1930, uma decisão do governo provisório, então recém-empossado pela revolução, determinou que todos os estudantes brasileiros fossem aprovados em seus respectivos cursos. Foi assim, por decreto, que nosso herói conseguiu o bacharelato em Ciências e Letras, tornando-se apto a prestar vestibular para qualquer carreira.

E isso ele fez, no início de 1931, submetendo-se a exames na Faculdade de Medicina do Rio de Janeiro e obtendo aprovação por pequena margem de pontos. Entretanto, segundo João Máximo e Carlos Didier, "apenas dois meses depois de ter assistido à sua primeira aula [...], Noel já tinha plena consciência de que não ficaria ali por muito tempo". Na ocasião, atuando há quase dois anos no Bando de Tangarás, com um grande sucessso na praça (o citado "Com que roupa") e outros bem-encaminhados ("Eu vou pra Vila" e "Gago apaixonado"), o compositor já sabia o caminho a seguir. Assim, para desencanto da família, que o queria médico — como o bisavô, o avô e o tio —, Noel Rosa abandonou o curso de Medicina na metade do primeiro ano.

Ainda nesse importante 1931, em que optou pela música, ele iniciou uma fase de intensa atividade criativa, que se prolongaria pelos anos seguintes, só arrefecendo quando uma doença mortal começou a minar-lhe as forças. Ao terminar 1931, tinham sido lançadas em disco, por coincidência, 31 composições de sua autoria (21 sambas, oito marchas, uma canção sertaneja e um tango), entre as quais destacam-se os sambas "Eu vou pra Vila" e "Gago apaixonado", já mencionados, "Cordiais saudações", "Mulata fuzarqueira", "Picilone" e "Vou te ripar", as marchas "A.E.I.O.U." (com Lamartine Babo) e "Gosto, mas não é muito" (com Ismael Silva e Francisco Alves), sendo as duas sucessos no carnaval de 1932. Desse total, onze músicas foram gravadas por Noel, que teve ainda várias canções incluídas em quatro peças do teatro de revista. Aliás, uma dessas peças recebeu o título de *Com que roupa*.

No pródigo ano de 1932, Noel Rosa teve 43 músicas gravadas (35 sambas, cinco marchas, uma marcha-rancho, uma embolada e uma rumba), das quais alcançaram o sucesso os sambas "Coisas nossas", "Nuvem que passou", "Quem dá mais", "Coração", "Mulato bamba", "Até amanhã" e "Fita amarela", sem parceiros, e mais "Fui louco" (com Alcebíades Barcelos), "Vitória" (com Romualdo Peixoto, o Nonô), "Adeus", "A razão dá-se a quem tem" e "Uma jura que fiz" (com Ismael Silva e Francisco Alves) e "Para me livrar do mal" (só com Ismael). A propósito, Ismael Silva foi o mais assíduo parceiro de Noel. Segundo levantamento de Máximo e Didier, a dupla fez dezoito composições, algumas delas também assinadas por Francisco Alves. Na verdade, deveu-se essa parceria a uma atitude pioneira de integrantes do Bando de Tangarás, que procuraram aproximar-se de compositores de modesta condição social, detentores dos segredos do samba, então em fase de consolidação. E, dos tangarás, Noel foi o mais ativo, tendo se tornado parceiro, além de Ismael, de Canuto (Deocleciano da Silva Paranhos), Antenor Gargalhada (Antenor Santíssimo de Araújo), Puruca, Cartola (Angenor de Oliveira), Gradim (Lauro dos Santos), Ernâni Silva (o Sete), Manoel Ferreira e Alcebíades Barcelos, todos eles autênticos sambistas.

Já em 1933, o número de composições de Noel gravadas foi, por outra incrível coincidência, 33 (28 sambas, três marchas e dois foxes), destacando-se os sambas "Onde está a honestidade", "Pra esquecer", "Quando o samba acabou", "Não tem tradução" e "Meu barracão", sem parceiros; e "Vai haver barulho no chatô" (com Valfrido Silva), "Filosofia" (com André Filho), "Positivismo" (com Orestes Barbosa), "O orvalho vem caindo" (com Kid Pepe) e "Feitio de oração" (com Vadico).

Este samba marcou o início da importante parceria de Noel com o compositor, arranjador e pianista Osvaldo Gogliano (4 de junho de 1910-11 de junho de 1962), o Vadico. Paulistano, descendente de italianos, portador de esmerada educação musical, o jovem Vadico estava começando uma carreira profissional no Rio, quando foi apresentado por Eduardo Souto a Noel no final de 1932. O encontro rendeu de imediato o notável "Feitio de oração", que foi seguido por dez sambas de alta qualidade, como "Feitiço da Vila", "Conversa de botequim" e "Pra que mentir".

Mas a fertilidade de Noel Rosa no ano de 1933 não se limitou às 33 composições gravadas. Houve ainda os sambas "De qualquer maneira" (com Ary Barroso), "Rapaz folgado", "Cor de cinza" e "Três apitos", que só chegariam ao disco anos depois da morte do compositor. "Três apitos", por exemplo, teve sua primeira gravação em 1951, por Araci de Almeida, com Radamés Gnattali e sua Orquestra de Cordas. Uma obra-prima, este samba foi inspirado por Josefina Teles Nunes, uma das grandes paixões de Noel. Moça pobre, precisando trabalhar para manter-se e ajudar a família, Fina era empregada na modesta indústria de botões Hachiya. Ao fazê-la personagem de seu samba, porém, o poeta preferiu colocá-la como operária de uma fábrica de tecidos. Curiosamente, à época em que compôs "Três apitos", seu autor já curtia novo amor, a dama da noite Júlia Bernardes, conhecida como Julinha, que trabalhou em diversos cabarés e, segundo Almirante, seria a inspiradora de canções como "Meu barracão" e "Cor de cinza".

Comparado aos três anos anteriores, 1934 foi pobre para o Noel Rosa compositor, que só teve sete músicas gravadas (cinco sambas e duas marchas) e apenas dois destaques, "Feitiço da Vila" e "Riso de criança". Em contrapartida, foi repleto de emoções, com Noel aparecendo muito como cantor nas rádios e nos mais diversos espetáculos, inclusive numa excursão ao norte fluminense e Espírito Santo, ao mesmo tempo em que se entregava à mais completa boemia. Foi também o ano em que conheceu Ceci (Juraci Correia de Morais), a grande paixão de sua vida, desenvolveu seu romance com Lindaura Martins, com quem acabaria se casando, e, por fim, descobriu-se doente da tuberculose que o mataria.

Noel conheceu Ceci no Cabaré Apolo, na Lapa, numa noite de São João (23 de junho de 1934), tal como está descrito no samba "Último desejo": "Nosso amor que eu não esqueço/ e que teve o seu começo/ numa festa de São João...". Na ocasião o compositor era ruidosamente homenageado no cabaré por seu sucesso, enquanto a moça iniciava uma carreira de dançarina da casa. Adolescente de 16 anos, Ceci impressionava não apenas por sua beleza e juventude, mas por um certo ar de recato, que a distinguia das colegas. Fascinado, Noel Rosa começou então a viver com a dançarina o seu mais sério caso de amor. Sério e tumultuado, pois, além de angustiado pelos ciúmes que sentia da amada, ao vê-la exercer sua profissão, o poeta era responsável pelo sustento e bem-estar de outra mulher, a jovem Lindaura, com quem se envolvera em caso paralelo.

Noel já conhecia Lindaura Martins, a Linda, como a chamavam, desde que ela fora aluna de sua mãe há algum tempo. Aos 17 anos, Linda era uma das namoradinhas que consentiam em sair ao seu lado, no famoso Chevrolet (comprado a Francisco Alves) que ele apelidara de Pavão. Dirigindo esse carro, o compositor fazia com suas acompanhantes frequentes passeios galantes às mais longínquas paragens, sob a admiração invejosa da rapaziada do bairro. Na noite de 12 de novembro de 1933, um domingo, o Pavão levou Noel e Lindaura a um hotel na rua Senador Euzébio, perto da Praça Onze, onde o casal pernoitou. O fato desencadeou na vida dos dois uma verdadeira tempestade, com queixa de rapto prestada à polícia por dona Olindina, mãe da moça, que a expulsou de casa, afirmando que só a receberia de volta casada. Não concordando com o casamento, mas obrigado a aceitar a companhia da rejeitada, pois seria desumano abandoná-la à própria sorte, Noel foi ainda forçado a deixar a casa da mãe, que também não aceitava a situação criada, indo ocupar precariamente vários endereços.

Como resultado disso tudo, Noel Rosa entrou num processo de estafa física e mental, cujas consequências começaram a aparecer em novembro de 1934, quando, durante um show no Cine Grajaú, sofreu um desmaio. Examinado e radiografado, logo foi constatado que o paciente estava tuberculoso, com uma lesão no pulmão direito e algum comprometimento no esquerdo. Embora a doença ainda se encontrasse no estágio inicial, passível de cura, o médico preocupou-se com a magreza extrema do cliente (estava pesando 45 quilos) e recomendou uma série de medicamentos, superalimentação, muito repouso, paz de espírito e, se possível, uma temporada numa cidade de clima mais saudável do que o do Rio de Janeiro.

Assim, os primeiros dias de 1935 iriam encontrar Noel e Lindaura em Belo Horizonte, hospedados na casa de Carmen e Mário Brown, sendo ela irmã de Marta de Medeiros Rosa. Para poder ser admitido no convívio da tia, o poeta finalmente abrandou o coração e resignou-se em aceitar Linda como esposa, tendo o casamento (civil) se realizado no dia

1º de dezembro de 1934, sem festa. A temporada mineira durou três meses, com Noel voltando ao Rio menos magro e mais disposto, retomando de imediato suas atividades musicais e radiofônicas e, infelizmente, entregando-se outra vez à boemia. Reassumiu ainda o romance com Ceci, para quem alugou um quarto mobiliado em um prédio da rua dos Inválidos, o que o tornou mais ausente da casa materna, onde morava com Lindaura. Na verdade, o casamento forçado ficava a cada dia mais difícil de suportar, refletindo-se a situação nos versos de "Cansei de pedir", um belo samba que compôs em Belo Horizonte: "Amar sem ter amor é um suplício/ você não compreende a minha dor/ nem pode avaliar o sacrifício que eu fiz/ para ver você feliz...".

Na manhã de 3 de maio de 1935, Manoel de Medeiros Rosa enforcou-se na Casa de Saúde da Gávea, onde estava internado para tratamento mental. A tragédia, que abateu profundamente Noel, era a terceira que acontecia à sua família, pois já haviam também cometido o suicídio sua avó e seu bisavô paternos. Mas o show tinha de continuar e o artista, agora contratado pela Rádio Guanabara, estava com a agenda cheia de compromissos em várias emissoras, clubes e teatros. Continuava compondo, até com maior requinte, o que parecia anunciar uma nova fase em sua carreira, e teria dez músicas (sete sambas e três marchas) gravadas durante o ano. Quase a totalidade dessas músicas era da mais alta qualidade, como os sambas "Amor de parceria", "João Ninguém", "Cansei de pedir" e "Palpite infeliz", sem parceiros, mais "Triste cuíca" (com Hervê Cordovil) e "Conversa de botequim" (com Vadico) e a marchinha "Pierrô apaixonado" (com Heitor dos Prazeres), de grande sucesso no carnaval de 1936. Também muito cantada nesse carnaval foi a obra-prima "Palpite infeliz", que se constituiu na última participação de Noel numa polêmica que sustentou com o compositor Wilson Batista. Aliás, segundo Almirante, essa polêmica não chegou a despertar maior interesse na época, só ganhando importância nos anos 50, quando seria revivida num LP da Odeon. De qualquer maneira, rendeu algumas boas composições como "Rapaz folgado" e "Palpite infeliz" (de Noel) e "Lenço no pescoço" (de Wilson), sendo este o samba que deu origem ao bate-boca musical. Ainda em 1935, além das músicas gravadas, houve dois grandes sambas de Noel — "Pela décima vez" e "Silêncio de um minuto" — que só chegariam ao disco depois de sua morte.

No seu penúltimo ano de vida, 1936, Noel teve dezesseis músicas gravadas (treze sambas e três marchas), mais uma vez excelentes, como os sambas "É bom parar" (com Rubens Soares), "De babado" (com João

Mina), "Cem mil réis", "Só pode ser você", "Tarzan — O filho do alfaiate" e "Provei" (com Vadico), "Pela primeira vez" (com Cristóvão de Alencar) e "Dama do cabaré", "O X do problema", "Você vai se quiser", "Quem ri melhor" e a marcha "Cidade mulher", sem parceiros. Dessas, três ("Tarzan", "Cidade mulher" e "Dama do cabaré") fizeram parte da trilha sonora do filme de Carmen Santos *Cidade mulher*, juntamente com a marcha "Morena sereia" e o samba "Na Bahia" (ambos com José Maria de Abreu), só gravados muitos anos depois, e a valsa "Numa noite à beira-mar", cuja melodia se perdeu.

Em sua tumultuada vida, dois fatos aconteceram de repente para complicá-la ainda mais. Primeiro, Lindaura, grávida, perdeu o filho numa inacreditável queda dos galhos de uma goiabeira existente no quintal do chalé. Segundo, a cobiçada Ceci, no auge de seus encantos, recém-contratada pelo cabaré Royal Pigalle, iniciou um romance com um rapaz ligado ao meio artístico chamado Mário Lago, que em breve iria se popularizar como ator e compositor. E para piorar a situação, Mário era jovem, solteiro, bem-apessoado e dedicava à dançarina um tratamento que ela jamais recebera de outros admiradores. Então, ao mesmo tempo que esse romance tornava-se um estorvo para o relacionamento Noel-Ceci, sua saúde começou a deteriorar-se novamente.

A princípio eram uns resfriados que pareciam não ter fim, depois uma tosse rebelde, um desânimo, uma febre intermitente que prendia Noel cada vez mais em casa, longe da vida boêmia que sempre o fascinara. Mesmo assim, ele ainda teve disposição para ir aos estúdios da Odeon (em 12 de novembro de 1936) e da Victor (em 18 de novembro de 1936), onde gravou seus derradeiros discos, que incluíam os sambas "Provei", "Você vai se quiser", "Quem ri melhor" e "Quantos beijos", todos em dueto com a cantora Marília Batista. No final da vida o compositor, melhor intérprete masculino de sua obra — da qual gravou 31 composições, num total de 33 fonogramas, pois realizou duas gravações de "Com que roupa" e "Cordiais saudações" —, escolheu como suas intérpretes favoritas Araci de Almeida e Marília Batista, que gravaram, respectivamente, dez e seis músicas de sua autoria, antes de sua morte.

Noel viveu a maior parte dos quatro meses e quatro dias que lhe restaram em 1937 acamado no quarto que ocupava na casa materna, sofrendo os sintomas do agravamento de sua doença, na ocasião em estágio terminal. Aconselhado por amigos, ainda fez duas tentativas desesperadas de recuperação fora do Rio, passando com Lindaura três semanas (em março) em Nova Friburgo e nove dias (de 24 de abril a 2 de maio) em Piraí, de onde voltou praticamente moribundo para morrer em casa na noite de 4 de maio.

De seu repertório foram gravadas em 1937 cinco músicas, três das quais compostas em 1934 — a marcha "Pastorinhas" (uma remontagem de "Linda pequena", com João de Barro) e os sambas "Século do progresso" e "O maior castigo que eu te dou" (sem parceiros) — e duas em 1937, os sambas autobiográficos "Eu sei sofrer" e "Último desejo", sendo este o canto com que se despediu de Ceci. De acordo com seus biógrafos, várias foram as mulheres que lhe inspiraram canções: Clarinha (Clara Corrêa Neto), sua primeira namorada, Fina, Julinha, Lindaura e Ceci. Nenhuma delas, porém, foi motivo de tantas e tão boas canções como Ceci, a musa de "Dama do cabaré", "O maior castigo que eu te dou", "Quem ri melhor", "Último desejo", "Só pode ser você" e "Pra que mentir", as duas últimas com melodias de Vadico.

26.
UMA PEQUENA NOTÁVEL

Há pouco estabelecido com uma pequena barbearia na rua da Misericórdia, Zona Centro do Rio, o imigrante português José Maria Pinto da Cunha teve a satisfação de receber, em 17 de dezembro de 1909, sua mulher, Maria Emília Miranda da Cunha, e as duas filhas do casal, Olinda, de três anos, e Maria do Carmo, de dez meses. Chegadas de Portugal, na terceira classe de um navio, elas vinham juntar-se a ele para iniciar os quatro — que em alguns anos seriam oito, com os nascimentos de Amaro, Cecília, Aurora e Oscar — uma vida nova no Brasil.

Os Miranda da Cunha seriam apenas mais uma famíia de imigrantes, como tantas outras, que se integraria à população do país, legando a seus descendentes existências modestas, se dela não fizesse parte Maria do Carmo, a segunda filha. Nascida na freguesia de Várzea de Ovelha, pertencente ao lugarejo de Marco de Canavezes, Distrito do Porto, em Portugal, no dia 9 de fevereiro de 1909, Maria do Carmo Miranda da Cunha recebeu este nome em homenagem à sua madrinha Maria do Carmo Pinto Monteiro.

Demonstrando desde menina vocação e desembaraço para cantar e representar, Maria do Carmo, aliás Carmen, como era tratada pela família, chegou aos 20 anos pronta para uma carreira artística. Já possuía até uma certa familiaridade com o palco, pois, como aluna da Escola Santa Teresa, na Lapa, que cursou durante cinco anos, era sempre a primeira escolhida pelas freiras para cantorias e recitativos nas festinhas escolares. Além do mais, apesar da baixa estatura (1,52 m), tinha boa presença física, com um corpo enxuto, pernas fortes, bem-torneadas e, sobretudo, um par de olhos castanhos esverdeados, faiscantes, e um sorriso largo, encantador. Chamava ainda a atenção de quem a olhava de perto uma pequena mancha amarela junto à íris de seu olho esquerdo, que lhe emprestava um charme especial. Sua colega de Hollywood, a atriz Alice Faye, dizia que ela tinha um olho castanho-esverdeado e o outro verde-amarelado. Afinal, a única coisa que destoava em sua fisionomia era o nariz grande e achatado, que detestava.

O mais importante, todavia, era que Carmen tinha boa voz e sabia cantar. Assim, trabalhando como balconista em lojas de modas desde os catorze anos, para ajudar a família, ela começou a se apresentar em tertúlias musicais e programações amadorísticas, cantando modinhas e tangos argentinos. Numa dessas apresentações, no Instituto Nacional de Música, conheceu o violonista e compositor Josué de Barros, figura de prestígio no meio musical que, percebendo seu talento, passou a apadrinhar-lhe a carreira, levando-a às gravadoras Brunswick e Victor, na ocasião em estágio de instalação no Brasil.

Provavelmente em outubro de 1929, Carmen Miranda gravou o seu primeiro disco (Brunswick nº 10013, com o samba "Não vá simbora" e o choro "Se o samba é moda") e, em 4 de dezembro, o seu disco de estreia na Victor (nº 33249, com a toada "Triste jandaia" e o samba "Dona Balbina"), todas as composições de Josué de Barros. Lançados em janeiro de 1930, nenhum dos dois discos fez sucesso, embora o da Victor tenha merecido elogios da revista *Phono Arte*, extensivos à sua intérprete, considerada "expressiva" e "espontânea". Mas já no mês seguinte, numa gravação lançada às pressas para o carnaval, Carmen alcançaria um grande sucesso com a marchinha "Pra você gostar de mim" (de Joubert de Carvalho), mais conhecida como "Taí". O êxito desta composição, que popularizou imediatamente o nome de Carmen Miranda, foi tão grande que atravessou todo o ano de 1930, para tornar-se uma das músicas mais cantadas no carnaval de 1931.

Começou assim de forma auspiciosa a carreira pioneira de Carmen Miranda. Pioneira porque, a rigor, não existiu no Brasil uma única cantora popular de sucesso nacional antes dela. O que havia eram atrizes do teatro de revista, que também cantavam, mas cujo sucesso restringia-se ao Rio de Janeiro e às cidades em que eventualmente se exibiam. A mais conhecida dessas atrizes e a que mais gravou — cerca de quarenta discos — foi Aracy Cortes. A razão dessa carência de cantoras devia-se principalmente à influência dominadora de uma sociedade machista, que desencorajava vocações canoras femininas. A própria Carmen sofreu oposição do pai, quando ensaiava os passos iniciais da carreira. No entanto, uma onda liberalizante de costumes, surgida depois da Primeira Grande Guerra, e a chegada do rádio e do cinema falado acabaram por amenizar essa situação, proporcionando à mulher novas oportunidades.

Mostrando nos dois primeiros anos de carreira influência de Aracy Cortes, o que a levava a forçar a voz, abusando dos timbres agudos, Carmen Miranda iria a partir de 1932 apresentar um estilo próprio, brejeiro e sedutor, a um só tempo ingênuo e sensual. Seu encanto não se limitava à voz, estendendo-se à habilidade de expressar-se com o olhar, o sorriso, o corpo e as mãos, enfim, sua capacidade de explorar o seu carisma, seu dom de fascinar e conquistar pessoas. Por isso Carmen foi sempre uma artista para ser vista e não apenas ouvida. Tudo isso permitiu-lhe desenvolver uma trajetória que, no breve espaço de dez anos, a transformou em estrela do *show business* internacional.

Nos cinco anos em que atuou na Victor, Carmen gravou 150 composições, editadas em 77 discos, predominando no repertório as marchas (70), seguidas de perto pelos sambas (66). Foram seus maiores sucessos no período, além da citada "Taí", as marchas "Iaiá Ioiô" (de Josué de Barros), de 1930, "Inconstitucionalissimamente" (de Hervê Cordovil), "Moleque indigesto" (de Lamartine Babo), "Good-bye" (de Assis Valente) e "Chegou a hora da fogueira" (de Lamartine Babo), as quatro de 1933; "Primavera no Rio" (de João de Barro) e "Isto é lá com Santo Antônio" (de Lamartine Babo), de 1934; e "Recadinho de Papai Noel" (de Assis Valente), de 1935; e os sambas "Bamboleô" (de André Filho), 1932; "Alô, alô" (de André Filho), "Na batucada da vida" (de Ary Barroso e Luís Peixoto) e "Minha embaixada chegou" (de Assis Valente), os três de 1934; mais "Coração" (de Sinval Silva) e "Comigo não" (de Heitor Catumbi e Valfrido Silva), de 1935. Algumas dessas composições foram gravadas em dupla com Mario Reis ("Chegou a hora da fogueira", "Isto é lá com Santo Antônio" e "Alô, alô") e com Lamartine Babo ("Moleque indigesto"). Ainda neste período, Carmen Miranda realizou temporadas em Buenos Aires (três), São Paulo (duas), Bahia e Pernambuco, participou dos filmes *A voz do Carnaval* e *Alô, alô, Brasil*, assinou um bom contrato com a Rádio Mayrink Veiga, onde César Ladeira passou a chamá-la de A Pequena Notável, além de realizar dezenas de shows em cinemas e teatros cariocas.

Em abril de 1935, Carmen transferiu-se para a Odeon, onde nos seis anos seguintes gravaria 129 composições, distribuídas em 65 discos. Nesta fase o samba teve amplo predomínio em seu repertório (76 gravações), totalizando mais do dobro das marchas (37). Foram seus maiores sucessos: as marchas "Sonho de papel" (de Alberto Ribeiro), 1935; "Querido Adão" (de Benedito Lacerda e Osvaldo Santiago), 1936; "Como 'vais' você" (1937) e "Eu dei" (1938), de Ary Barroso; e os sambas "Adeus batucada" (de Sinval Silva) e "Tic-tac do meu coração" (de Alcir Pires Vermelho e Valfrido Silva), 1935; "No tabuleiro da baiana" (de Ary Barroso), 1936; "Camisa listrada" e "E o mundo não se acabou" (de Assis

Valente), "Na Baixa do Sapateiro" (de Ary Barroso) e "Boneca de piche" (de Ary Barroso e Luís Iglesias), os quatro de 1938; "O que é que a baiana tem" (de Dorival Caymmi) e "Uva de caminhão" (de Assis Valente), 1939; "Voltei pro morro" (de Vicente Paiva e Luís Peixoto), "Diz que tem" (de Vicente Paiva e Hanibal Cruz) e "Recenseamento" (de Assis Valente), os três gravados em 1940, quando ela, já radicada nos Estados Unidos, fez sua primeira visita ao Rio. "No tabuleiro da baiana", "Boneca de piche" e "O que é que a baiana tem" foram gravados em dupla, respectivamente, com Luís Barbosa, Almirante e Dorival Caymmi. Tal como na fase inicial, em que as marchinhas de Lamartine Babo tiveram grande destaque em seu repertório, na Odeon Carmen continuou a cantar música alegre e buliçosa. Daí, a preferência por compositores como Assis Valente e Ary Barroso, que melhor entenderam a jovialidade de seu estilo, que ela temperava com alguns sambas sentimentais de Sinval Silva.

Atingindo o auge da popularidade nesse período, Carmen ainda realizou temporadas em Buenos Aires (cinco), São Paulo, Porto Alegre, Santos e outras cidades, participou dos filmes *Estudantes*, *Alô, alô, Carnaval* e *Banana da terra*, tornou-se uma das artistas mais bem pagas do rádio, firmando contratos milionários com a Tupi e a Mayrink Veiga, e abriu as portas dos cassinos aos cantores nacionais, atuando no Copacabana e, por sucessivas temporadas, no Cassino da Urca.

Foi nessa famosa casa que o empresário americano Lee Shubert a descobriu em meados de fevereiro de 1939. Na ocasião, vestindo uma baiana estilizada e estrelando um show cujo número principal era o samba "O que é que a baiana tem", ela ganhava a vultosa quantia de 30 contos de réis mensais. Em que pese a versão mais conhecida do encontro Shubert-Miranda, em que ele só teria conhecido e contratado a cantora por insistência da patinadora e atriz de Hollywood Sonja Henie, a verdade é que segundo Claude P. Greneker, conselheiro do empresário, já havia bastante tempo que Shubert recebia informações sobre Carmen. Como vivia-se na época, véspera da Segunda Guerra Mundial, a Política da Boa Vizinhança, criada pelo presidente Roosevelt para melhorar as relações dos Estados Unidos com os países da América Latina, é bem provável que ao visitar o Brasil naquela viagem turística Lee Shubert já tivesse a intenção de contratar Miss Miranda. E foi o que ele fez, pelo prazo de um ano, a partir de maio de 1939, ao preço de 500 dólares por semana de trabalho, mais 250 dólares em caso de compromissos simultâneos. Tendo em vista que no câmbio estável da época um dólar valia 16.500 réis, o contrato era bem vantajoso, do ponto de vista brasileiro.

Na noite de 4 de maio de 1939, após chorosas despedidas no Cassino da Urca e na Rádio Mayrink Veiga, Carmen Miranda embarcou no navio Uruguai rumo aos Estados Unidos, levando de contrapeso o Bando da Lua para acompanhá-la. Sua estreia como artista exclusiva da Select Operating Corporation, a empresa dos irmãos Shubert, aconteceu na revista musical *Streets of Paris*, no Shubert Theatre de Boston, no dia 29 de maio de 1939. Dezenove dias depois, a peça iniciaria sua temporada no Broadhurst Theatre, em Nova York. Embora limitada a 6 minutos, em que cantou em português o samba-embolada "Bambo do bambu" (tema popular), "Touradas em Madri", "O que é que a baiana tem" e a rumba "The South-American Way" (de Jimmy McHugh e Al Dubin), a apresentação de Carmen Miranda alcançou sucesso absoluto, ponto alto da revista. O fato surpreendeu a própria artista, que modestamente considerava-se figura secundária num elenco integrado pelo bailarino Gower Champion, o cantor Jean Sablon, Bobby Clark, Luella Gear e os cômicos Bud Abbott e Lou Costello.

Pesando mais do que seus atributos de cantora, deveu-se o sucesso imediato de Carmen nos Estados Unidos ao impacto causado pela vitalidade de sua figura colorida, dançando de turbante e vestes de baiana, sobre sapatos plataforma, enquanto cantava uma música de rítmica forte, em língua estranha aos americanos (só o último verso da rumba era em inglês), enfim, um espetáculo absolutamente novo e extravagante que se oferecia à plateia da Broadway. E foram esses exotismos e exageros de sons, cores e gestos que marcariam para sempre a vitoriosa carreira de Carmen Miranda nos Estados Unidos. A graciosa cantora de sambas e marchinhas, que encantava brasileiros, transformou-se assim, de repente, numa comediante e cantora exótica — mais comediante do que cantora —, objeto da curiosidade e admiração dos norte-americanos.

Enquanto prosseguiam as encenações de *Streets of Paris*, que depois da Broadway percorreu longo circuito de cidades, Carmen gravou na Decca (em 26 de dezembro) seus primeiros discos americanos, com o repertório da peça, acrescido da "Marchinha do grande galo" ("Co, co, co, co, co, ro") e de "Mamãe eu quero" ("I want my mama"), efetuou uma participação no filme *Serenata tropical* (*Down Argentina Way*) e exibiu-se (em 5 de março de 1940) na Casa Branca para o presidente Roosevelt e seus convidados. Encerrada a temporada de *Streets of Paris*, elogiada por celebridades como Mickey Rooney, Errol Flynn, James Stewart e o casal Robert Taylor-Barbara Stanwyck, Carmen apresentou-se em clubes noturnos e emissoras de rádio até julho de 1940. Em outubro,

Carmen Miranda (1909-1955) e o Bando da Lua,
seus fiéis escudeiros.

depois de uma visita de três meses ao Brasil, em que participou de dois shows beneficentes e gravou seus últimos discos na Odeon, voltou aos Estados Unidos para dar continuidade à carreira. Aliás, apesar da recepção calorosa que teve do povo carioca na ocasião, Carmen foi friamente esnobada pela plateia de grã-finos que assistiu ao primeiro desses shows, realizado em 15 de julho, e que a considerou "americanizada". A desfeita seria amenizada pelos aplausos recebidos no segundo show, em setembro, mas nunca esquecida pela cantora, que não voltaria a atuar no Brasil pelo resto da vida.

Nos dezessete anos em que atuou no exterior, Carmen Miranda gravou 32 músicas, editadas em dezesseis discos e participou de catorze filmes, sempre marcando presença, embora em pequenos papéis. Do repertório gravado, treze composições são estrangeiras, a maioria feita especialmente para ela, e dezenove brasileiras, das quais treze — como "Touradas em Madri", "Mamãe eu quero" e "Tico-tico no fubá" — haviam sido lançadas por outros intérpretes. A propósito, ela declarou à revista *Manchete* (em 25 de dezembro de 1954): "Meu grande sucesso continua sendo 'Mamãe eu quero'. Show sem 'Mamãe eu quero' é espetáculo incompleto. Fora isso tenho que incluir, obrigatoriamente, o 'Tico-tico no fubá', 'Delicado' e 'Chiquita bacana'". Já os filmes de maior repercussão foram *Uma noite no Rio* (*That Night in Rio*), de 1941, com Don Ameche e Alice Faye; *Aconteceu em Havana* (*Week-End in Havana*), de 1941, com John Payne, Alice Faye e Cesar Romero; e *Minha secretária brasileira* (*Springtime in the Rockies*), de 1942, com John Payne, Betty Grable e Cesar Romero, todos eles considerados "*top movie musicals*" pela crítica americana. No final do pródigo ano de 1941, Carmen faria ainda sua segunda e derradeira participação num musical da Broadway, a revista *Sons o'fun*, criado e estrelado pela dupla de comediantes Olsen & Johnson. Este foi seu último trabalho para Lee Shubert, pois em agosto de 1942 comprou do empresário o seu contrato, passando a morar em Hollywood.

Surpreendendo a todos, Carmen Miranda casou-se em 17 de março de 1947 com David Alfred Sebastian, um americano pobre, feio e coxo, de cabelos embranquecidos, que conhecera há pouco no *set* de *Copacabana*. Nesse filme ela era estrela e ele assistente do produtor. Realmente, para os amigos, era difícil encontrar um motivo que justificasse aquele casamento. Principalmente porque Carmen, uma mulher independente e liberada, então com 38 anos (três meses mais moça do que o noivo), tinha a experiência de vários envolvimentos amorosos — com homens como o atleta-remador Mário Cunha, o industrial Carlos Alberto Rocha Farias e o músico-cantor Aloísio de Oliveira —, sempre rejeitando a possibilidade de casamento, em razão de uma integral dedicação à carreira. Mais ainda: Sebastian, um judeu de temperamento sombrio, retraído, não tinha a menor afinidade com os amigos da cantora, divertidos, barulhentos, que até abusavam de sua hospitalidade, fazendo de sua casa uma espécie de clube brasileiro. Em suma, o marido era visto como um estranho no ninho, detestando e sendo detestado por aquele pessoal. Mas Carmen ignorou essas circunstâncias, entregando-lhe o domínio de sua vida, inclusive tornando-o empresário e administrador de seus negócios.

Terminado em 1946 o contrato com a 20th Century Fox, empresa em que realizou dez filmes, Carmen Miranda viveu os últimos nove anos da carreira como *free-lancer*, dedicando-se mais aos espetáculos em teatros, clubes noturnos, rádios e televisões, ficando os filmes (fez quatro) como opção secundária. Mais rendosos que o cinema, os shows eram, porém, bem mais cansativos, tendo em vista a frequência com que se realizavam, o que lhe exigia um extremo esforço físico e mental. Para piorar a situação, Carmen, uma profissional consciente e perfeccionista, já começava a sentir o peso da idade.

Assim, essa rotina estafante de viagens, ensaios e apresentações, somada à incompatibilidade de temperamento com o marido e às discordâncias sobre seu desempenho como administrador, foi minando a saúde, o humor e o equilíbrio emocional da artista, que, a partir do início dos anos 50, começou a encharcar-se de excitantes para trabalhar e de tranquilizantes para dormir. Então, no final de 1954, em meio a uma crise de depressão que a levara a submeter-se a um tratamento de eletrochoques, e atendendo a uma recomendação de seu médico americano, Dr. Marxer, ela resolveu passar uma temporada no Rio de Janeiro. Com essa viagem, a Brazilian Bombshell afinal quebrava uma sequência de muitos anos de apresentações nas mais diversas cidades dos Estados Unidos, Inglaterra, Itália, Suécia, enfim, em quase toda a Europa, além de Honolulu, no Havaí, e outras mais. Numa dessas temporadas, aliás (em Nova York, agosto de 1948), a cantora, vivendo o começo de uma gravidez, sofreu um aborto, perdendo a criança.

A visita ao Brasil fez um bem enorme a Carmen Miranda. Assim, depois de um período de repouso absoluto num apartamento do Copacabana Palace, sob a assistência do médico brasileiro Dr. Aloísio Sales, ela entregou-se ao convívio de velhos e novos amigos, deles recebendo o maior carinho e atenção. Procurando reintegrar-se à vida da cidade, visitou boates, teatros, bailes carnavalescos, a Rádio Mayrink Veiga e o Estádio do Maracanã. No dia 4 de abril de 1955, após umas férias de quatro meses, voltou aos Estados Unidos para recomeçar tudo outra vez.

Na realidade, a grande estrela internacional, na ocasião ainda uma das mais bem pagas do *show business*, chegando a faturar 100 mil dólares por um espetáculo, não suportava ficar longe dos holofotes. No que era apoiada por seu exigente marido-empresário, pois, inativa, ela deixaria de ganhar o rico dinheirinho que em boa parte ia para a conta dele. Assim, ao chegar aos States, a convalescente foi logo tratando de assumir três compromissos: o primeiro, uma temporada de quatro semanas, em abril-maio, no cassino New Frontier, em Las Vegas; o segundo, uma série de apresentações durante duas semanas de julho no Tropicana, o maior e mais afamado clube noturno de Havana; e o terceiro, a participação em um programa de televisão do cômico Jimmy Durante na NBC, a ser gravado em Los Angeles.

Num dos shows em Las Vegas, Carmen recebeu o primeiro aviso de que sua recuperação não havia se completado, ao sentir uma incontrolável fraqueza nas pernas, que a levou a cair de quatro, enquanto cantava e dançava um de seus números. Já em Havana, atuando fortemente gripada, teve um súbito lapso de memória que a fez interromper uma interpretação do velho samba "Camisa listrada". Entre Las Vegas e Havana, houve ainda uma segunda queda nas escadas de sua casa, em que fraturou um polegar.

Às 7 horas da noite de 4 de agosto de 1955, Carmen Miranda e seus músicos, juntamente com sua mãe e alguns amigos, chegaram aos estúdios da NBC para a gravação do programa de Jimmy Durante. Para quem acabara de fazer duas intensas temporadas, até que este compromisso parecia ser dos mais fáceis. Então, depois de várias cenas muito divertidas, recheadas de piadas de parte a parte, além de números musicais ("Delicado", de Waldir Azevedo, com letra de Aloísio de Oliveira, foi um deles), Carmen sofreu em meio a uma dança uma nova queda, consequência de um pequeno desmaio, admitindo, em seguida, "ter sentido falta de ar" e "uma pontada horrível no peito". Entretanto, negou-se a interromper a gravação, prosseguindo o programa até o final, sendo "Cuanto le gusta" (de Gabriel Ruiz e Ray Gilbert) sua última canção.

Terminada a gravação, Carmen sugeriu encerrarem todos a noite em sua casa. Animadíssima, a anfitriã comeu, bebeu e divertiu os convidados, dançando, cantando e mesmo fazendo imitações de cantores conhecidos, enquanto Sebastian dormia no quarto dos hóspedes para fugir ao barulho. Por volta das 2h30, ela despediu-se do pessoal — alguns ainda ficaram um pouco — e recolheu-se aos seus aposentos. "Despiu o seu costume vermelho e vestiu um pijama. Ao encaminhar-se para o banheiro, tombou no chão e morreu", conforme relato de sua biógrafa argentina Martha Gil-Montero no livro *Carmen Miranda, a Pequena Notável*. Diagnóstico médico: colapso cardíaco, causado por oclusão das coronárias. Descoberto pelo marido somente às dez horas da manhã seguinte, o corpo foi embalsamado e transportado para o Rio de Janeiro, onde efetuou-se o sepultamento, em 13 de agosto, num dos maiores enterros já realizados no Brasil.

27.
O APOGEU DE ARY BARROSO

Ary Barroso contou como e por que fez "Aquarela do Brasil", em entrevista meio pomposa concedida à pesquisadora musical e jornalista Marisa Lira e publicada no *Diário de Notícias* em outubro de 1958: "Senti iluminar-me uma ideia: a de libertar o samba das tragédias da vida [...] cenário sensual já tão explorado. Fui sentindo toda a grandeza, o valor e a opulência de nossa terra. [...] Revivi, com orgulho, a tradição dos painéis nacionais e lancei os primeiros acordes, vibrantes, aliás. Foi um clangor de emoções. O ritmo original, diferente, cantava na minha imaginação [...] em batidas sincopadas de tamborins fantásticos. O resto veio naturalmente, música e letra de uma só vez. Grafei logo [...] o samba que produzira, batizando-o de 'Aquarela do Brasil'. Senti-me outro. De dentro de minh'alma estravasara um samba que eu há muito desejara. [...] Este samba divinizava, numa apoteose sonora, esse Brasil grandioso".

Exageros à parte, "Aquarela do Brasil" é aproximadamente o samba que Ary Barroso pretendeu fazer. Mais do que isso, é uma composição muito benfeita, que por sua beleza marca o apogeu da melhor fase de sua carreira, o período 1938-1943. Daí o seu sucesso, a sua perene popularidade, inclusive no exterior, que a mantém como peça supergravada e executada, décadas depois de seu lançamento, com rendimento de direitos superior ao de todo o restante de sua obra.

Mas, até chegar a "Aquarela do Brasil", o mineiro de Ubá Ary Evangelista Barroso (7 de novembro de 1903-9 de fevereiro de 1964) teve cerca de 170 canções gravadas e quinze anos de atuação no meio musical. Já mostrando preferência pelo samba, embora não fosse indiferente a outros ritmos, ele começou a se projetar como compositor no final dos anos 20, apresentando um repertório influenciado por Sinhô. Um exemplo disso é "Vou à Penha", sua primeira composição a chegar ao disco (em novembro de 1928), um samba amaxixado gravado por Mario Reis. Na época, estudante de Direito, Ary sustentava-se tocando piano em orquestras e compondo para o teatro de revista. Descoberto e apoiado pela dupla de autores teatrais Marques Porto-Luís Peixoto, seu progresso no setor foi rápido, chegando em 1930 ao recorde de participação em onze peças. Além do citado "Vou à Penha", marcaram essa sua fase pioneira os sambas "O amor vem quando a gente não espera" (com C. M. Bittencourt) e "Tu qué tomá meu home" (com Olegário Mariano), gravados por Aracy Cortes; e "Vamos deixar de intimidade", cantado no palco por Aracy e gravado por Mario Reis, sendo os três de 1929.

Ainda em 1930, Ary Barroso alcançou o seu primeiro sucesso nacional com a marchinha "Dá nela", vencedora de um concurso de músicas para o carnaval promovido pela Casa Edison. O prêmio ganho (5 contos de réis) ensejou a realização do casamento de Ary com a jovem Ivone Arantes, sua noiva há cinco anos, constituindo-se ainda num incentivo para que optasse pela carreira musical, bem mais de acordo com a sua personalidade do que a de advogado. Assim, a partir de então, ele intensificou sua atuação como compositor, cada vez mais dedicando-se ao samba e iniciando intuitivamente um processo de refinamento do gênero.

São sucessos nessa fase de ascensão e consolidação de sua carreira os sambas "No Rancho Fundo" (parceria de Lamartine Babo), com Elisa Coelho, e "Faceira", com Sílvio Caldas, de 1931; "É mentira, oi" e "Um samba em Piedade", com Sílvio Caldas, de 1932; "Na batucada da vida" (parceria de Luís Peixoto), com Carmen Miranda, "O correio já chegou", com Francisco Alves, "Tu" e "Malandro sofredor", com Sílvio Caldas, os quatro de 1934; "Foi ela", com Francisco Alves, "Por causa dessa cabocla" (parceria de Luís Peixoto) e "Inquietação", com Sílvio Caldas, os três de 1935; "Na virada da montanha" (parceria de Lamartine Babo), com Francisco Alves, e "No tabuleiro da baiana", com Carmen Miranda e Luís Barbosa, de 1936; e "Quando eu penso na Bahia" (parceria de Luís Peixoto), com Carmen Miranda e Sílvio Caldas, de 1937; o samba-canção "Maria" (parceria de Luís Peixoto), com Sílvio Caldas, de 1933; e as marchas "Grau dez" (parceria de Lamartine Babo), com Francisco Alves e Lamartine, de 1935; "Como 'vais' você", de 1936; e "Eu dei", de 1937, as duas últimas gravadas por Carmen Miranda com o próprio compositor.

Na maioria dos sambas mencionados, Ary já se mostrava familiarizado com a forma de compor do pessoal do Estácio, sendo que em alguns — como "É mentira, oi", "Um samba em Piedade" e "Malandro sofredor" — ressalta uma semelhança estilística com sambas de Bide e Marçal. Sua criatividade, porém, foi imprimindo às composições um toque de originalidade, que logo estaria caracterizando o seu estilo, pessoal e requintado.

Ao mesmo tempo em que compunha essas canções e continuava colaborando com o teatro de revista, o irriquieto Ary expandiu suas atividades ao rádio, onde desenvolveria uma importante e longa carreira. Assim, depois de passagens pelo "Programa Casé" e "O Esplêndido Programa", ele começou a atuar em "Horas do Outro Mundo", de Renato Murce, como músico, redator de crônicas e quadros cômicos e até, utilizando sua verve, comentarista de fatos do cotidiano. Neste programa ele permaneceu por cerca de três anos, transferindo-se em 1935 para a Rádio Kosmos de São Paulo.

Sua carreira de radialista, entretanto, só deslancharia a partir de 1936, quando, trabalhando na Rádio Cruzeiro do Sul, do Rio de Janeiro, assumiu duas atividades em que obteve sucesso consagrador: a de apresentador de programas de calouros e a de locutor esportivo. Espirituoso, observador, dono de um apurado senso crítico, Ary foi sempre capaz de fazer de seus programas espetáculos de inteligência e bom humor.

Os clássicos da música popular "Boneca de piche" e "Na Baixa do Sapateiro", lançados, respectivamente, em outubro e novembro de 1938 e cantados por Carmen Miranda — o primeiro, em dueto com Almirante —, abriram a melhor fase da carreira musical de Ary Barroso, que se estenderia até 1943. Inspirado num motivo popular e apresentado inicialmente em 1930 na revista *Diz isso cantando* e em disco por Aracy Cortes (ao lado de Augusto Vasseur), com o título "No morro", "Boneca de piche" é um engraçado diálogo musical, cantado por um casal de crioulos. Já "Na Baixa do Sapateiro" é uma das nove composições dedicadas à Bahia por Ary, um apaixonado confesso da Boa Terra. Uma velha rua de Salvador, de nome pitoresco, inspirou o título da composição, que conta uma historinha romântica, mero pretexto para falar da Bahia. Ambos os sambas deveriam ser cantados por Carmen Miranda no filme *Banana da terra*, o que deixou de acontecer em razão de um desentendimento entre o compositor e o produtor Wallace Downey. De qualquer maneira, isso não chegou a comprometer a popularidade das canções, que se tornaram muito conhecidas, sendo que "Na Baixa do Sapateiro" é a segunda composição mais gravada de Ary, inclusive no exterior.

A característica marcante de boa parte de seus sambas nesse período, em especial os sambas-exaltação, é que eles representam a consolidação do estilo Ary Barroso, ou seja, o resultado de um processo de sofisticação musical desenvolvido pelo compositor no transcorrer da década, e que, esboçado em composições como "No tabuleiro da baiana" e "Quando eu penso na Bahia", cristalizou-se em obras-primas como "Aquarela do Brasil", "Brasil moreno" e "Os quindins de Iaiá". São requintes até então desconhecidos em nossa música popular, como a variação de andamentos e o uso de crescendos e diminuendos como fatores de dramatização e, sobretudo, a conjunção de uma percussão forte, sacudida, com melodias brilhantes, refinadas. Por outras palavras: Ary Barroso sofisticou a parte melódico-harmônica do samba, preservando sua rítmica original.

Além de "Boneca de piche", "Na Baixa do Sapateiro" e "Aquarela do Brasil", pertencem ao período 1938-1943 sucessos como os sambas "Camisa amarela", com Araci de Almeida, de 1939; "Brasil moreno" (parceria de Luís Peixoto), com Cândido Botelho, "Morena boca de ouro", com Sílvio Caldas, e "Os quindins de Iaiá", com Ciro Monteiro, os três de 1941; "Isto aqui o que é", com Morais Neto, e "Faixa de cetim", com Orlando Silva, de 1942; "Terra seca", com Quatro Ases e um Curinga, e "Pra machucar meu coração", com Déo, de 1943; as marchas "A casta Suzana" (parceria de Alcir Pires Vermelho), com Déo, e "Iaiá boneca", com Mario Reis, de 1939; "Upa, upa", com Dircinha Batista, de 1940; e as valsas "Canta Maria", com Cândido Botelho, e "Três lágrimas", com Sílvio Caldas, de 1941; e "Quero dizer-te adeus", com Orlando Silva, de 1942.

O descritivo "Camisa amarela" trata de um pitoresco episódio carnavalesco, em que a protagonista narra as proezas do amante folião. "Brasil moreno" revive o clima ufanístico de "Aquarela do Brasil", agora com letra de Luís Peixoto. Foi composto para o espetáculo *Joujoux e Balangandãs* número dois. Já "Morena boca de ouro", um dos maiores sambas de Ary Barroso, é uma ode sincopada aos encantos de uma exuberante morena que roda, ginga e samba como ninguém. Novas exaltações de atributos e tradições do povo brasileiro são cantadas em "Os quindins de Iaiá" e "Isto aqui o que é". Este último, ressuscitado por João Gilberto, fez grande sucesso nos anos 80. Ainda as tradições, desta vez baianas, estão em "Faixa de cetim", que, juntamente com "Quero dizer-te adeus", marcou a despedida de Orlando Silva da gravadora Victor em 1942. Canção predileta de Ary Barroso, "Terra seca" aborda o drama do trabalho escravo do negro no Brasil. Adequada a vozes graves, tornou-se um clássico, comparável a "Ol' Man River", do americano Jerome Kern. Do mesmo ano de "Terra seca", "Pra machucar meu coração" encanta, principalmente, pela forma leve, coloquial, com que focaliza o tema da separação. Os estilos brincalhão de "A casta Suzana" e ingênuo-sentimental de "Iaiá boneca" e "Upa, upa", mostram que Ary conhecia

Ary Barroso (1903-1964) acompanha Sílvio Caldas (1908-1998) (à esquerda), um de seus cantores preferidos.

perfeitamente o espírito das marchinhas carnavalescas. O mesmo pode--se dizer do Ary autor de "Canta Maria", "Três lágrimas" e "Quero dizer-te adeus", valsas que confirmam o seu ecletismo como compositor e letrista.

A melhor fase da carreira de Ary Barroso encerrou-se auspiciosamente com o sucesso de "Aquarela do Brasil" e "Na Baixa do Sapateiro" nos Estados Unidos. Visitando o Brasil em agosto de 1941, em missão da Política da Boa Vizinhança, Walt Disney conheceu e gostou de "Aquarela do Brasil", escolhendo-a para entrar em sua próxima produção, *Alô amigos* (*Saludos Amigos*). Lançada para os americanos em 1943, na trilha sonora desse filme e logo gravada com letra em inglês (de S. K. Russell) e com o título "Brazil", "Aquarela do Brasil" fez estrondoso sucesso, atingindo 2 milhões de execuções em dois anos. Essa façanha seria em parte repetida por "Na Baixa do Sapateiro", que, incluída no filme *Você já foi à Bahia?* (*The Three Caballeros*), também de Disney, atingiu, gravada com letra em inglês (de Ray Gilbert) e com o título "Bahia", a marca de 1 milhão de execuções em 1945.

O êxito de "Aquarela do Brasil" ensejou a Ary duas oportunidades de trabalho em Hollywood. A primeira, em fevereiro de 1944, oferecida pela Republic Pictures, que o contratou para compor a trilha musical do filme *Brazil*, uma produção modesta que não alcançou a menor repercussão. Valeu mesmo essa temporada pela chance que lhe proporcionou de conhecer a então Meca do cinema e de classificar o samba "Rio de Janeiro" para a disputa do Oscar de melhor canção do ano cinematográfico de 1944. E a segunda, em novembro, oferecida pela 20th Century Fox, para fazer as canções de *Three Little Girls in Blue*, um filme que não chegou a ser realizado, ou melhor, realizou-se, mas com outras canções e com a ação transferida do Rio para o Velho Oeste americano. Houve ainda uma terceira chance, realmente a mais promissora, oferecida por Walt Disney, que o convidou a assumir a direção musical de sua produtora. Mas, para espanto de todos, principalmente do próprio Disney, o compositor rejeitou a proposta. Segundo seu biógrafo Sérgio Cabral (no livro *No tempo de Ary Barroso*), a justificativa alegada por Ary (em seu inglês estropiado) para a rejeição foi: "*Because 'don't have' Flamengo here*".

Com a entrada na política e, depois, com a intensificação de sua presença no rádio e na televisão, Ary Barroso compôs menos em seus últimos vinte anos de atividade. Em consequência, há em seu repertório apenas meia dúzia de sucessos no período, dois dos quais — os sambas-exaltação "Rio" e "Rio de Janeiro", gravados, respectivamente, por Dircinha Batista (em 1948) e Francisco Carlos (em 1950) — foram compostos nos Estados Unidos, em 1944. Os sucessos restantes são os sambas "Eu nasci no morro", com Déo (1945), e "É luxo só", gravado por diversos cantores em 1957, e os sambas-canção "Risque" (1952) e "Folha morta" (1953), também com diversas gravações, destacando-se as de Linda Batista ("Risque") e Dalva de Oliveira ("Folha morta"). Na verdade, os dois últimos, sambas de fossa de ótima qualidade, mostram que Ary era bom no gênero, que estava na moda, embora sempre o criticasse.

Quanto às outras atividades, uma em que também se destacou foi a de vereador pela União Democrática Nacional (UDN), um partido de centro-direita, antigetulista. Bem atuante nas comissões de Justiça e Administração, defendeu a independência política do município do Rio de

Janeiro, então Distrito Federal, e a construção, no bairro do Maracanã, do grande estádio, que seu colega de partido, Carlos Lacerda, queria localizar em Jacarepaguá. Aliás, não é de admirar essa sua vocação política, pois seu pai, João Evangelista Barroso, foi deputado estadual, e o tio, Sabino Alves Barroso Júnior, foi duas vezes ministro da Fazenda e presidente da Câmara Federal. Sua atuação no setor, entretanto, só durou quatro anos (de 1947 a 1951), tendo sido derrotado nas duas eleições em que tentou reeleger-se.

Em compensação, seu prestígio no rádio e na televisão redobrou, tendo comandado, ora num, ora no outro veículo, programas como "Nos Bastidores do Esporte", "Encontro com Ary", o tradicional "Calouros em Desfile", "Campeonato Alka Seltzer", "Olha o Gongo", "Rádio Flagrantes Ary Barroso" e as transmissões futebolísticas. Atuou ainda em shows de casas noturnas do Rio e de São Paulo, tendo em 1953 organizado uma boa orquestra, com a qual excursionou ao México e Venezuela e, dois anos depois, à Argentina e Uruguai.

Ao mesmo tempo em que exercia essas múltiplas atividades que, em épocas distintas, estenderam-se ainda ao jornalismo e às sociedades arrecadadoras de direitos autorais, Ary Barroso praticava uma intensa boemia, circunstância que concorreu para a sua morte aos 60 anos, causada por uma cirrose hepática.

28.
NOVOS VALORES
JUNTAM-SE À GERAÇÃO DE 1930

Em dezembro de 1932, a Victor lançou os discos nº 33599, com a marcha "Da cor do meu violão", cantada por J. B. de Carvalho, e 33600, com o samba "Por favor vai embora", cantado por Patrício Teixeira, respectivamente, as primeiras músicas gravadas de Herivelto Martins (parceria de J. B. de Carvalho) e Wilson Batista (parceria de Benedito Lacerda e Osvaldo Silva). No mês seguinte, foi a vez de Assis Valente — que em novembro já havia lançado pela Columbia o samba "Tem francesa no morro", com Aracy Cortes — também chegar ao disco (nº 33604), com Carmen Miranda cantando a marcha "Good-bye" e o samba "Etc.", suas segunda e terceira canções gravadas. Começavam assim, simultaneamente, as carreiras desses três compositores, que, pode-se dizer, constituíam a vanguarda de uma nova e numerosa leva de artistas, destinada a reforçar a geração de 1930 para com ela consolidar a chamada Época de Ouro de nossa música popular.

Filho de uma modesta família de Rodeio (RJ), atual município de Paulo de Frontin, Herivelto de Oliveira Martins (30 de janeiro de 1912-17 de setembro de 1992) resolveu aos 18 anos tentar a sorte no Rio de Janeiro. Sem dinheiro nem profissão, mas determinado a vencer com a música, Herivelto chegou ao meio artístico por intermédio do compositor Príncipe Pretinho (José Luís da Costa), que o levou ao Conjunto Tupi, de J. B. de Carvalho. Quando já tinha gravado umas quinze canções, alcançou seus primeiros sucessos com os sambas "Um caboclo apaixonado" e "Acorda, escola de samba", ambos feitos em parceria com Benedito Lacerda e lançados por Sílvio Caldas, em setembro de 1936 e janeiro de 1937. Por essa época, formando com Francisco Sena a Dupla Preto e Branco, ele havia gravado quatro discos e começava, no dizer do poeta Hermínio Bello de Carvalho, "a penetrar nos labirintos dos circos, teatros e cassinos, onde construiu sua fama".

Ainda em 1937, convivendo com uma cantora chamada Dalva de Oliveira (Vicentina de Paula Oliveira, 1917-1972) — que viria a ser sua segunda mulher, mãe de seus filhos Peri e Ubiratan —, teve a ideia de fazê-la cantar com a Dupla Preto e Branco, já então com Nilo Chagas no lugar de Sena, falecido em 1935. A novidade de um trio formado por um par de vozes masculinas, secundando uma voz feminina, expressiva e superaguda, foi motivo de imediato sucesso. Principalmente porque o conjunto era muito bem ensaiado por Herivelto, que sabia explorar o aspecto contrastante das três vozes. Diga-se de passagem que o complexo trabalho de integração dos vocais e contracantos era realizado de forma absolutamente intuitiva, pois o ensaiador possuía parcos conhecimentos de teoria musical.

De 1937 a 1941, talvez por ter-se dedicado mais ao trio — que em 1939 passou a chamar-se Trio de Ouro — não chegou a lançar grandes sucessos, indo realmente deslanchar no período 1942-1949, quando criou uma série de extraordinárias canções, que o qualificaram como um dos maiores compositores trágico-românticos da música popular brasileira. O estilo de Herivelto era tão marcante que parceiros seus, como David Nasser e Marino Pinto, procuravam imitá-lo quando faziam letras para as suas melodias. Pertencem à sua grande fase sambas carnavalescos como "Praça Onze", com Grande Otelo (1942); "Laurindo" (1943); "Odete", com Dunga, e "Bom dia, avenida", com Grande Otelo (1944); "Isaura", com Roberto Roberti, e "Que rei sou eu", com Valdemar Ressurreição (1945); "Vaidosa", com Artur Costa (1946); "Palhaço", com Benedito Lacerda (1947); e "Cabelos brancos", com Marino Pinto (1949), que foi gravado para o carnaval, mas, com o tempo, passou a ser cantado em andamento lento; e os sambas-canção "Ave Maria no morro" (1942); "Se é pecado" e "Transformação" (1943); "Ela me beijou", com Artur Costa (1944); "Edredom vermelho" (1946); "Segredo", com Marino Pinto (1947); e "Caminhemos", sucesso em 1948.

Na década de 1950 a produção de Herivelto continuou intensa, porém, os sucessos foram em menor escala — os sambas-canção "A camisola do dia" e "Negro telefone" (1953); "Pensando em ti" (1957); e os tangos "Carlos Gardel" (1954), "Hoje quem paga sou eu" (1955) e "Vermelho 27" (1956), todos com David Nasser. Nesse período foi seu intérprete preferido Nelson Gonçalves, assim como nos anos 40 havia sido Francisco Alves.

Em 1949, terminado o casamento com Dalva, o que rendeu uma polêmica musical de grande repercussão, acabou o Trio de Ouro, que renasceria, entretanto, com novas formações — a melhor e mais duradoura constituída por Herivelto, Raul Sampaio e Lourdinha Bittencourt — tendo gravado até 1956. Embora sem jamais deixar de fazer música, o compositor reduziu sua produção a partir dos anos 60, quando entregou-se às atividades de líder de classe, tendo cumprido dois mandatos como presidente do Sindicato dos Compositores. Herivelto viveu 38 anos com sua terceira mulher, Lourdes Torelli Martins, morta em 1990, com quem teve os filhos Fernando José, Yaçanã e Herivelto Júnior.

Afora breve período na adolescência em que exerceu a poética profissão de acendedor de lampiões, Wilson Batista de Oliveira (3 de julho de 1913-7 de julho de 1968) seria pelo resto da vida um compositor popular, essencialmente dedicado ao samba. Pode-se mesmo afirmar que anteviu seu maior legado em um verso que fez para "Mundo de zinco": "o samba foi minha glória...".

Filho de um guarda municipal, mudou-se aos 15 anos de sua terra, Campos (RJ), para o Rio de Janeiro. Na cidade grande logo passou a frequentar as rodas boêmias da Lapa e da Praça Tiradentes, tornando-se amigo de marginais, artistas e músicos. Do convívio com estes, nasceu-lhe o propósito de tornar-se compositor, datando de 1929 seu primeiro samba, "Na estrada da vida", que seria cantado no palco por Aracy Cortes e só lançado em disco em 1933 por Luís Barbosa. A partir dos 20 anos, começou a viver das músicas que compunha, muitas das quais vendidas a preço de ocasião e gravadas sem o seu nome. Talvez por isso sua produção nos anos 30 seja inexpressiva, contando-se como sucessos apenas os sambas "Desacato" (com Murilo Caldas e P. Vieira) e "Lenço no pescoço", provocador da polêmica musical que sustentou com Noel Rosa, sendo as duas composições de 1933.

Ao chegar 1940, iniciou-se a melhor fase de Wilson Batista, que o levaria ao primeiro escalão da música popular brasileira. Começando com "Ó Seu Oscar", parceria de Ataulfo Alves, sua relação de grandes sambas carnavalescos continuou com "O bonde de São Januário", ainda com Ataulfo (1941); "Emília" (1942), "Lealdade" (1943) e "Rosalina" (1945), com Haroldo Lobo; e "Mundo de zinco" (1952), com Nássara. Não carnavalescos são os sambas "Acertei no milhar" (1940), com Geraldo Pereira; "A mulher que eu gosto", com Ciro de Souza, e "Preconceito", com Marino Pinto (1941); "Meus vinte anos", com Sílvio Caldas; "E o juiz apitou", com Antônio Almeida (1942); "Não é economia" (1943), com Haroldo Lobo; "Louco, ela é seu mundo", com Henrique

O pródigo sambista Wilson Batista (1913-1968) e o parceiro Erasmo Silva (1911-1985) (à direita), com quem formou a dupla Verde e Amarelo.

de Almeida, lançado em 1947 e ressuscitado em 1964; "Chico Brito" (1949), com Afonso Teixeira; "Sistema nervoso" (1953), com Roberto Roberti e Arlindo Marques Júnior; e "Mãe solteira" (1954), com Jorge de Castro. Tudo isso e mais marchinhas de carnaval como "No boteco do José" (1946), com Augusto Garcez, "Pedreiro Valdemar" (1949), com Roberto Martins, e "Balzaquiana" (1950), com Nássara.

Quem analisar este repertório irá constatar que Wilson não se restringia aos temas românticos, destacando-se como um perspicaz cronista de costumes. Assim, ao lado de canções que cantam amores e desenganos, alinhou, em maior quantidade, as que tratam de tragédias e comédias do cotidiano. E esses temas ele desenvolveu com um perfeito sentido de síntese, descrevendo os traços essenciais de seus personagens e dos ambientes em que os situava. Era característica em sua técnica narrativa a focalização do protagonista movimentando-se num quadro vivo, como se fosse uma cena cinematográfica: "Lá vem o Chico Brito descendo o morro nas mãos do Peçanha" ("Chico Brito"); "Você está vendo aquele mulato calado com um violão do lado" ("Mulato calado"); e "Parecia uma tocha humana rolando pela ribanceira" ("Mãe solteira").

No final dos anos 50 a produção de Wilson Batista começou a declinar. Paralelamente ao ostracismo artístico, sua decadência física processava-se de forma acelerada. O outrora mulatinho sestroso, boêmio de muitas conquistas, transformava-se aos 50 anos num velho doente, corroído pelas drogas. Para piorar a situação, sua única fonte de renda, o direito autoral — ele sempre relegou a um plano secundário a atividade de cantor, que exerceu na dupla Verde e Amarelo, com Erasmo Silva —, tornava-se insuficiente para lhe assegurar condições de subsistência. Foi assim que a soma desses fatores abreviou-lhe o fim, ocorrido quatro dias após o seu 55º aniversário, deixando viúva e três filhos.

Diferente de Herivelto e Wilson, José de Assis Valente (19 de março de 1911-11 de março de 1958) conheceu o sucesso já no início da carreira, com as marchas "Good-bye" e "Boas festas" ("Anoiteceu/ o sino gemeu/ e a gente ficou/ feliz a rezar..."), que abriram e fecharam 1933, a primeira como vencedora do carnaval e a segunda como canção natalina. Daí até 1942, ele teria pelo menos uma música destacando-se a cada ano: a marcha "Gosto mais do outro lado" (1934), os sambas "Minha embaixada chegou" (1935), "Maria boa" (1936), "Alegria" (com Durval Maia) e "Cansado de sambar" (1937), "Camisa listrada" e "E o mundo não se acabou" (1938), "Uva de caminhão" (1939), "Recenseamento" (1940), "Brasil pandeiro" e "Já que está deixa ficar" (1941) e "Fez bobagem" (1942).

Melhor letrista que melodista, Assis mostra-se na maioria de suas 154 composições gravadas um comentarista irônico e espirituoso de fatos e costumes. Em "Camisa listrada", por exemplo, o focalizado é um doutor que no carnaval livra-se do anel e das preocupações para cair na brincadeira vestido de mulher. Outra de suas personagens pitorescas é a moça retratada em "E o mundo não se acabou", que, ouvindo dizer que o mundo ia se acabar, foi tratando de aproveitar os últimos momentos, "beijando a boca de quem não devia, pegando na mão de quem não conhecia e dançando um samba em traje de maiô". Mas, paralelamente ao cronista bem humorado, ele era também um exaltado propagandista de seu país. Prova isso o original "Brasil pandeiro", um samba ufanista e, de certa forma, diferente de outras composições do gênero: "Salve o morro do Vintém/ Pendura a Saia, eu quero ver/ eu quero ver o Tio Sam/ tocar pandeiro para o mundo sambar...".

Mas Assis Valente, ao contrário do que sugere a jovialidade de suas canções, teve uma existência trágica, que começou com uma atribulada infância em sua terra, a Bahia. Em seguida, ainda muito novo, chegou ao Rio de Janeiro, onde passou a exercer os ofícios de protético e de desenhista. Essas, porém, não eram suas artes preferidas. Como observavam os amigos, Assis nascera para fazer versos e melodias. Foi assim que, incentivado por Heitor dos Prazeres, que conheceu em 1932, tornou-se compositor profissional.

No dia 13 de maio de 1941, já no final de sua fase áurea — em que compôs principalmente para Carmen Miranda, lançadora de 24 canções de sua autoria —, Assis Valente surpreendeu a todos atirando-se do alto do Corcovado no abismo. Atirou-se e ficou milagrosamente enganchado nos galhos de uma árvore, 30 ou 40 metros abaixo, gritando por socorro. Salvo pelos bombeiros, descobriu-se que sofrera apenas fraturas de duas costelas e escoriações generalizadas. Na ocasião da quase tragédia, estava separado da mulher e da filha, nascida há poucos meses, e tinha muitas dívidas e títulos vencidos a descoberto. Como agravante, sentia-se rejeitado pela sociedade por ser bissexual.

De 1942 a 1958, sua carreira entrou em declínio, sendo o samba "Boneca de pano" (de 1950) seu único sucesso no período. Solitário e deprimido, Assis Valente viveu seus últimos anos angustiado pelas dívidas e inconformado com o esquecimento a que se julgava condenado. Finalmente, na tarde de 11 de março de 1958, no Jardim do Russel, bairro carioca da Glória, matou-se ingerindo guaraná com formicida. Assim cumpria, numa terceira tentativa, sua sina de suicida — a segunda havia sido em 1953, quando cortou os pulsos em sua oficina de trabalho e foi salvo pelos médicos.

Outros compositores importantes que entraram em cena em meados dos anos 30 foram Ataulfo Alves, Haroldo Lobo e Roberto Martins. Ataulfo de Souza Alves (2 de maio de 1909-20 de abril de 1969), que teve sua primeira composição gravada em abril de 1933 — o samba "Sexta-feira", cantado por Almirante —, pertence à elite de uma geração que fixou e popularizou o samba. Oriundo do sertão mineiro (nasceu em Miraí) e descendente de um violeiro cantador, incorporou à sua música influências da toada rural. Daí a cadência arrastada e um certo jeito dolente e melancólico, que marcam de forma inconfundível os seus sambas. Sem trair jamais suas características, a produção de Ataulfo pode ser dividida em três fases: a primeira, nos anos 30, em que fez música para outros cantarem e que, além de muitos sambas — "Saudade dela" (1936), "Pelo amor que tenho a ela" (1937), "Sei que é covardia" (1939), este com Claudionor Cruz —, inclui algumas valsas românticas; a segunda, nos anos 40, em que compôs principalmente para si próprio e em que mesclou sambas de meio de ano com memoráveis clássicos carnavalescos, como "O bonde de São Januário" (1941), com Wilson Batista, "Ai, que saudades da Amélia" (1942) e "Atire a primeira pedra" (1944), com Mário Lago; e a terceira, que é a fase da maturidade, síntese refinada do que criou anteriormente e em que, consagrado, lançou obras-primas como "Pois é" (1955), "Mulata assanhada" (1956) e o nostálgico "Meus tempos de criança" (1956). Pródigo letrista e melodista, parceiro de nomes ilustres (como os citados Claudionor, Wilson e Mário), Ataulfo Alves está entre os compositores brasileiros de obra mais extensa, com cerca de 400 canções gravadas, sem queda de qualidade e popularidade.

O carioca Haroldo Lobo (22 de julho de 1910-20 de julho de 1965) foi um dos nossos maiores compositores carnavalescos, capaz de transformar motivos paupérrimos — o calor do Saara, o cotidiano da mulher do leiteiro ou o retrato do presidente — em bem-sucedidas marchinhas como "Alá-lá-ô" (com Nássara, 1941), "A mulher do leiteiro" (com Milton de Oliveira, 1942) e "Retrato do velho" (com Marino Pinto, 1951). Em seus trinta anos de atividade, foi presença importante no meio musical, tendo-se salientado como o mais assíduo rival de Braguinha na disputa pela hegemonia da canção carnavalesca, com um rosário de sucessos: os sambas "Juro" (1937), "Vou sambar em Madureira" (1946) e "Pra seu governo" (1951), com Milton de Oliveira; "Emília" (1942), com Wilson Batista; "Coitado do Edgar" (1945), com Benedito Lacerda; e "Tristeza" (1966), com Niltinho; as marchas "Passarinho do relógio" (1940), "Passo do canguru" (1941) e "Índio quer apito" (1961), com Milton de Oliveira; "Clube dos barrigudos" (1944), com Cristóvão de Alencar, e "Espanhola" (1946), com Benedito Lacerda; além de "Alá-lá-ô", "A mulher do leiteiro" e "Retrato do velho". Isso para ficar apenas nos grandes sucessos, pois Haroldo Lobo teve praticamente composições lançadas em todos os carnavais do período 1937-1966.

O carioca Roberto Martins (29 de janeiro de 1909-14 de março de 1992) foi um típico compositor popular de sucesso das décadas de 1930 e 1940. Intuitivo, fértil — mais de 350 composições gravadas — e eclético, compôs de tudo (foxes, valsas, choros, baiões, sambas, marchas...), sempre procurando aliar bom gosto e simplicidade. Preocupava-se mesmo em limitar suas melodias à extensão de uma oitava, para que qualquer pessoa pudesse cantá-las. Iniciando a carreira quando ainda exercia a profissão de policial, passou a viver exclusivamente da música a partir dos primeiros sucessos, os sambas "Favela" (com Valdemar Silva), em 1936, e "Menos eu" (com Jorge Faraj), em 1937. Campeão do carnaval de 1939 com o samba "Meu consolo é você" (com Nássara), deixou outros sucessos carnavalescos, como a batucada "Cai, cai" (1940), levada para o exterior por Carmen Miranda, e as marchas "Cecília" (1944), com Mário Rossi, "Cordão dos puxa-sacos" (1946), com Frazão, e "Pedreiro Valdemar" (1949), com Wilson Batista. Fora do carnaval, destacou-se com os foxes "Dá-me tuas mãos" (1939), com Mário Lago, "Renúncia" (1942), com Mário Rossi, e "Não me deixe sozinho" (1946), com Ari Monteiro; as valsas "Dorme que eu velo por ti" (1942), "A saudade é um compasso demais" (1943) e "Bodas de prata" (1945), com Mário Rossi; e os sambas "Beija-me" (1943), com Mário Rossi, e "Pecado original" (1947), com Ari Monteiro; mais os citados "Favela" e "Menos eu".

Completando a longa lista dos compositores que reforçaram a geração de 1930, destacam-se ainda Vadico (Osvaldo Gogliano), o principal parceiro de Noel Rosa, como foi dito; Alcir Pires Vermelho (1906-1994), inspirado melodista que rivalizou com Ary Barroso na área do samba-exaltação; a dupla J. Cascata (Álvaro Nunes, 1912-1961) e Leonel Azevedo (1908-1980), fiel supridora do repertório de Orlando Silva; o passional Lupicínio Rodrigues (1914-1974), sucesso nacional sem sair de sua cidade, Porto Alegre; o excepcional Mário Lago (1911-2002), ator e escritor, além de poeta-compositor; o subestimado Marino Pinto (1916-1965), cujo nome é muitas vezes eclipsado pela fama dos múltiplos parceiros; o compositor bissexto Bororó (Alberto de Castro Simoens da Silva — 1898-1986), autor das obras-primas "Curare" e "Da cor do pecado"; o sambista renovador Geraldo Pereira (1918-1955); José Maria de Abreu (1911-1966); Roberto Roberti (1915); Arlindo Marques Júnior (1913-1968); Cristóvão de Alencar (1910-1983); Pedro Caetano (1911-1992); Zé da Zilda (José Gonçalves, 1908-1954); Sinval Silva (1911-1994); Sivan Castelo Neto (Ulisses Lelot Filho, 1904-1984) Evaldo Rui (1913-1954); Antônio Almeida (1911-1985); Newton Teixeira (1916-1990); Hervê Cordovil (1914-1979); Peterpan (José Fernandes de Paula, 1911-1983); Dunga (Valdemar de Abreu, 1907-1991); os exclusivamente letristas David Nasser (1917-1980), Mário Rossi (1911-1981) e Jorge Faraj (1901-1963); e, finalmente, o astro de primeira grandeza, Dorival Caymmi, que começou a brilhar no olimpo da música popular brasileira quando se encerravam os anos 30.

Extensa também é a lista dos grandes cantores surgidos entre meados dos anos 30 e o início dos 40, que tem em Orlando Silva uma de suas figuras mais representativas. Dotado de voz privilegiada, a qual aliava apurada técnica, Orlando Garcia da Silva teve sua melhor fase, em que era chamado de o Cantor das Multidões, no período 1937-1942. Substituto de Orlando no elenco da gravadora Victor, Nelson Gonçalves (Antônio Gonçalves Sobral, 1919-1998) começou em 1941, imitando o antecessor. Pouco depois, já com estilo próprio, firmou-se para desenvolver uma vitoriosa e longa carreira. Tal como Francisco Alves, jamais conheceu o ostracismo. Seis anos mais velho do que Nelson e também muito popular foi o tenor Carlos Galhardo (Catello Carlos Guagliardi, 1913-1985). Embora tenha-se tornado conhecido com a marcha "Boas festas", de Assis Valente, consagrou-se como o nosso rei da valsa, gênero que cultivou por toda a vida. Assim como Galhardo na valsa, o maior intérprete do samba em sua geração foi o simpático Ciro Monteiro (1913-1973), influenciador de vários sambistas, que adotaram sua bossa pelos tempos afora. Outro sambista muito promissor foi o malogrado Vassourinha (Mário Ramos de Oliveira, 1923-1942), que entrou para a história com apenas doze gravações. Ecléticos, competentes, porém, de sucesso mais discreto foram os cantores Déo (Ferjalla Rizkalla, 1914-1971), Gilberto Alves (1915-1992), Roberto Paiva (Helin Silveira Neves, 1921-2014) e Nuno Roland (Reinol Correia de Oliveira, 1913-1975). Nos últimos anos da Época de Ouro, fizeram grande sucesso os Anjos do Inferno e os Quatro Ases e um Curinga, fixadores do prestígio de nossos conjuntos vocais urbanos, iniciado pelo Bando de Tangarás e o Bando da Lua.

Já os destaques no naipe das cantoras, até mais numerosos, começam cronologicamente com Aurora Miranda (1915-2005), que estreou em disco (em 22 de maio de 1933) cantando em dupla com Francisco Alves a marcha junina "Cai, cai, balão", de Assis Valente. Simples, graciosa, fez muito sucesso no rádio, embora nunca tenha alcançado a popularidade da irmã Carmen, nossa única cantora nos anos 30 a superá-la em número de gravações. Uma carreira intermitente, como a de Aurora, que, depois do casamento, em 1940, passou a gravar esporadicamente, teve Marília Batista (1918-1990), também compositora e intér-

Linda Batista (1919-1988), uma das vozes femininas de maior presença no rádio brasileiro.

prete favorita de Noel Rosa, juntamente com Araci de Almeida, como foi dito. Sua fase mais importante, que lhe deu fama para o resto da vida, foi a inicial, quando apareceu no rádio e em disco ao lado do Poeta da Vila. Sua rival Araci de Almeida (1914-1988), que cantou profissionalmente por mais de trinta anos, pode ser considerada como a nossa primeira grande cantora de samba. Consagrou-se com memoráveis interpretações dos repertórios de Noel, Wilson Batista e outros compositores da época. Uma seguidora de sua escola, que depois tomou caminhos próprios, foi a paulistana do Brás Isaura Garcia (1919-1993), outra notável sambista. Marcaram ainda presença no meio musical as irmãs Batista, Linda (Florinda Grandino de Oliveira, 1919-1988) e Dircinha (Dirce Grandino de Oliveira, 1922-1999), a afinadíssima Odete Amaral (1917-1984), a especialista em chorinho Ademilde Fonseca (1921-2012), Violeta Cavalcânti (1923), Carmen Costa (1920-2007), Emilinha Borba

(1923-2005) e a já citada Dalva de Oliveira, tendo as cinco últimas se projetado nos anos 40.

Valioso também foi o reforço recebido pelo elenco de instrumentistas. Para o surgimento dos novos músicos muito contribuiria o crescimento das emissoras radiofônicas, especialmente o da então iniciante Rádio Nacional do Rio de Janeiro. Assim, atuando em rádios e gravadoras, tornaram-se conhecidos os violonistas Dilermando Reis (1916-1977), Laurindo de Almeida (1917-1995), Antônio Rago (1906-2008), Pereira Filho (1914-1963), Claudionor Cruz (1910-1995) e o Mestre Dino (Horondino José da Silva, 1918-2006), os clarinetistas-saxofonistas K-Ximbinho (Sebastião de Barros, 1917-1980), Zaccarias (Aristides Zaccarias, 1911-2001), Abel Ferreira (1915-1980) e Fon-Fon (Otaviano Romero, 1908-1951), o flautista-clarinetista Copinha (Nicolino Copia, 1910-1984), o saxofonista Moacir Silva (1918-2002), o trombonista Raul de Barros (1915-2009), os pianistas Fats Elpídio (Elpídio Pessoa, 1913-1975) e Heriberto Muraro (1903-1968), nascido na Argentina, Britinho (João Adelino Leal Brito, 1917-1966) e Djalma Ferreira (1913-2004), o cavaquinista Canhoto (Waldiro Tramontano, 1908-1987), o gaitista Edu da Gaita (Eduardo Nadruz, 1916-1982), o bandolinista Jacob do Bandolim (Jacob Pick Bittencourt, 1918-1969) e o acordeonista Luiz Gonzaga (Luiz Gonzaga do Nascimento, 1912-1989), sendo que Jacob só se firmaria como solista e Gonzaga como cantor na segunda metade da década de 1940, quando se tornaram celebridades. Na arte do arranjo e da orquestração, os destaques são Léo Peracchi (1911-1993), Lírio Panicali (1906-1984) e Vicente Paiva (1908-1963), todos eles pianistas e compositores. Aliás, em sua maioria os músicos citados foram também compositores, alguns de grande sucesso, como Luiz Gonzaga, Jacob e Claudionor Cruz.

Estendendo-se, como foi dito, de 1929 a 1945, a Época de Ouro viveu sua fase de maior brilho entre 1936 e 1942, quando os artistas que se haviam revelado em seu início, juntamente com os que chegaram nos meados da década, atingiram um espetacular nível de produção, que enriqueceu com dezenas de clássicos o cancioneiro nacional.

29.
O SAMBA NA ÉPOCA DE OURO

De primeiro de janeiro de 1931 a 31 de dezembro de 1940, ou seja, por toda a década de 1930, nossas gravadoras registraram em disco 6.706 composições, das quais 2.176 eram sambas. Esta cifra — correspondente a 32,45% do repertório gravado — mostra que, ao livrar-se da influência do maxixe e adquirir identidade própria, o samba conquistou muito rapidamente a preferência do povo brasileiro.

Os passos iniciais de aproximação entre artistas de classe média e sambistas de origem humilde foram dados em 1927 por Francisco Alves, que a princípio procurou Alcebíades Barcelos e por seu intermédio chegou a Ismael Silva. O contato do cantor com Ismael resultou na gravação de dezenas de composições deste, várias em parceria com Nilton Bastos, conforme um acerto, já relatado, que significou a entrada dos sambas do Estácio na mídia. Enquanto isso, integrantes do Bando de Tangarás — Noel Rosa, Braguinha, Almirante — aproximavam-se de bambas dos morros, como Cartola e Gradim, da Mangueira, e Canuto, Puruca e Antenor Gargalhada, do Salgueiro. Tal aproximação rendeu, além de vários sambas, a participação de percussionistas de escolas de samba em discos, concretizada a partir da gravação da batucada "Na Pavuna". Ao mesmo tempo, Mario Reis, que se consagrara gravando músicas de Sinhô, convidava Francisco Alves para cantarem em dupla um repertório sambístico.

A bem da verdade, registre-se que não se deveram esses fatos a um movimento consciente e organizado. O que moveu a ação desses artistas foi sensibilidade para admirar e coragem para cultivar uma manifestação cultural ainda considerada inferior pela classe a que pertenciam. Era a força do samba se impondo sobre os preconceitos da época. Assim, ao se iniciarem os anos 30, muitos compositores de classe média já estavam fazendo sambas, alguns até com inegável competência. Este era o caso de Ary Barroso e Noel Rosa, que, logo familiarizados com os segredos do gênero, muito contribuíriam para sua evolução. Uma boa mostra da expansão do samba no período pode ser obtida ao inventariar-se, por exemplo, o triênio 1931-1933. Neste, foram gravados 731 sambas: 313 em 1931, 204 em 1932 e 214 em 1933. A diferença a mais encontrada em 1931 deveu-se principalmente ao número maior de gravadoras então em atividade. Com a extinção da Brunswick (ainda em 1931) e da Parlophon (em 1932), nossa produção fonográfica caiu cerca de 30%. Entre os muitos compositores responsáveis por esses 731 sambas havia de tudo, dos já reconhecidos craques Ary, Noel e Lamartine aos autênticos sambistas estacianos Ismael Silva, Nilton Bastos e Alcebíades Barcelos, dos talentosos novatos Vadico, Nássara e Custódio Mesquita aos medianos Getúlio Marinho, Buci Moreira e Valdemar Silva e dezenas, várias dezenas, de limitados compositores, de efêmeras carreiras, condenados ao esquecimento.

Naturalmente, estimulados pela avassaladora popularização do samba, todos os nossos compositores populares, salvo raríssimas exceções, passaram a incluí-lo em seus repertórios. Considerando-se, porém, apenas os que o escolheram como meio preferido de expressão, podem ser apontados como os maiores autores de samba da Época de Ouro: Ismael Silva, Alcebíades Barcelos, Nilton Bastos, Armando Marçal, Ary Barroso, Noel Rosa, Wilson Batista, Ataulfo Alves e Geraldo Pereira. Eles são criadores de um número excepcional de obras-primas que marcarão para sempre sua presença na história do samba, como "Se você jurar" (de Ismael Silva, Nilton Bastos e Francisco Alves, 1931), "Para me livrar do mal" (de Ismael Silva e Noel Rosa, 1932), "Faceira" e "Morena boca de ouro" (de Ary Barroso, 1931 e 1941), "Com que roupa" e "Último desejo" (de Noel Rosa, 1931 e 1937), "Agora é cinza" e "A primeira vez" (de Alcebíades Barcelos e Armando Marçal, 1934 e 1940), "O bonde de São Januário" (de Wilson Batista e Ataulfo Alves, 1941), "Emília" (de Wilson Batista e Haroldo Lobo, 1942), "Ai, que saudades da Amélia" (de Ataulfo Alves e Mário Lago, 1942) e "Falsa baiana" (de Geraldo Pereira, 1944).

O que de mais importante aconteceu ao samba nos últimos anos da Época de Ouro foi o aparecimento de Geraldo Teodoro Pereira (23 de abril de 1918-8 de maio de 1955). Compositor dotado de um extraordinário senso rítmico, que o permitia sincopar o samba como ninguém, além de bom letrista, fino observador do meio em que vivia, Geraldo foi um autêntico renovador do gênero, numa época em que este parecia dominado por determinadas fórmulas comerciais.

Nascido em Juiz de Fora (MG), Geraldo mudou-se ainda menino para a casa do irmão Manoel Araújo, no morro de Mangueira, no Rio. Ali, desde cedo, interessou-se por música e carnaval, convivendo com os bambas Aloísio Dias — que lhe ensinou violão —, Alfredo Português e outros. Inicialmente integrante e compositor da Escola de Samba Unidos da Mangueira, transferiu-se em 1938 para a rival Estação Primeira, dos amigos Cartola, Fernando Pimenta e Carlos Cachaça, onde permaneceu pelo resto da vida.

Em setembro de 1939, Geraldo Pereira estreou como compositor profissional, quando Roberto Paiva gravou o samba "Se você sair chorando" (parceria com Nelson Teixeira). Obtendo relativo sucesso no carnaval de 1940, a composição chamou a atenção de Pixinguinha, que, segundo Paiva, elogiou-lhe a originalidade da melodia. Ainda em 1940, conheceu o primeiro sucesso ao assinar com Wilson Batista "Acertei no milhar", um clássico do repertório de Moreira da Silva. Na ocasião, aos 22 anos, casado contra a vontade com Eulíria Salustiano — mãe de Celso, seu único filho —, Geraldo Pereira iniciava uma agitada vida boêmia e sentimental, com muita bebida, muita mulher e inúmeras brigas, que lhe valeram fama de violento. Além da condição de artista, facilitava-lhe as conquistas sua figura de galã negro, alto e forte, sempre limpo e bem vestido.

Segundo seu biógrafo Francisco Duarte Silva (autor, juntamente com Alice Duarte, Dulcinéia Nunes Gomes e Nelson Sargento, do livro *Um certo Geraldo Pereira*), o compositor deixou 76 músicas gravadas. Uma boa mostra de sua obra — em que cerca de 90% são sambas sincopados — pode-se apreciar nas seguintes composições: "Acabou a sopa" (com Augusto Garcez, 1940): focalizando um rompimento amoroso, tema que Geraldo gostava de explorar, este samba marca a estreia de Ciro Monteiro como seu intérprete favorito, lançador de doze composições suas. "Você está sumindo" (com Jorge de Castro, 1943): aqui o sambista procura comover a ex-amada chamando-lhe a atenção para a decadência que lhe provoca seu abandono. Solitário, desprezado, ele ainda tem que suportar a gozação dos amigos: "Você está acabado, chi! Você está sumindo". "Resignação" (com Arnô Provenzano, 1943): lançada por Odete Amaral, esta é uma das raras composições de Geraldo para intérpretes femininas. Romântica, a heroína é uma resignada vítima do machismo da época. "Falsa baiana" (1944): obra-prima e maior sucesso de Geraldo Pereira, tornou-se o samba-paradigma de seu estilo. "Sem compromisso" (com Nelson Trigueiro, 1944), regravado por Chico Buarque em 1974,

Com seu estilo sincopado, Geraldo Pereira (1918-1955) revolucionou o samba na década de 40.

com muito sucesso: num baile, o protagonista, vendo sua dama fazendo par constante com um rival, avisa: "é bom acabar com isso para não haver bate-boca dentro do salão". Em se tratando de Geraldo Pereira, não convinha menosprezar a advertência; "Bolinha de papel" (1945): buliçoso e leve, como a imagem que lhe dá o título, o samba identifica-se com características da bossa nova, não sendo por acaso que João Gilberto o transformou num dos clássicos do movimento; "Até hoje não voltou" (com J. Portela, 1946): um sujeito escolheu para companheira uma mulher da roça, na suposição de que ela estava imune às tentações da cidade. Em uma semana, porém, a roceira "mandou esticar os cabelos, pintou as unhas dos pés, foi dançar na gafieira e até hoje não voltou". "Pisei num despacho" (com Elpídio Viana, 1979): em razão de uma rixa do compositor com um malandro, fizeram-lhe um despacho cujas consequências ele comenta com graça e promete neutralizar com "um banho de erva em Caxias". "Liberta meu coração" (com José Batista, 1948): Isabel Mendes da Silva foi a grande paixão de Geraldo, a mulher com quem viveu durante quatro anos de brigas e reconciliações. Esta é uma das várias composições que ela inspirou. "Que samba bom" (com Arnaldo Passos, 1949): único sucesso carnavalesco de Geraldo Pereira, este samba convida para um certo baile onde haverá "muita bebida" e até "mulher sobrando pros trouxas se arrumarem". "Pedro do Pedregulho" (1951): embora com limitações, Geraldo Pereira foi um bom cantor, que, além de atuar por vários anos em rádios e shows, gravou comercialmente 28 fonogramas, catorze dos quais com músicas de sua autoria. Uma delas é "Pedro do Pedregulho", um belo samba-canção romântico-descritivo, que lembra certas composições de Noel Rosa e Ary Barroso e mostra que Geraldo também sabia se expressar nesse gênero. "Escurinha" (com Arnaldo Passos, 1952): neste ótimo samba o apaixonado de uma atraente "Escurinha" oferece-lhe, em troca de seu amor, "um boteco, um barraco no morro de Mangueira, com telhado de zinco e assoalho no chão" e, de quebra, o posto de "rainha da escola de samba". Por tudo isso e uma certa ameaça ("tu tens que ser minha de qualquer maneira"), a moça deve ter capitulado sem maior resistência. "Escurinho" (1955): segundo maior sucesso de Geraldo e o último que presenciou, este samba, meio autobiográfico, conta as estripulias de um abusado "Escurinho". Sua estrutura supersincopada é bem adequada para descrever o sobe e desce do anti-herói nos morros da cidade, derrubando o tabuleiro da baiana, batendo num bamba e carregando a mulher do Zé Pretinho.

As circunstâncias que ocasionaram a morte de Geraldo Pereira, aos 37 anos de idade, nunca foram inteiramente esclarecidas. De concreto sabe-se apenas que ele morreu de uma hemorragia intestinal e que, dias antes do falecimento, teve uma briga num bar da Lapa com o malandro Madame Satã. Se um fato ocasionou o outro não se sabe, nem jamais se saberá, porque as poucas testemunhas ouvidas nada esclareceram e o único documento que trata do assunto é um lacônico atestado de óbito. De qualquer maneira, levando-se em consideração os hábitos desregrados que sempre pautaram a vida de Geraldo, é muito provável que a hemorragia fatal tenha sido a consequência de uma enfermidade ou deficiência orgânica não tratadas. Esta, aliás, é também a opinião de seus biógrafos.

Todos os grandes cantores da Época de Ouro, à exceção de Vicente Celestino, cantaram sambas. Alguns até com muita graça e competência, como os ecléticos Orlando Silva, Francisco Alves e Sílvio Caldas. Entretanto, os especialistas que dedicaram o melhor de sua arte à interpretação do gênero e consagraram-se como os cantores de samba do período foram Mario Reis, Luís Barbosa, Ciro Monteiro, Vassourinha e, no naipe feminino, Araci de Almeida.

Inaugurando o canto coloquial na música brasileira, como se viu, Mario Reis foi o primeiro a mostrar como o samba devia ser cantado, firmando um estilo que praticou por toda a vida, em sua carreira intermitente. Em seguida, quando Mario ainda reinava no rádio e no disco, apareceu Luís Barbosa. Fluminense de Macaé, irmão do humorista e cantor Barbosa Júnior, do compositor Paulo Barbosa e do radialista Henrique Barbosa, Luís dos Santos Barbosa (7 de julho de 1910-8 de outubro de 1938) iniciou sua vida artística aos 21 anos, logo impressionando ao se apresentar no "Esplêndido Programa", de Valdo de Abreu, e no "Programa Casé". A razão do sucesso era que Luís cantava samba de um modo diferente, coloquial como Mario Reis, mas com uma bossa toda especial, cheia de breques e, a grande novidade, batendo o ritmo num chapéu de palha. Na verdade, para o cantor, de constituição franzina, era muito mais cômodo o manuseio do chapéu, menor e mais leve do que um pandeiro. O crítico Lúcio Rangel, entusiástico admirador de Luís Barbosa, assim o qualificou no livro *Sambistas e chorões*: "Foi o mais extraordinário cantor de sambas. Dono de um ritmo desconcertante, de musicalidade rara, ele transfigurava os sambas que cantava, acrescentando sua contribuição personalíssima".

Em sua curta carreira (morreu de tuberculose pulmonar aos 28 anos), Luís Barbosa gravou cerca de quarenta fonogramas, dos quais alcançaram sucesso os sambas "Seja breve" (de Noel Rosa), cantado em dupla com João Petra de Barros, e "Alô Mossoró" (de Mário Travassos de Araújo), lançados em 1933; "No tabuleiro da baiana" (de Ary Barroso, 1936), em dueto com Carmen Miranda, "Risoleta" (de Raul Marques e Moacir Bernardino) e "Lalá e Lelé" (de Jaime Brito e Manezinho Araújo), lançados em 1937; e a marcha "Oh, oh, não!" (de Antônio Almeida e A. Godinho), feita para o carnaval de 1936. Destacou-se, ainda, cantando os sambas "Seu Libório" (de João de Barro e Alberto Ribeiro) e "Minha palhoça" (de J. Cascata), que jamais chegou a gravar. Para Mário Lago, outro de seus ilustres admiradores, Luís Barbosa cantava melhor nos palcos e nas rádios, de preferência se acompanhado apenas por um bom pianista. Nos estúdios de gravação raramente se soltava.

Uma tarde, Ciro Monteiro estava à janela de sua casa, em Niterói, quando viu, com surpresa, Sílvio Caldas descer de um ônibus e dirigir-se a ele, propondo-lhe que assumisse o lugar de Luís Barbosa na dupla que formavam no "Programa Casé". Isso porque Luís mudara de emissora e Ciro era a pessoa ideal para substituí-lo, pois conhecia a fundo o repertório da dupla, fato informado ao cantor pelo pianista Nonô. Foi dessa forma que o jovem sambista iniciou sua carreira artística no ano de 1933.

Quarto dos nove filhos do casal Luísa e Ildefonso Monteiro, nascido no subúrbio carioca do Rocha, Ciro Monteiro (28 de maio de 1913-13 de julho de 1973), criou-se desde os 2 anos em Niterói. Na adolescência, morando em Icaraí, perto do Campo de São Bento, foi ali, numa confeitaria frequentada por seu tio, o pianista Nonô (Romualdo Peixoto) e os amigos deste — os compositores Valfrido Silva, Gadé, Sebastião Figueiredo, Mário Travassos de Araújo e Ari Frazão — que Ciro começou a formar sua personalidade musical, completada pela observação atenta do modo de cantar dos sambistas Mario Reis e Luís Barbosa, seu ídolo. Do primeiro adotou a precisão rítmica e do segundo a bossa exuberante, a espontaneidade e os breques malandros. Como nascera com espírito de sambista, amoldou tudo isso às suas próprias qualidades, daí nascendo seu estilo marcante, o estilo Ciro Monteiro, que permaneceria como modelo a cantores de futuras gerações.

Embora a dupla com Sílvio tenha durado pouco, pois Ciro preferia cantar amadoristicamente com seu irmão Careno, logo surgiu nova oportunidade que o levou a atuar, já então sozinho, na Rádio Mayrink Veiga, a partir do final de 1934. E assim continuou por quase quatro anos, cantando em várias emissoras e participando de coros em gravações alheias. Num desses coros, aliás, conheceu a cantora Odete Amaral, com quem se casou e viveu durante onze anos, e que é a mãe de seu único filho, Ciro Monteiro Júnior. Finalmente, em 19 de julho de 1938, chegou a vez de gravar o seu primeiro disco, cujo lado A, o samba "Se acaso você chegasse" (de Lupicínio Rodrigues e Felisberto Martins), que ele já cantava no rádio, tornou-se de repente um estrondoso sucesso. Então pelos próximos nove anos, Ciro Monteiro viveu a melhor fase de sua carreira, lançando sambas como "Mania da falecida" (de Wilson Batista e Ataulfo Alves, 1939), "Tá maluca" (de Wilson Batista e Germano Augusto, 1940), "Os quindins de Iaiá" (de Ary Barroso, 1941), "A mulher que eu gosto" (de Wilson Batista e Ciro de Souza, 1941), "Botões de laranjeira" (de Pedro Caetano, 1942), "Beija-me" (de Roberto Martins e Mário Rossi, 1943), "Falsa baiana" (de Geraldo Pereira, 1944), "Boogie-woogie na favela" (de Denis Brean, 1945), "Rugas" (de Nelson Cavaquinho, Augusto Garcez e Ari Monteiro, 1946), "Pisei num despacho" (de Geral-

O sambista Ciro Monteiro (1913-1973) juntou em seu estilo a bossa de Luís Barbosa e a precisão rítmica de Mario Reis.

do Pereira e Elpídio Viana, 1947) e os grandes sucessos carnavalescos "Ó Seu Oscar" e "O bonde de São Januário" (de Wilson Batista e Ataulfo Alves, 1940 e 1941 respectivamente), e "Deus me perdoe" (de Lauro Maia e Humberto Teixeira, 1946).

Nos anos 50, já casado com sua segunda mulher, Maria José de Oliveira Barros, a quem chamava de Lu, Ciro Monteiro passou a sofrer de problemas pulmonares, que muito prejudicaram sua carreira, inclusive obrigando-o a internar-se por longa temporada no Sanatório de Correias, no estado do Rio, época em que viveu apenas dos rendimentos de um emprego no Ministério do Trabalho. Mesmo assim, ainda teve fôlego para gravar dois sucessos, os sambas "Escurinho" (de Geraldo Pereira) e "Tem que rebolar" (de José Batista e Magno de Oliveira), ambos de 1955, e de fazer o papel de Apolo, pai de Orfeu, na peça *Orfeu da Conceição*, de Vinicius de Moraes, em seu único trabalho em teatro. Autor de cerca de cinquenta sambas, criou ainda no período seu maior sucesso como compositor, o samba "Madame Fulano de Tal" (com Dias da Cruz).

Em 1961, parcialmente recuperado dos achaques, com um pulmão e seis costelas a menos, sacrificados em cirurgias, Ciro voltou a ativa, gravando na Columbia o disco *Sr. Samba*, que conquistou o prêmio de melhor LP do ano. Daí até 1973, gravou mais nove LPs, sobressaindo nesse lote os álbuns *De Vinicius e Baden, especialmente para Ciro Monteiro*, lançado pela Elenco em 1965, em que cantava dez sambas da famosa dupla, *Bossaudade* (1965), registro ao vivo do programa homônimo da TV Record, ao lado de Elizeth Cardoso, e *Alô jovens*, de 1970, cujo repertório era constituído exclusivamente de músicas de jovens compositores da época, como Chico Buarque e Paulinho da Viola.

Uma afirmação não contestada é que jamais existiu no meio musical brasileiro artista mais simpático e espirituoso do que Ciro Monteiro, o querido Formigão, apelido ganho do parceiro Eratóstenes Frazão. Uma prova derradeira de seu humor foi dada a poucas horas da morte, quando já condenado por um processo de falência geral do organismo, declarou à apresentadora de televisão Edna Savaget: "Leve um recado para os amigos Vinicius de Moraes, Fernando Lobo e Reinaldo Dias Leme: diga a eles para não chorar, porque tenho encontro marcado com Pixinguinha, Stanislaw Ponte Preta e Benedito Lacerda. Não bebo há dois anos e agora vou tomar o maior pileque da minha vida".

O quarto maior cantor de samba da Época de Ouro foi o paulista Vassourinha (Mário Ramos de Oliveira, 16 de maio de 1923-3 de agosto de 1942) que, como foi dito, entrou para a história de nossa música popular com apenas doze gravações. Só que três sambas dessa diminuta discografia — "Seu Libório" (de João de Barro e Alberto Ribeiro, 1941), "Emília" (de Wilson Batista e Haroldo Lobo, 1942) e "E o juiz apitou" (de Antônio Almeida e Wilson Batista, 1942) — tornaram-se clássicos, devendo-se isso em boa parte à interpretação de Vassourinha.

Tendo chegado à Rádio Record aos 12 anos, quando, ganhando 100 mil réis mensais, era contínuo das 8 às 18 horas (usando dólmã e casquete) e à noite cantor, logo Vassourinha alcançou o estrelato, antes mesmo de engrossar a voz. Assim, como um Luís Barbosa negro e sem chapéu de palha, ele encantou os ouvintes da emissora durante seis anos, cantando os repertórios de João Petra de Barros, Sílvio Caldas e do próprio Luís Barbosa e, em dupla com Isaura Garcia, os duetos de Carmen Miranda.

Então, em meados de 1941, Vassourinha foi levado por Antônio Almeida para a Columbia, onde gravou, além das músicas citadas, os sambas "Juraci" (de Antônio Almeida e Ciro de Souza, 1941), "Ela vai à feira" (de Roberto Roberti e Almanir Grego, 1941), "Olga" (de Alberto Ribeiro e Sátiro de Melo, 1942), "Amanhã eu volto" (de Roberto Martins e Antônio Almeida, 1942), "Amanhã tem baile" (de Haroldo Lobo e Milton de Oliveira, 1942), "Volta pra casa Emília" (de Wilson Batista e Antônio Almeida, 1942); e as marchas "Chik chik bum" (de Antônio Almeida), "Apaga a vela" (de João de Barro) e "Tá gostoso" (de Antônio Almeida e Alberto Ribeiro), todas de 1942, e muito mais gravaria se sua vida não tivesse sido interrompida por uma doença que lhe dizimou os ossos, provavelmente uma tuberculose generalizada.

Numa entrevista a Orestes Barbosa (*A Hora*, 19 de julho de 1933), Noel Rosa considerou Araci de Almeida "a melhor cantora de samba de batida", ou seja, possivelmente, de samba ligeiro e bem marcado. Na época, ela iniciava sua carreira cantando na Rádio Educadora, tendo a estreia em disco ocorrido somente em janeiro de 1934 (com a marcha "Em plena folia", de Julieta de Carvalho). Da declaração do compositor pode-se deduzir que, quando ele a conheceu pessoalmente, meses depois, já tinha juízo formado sobre seu valor, não sendo de admirar que a escolhesse como uma de suas intérpretes preferidas.

Araci Teles de Almeida (19 de abril de 1914-20 de junho de 1988) nasceu, foi criada e prendeu-se por toda a vida ao subúrbio carioca do Encantado. Filha de um chefe de trens da Central do Brasil e irmã de um pastor protestante, cantava numa igreja batista quando resolveu tentar a música popular. Para isso recebeu a ajuda de Custódio Mesquita e Roberto Martins, que, respectivamente, a encaminharam à Rádio Educadora e à gravadora Columbia. Roberto lembrava-se bem de sua figura na ocasião: "uma mulatinha clara, franzina, de cabelo encarapinhado".

Tendo experimentado a princípio a influência de Carmen Miranda, como a maioria das cantoras de sua geração, com dois anos de atuação Araci já havia desenvolvido um estilo bem pessoal, com seu timbre anasalado, levemente tristonho, seu balanço e sua divisão perfeita do fraseado sambístico. Isso pode ser constatado ouvindo-se duas composições de Noel Rosa, bem diferentes entre si, que ela lançou: "Cansei de pedir", um samba corrido, ou seja, direto, de andamento rápido, gravado em 24 de abril de 1935 (disco Victor nº 33949-b), e "Amor de parceria", um samba recortado, isto é, cheio de ginga, gravado em 19 de junho de 1935 (disco Victor nº 33973-b). Como se sabe que nesse período Araci conviveu intensamente com Noel, acompanhando-o por toda a parte em suas

Elogiada por Noel Rosa no início da carreira, Araci de Almeida (1914-1988) se consagraria como uma das grandes intérpretes do Poeta da Vila.

andanças boêmias, é de supor que o compositor muito tenha influído na formação de seu estilo.

A carreira profissional de Araci de Almeida pode ser dividida em três fases: a da jovem cantora, lançadora de sucessos (1934-1949); a da cantora madura, consagrada, que divulgava obras de grandes compositores, especialmente a de Noel Rosa (1950-1967); e a da velha senhora, em que explorando sua veia cômica, tornou-se a jurada ranzinza e espirituosa de programas de televisão (1968-1988). Na primeira fase estão entre os seus maiores sucessos os sambas "Palpite infeliz" (de Noel Rosa, 1936), "Eu sei sofrer" (de Noel Rosa, 1937), "Tenha pena de mim" (de Babaú e Ciro de Souza, 1937), "Último desejo" (de Noel Rosa, 1938), "Camisa amarela" (de Ary Barroso, 1939), "Chorei quando o dia clareou" (de Nelson Teixeira e David Nasser, 1939), "Fez bobagem" (de Assis Valente, 1942), "Vai trabalhar" (de Ciro de Souza, 1942), "Saia do caminho" (de Custódio Mesquita e Evaldo Rui, 1946), "Louco, ela é seu mundo" (de Wilson Batista e Henrique de Almeida, 1947), "Pela décima vez" (de Noel Rosa, 1947) e o carnavalesco "Não me diga adeus" (de Paquito, Luís Soberano e J. Correia da Silva, 1948), além das marchinhas "O passarinho do relógio", "O passo do canguru" e "A mulher do leiteiro", todas de Haroldo Lobo e Milton de Oliveira, gravadas para os carnavais de 1940, 1941 e 1942.

Marcou o início da segunda fase o lançamento pela Continental, em novembro de 1950, de um álbum com três discos de 78 rotações, contendo seis sambas de Noel Rosa, seguido, em junho de 1951, de outro, com mais seis sambas de Noel. Com esses discos Araci de Almeida inaugurou um importante ciclo de revitalização da obra do Poeta da Vila, que teve prosseguimento, ainda em 1951, com uma série de 22 programas produzidos e apresentados por Almirante na Rádio Tupi, intitulada "No Tempo de Noel Rosa". Araci participou desta série cantando doze músicas. De 1951 a 1962, morando em São Paulo, mas deslocando-se constantemente para o Rio, a cantora teve intensa atividade, atuando em rádios e boates paulistanas e cariocas. Nessa segunda fase, além de cerca de trinta discos de 78 rotações e alguns compactos, Araci lançou sete LPs, incluindo-se nesse total as gravações dos shows *O samba pede passagem*, de que participou, ao lado de Ismael Silva e do MPB-4, em 1965-66, e *Sérgio Porto, Araci de Almeida e Billy Blanco no Zum-Zum*, de 1966.

Finalmente, na terceira fase, atuou na televisão nos programas de calouros "É Proibido Colocar Cartazes", com o cômico Pagano Sobrinho, "A Buzina do Chacrinha", com Chacrinha (Abelardo Barbosa), e o "Programa Sílvio Santos", tendo permanecido neste até o começo de 1988, quando adoeceu gravemente. Ainda em 1988, aproveitando o impacto de sua morte, a Continental lançou o LP *Araci de Almeida ao vivo e à vontade*, gravado em 1980 durante uma apresentação no Teatro Lira Paulistana.

Embora tenha vivido um casamento na juventude, com o jogador de futebol Rei (José Fontana), goleiro do Vasco da Gama e da seleção brasileira que disputou o Campeonato Sul-Americano de 1936, e outro na maturidade, com o oficial do Exército e médico psiquiatra Henrique Pffeikorner, Araci de Almeida foi na maior parte da existência uma mulher livre e desimpedida para fazer o que bem entendesse. Observadora, espirituosa e compulsivamente franca, possuidora de um inesgotável vocabulário de gíria, repleto de palavrões, ela sempre sonegou ao público o lado sério de sua personalidade, a Araci colecionadora de quadros, prataria e móveis antigos, que cultivava a amizade de poetas e pintores — como Vinicius de Moraes, Di Cavalcanti e Clóvis Graciano —, que citava Schopenhauer, recitava Augusto dos Anjos, ouvia Mozart, Bach e Beethoven e que, na música popular, idolatrava Sílvio Caldas e Noel Rosa. Na verdade, muitos dos que a conheceram somente na televisão jamais souberam de seus gostos refinados, nem suspeitaram de que aquela "coroa" engraçada foi uma grande cantora, sambista de primeira qualidade.

Entre as modalidades de samba surgidas nos anos 30, merece destaque o chamado samba de breque, que o cantor Moreira da Silva criou, inspirado em Luís Barbosa, conforme ele mesmo esclareceu, em entrevista ao jornal *Última Hora* (em 2 de abril de 1982): "Em 1936, num cinema do Méier, descobri o mapa da mina. Cantando um samba de Tancredo Silva, chamado 'Jogo proibido', prolonguei os breques que Luís Barbosa já fazia, meti umas frases da linguagem popular pitoresca dos malandros que eu conhecia e aí a 'palmatória' comeu do lado de lá. O sucesso é assim: você sente o eco dele no termômetro da plateia. Era ali que estava o meu petróleo! Aí eu cavei e hoje sou um 'texano' vivendo dos meus rendimentos no terreno fértil do samba de breque".

Realmente, Luís Barbosa e outros já cantavam "sambas com breques" antes de Moreira da Silva. Só que há uma diferença fundamental entre "sambas com breques" e "sambas de breque": no samba de Barbosa os breques curtos, cantados, eram bossas, chistes, detalhes utilizados para enriquecer sua interpretação; no samba de Moreira os breques longos, falados, são a alma, o cerne, a razão de ser de um estilo que a criatividade do intérprete transformou na mais pitoresca e espirituosa modalidade de samba.

Filho de um músico da Banda da Polícia Militar do Rio de Janeiro, o trombonista Bernardino da Silva Paranhos, e de sua mulher Pauladina de Assis Moreira, Antônio Moreira da Silva nasceu no bairro carioca da Tijuca em 1º de abril de 1902, para viver 98 anos, bem vividos, morrendo em 6 de junho de 2000. Órfão de pai aos 2 anos de idade e alfabetizado pelo padrasto aos 8, começou a trabalhar aos 11, primeiro numa fábrica de meias e em seguida na fábrica de cigarros Souza Cruz. Aos 21 anos Moreira já era motorista de praça, passando aos 24 a dirigir ambulâncias da Assistência Municipal. Por essa época, conhecido pelo apelido de Mulatinho da Assistência, começou a participar de festas e serenatas, recebendo os primeiros aplausos como cantor. Foi numa dessas festas que conheceu Maria de Lourdes, a Mariazinha, com quem se casou em 1928.

Sua profissionalização artística aconteceu em 30 de novembro de 1931, quando gravou "Ererê" e "Rei de Umbanda", pontos de macumba de Getúlio Marinho, compositor que o apresentara à gravadora Odeon. Daí até a descoberta do samba de breque, o cantor alcançou alguma popularidade com os sambas carnavalescos "Arrasta a sandália" (de Aurélio Gomes e Baiaco, 1933), "Vejo lágrimas" (de Ventura e Baiaco, 1933) e "Implorar" (de Kid Pepe, Germano Augusto e J. Gaspar, 1935). Então, cantando em emissoras importantes, como a Mayrink Veiga e a Nacional, e gravando discos, Moreira consolidou o seu prestígio, desenvolvendo um vasto e duradouro repertório de sambas de breque, em que se destacam "Acertei no milhar" (de Wilson Batista e Geraldo Pereira, 1940), "Amigo urso" (de Henrique Gonçalez, 1941), "Dormi no molhado" (de Moreira da Silva, 1942), "Fui a Paris" (de Moreira da Silva e Ribeiro Cunha, 1942), "Na subida do morro" (de Geraldo Pereira, que o vendeu a Moreira e este a Ribeiro Cunha, 1952), "Olha o Padilha" (de Bruno Gomes, Ferreira Gomes e Moreira da Silva, 1952), "Jogando com o capeta" (de Moreira da Silva e Ribeiro Cunha, 1958), "Filmando na América" (de Valdemar Pujol e Moreira da Silva, 1959), "O rei do gatilho" (de Miguel Gustavo, 1962), "O último dos moicanos" (de Miguel Gustavo, 1963) e "Tira os óculos e recolhe o homem" (de Jards Macalé e Moreira da Silva, 1978). Todas essas composições podem ser classificadas como sambas-choro, de melodias e harmonias muito simples, repetitivas, de andamento lento e cheios de paradinhas que ensejam os extensos breques. Por suas datas de lançamento, vê-se que esses sucessos concentram-se nos inícios dos anos 40, 50 e 60 e fins dos anos 50, o que localiza os períodos mais férteis da carreira do cantor.

Aposentado pela prefeitura carioca em 1958, como encarregado de garagens, Moreira da Silva jamais se aposentou na vida artística. Sempre impecavelmente trajado, de terno branco e chapéu-panamá, continuou pelos anos da velhice a gravar e a fazer shows. Aos 93 anos, por exemplo, ainda lotava durante uma semana o Teatro João Caetano (em agosto de 1995), no Rio, apresentando-se no espetáculo *Os três malandros in concert*, ao lado de Dicró e Bezerra da Silva.

30.
ACONTECEU NO NICE

Animado pela música da Orquestra de Moças de Marie Louise, que abriu a festa executando um trecho da sinfonia do *Guarani* (de Carlos Gomes), inaugurou-se a Casa Nice no sábado, 18 de agosto de 1928. Localizado no prédio de nº 174 da avenida Rio Branco, esquina de Bethencourt Silva — a poucos metros da atual estação Carioca do metrô —, o estabelecimento dividia-se em três ambientes: o chique, chamado de reservado, com mesas forradas e cadeiras estofadas, para chás, doces e bebidas finas; o popular, com mesinhas de mármore e cadeiras de palhinha, para cafezinhos e médias com pão e manteiga; e o externo, com mesas e cadeiras de vime, arrumadas na calçada, para pequenas refeições, refrigerantes e bebidas em geral. O imóvel, em que funcionara anteriormente o Pavilhão Internacional da empresa Pascoal Segreto, para realização de lutas livres, abrigava ainda o Liceu de Artes e Ofícios e o Cine-Teatro Central, depois Eldorado, separado do Nice por uma divisória de madeira.

Paradoxalmente, foi o mais modesto dos ambientes, o do cafezinho, que fez a casa ficar famosa e entrar para a história com o nome de Café Nice. Isso porque, meses depois da inauguração, esse setor começou a ser frequentado pelos artistas que construíram a Época de Ouro da música popular e do rádio brasileiros, hábito que perdurou até 1954, quando o Nice deixou de existir. Aliás, por servirem de pontos de reunião de grupos que se ligavam por interesses profissionais, tornaram-se também conhecidos nos anos 30 e 40 vários cafés, bares e restaurantes cariocas como: o Belas Artes (na esquina de Rio Branco com Almirante Barroso), dos jóqueis e apostadores em corridas de cavalo; o Rio Branco (na São José, 93), dos jogadores e dirigentes de futebol; o Vermelhinho (na Araújo Porto Alegre, em frente a ABI), dos jornalistas e escritores; o Simpatia (na Rio Branco, 96-A), dos corretores em geral; o Ópera (na Pedro I, 2), dos atores do teatro de revista; o dos Artistas (na Pedro I, esquina com Senado), dos funcionários de teatros; o Gaúcho (na esquina de Rodrigo Silva com São José), dos artistas plásticos; e o Capital (na Praça Tiradentes, 32, em frente à estátua de João Caetano), dos músicos populares.

Na verdade, não foi aleatória a preferência do pessoal da música popular pelo Nice. De localização privilegiada, num dos trechos mais movimentados da principal avenida da então capital do país, o café ficava ainda perto de vários locais importantes para os seus clientes. Assim, em um raio de seiscentos metros da casa, situavam-se a Galeria Cruzeiro, com seus bares tradicionais (a Americana, o Nacional e o da Brahma), além do Hotel Avenida, o Tabuleiro da Baiana, ponto de partida dos bondes para a Zona Sul, o Teatro Municipal, com o cabaré Assírio funcionando no subsolo, a praça Tiradentes, dos teatros de revista, a Cinelândia, com seus cinemas e teatros, as redações de *O Globo*, *O Cruzeiro*, o *Jornal do Brasil* e o *Diário Carioca*, as rádios Clube, Sociedade, Cruzeiro do Sul, Cajuti, Globo e Jornal do Brasil, as editoras musicais Vitale e Mangione, a gravadora Continental, o estúdio de gravação da Odeon, o carnavalesco Cordão do Bola Preta, os *dancings* Favorito, Brasil e Avenida, além dos bares e cafés mencionados. Naturalmente, algumas dessas organizações funcionaram em épocas diferentes — como a Rádio Sociedade, que acabou em 1933, e a gravadora Continental, que começou em 1944 — dentro do período de existência do Nice.

Não é exagero afirmar que, nos anos 30 e 40, todo integrante masculino do meio musical popular carioca esteve na Casa Nice, pelo menos umas duas ou três vezes. A razão do fiel comparecimento desses artistas ao café era, além do animado bate-papo em que todos tomavam conhecimento das novidades, a necessidade de "despachar o expediente", ou seja, de acertar compromissos profissionais, mostrar novas composições, propor parcerias, vender ou comprar canções, enfim, a necessidade de ter um local certo onde qualquer um poderia ser encontrado, levando-se em consideração que a maioria não dispunha de escritório. E se o sujeito não era achado no momento, deixava-se um recado com os garçons ou com o encarregado da tabacaria, ocupante de uma das três portas da casa, que eles o fariam chegar à pessoa procurada. Por sua vez, avisos, anúncios, convites, participações eram colados livremente nos espelhos que revestiam as paredes do estabelecimento.

Assim, nos melhores anos da Época de Ouro, distinguiam-se entre os mais assíduos frequentadores do Nice compositores como Roberto Martins, Wilson Batista, Ataulfo Alves, Haroldo Lobo, Nássara, Newton Teixeira, Eratóstenes Frazão, Alberto Ribeiro, Custódio Mesquita (sempre sério e bem vestido), Gadé (inveterado contador de piadas), Marino Pinto, Mário Lago e Jorge Faraj, os cantores Carlos Galhardo, Sílvio Caldas, João Petra de Barros, Joel e Gaúcho e Araci de Almeida (solitá-

Dois assíduos frequentadores do Café Nice: o compositor Roberto Martins (1909-1992) e o cantor Carlos Galhardo (1913-1985).

ria representante da ala feminina da MPB), os músicos Luís Americano, César Guerra Peixe (na época violinista do conjunto do Café Belas Artes), Augusto Vasseur, Aldo Taranto e Vicente Paiva (alguns deles munidos de lápis e papel de música para o atendimento de eventuais clientes) e, sempre cercado de admiradores, o jornalista, escritor, poeta e letrista Orestes Barbosa.

Sem dúvida, Orestes Barbosa (7 de maio de 1893-15 de agosto de 1966) foi uma figura marcante entre as celebridades da casa. Inteligente, culto, carismático, ele impressionava pelo vigor de sua personalidade, em que conviviam duas tendências opostas: a do poeta inspirado, romântico, apaixonado e a do jornalista panfletário, combativo, desabusado, xenófobo radical, que odiava o que vinha de fora do país, especialmente de Portugal. Seu antilusitanismo — escreveu certa vez: "Tudo quanto nos vem de lá é chilro, anêmico e cacheiral" — chegava ao cúmulo de depreciar Carmen Miranda só pelo fato de ela ter nascido em Portugal.

Carioca do bairro de Aldeia Campista, Orestes viveu uma infância pobre em Paquetá e na Gávea, onde aprendeu a ler com Clodoaldo Pereira de Moraes, pai de Vinicius. Entrando para a imprensa na adolescência, quando exerceu o ofício de revisor no periódico *O Século*, de Rui Barbosa, logo tornou-se jornalista, função que sempre desempenharia com brilhantismo, escrevendo em jornais como *O Imparcial*, *Diário de Notícias*, *A Folha*, *A Crítica*, *A Manhã*, *A Hora*, *Avante*, *A Jornada*, *A Gazeta* e *A Notícia*. Seu estilo incendiário e destemido rendeu-lhe várias prisões e a inspiração para um livro de crônicas intitulado justamente *Na prisão*. Ainda como jornalista, foi pioneiro do colunismo radiofônico, tendo comandado diversas seções do gênero.

Em 1930, já poeta conhecido, com livros publicados e uma tentativa frustrada de entrar para a Academia Brasileira de Letras, Orestes Barbosa tornou-se letrista, atividade que realmente o celebrizou como um dos grandes de nossa música popular. Autor de cerca de uma centena de canções de vários gêneros — com parceiros como Custódio Mesquita, Noel Rosa, Nássara, Osvaldo Santiago, Eduardo Souto, Wilson Batista, Herivelto e Roberto Martins —, consagrou-se como provedor de versos para composições seresteiras de Francisco Alves e Sílvio Caldas, as melhores, diga-se de passagem, que estes dois fizeram, como: "Meu companheiro", de 1932; "Dona de minha vontade", de 1933; "Por teu amor" e "A mulher que ficou na taça", de 1934, com Francisco Alves; "Santa dos meus amores", "Serenata", "Quase que eu disse", "Torturante ironia" e "O vestido de lágrimas", de 1935; "O nome dela eu não digo", de 1936; "Chão de estrelas" e "Arranha-céu", de 1937; e "Suburbana", de 1939, com Sílvio Caldas.

O brilho de Orestes Barbosa — "farol de sua geração", no dizer de seu contemporâneo Nássara — começou a esmaecer nos anos 50, apagando-se de vez nos 60, quando o poeta, desinteressado de tudo, deixou-se morrer aos poucos num retiro voluntário, iniciado na ilha de Paquetá e terminado no bairro de Fátima.

Cenas pinçadas de testemunhos, memórias e depoimentos de frequentadores do Nice dão uma ideia do cotidiano da casa. Assim, por exemplo, há o testemunho de Almirante, que viu numa mesa do café Noel Rosa esboçar os primeiros versos do samba "Coração". Na ocasião, estudante de Medicina, Noel acabara de assistir a uma aula de anatomia e estava acompanhado dos colegas de curso e futuros médicos, Nicandro Bittencourt e Carlos Henrique Fernandes. Já Roberto Martins recorda-

O poeta Orestes Barbosa (1893-1966), figura de proa do Café Nice, sempre rodeado de admiradores.

va-se de dois alegres momentos. No primeiro, acontecido numa tarde de novembro de 1939, ele canta a batucada "Cai, cai", que acabara de compor, para numeroso grupo de clientes da casa, onde ressaltam as figuras de Humberto Porto, Marino Pinto, Jorge Faraj, Newton Teixeira, Roberto Paiva e do maestro Carioca (Ivan Paulo da Silva). Este momento está registrado numa fotografia. No segundo, ocorrido no carnaval de 1944, Roberto conversava com Geraldo Pereira, quando chegou ao café sua mulher, dona Isaura, fantasiada de baiana. Acontece que, não tendo temperamento carnavalesco, a sra. Martins era a própria imagem da desanimação, o que levou o marido a observar: "olha aí, Geraldo, a falsa baiana". Quatro meses depois, Geraldo Pereira lançava na voz de Ciro Monteiro o samba "Falsa baiana", inspirado no mote que lhe fora inconscientemente oferecido pelo colega.

Igualmente, Newton Teixeira relembrava dois fatos que entrariam para a história de suas músicas "Deusa da minha rua" e "Você não tem palavra": escalado para gravar a primeira, Sílvio Caldas mostrou-se desinteressado, sendo, no dia 10 de julho de 1939, arrancado de um interminável bate-papo no Nice e praticamente arrastado por Newton para gravar no estúdio da Victor. Felizmente, o esforço do compositor deu certo e a gravação foi um sucesso. No caso de "Você não tem palavra",

Newton mostrou a primeira parte do samba a Ataulfo, num encontro casual no café. Então a dupla saiu a pé rumo à Praça da Bandeira e, no trajeto, em plena madrugada, Ataulfo fez a segunda. No Rio de Janeiro da época (1941) eram comuns essas caminhadas noturnas pelas ruas da cidade, sem maiores percalços. Ainda sobre Ataulfo, Mário Lago contava que, chegando de São Paulo no sábado de carnaval de 1944, correu para o Nice a fim de festejar o sucesso do samba "Atire a primeira pedra", de autoria dos dois. Lá chegando foi saudado por um Ataulfo eufórico, com a frase: "Parceiro, estamos na boca do povo novamente!". Recordava Mário: "Foi a única vez que vi Ataulfo de pilequinho".

Há, por fim, as lembranças de Orlando Silva e Paulo Tapajós sobre a primeira vez que foram ao Nice, na ocasião em que iniciavam suas carreiras artísticas: Orlando em uma noite de junho de 1934, quando, recomendado por Bororó, procurou Francisco Alves no café para que este avaliasse a sua voz, e Paulo, no começo de 1932, para acertar com o músico J. Rondon um arranjo para o fox-canção "Loura ou morena" (de Vinicius de Moraes e Haroldo Tapajós), que seria lançado no disco de estreia dos Irmãos Tapajós. Paulo Tapajós, aliás, fez nos anos 80, no Instituto Histórico e Geográfico Brasileiro, uma palestra sobre o Café Nice, com importantes informações, algumas delas aqui reproduzidas.

No final da década de 1930, nossos compositores populares começaram a adquirir uma consciência de classe, para isso muito contribuindo aqueles anos de convivência diária nas mesas do café. Então, animados por esse sentimento, eles se mobilizaram para afinal criar sua própria entidade arrecadadora de direitos autorais, até então entregues a um departamento da SBAT (Sociedade Brasileira de Autores Teatrais). Foi assim que surgiu em 1938 a Associação Brasileira de Compositores e Autores (ABCA). Quatro anos depois (em 22 de junho de 1942), ela seria transformada na União Brasileira de Compositores (UBC), figurando entre os seus fundadores figuras como Ary Barroso, Lamartine Babo, Dorival Caymmi, Braguinha e Ataulfo Alves. Em 9 de abril de 1946, em razão de divergências entre editores e parte do quadro social da UBC, fundou-se a Sociedade Brasileira de Autores, Compositores e Editores de Música (SBACEM), dividindo-se os compositores mais importantes entre as duas entidades. Na segunda metade do século, vieram juntar-se às sociedades pioneiras várias outras, que muito contribuíriam para o aperfeiçoamento de nosso sempre controvertido sistema de arrecadação de direitos autorais.

31. PIXINGUINHA, RADAMÉS E AS ORQUESTRAS POPULARES

A história das orquestras populares brasileiras, na primeira metade do século XX, tem como personagens principais as figuras dos maestros-arranjadores Pixinguinha e Radamés Gnattali. Eles criaram, pode-se dizer, no então acanhado estágio de desenvolvimento em que se encontrava nosso meio musical, os padrões básicos de arranjo para a música popular brasileira, servindo seus trabalhos de paradigma para os músicos nacionais que pontificaram nas décadas de 1930 e 1940. Pixinguinha, mais chegado aos metais; Radamés, às cordas.

Em 1929, quando a gravadora Victor, então estreando no Brasil, contratou Pixinguinha para dirigir orquestras e atuar como músico e arranjador, ele já era um veterano nessas funções, embora só tivesse 32 anos de idade. Sua prática havia sido adquirida, conforme foi dito, nos últimos dez anos, quando organizara e dirigira a orquestra dos Oito Batutas e outros grupos como a Orquestra Típica Pixinguinha-Donga, na gravadora Parlophon, e a orquestra da Companhia Negra de Revistas. Mas foi na Victor, com o aprimoramento imposto por uma atividade intensa, que se consolidou o seu prestígio como arranjador. Músico de excepcional talento, ele aplicou à arte do arranjo sua experiência ganha na escola do choro, resultando seu trabalho em orquestrações impregnadas de um sabor brasileiro, que os arranjadores da época — vários deles estrangeiros aqui radicados — não podiam oferecer.

Dois bons exemplos de seus arranjos na Victor são as gravações da marcha "O teu cabelo não nega" (de Lamartine Babo e Irmãos Valença) e do samba "Na virada da montanha" (de Ary Barroso e Lamartine Babo), realizadas, respectivamente, em 21 de dezembro de 1931 e 27 de agosto de 1935, sendo a primeira cantada por Castro Barbosa, com o Grupo da Guarda Velha, e a segunda por Francisco Alves, com a orquestra Diabos do Céu. Nesta última, chama a atenção a execução do ritmo por instrumentos de sopro, um recurso depois utilizado por outros arranjadores. O instrumental usado nessas gravações foi o seguinte: em

"O teu cabelo não nega" — piano, dois saxofones, trompete, trombone, banjo, contrabaixo de cordas, prato, cabaça, omelê, tantã e coro de seis vozes masculinas e uma feminina (o registro da gravadora não inclui tuba, o que põe em dúvida a informação da presença de Eleazar de Carvalho tocando este instrumento); em "Na virada da montanha" — piano, dois saxofones, dois trompetes, trombone, banjo, baixo, bateria, cabaça e pandeiro.

Ao chegar à Victor, Pixinguinha foi incumbido de organizar e dirigir a orquestra da casa, que seria chamada de Orquestra Victor Brasileira. Este grupo, cuja direção também foi exercida por outros maestros, como Radamés Gnattali, J. Tomás, José Maria de Abreu e João Martins, atuou de julho de 1929 a dezembro de 1940, gravando cerca de duzentos discos. Utilizando um numeroso elenco de instrumentistas, Pixinguinha criou então, no início dos anos 30, mais duas orquestras — o Grupo da Guarda Velha e os Diabos do Céu —, que marcariam época gravando para a Victor. Constituíam o núcleo dessas orquestras os músicos: Plínio Paes Leme de Abreu e o próprio Pixinguinha (flauta), Augusto Vasseur e Elísio (piano), Bonfiglio de Oliveira e Wanderley (trompete), Esmerino Cardoso e Vantuil de Carvalho (trombone), Luís Americano, João Braga e Jonas Aragão (saxofone e clarinete), Romeu Ghipsman (violino), Eleazar de Carvalho (tuba), José Alves (contrabaixo), João Martins (contrabaixo e bandolim), Luperce Miranda (bandolim e cavaquinho), Artur de Souza Nascimento, o Tute (violão), Donga (violão, banjo e cavaquinho), Nelson Alves (cavaquinho), Valfrido Silva e Benedito Pinto (bateria), João da Baiana e Francelino Ferreira Godinho (pandeiro), Faustino da Conceição, o Tio Faustino (omelê e tantã), Osvaldo Viana (cabaça), Adolfo Teixeira (prato e faca), Cícero José Dias (agogô), Alcebíades Barcelos (cuíca e tamborim) e Augusto Amaral, o Vidraça (chocalho).

O Grupo da Guarda Velha participou de cerca de cinquenta discos, realizando sua primeira gravação em 27 de outubro de 1931 (o partido-alto "Há! Hu! Lahô!", de Pixinguinha, Donga e João da Baiana) e a última em 17 de fevereiro de 1933 (o samba de Ary Barroso "Cabrocha inteligente", cantado por Moreira da Silva). O curioso é que o seu contrato com a gravadora só foi assinado em 3 de dezembro de 1932, mais de um ano depois do primeiro disco e três meses antes do último. Já a orquestra Diabos do Céu durou onze anos e oito meses e rendeu cerca de 240 discos, sendo sua gravação inicial realizada em 29 de novembro de 1932 (o samba "Etc.", de Assis Valente, cantado por Carmen Miranda) e a última em 28 de julho de 1944 (o samba "Olha o jeito desse negro",

Pixinguinha (1897-1973) e o pioneiro sambista José Luís de Morais, o Caninha (1883-1961) (à esquerda).

de Custódio Mesquita e Evaldo Rui, cantado por Linda Batista). Em termos musicais, o Grupo da Guarda Velha foi uma ponte, um elo, entre a rusticidade dos Oito Batutas e o toque refinado dos Diabos do Céu.

Na realidade, ao criar as orquestras particulares, Pixinguinha ganhou liberdade em relação à Victor, pois a exclusividade em discos com a gravadora ficou restrita ao Grupo da Guarda Velha e aos Diabos do Céu e não à sua pessoa, que passou a atuar como arranjador e instrumentista onde bem entendeu. Assim, ao mesmo tempo em que gravou centenas de discos Victor com os Diabos do Céu, ele trabalhou em orquestras e conjuntos da Columbia, da Odeon, da Guarda Municipal, de *dancings* e de emissoras de rádio, como a Transmissora, Mayrink Veiga, Nacional e Tupi. Na Mayrink, chegou a criar um conjunto regional, Os Cinco Companheiros — com João Valeriano (violão), Tute (violão de sete cordas), Luperce Miranda (bandolim e cavaquinho) e João da Baiana (pandeiro) —, que inspirou o título de um de seus melhores choros.

Em março de 1933, Pixinguinha prestou concurso e entrou para o terceiro ano de teoria musical do Instituto Nacional de Música, recebendo em outubro, do diretor Guilherme Fontainha, o certificado de conclusão do curso. Esses oito meses foram os únicos em toda sua vida em que frequentou uma escola de música.

Ao contrário de Pixinguinha, o porto-alegrense Radamés Gnattali (27 de janeiro de 1906-3 de fevereiro de 1988) tinha nove anos de conservatório, onde concluía o curso de piano, quando conheceu o Rio de Janeiro em 1924. Participando de um quarteto como violista — o que o familiarizou com as quatro vozes-base da orquestra de cordas —, compondo, realizando concertos pianísticos, tocando em orquestras e lecionando, o jovem músico dividiu suas atividades nos anos seguintes entre o Rio e Porto Alegre.

Em 1932, recém-casado com a também gaúcha Vera Bieri, já radicado no Rio e admirado no meio musical carioca, Radamés iniciou, atuando na gravadora Victor e na Rádio Transmissora, uma longa e vitoriosa carreira de arranjador e chefe de orquestra, ao mesmo tempo em que prosseguia na de intérprete e compositor de música erudita e popular. Sua integração nessas duas áreas era completa e espontânea, com brilho igual em ambas, constituindo-se entre nós em um caso único num músico de sua estatura.

Em seus primeiros tempos na Victor, Radamés — que já havia tocado nas orquestras de Simon Bountman e Romeu Silva — atuou quase unicamente como instrumentista, tocando piano nas orquestras Victor Brasileira, Diabos do Céu e Grupo da Guarda Velha. Logo, porém, estava dirigindo a orquestra da casa e escrevendo arranjos, começando a chamar a atenção com uma série de choros e valsinhas, encomendada pelo diretor da gravadora, Leslie Evans. Esse repertório ele gravou com a Orquestra Típica Victor, que contava com os seguintes músicos: Radamés (piano), Romeu Ghipsman, Célio Nogueira e Jaime Marchevsky (violino), Luís Americano (clarinete e sax alto), Dante Santoro (flauta), Luciano Perrone (bateria, vibrafone e sinos), Luperce Miranda (bandolim), Bonfiglio de Oliveira (trompete), Antenógenes Silva (acordeão) e um eventual violonista. Para esta série, gravada no período de setembro de 1933 a setembro de 1936, ele compôs várias valsas ("Berenice", "Entardecer", "Zeli") e choros ("Cabuloso", "Tristonho", "Amoroso").

Sobre o importante passo de introdutor da orquestra de cordas na música popular brasileira, ele esclareceu em entrevista reproduzida por Valdinha Barbosa e Anne Marie Devos no livro *Radamés Gnattali: o eterno experimentador*: "Mr. Evans contratou um arranjador paulista, o Galvão, que tinha estudado arranjo nos Estados Unidos. Aqui não tinha ninguém que escrevesse a coisa mais sinfônica — o jazz sinfônico. Eu era o regente da orquestra. O Galvão fez os arranjos e eu gostei. Comecei a estudar aquelas partes e comecei a aprender. [...] Um dia, o Orlando (Silva) chegou pra mim e perguntou se dava para fazer um disco de samba-canção com cordas. Eu disse que sim. [...] Então comecei a fazer os arranjos para o Orlando Silva, usando violinos nas músicas românticas e metais nos sambas". Nessa ocasião ele começava também a atuar na Rádio Nacional, onde Orlando conquistava a posição de astro da programação, o que foi ótimo para a ascensão dos dois.

Naturalmente, já havia violino em nossas gravações de música popular quando Radamés começou a fazer esses arranjos. Uma pesquisa nos registros da própria Victor ou da Odeon deve constatar a participação desse instrumento em discos de 1929, 1930, 1931. A grande novidade que ele implantou foi o arranjo com ênfase nas cordas, ou seja, a orquestra com violinos, violas e cellos em plano destacado.

Um dos primeiros trabalhos que marcam a presença de Radamés na carreira de Orlando Silva é a gravação do megassucesso "Lábios que beijei", realizada em 15 de março de 1937, em que o cantor é acompanhado pela Orquestra Victor Brasileira, constituída por piano, clarinete, flauta, dois violinos, violoncelo e contrabaixo. Essa formação seria muitas vezes repetida, inclusive com outros cantores, sofrendo vez por outra pequenas alterações. Outra formação da Orquestra Victor Brasileira, de certo modo até curiosa, é a que foi utilizada no dia 11 de maio de 1938, acompanhando Orlando nas gravações do foxe "Nada além" e das valsas "Enquanto houver saudade" e "Página de dor": piano, três violinos, três saxofones, violão e contrabaixo. Quinze meses depois, em 18 de agosto de 1939, Radamés gravaria o monumental arranjo que criou para a gravação inicial de "Aquarela do Brasil", com Francisco Alves como cantor solista. Nesse arranjo, um dos mais importantes de sua carreira, ressalta o revezamento de palhetas e metais numa função rítmica, raras vezes antes utilizada na música popular brasileira. Como se vê, o maestro dava livre expansão à sua veia de experimentador.

O maestro Radamés Gnattali (1906-1988) e sua irmã Aida, também exímia pianista.

De 1943, quando passou a ser ouvida em todo o país, através de suas transmissões em ondas curtas, ao final dos anos 50, quando entrou em declínio, em razão do crescimento da televisão, a Rádio Nacional reinou absoluta, ostentando um superelenco artístico, jamais igualado por suas concorrentes. Basta dizer que, no setor musical, a empresa tinha mais de cem instrumentistas sob contrato (só nas cordas eram 35 violinistas, nove violistas e seis violoncelistas), além da quase totalidade dos grandes cantores da época.

Foi nesse período que Radamés Gnattali viveu o auge de sua carreira, escrevendo centenas de arranjos — para a Nacional e a gravadora Continental —, tocando e compondo intensamente. Por incrível que pareça, a maior parte desses arranjos, criada para programas como "Um Milhão de Melodias", eram feitos para uma única execução. A propósito, Radamés organizou e dirigiu para este programa, que durou treze anos, uma orquestra exclusiva. Em entrevista ao *Pasquim*, em 1977, ele comentou: "os músicos (da Nacional) eram malpagos, mas o pessoal gostava daquilo porque era uma coisa nova para a época. Eu tinha uma orquestra de música brasileira, Lírio Panicali tinha uma de música romântica e Leo Peracchi uma orquestra sinfônica". E ainda sobravam músicos para outros regentes da casa, como Alexandre Gnattali (irmão de Radamés), Alberto Lazzoli, Ercole Vareto, Francisco Duarte (Chiquinho), Ivan Paulo da Silva (Carioca), Moacir Santos, Romeu Fossati e Romeu Ghipsman.

Braguinha (João de Barro), diretor artístico da Continental, encomendou a Radamés em maio de 1946 uns arranjos caprichados para dois sambas-canção — "Copacabana" (de João de Barro e Alberto Ribeiro) e "Barqueiro do São Francisco" (de Alberto Ribeiro e Alcir Pires Vermelho) — que deveriam ser lançados no suplemento de agosto. Mais generoso do que seu colega Mr. Evans (da Victor), ele permitia despesas maiores com orquestras, principalmente em discos como aquele, que lançaria um novo cantor, Farnésio Dutra, em cujo sucesso apostava. Na ocasião, com o nome artístico de Dick Farney, o rapaz teimava em só cantar em inglês, tendo Braguinha gasto muita conversa para convencê-lo a gravar em português. Finalmente, no dia 2 de junho de 1946, uma orquestra de quinze elementos — oito violinos, duas violas, violoncelo, piano, violão, contrabaixo e bateria —, regida por Eduardo Patané, executou os arranjos de Radamés, acompanhando Dick Farney na gravação dos sambas citados. Superando a expectativa, "Copacabana" alcançou um enorme sucesso, permanecendo por 64 semanas nas paradas e tornando-se um clássico. Enquanto isso, o arranjo da gravação despertava a atenção de todos, encantando os novos e desagradando os conservadores, acabando por consagrar-se como um marco na evolução da moderna música popular brasileira.

Considerado por Mário de Andrade (em artigo publicado em *O Estado de S. Paulo* em 12 de fevereiro de 1939) como um músico de "uma habilidade extraordinária para manejar o conjunto orquestral, que faz soar com riqueza e estranho brilho", Radamés Gnattali alcançava assim, em 1946, o domínio absoluto da arte do arranjo, especialmente nos compostos para cordas. Seu trabalho nada ficava a dever aos de grandes especialistas no gênero, como os americanos Axel Stordhal e Victor Young e o inglês, radicado na América, David Rose.

Trabalhador incansável, Radamés ainda continuou em atividade pelos próximos quarenta anos, compondo, tocando (geralmente ao lado de músicos como Chiquinho do Acordeão, José Menezes, Vidal e Luciano

Perrone) e arranjando para o rádio, o disco e a televisão. Já próximo dos 80 anos, ainda realizou um notável trabalho de apoio aos músicos Joel Nascimento, Maurício Carrilho, Luís Otávio Braga e os irmãos Beto e Henrique Cazes e Luciana e Rafael Rabelo, que então iniciavam suas carreiras, tendo todos eles participado do conjunto Camerata Carioca.

O começo e o fim da Época de Ouro foram marcados, respectivamente, por duas orquestras, a Pan American de Simon Bountman (1900-1977) e a Tabajara de Severino Araújo. Liderada pelo palestino Bountman — que veio inicialmente ao Brasil com a Orquestra Kosarin e depois, em meados dos anos 20, com a Companhia Velasco, de origem espanhola, aqui se radicando —, a Pan American gravou cerca de 180 discos no período 1927-1930, executando os mais variados tipos de composições ou acompanhando os cantores da Odeon. Sua constituição em janeiro de 1928 era a seguinte: Bountman (violino e regência), I. Kolman e Júlio Samamede (saxofone), Djalma Guimarães (trompete), Caldeira Ramos (trombone), J. J. Rondon (piano), Amaro dos Santos (tuba), Dermeval Neto, o Furinha (banjo) e Aristides Prazeres (bateria). Na mesma época, utilizando o mesmo núcleo de instrumentistas, ele criou ainda, para gravar na Parlophon, a Simão Nacional Orquestra.

Ajudada por um holandês rico, amante da boa música, a Orquestra Tabajara nasceu em 1933, em João Pessoa, liderada pelo pianista Luna Freire e integrada por nove instrumentistas (piano, dois saxofones, dois trompetes, trombone, violão, contrabaixo e bateria). Em 1937, o grupo foi reforçado pelo então jovem clarinetista Severino Araújo (Limoeiro, PE, 23 de novembro de 1917-Rio de Janeiro, 3 de agosto de 2012), que, em virtude da morte de Luna Freire, assumiu a direção da orquestra dois anos depois. Em 1945, já conhecida em todo o Nordeste, a Tabajara mudou-se para o Rio de Janeiro, onde, atuando na Rádio Tupi e na gravadora Continental, conquistou imediato sucesso. Na ocasião, bem mais encorpado, o grupo incluía os seguintes músicos: Severino Araújo (clarinete e regente), Sebastião de Barros (o K-Ximbinho), Jaime Araújo, José Araújo (o Zé Bodega), Lourival Clementino e Genaldo Medeiros (saxofone), Plínio Araújo, Geraldo Medeiros e Porfírio Costa (trompete), José Leocádio, Manoel Araújo e Aurélio Camilo (trombone), Cláudio Freire (piano), Juvenal (contrabaixo), Del Loro (violão), Jorge Aires (bateria) e Gilberto D'Ávila (percussão).

De 1933 até 2003, quando completou 70 anos, a Orquestra Tabajara não parou de tocar, a não ser por escassos intervalos, ostentando um recorde difícil de ser igualado por um conjunto do seu porte. A razão desse sucesso, que não deteriora com o tempo, deve-se à fibra, à competência e ao amor à música de seu líder, o eternamente jovem Severino Araújo, e dos instrumentistas de várias gerações que a integraram. A começar pelo próprio Severino, são inúmeros os virtuoses que participaram ou participam da Tabajara, como K-Ximbinho, Zé Bodega, José Leocádio e Geraldo Medeiros.

Além das citadas, foram importantes na Época de Ouro as orquestras de Romeu Silva, I. Kolman, J. Tomás, Arnold Gluckman, Gaó (Odmar Amaral Gurgel), Vicente Paiva, Napoleão Tavares, Custódio Mesquita, Fon-Fon (Otaviano Romero) e as vinculadas às gravadoras, como as orquestras Copacabana (gravou na Odeon cerca de duzentos discos), Parlophon, Guanabara, Odeon, Rio Artists, Paulistana e Columbia, por vezes chamada de Orquestra Colbaz.

32. A CANÇÃO ROMÂNTICA

A partir do início do século XX, quando nossos compositores começaram a fazer valsa com letra, o gênero cresceu, atingindo em sua forma mais romântica o auge da popularidade nos anos 30. Esse tipo de composição, que, em andamento lento, canta versos líricos, por vezes exageradamente sentimentais, representou nos 1900 a expressão máxima de nossa canção amorosa, tal como a modinha o fizera no século anterior.

Terceiro ritmo mais gravado no Brasil na década de 30 (1.080 fonogramas, correspondentes a 16,24% do total gravado), perdendo apenas para o samba e a marchinha, a valsa brasileira foi enriquecida em sua fase mais pródiga, 1935-1940, por uma série de obras-primas, das quais várias se tornaram clássicos.[2]

[2] Isso pode ser constatado na seguinte relação, em que predomina a canção ternária: 1935 — "Boneca" (de Benedito Lacerda e Aldo Cabral), "Serenata", "Quase que eu disse" e "Torturante ironia" (de Sílvio Caldas e Orestes Barbosa), com Sílvio Caldas; "Lágrimas" e "Última estrofe" (de Cândido das Neves), com Orlando Silva; e "Cortina de veludo" (de Paulo Barbosa e Osvaldo Santiago), com Carlos Galhardo; 1936 — "Boa noite, amor" (de José Maria de Abreu e Francisco Matoso) e "Lembro-me ainda" (de Joubert de Carvalho), com Francisco Alves; "Mágoas de caboclo" e "História joanina" (de J. Cascata e Leonel Azevedo), com Orlando Silva; "Italiana" (de José Maria de Abreu, Paulo Barbosa e Osvaldo Santiago) e "Sonhos azuis" (de João de Barro e Alberto Ribeiro), com Carlos Galhardo; e "O ébrio" (de Vicente Celestino), com Vicente Celestino; 1937 — "A você" (de Ataulfo Alves e Aldo Cabral), "E o destino desfolhou" (de Gastão Lamounier e Mário Rossi) e "Mais uma valsa... mais uma saudade" (de José Maria de Abreu e Osvaldo Santiago), com Carlos Galhardo; "Misterioso amor" (de Saint-Clair Sena) e "Só nós dois no salão e esta valsa" (de Lamartine Babo), com Francisco Alves; "Rosa" (de Pixinguinha) e "Lábios que beijei" (de J. Cascata e Leonel Azevedo), com Orlando Silva; "Chão de estrelas" e "Arranha-céu" (de Sílvio Caldas e Orestes Barbosa), com Sílvio Caldas; e "Patativa" (de Vicente Celestino), com Vicente Celestino; 1938 — "Caprichos do destino" (de Pedro Caetano e Claudionor Cruz), "Enquanto houver saudade" (de Custódio Mesquita e Mário Lago), "Páginas de dor" (de Pixinguinha e Cândido das Neves), "Uma saudade a mais... uma esperança a menos" (de Silvino Neto e Carlos Morais), "Deusa do cassino" (de Newton Teixeira e Torres Homem) e "Neuza" (de Antônio Caldas e Celso Figueiredo), com Orlando Silva; e "Não me abandones nunca" (de

Uma análise desse repertório mostra que são duas as principais vertentes que o abastecem: a tradicional, piegas, rebuscada, mais próxima da modinha, praticada por compositores como Cândido das Neves ("Lágrimas", "Última estrofe") e Vicente Celestino ("Patativa"), e a moderna, que, sem prejuízo do lirismo, trata do amor em linguagem mais natural, mais chegada à realidade, e é a marca dos estilos de Orestes Barbosa ("Chão de estrelas", "Arranha-céu") e de Jorge Faraj ("Deusa da minha rua"). Mas, além dessas, sobra ainda espaço para a valsa de andamento mais rápido, mais marcado, que, embora bem brasileira no conteúdo, sofre na forma uma certa influência da música de opereta europeia. Este é o caso de composições de Lamartine Babo ("Eu sonhei que tu estavas tão linda", "Só nós dois no salão..."), José Maria de Abreu ("Boa noite, amor") e Custódio Mesquita ("Velho realejo").

Mostra a análise, também, que fizeram valsas muitos de nossos melhores compositores, entre os quais especialistas de outros ritmos, como Ary Barroso, Noel Rosa, Ataulfo Alves e a dupla João de Barro-Alberto Ribeiro. O destaque maior, porém, é de Orestes Barbosa, o melhor letrista do gênero, seus parceiros Sílvio Caldas e Francisco Alves, Cândido das Neves, Lamartine Babo, José Maria de Abreu, Custódio Mesquita e a dupla J. Cascata-Leonel Azevedo.

Na onda das novas danças de salão que imperou nos Estados Unidos no início do século XX, o fox-trot surgiu por volta de 1912, tendo seu nome registrado pela primeira vez em disco dois anos depois. Descen-

Joubert de Carvalho) e "Sorris da minha dor" (de Paulo Medeiros), com Sílvio Caldas; 1939 — "Número um" (de Benedito Lacerda e Mário Lago), "Sertaneja" (de René Bittencourt), "Por quanto tempo ainda" (de Joubert de Carvalho), "Por ti" (de Sá Roris e Leonel Azevedo) e "Que importa para nós dois a despedida" (de Silvino Neto), com Orlando Silva; "Suburbana" (de Sílvio Caldas e Orestes Barbosa) e "Deusa da minha rua" (de Newton Teixeira e Jorge Faraj), com Sílvio Caldas; e "Salão grená" (de Paulo Barbosa e Francisco Célio), com Carlos Galhardo; e, finalmente, 1940 — "Não" (de Newton Teixeira e Cristóvão de Alencar), "O amor é assim" (de Sivan Castelo Neto) e "Velho realejo" (de Custódio Mesquita e Sadi Cabral), com Sílvio Caldas; "Súplica" (de Otávio Gabus Mendes, José Marcílio e Déo), com Orlando Silva; "Roleta da vida" (de Heriberto Muraro e Osvaldo Santiago), com Carlos Galhardo, e "Última inspiração" (de Peterpan), com João Petra de Barros. Somando-se a essas 46 composições as canções "Dona da minha vontade", de 1933, "Por teu amor" e "A mulher que ficou na taça", de 1934, da dupla Francisco Alves-Orestes Barbosa, lançadas por Alves; e "Eu sonhei que tu estavas tão linda" (de Lamartine Babo e Francisco Matoso) e "Três lágrimas" (de Ary Barroso), lançadas, respectivamente, por Francisco Alves e Sílvio Caldas, em 1941, chega-se talvez à mais requintada seleção de valsas brasileiras da chamada Época de Ouro.

dente do rag e do one-step, logo teve seus passos modificados em variante simplificadora e de caráter deslizante, o que muito favoreceu sua popularização. Em meados dos anos 20, fixaram-se dois tipos de foxes, o *quick fox-trot* e o *slow fox-trot*, ou seja, os foxes de andamentos rápido e lento, este último o que melhor aceitação alcançou no Brasil, inspirando o nosso romântico fox-canção.

Assim, ao iniciar-se a década de 1920, quando já se dançavam em nossas festas grã-finas fox-trots americanos, como "Hindustan" (de Harold Weeks e Oliver G. Wallace), "Whispering" (de Vincent Rose, Richard Coburn e John Schonberger) e "The Sheik of Araby" (de Ted Snyder, Harry B. Smith e Francis Wheeler), era lançado em disco um bom número de foxes brasileiros, alguns de relativo destaque, como "Vênus" (de José Francisco de Freitas, 1923). A mania de nosso público de classe média pela música americana cresceu no decorrer da década, culminando com a chegada do cinema falado em 1929. Então, enquanto o ritmo já era explorado por compositores como Ary Barroso e Lamartine Babo em trabalhos para o teatro de revista, aconteceu o lançamento de "Dor de recordar" (de Joubert de Carvalho e Olegário Mariano), gravado por Francisco Alves, o nosso primeiro fox-canção a alcançar grande sucesso popular.

Consolidado durante os anos 30, com sucessos como "Príncipe" (de Joubert de Carvalho, 1931), com Francisco Alves, "Loura ou morena" (de Vinicius de Moraes e Haroldo Tapajós, 1932), com Os Irmãos Tapajós, "Você só... mente" (de Noel Rosa e Hélio Rosa, 1933), com Francisco Alves e Aurora Miranda, e "Última canção" (de Guilherme A. Pereira, 1937), com Orlando Silva, o fox brasileiro viveu a sua fase mais importante no período 1938-1945, em que surgiriam os maiores clássicos do gênero, como "Nada além" (de Custódio Mesquita e Mário Lago), com Orlando Silva, e "Tudo cabe num beijo" (de Carolina Cardoso de Menezes e Osvaldo Santiago), com Manoel Reis, os dois de 1938; "Dá-me tuas mãos" (de Roberto Martins e Mário Lago), com Orlando Silva, 1939; "Mulher" (de Custódio Mesquita e Sadi Cabral), com Sílvio Caldas, e "Naná" (de Custódio Mesquita e Geysa Bôscoli), com Orlando Silva, 1940; "Perdão amor" (de Lamartine Babo), com Orlando Silva, e "Adeus" (de Roberto Martins e Mário Rossi), com Gilberto Alves, 1941; "Renúncia" (de Roberto Martins e Mário Rossi), com Nelson Gonçalves, 1942; "Noite de lua" (de Antônio Almeida) e "Solidão" (de Roberto Martins e Mário Rossi), os dois com Nelson Gonçalves, 1943; "Rosa de maio" (de Custódio Mesquita e Evaldo Rui), com Carlos Galhardo, e "Dos meus braços tu não sairás" (de Roberto Roberti), com Nelson Gonçalves, 1944; e "Brigamos outra vez" (de José Maria de Abreu e Jair Amorim), com Orlando Silva, 1945.

A valorização do fox brasileiro no período ressaltado deveu-se principalmente à brilhante atuação nessa fase dos seus dois melhores cultores, os compositores Custódio Mesquita e Roberto Martins, coadjuvados pelos letristas Mário Lago, Evaldo Rui e Mário Rossi e do seu ótimo intérprete Nelson Gonçalves, só igualado no gênero por Orlando Silva.

Na segunda metade da década de 1940, o público brasileiro curtiu uma intensa paixão pelo bolero ibero-americano, que invadiu o disco, o rádio, as casas noturnas e os clubes sociais, impondo-se como presença obrigatória em eventos musicais e dançantes. Como nosso gênero romântico mais próximo do bolero era o samba-canção, este passou a ter um crescimento avassalador, eclipsando a canção ternária e o fox-canção e apossando-se do espaço até então por eles ocupados. Mesmo assim, vez por outra, esses dois gêneros são revividos em composições de sucesso como a valsa "Luiza" (de Antônio Carlos Jobim, 1981), feita para a telenovela *Brilhante*, da Rede Gobo — era a personagem homônima interpretada pela atriz Vera Fischer —, e o fox "Emoções" (de Roberto Carlos e Erasmo Carlos), também de 1981.

33.
OS QUATRO GRANDES

Papel relevante, ainda, para a valorização da canção romântica tiveram alguns cantores, capazes de despertar no público um entusiasmo pela música cantada, de intensidade jamais ocorrida entre nós. Tamanho culto à voz resultou numa expressiva diferença entre o número de gravações cantadas e o de instrumentais — cantadas (83,65%), instrumentais (13,73%), faladas (2,62%) — na discografia brasileira da década de 1930, além da idolatria devotada a artistas como Francisco Alves, Orlando Silva, Sílvio Caldas e Carlos Galhardo, proclamados pela imprensa como Os Quatro Grandes. Ecléticos, esses cantores foram tão bons intérpretes da valsa sentimental como da marcha e do samba. Daí sua popularidade avassaladora, bem superior a de outros cantores de sucesso, porém não ecléticos, como Gastão Formenti, Augusto Calheiros e Vicente Celestino. A propósito, o tenor Celestino, chamado de O Berro, pela potência de sua voz, constituiu-se num dos casos de maior longevidade artística em nossa música popular, mantendo-se ativo, com um bom número de fiéis admiradores, por mais de meio século. Já o cantor e pintor Formenti foi quem mais gravou canções ternárias (85) nos anos 30. Tenor, como Celestino, mas, sem os arroubos operísticos deste, lançou valsas como "Na Serra da Mantiqueira" (de Ari Kerner, 1932), "Folhas ao vento" (de Milton Amaral, 1934) e "Coração por que soluças" (de José Maria de Abreu e Saint-Clair Sena, 1937).

Às 17h23 do sábado, 27 de setembro de 1952, um caminhão, chapa do Rio Grande do Sul (nº 11-48-84), dirigido por João Valter Sebastiani, trafegando na estrada Rio-São Paulo, entre as cidades de Taubaté e Pindamonhagaba, foi cortado por um automóvel Mercury, preto, chapa de Niterói (nº 6618), dirigido pelo dentista Felipe Abussanam. A fim de evitar o choque, Sebastiani jogou instintivamente o caminhão para a esquerda, invadindo a pista contrária e atingindo o lado do motorista do sedã Buick, azul, placa do Distrito Federal (nº 11-56-80), que corria em

Os cantores Sílvio Caldas, Francisco Alves e Orlando Silva,
três dos Quatro Grandes da Época de Ouro.

altíssima velocidade no sentido São Paulo-Rio. Com o choque, o Buick capotou espetacularmente, incendiando-se em seguida. Dirigia-o o cantor Francisco Alves, seu proprietário, que teve morte imediata, carbonizado, enquanto Haroldo Alves, seu amigo, que viajava dormindo no banco do carona, era atirado à distância, sobrevivendo com ferimentos graves. Terminava assim, numa tragédia provocada pela imprudência de terceiros, a vida de uma das figuras mais importantes de nossa música popular.

Filho de portugueses, nascido no Rio de Janeiro em 19 de agosto de 1898, Francisco de Morais Alves descobriu sua vocação musical ainda menino e iniciou sua carreira artística na Companhia João de Deus-Martins Chaves, em abril de 1918. Aos 21 anos gravou na Fábrica Popular, para o carnaval de 1920, seu disco de estreia, com a marcha "O pé de anjo", de Sinhô. Nos anos seguintes, enquanto atuava em peças do teatro musicado e trabalhava como motorista de praça, passou a viver com a atriz Célia Zenatti, depois de um casamento efêmero com Perpétua

Guerra Tutoya, a Ceci, que conhecera num cabaré da Lapa. Grande admirador de Vicente Celestino, Alves procurava nessa época imitar-lhe o estilo, o que não era uma boa opção, pois, apesar de ter voltado ao disco, em 1924, permanecia longe do sucesso.

A partir de 1927, porém, apresentando estilo próprio e gravando intensamente, Francisco Alves caminhou direto para a fama, tornando-se em pouco tempo o artista mais popular do meio musical brasileiro. Para se ter uma ideia de seu prestígio já nesse estágio da carreira, basta lembrar que no quinquênio 1927-1931 ele gravou 494 fonogramas, equivalentes a 41 LPs, ou seja, uma média de oito LPs por ano, cifra jamais alcançada por outro cantor em nossa fonografia. A demanda por seus discos nesse fértil período era tão grande, que o levou a gravar simultaneamente em duas empresas: na Odeon, com seu nome verdadeiro, e na Parlophon, com o pseudônimo de Chico Viola.

E havia motivo para o tal sucesso, pois, aliando sensibilidade a uma bela voz de ampla tessitura, o barítono Francisco Alves cantava canções para todos os gostos, da marchinha carnavalesca à modinha romântica, do então nascente samba às valsas, tangos e foxes, enfim, seu repertório era uma síntese do universo musical popular da época. O historiador Abel Cardoso Júnior mostra, a propósito, em seu livro *Francisco Alves: as mil canções do Rei da Voz*, que ele gravou em sua carreira 24 gêneros musicais diferentes, alguns dos quais com inúmeras variantes.

Mas a maior façanha de Francisco Alves foi manter incólume sua popularidade por um quarto de século, de 1927 até a véspera de sua morte, quando cantou para milhares de pessoas no largo da Concórdia, em São Paulo. Para isso contribuíram, naturalmente, os lançamentos de sucessos, uma constante em sua carreira. Assim, em sua primeira fase na Odeon, além dos já citados sambas de Ismael Silva, Alves lançou composições de Sinhô, como os sambas "Ora vejam só" (1927), "Não quero saber mais dela", "Amar a uma só mulher" e "A favela vai abaixo" (1928); os sambas de Noel Rosa "Feitio de oração" (parceria com Vadico, 1933), cantado em dupla com Castro Barbosa, e "Fita amarela" (1933), cantado em dupla com Mario Reis; a valsa "Deusa" (de Freire Júnior, 1931); o fox "Dor de recordar" (de Joubert de Carvalho e Olegário Mariano, 1930); o megassucesso político "Hino a João Pessoa" (de Eduardo Souto e Osvaldo Santiago, 1930); a marchinha "Dá nela" (de Ary Barroso, 1930); e as canções de sua autoria "A voz do violão" (1928) e "Lua nova" (1929), a primeira em parceria com Horácio Campos e a segunda com Luís Iglesias. "A voz do violão", aliás, foi lançada inicialmente pela subsidiária Parlophon. Como foi dito, lançou ainda nessa fase uma série de 24 gravações em dupla com Mario Reis.

Já conhecido como O Rei da Voz, slogan criado pelo locutor César Ladeira, Francisco Alves deixou a Odeon em março de 1934, transferindo-se para a Victor. Nessa empresa, onde registrou 96 fonogramas em três anos, viveu um dos períodos mais altos de sua carreira, realizando algumas de suas melhores gravações. São dessa fase os sambas "Foi ela" (de Ary Barroso, 1935), "É bom parar" (de Rubens Soares e Noel Rosa, 1936), "Favela" (de Roberto Martins e Valdemar Silva, 1936), "Na virada da montanha" (de Ary Barroso e Lamartine Babo, 1936) e "Serra da Boa Esperança" (de Lamartine Babo, 1937); a marcha "Grau dez" (de Lamartine Babo, 1935); e as já mencionadas valsas "Boa noite, amor", "Misterioso amor", "Só nós dois no salão...", "Por teu amor" e "A mulher que ficou na taça".

Entre os finais de 1937 e 1939, Francisco Alves realizou sua segunda passagem pela Odeon, gravando 52 composições, entre as quais os sucessos "Ainda uma vez" (fox de José Maria de Abreu e Francisco Matoso, 1938), a "Valsa dos namorados" (de Silvino Neto, 1939) e o samba "Aquarela do Brasil" (de Ary Barroso, 1939), que se constituiu num marco em sua carreira, ensejando-lhe a oportunidade de gravar muitos outros sambas-exaltação.

Em setembro de 1939, um mês antes de a Odeon lançar "Aquarela do Brasil", a Columbia já lançava o seu primeiro disco com Francisco Alves, que trazia "Brasil" (samba de Benedito Lacerda e Aldo Cabral) e "Acorda Estela" (samba de Herivelto Martins e Benedito Lacerda), cantados em dueto com Dalva de Oliveira. A nota curiosa é que "Brasil" era "oferecido à Madame Alzira Vargas do Amaral Peixoto por seus modestos autores". Alzira era filha do presidente Vargas e estava na época recém-casada com o político Ernâni do Amaral Peixoto. O repertório do cantor na Columbia é também recheado de sucessos, como os sambas "Despedida de Mangueira" (de Benedito Lacerda e Aldo Cabral), "Solteiro é melhor" (de Rubens Soares e Felisberto Silva), ambos de 1940, o samba-exaltação "Onde o céu azul é mais azul" (de Alcir Pires Vermelho, João de Barro e Alberto Ribeiro, 1941), a marcha "Dama das Camélias" (de Alcir Pires Vermelho e João de Barro, 1940), o bolero "Sob a máscara de veludo" (de Alcir Pires Vermelho e David Nasser, 1940) e a valsa "Linda judia" (de Custódio Mesquita e David Nasser, 1940).

Alves iniciou em 5 de maio de 1941 sua terceira fase na Odeon, com a gravação do famoso samba-exaltação "Canta Brasil" (de Alcir Pires

Vermelho e David Nasser). Nesse período, que corresponde aos últimos doze anos de sua vida, ele mostrou uma especial preferência pelas obras de Lupicínio Rodrigues e Herivelto Martins, gravando o que de melhor os dois produziam. Daí uma memorável sequência de sucessos com sambas-canção como "Nervos de aço" (de 1947), "Esses moços" e "Quem há de dizer" (de 1948), "Cadeira vazia" e "Maria Rosa" (de 1950), de Lupicínio; e os já mencionados "Transformação" e "Se é pecado" (de 1943), "Caminhemos" (de 1948), "Odete" (de 1944), "Isaura" e "Que rei sou eu" (de 1945), "Vaidosa" (de 1946) e "Palhaço" (de 1947), de Herivelto, sendo carnavalescos os cinco últimos.

Ao mesmo tempo, gravava de outros compositores valsas como "A dama de vermelho" (de Pedro Caetano e Alcir Pires Vermelho, 1943), "Vidas maltraçadas" (de Dante Santoro e Sila Gusmão, 1949) e a já citada "Eu sonhei que tu estavas tão linda", sambas-canção como "Fracasso" (de Mário Lago, 1946), "Adeus, cinco letras que choram" (de Silvino Neto) e "Marina" (de Dorival Caymmi), de 1947, enquanto aderia à onda da música hispano-americana, gravando boleros como "Santa" (de Agustín Lara, 1945), "Frenesi" (de Alberto Domínguez, 1946), "Dos almas" (de Don Fabián, 1948) e "Quizás, quizás, quizás" (de Oswaldo Farrés, 1948), mais os tangos "Percal" (de D. Federico e H. Expósito, 1944), "Cristal" (de M. Mores e J. Contursi, 1945) e "Adiós, Pampa mía" (de F. Canaro, M. Mores e E. Pelay, 1946). Registre-se ainda que as versões para o português de canções estrangeiras sempre marcaram presença em seu repertório, chegando algumas a alcançar estrondoso sucesso, como as valsas "Jeannine" (de N. Shilkret e L. W. Gilbert, 1929) e "Dancing with Tears in my Eyes" (de J. Burke e Al Dubin, 1931) e o fox-trot "Tell Me Tonight" (de M. Spoliansky, 1933).

Na tarde de 24 de setembro de 1952, uma quarta-feira, três dias antes do desastre, Francisco Alves realizou sua última sessão de gravação. O fato aconteceu no estúdio da RCA Victor, situado na rua Visconde da Gávea, perto do edifício do Ministério da Guerra, na Zona Centro do Rio. Contratado da Odeon, o cantor fora liberado para regravar alguns de seus antigos sucessos na empresa rival. O pesquisador musical e seu admirador Nelson Cunha, que se encontrava na gravadora na ocasião, relembra: "O Chico chegou, bateu um rápido papo com pessoas que o cercaram e logo entrou no estúdio, onde o aguardavam o maestro Gaya e os músicos. Então, tirou o paletó e, depois de breves recomendações ao maestro, gravou nessa ordem as músicas 'A mulher que ficou na taça', 'Serra da Boa Esperança', 'É bom parar' e 'Foi ela'". Esta gravação de

"Foi ela" (de Ary Barroso) é o 983º e último fonograma registrado na discografia de Francisco Alves, o cantor que mais gravou discos de 78 rotações no Brasil.

Em depoimento prestado em abril de 1978 ao historiador de música popular Zuza Homem de Mello, Orlando Silva declarou: "Quando vi que ia mesmo entrar para o rádio, eu fiz a seguinte observação: no rádio eu não posso parecer com o Sílvio Caldas, com o Chico Alves, com o Gastão Formenti, e fui citando os cantores da época. Como os dois de maior popularidade eram Chico e Sílvio, eu disse, bem, o Chico tem muita voz e não tem interpretação, e o Sílvio, pouca voz e muita interpretação. Então, eu vou entrar com voz e interpretação. E foi assim que entrei no meio deles dois e fui embora, eu, aquele menino modesto lá do subúrbio...".

Este pretensioso depoimento e mais 31 gravações antigas de Orlando saíram num álbum duplo, produzido por Zuza e lançado pela RCA dois meses depois de sua morte. Na verdade, exageros à parte, o delírio de grandeza "daquele menino modesto" (nem tanto...) acabou de certa forma se realizando por um razoável espaço de tempo, de meados de 1937 ao início de 1942. Nesse período, Orlando Silva reinou no meio musical-radiofônico brasileiro, tornando-se um ídolo de massa, maior até do que o próprio Francisco Alves. Jamais tivéramos um cantor que, como ele, aliasse tão bem uma voz privilegiada em timbre, tessitura e afinação a uma excepcional capacidade de interpretação. Orlando era realmente O Cantor das Multidões — como proclamara o locutor Oduvaldo Cozzi — que, lançando em média um disco por mês, transformava em sucesso tudo o que gravava.

E foi bem rápida a ascensão de Orlando Garcia da Silva (3 de outubro de 1915-7 de agosto de 1978). Quarto filho de José Celestino da Silva, operário da Central do Brasil e violonista nas horas vagas, e de Balbina Garcia da Silva, Orlando nasceu no subúrbio carioca do Engenho de Dentro. A morte do pai, em 1918, vítima da gripe espanhola, deixou a família na mais extrema pobreza. Por isso, o futuro artista teve de abandonar a escola muito cedo para trabalhar numa sucessão de pequenos empregos, como o de entregador de encomendas de uma loja grã-fina, a Casa Reunier. Quando, aos 16 anos, exercia essa função, ele perdeu quatro dedos do pé esquerdo num acidente de bonde.

Em fins de 1933, recuperado do desastre, após longa convalescença em que se distraía ouvindo rádio o dia inteiro, Orlando arranjou um emprego de trocador de ônibus na linha Largo de Santa Rita-Lins Vasconcelos. Cantando desde o dia em que se entendeu como gente, o jovem trocador já tinha por essa época inúmeros admiradores, entre parentes, amigos e vizinhos. Então, incentivado por esse pessoal, principalmente pelo irmão Edmundo, ele tentou e afinal conseguiu uma oportunidade no rádio. Foram seus descobridores o compositor Bororó e o cantor Francisco Alves. O primeiro o ouviu nos corredores da Rádio Cajuti e, entusiasmado, o encaminhou ao segundo. Este, também impressionado com sua voz, lançou-o em seu programa na mesma rádio, na noite de 23 de junho de 1934. Na ocasião, Orlando Silva cantou a valsa "Mimi" (de Uriel Lourival), com o Regional de Pereira Filho, e o samba "Malandro sofredor" (de Ary Barroso), com o pianista Hervê Cordovil, sendo ambas as músicas do repertório de Sílvio Caldas. A nota pitoresca é que o locutor Cristóvão de Alencar, a mando de Francisco Alves, o apresentou como Orlando Novarro, uma sugestão de nome artístico imediatamente rejeitada pelo estreante. Novarro era o sobrenome do galã de Hollywood mais em evidência na época (Ramon Novarro), que acabara de visitar o Rio de Janeiro.

Cinco meses depois, Orlando Silva chegava ao disco com duas fracas composições para o carnaval de 1935 — a marcha "Ondas curtas" (de Kid Pepe e Zeca Ivo) e o samba "Olha a baiana" (de Kid Pepe e Germano Augusto) —, lançadas pela Columbia e ignoradas pelo público. Em seguida, ele passou-se para a Victor gravando a marcha promocional "Chope da Brahma" (de Ary Barroso e Bastos Tigre), em janeiro de 1935, as canções "Lágrimas" e "Última estrofe" (de Cândido das Neves), em junho, e os sambas "No quilômetro dois" (de J. Aimberê) e "Para Deus somos iguais" (de J. Cascata e J. Barcelos), em julho. Foram as canções de Cândido das Neves, só lançadas em setembro, no segundo disco de Orlando na gravadora, que marcaram o início de sua arrancada para o sucesso.

Em meados de 1937, com a explosão dos megassucessos "Lábios que beijei" (valsa de J. Cascata e Leonel Azevedo), "Carinhoso" (samba-choro de Pixinguinha e João de Barro) e "Rosa" (valsa de Pixinguinha), Orlando Silva alcançou o estrelato, despontando como fenômeno em popularidade. Até então ele já havia atuado em muitos shows, em circos e teatros, cantado nas principais emissoras do Rio de Janeiro e de São Paulo, especialmente na recém-inaugurada Rádio Nacional, participado do filme *Cidade mulher* e lançado dezenove discos, destacando-se em seu repertório canções como "História joanina", "Mágoas de caboclo" (ambas de J. Cascata e Leonel Azevedo) e as citadas "Lágrimas" e "Última estrofe".

Nos quase cinco anos em que se estendeu a fase áurea de Orlando, ele lançaria dezenas de sucessos, podendo-se classificar os seguintes como os mais importantes: em 1937 — além de "Lábios que beijei", "Carinhoso" e "Rosa", o fox "A última canção" (de Guilherme A. Pereira) e os sambas "Juramento falso" (de J. Cascata e Leonel Azevedo) e "Amigo leal" (de Benedito Lacerda e Aldo Cabral); em 1938 — o fox "Nada além" (de Custódio Mesquita e Mário Lago), os sambas "Abre a janela" (de Roberto Roberti e Arlindo Marques Júnior), "Meu romance" (de J. Cascata) e "Errei, erramos" (de Ataulfo Alves) e as valsas "Caprichos do destino" (de Pedro Caetano e Claudionor Cruz), "Deusa do cassino" (de Newton Teixeira e Torres Homem), "Enquanto houver saudade" (de Custódio Mesquita e Mário Lago) e "Página de dor" (de Pixinguinha e Cândido das Neves); em 1939 — a marcha "A jardineira" (de Benedito Lacerda e Humberto Porto), os sambas carnavalescos "Meu consolo é você" (de Roberto Martins e Antônio Nássara) e "O homem sem mulher não vale nada" (de Roberto Roberti e Arlindo Marques Júnior), o fox "Dá-me tuas mãos" (de Roberto Martins e Mário Lago) e as valsas "Por ti" (de Sá Roris e Leonel Azevedo), "Número um" (de Benedito Lacerda e Mário Lago), "Que importa para nós dois a despedida" (de Silvino Neto) e "Sertaneja" (de René Bittencourt); em 1940 — a marcha "Malmequer" (de Newton Teixeira e Cristóvão de Alencar), o samba carnavalesco "A primeira vez" (de Alcebíades Barcelos e Armando Marçal), o samba-canção "Coqueiro velho" (de Fernandinho e José Marcílio), o fox "Naná" (de Custódio Mesquita e Geysa Boscoli) e a valsa "Súplica" (de Otávio Gabus Mendes, José Marcílio e Déo); em 1941 — o samba "Preconceito" (de Wilson Batista e Marino Pinto) e a valsa "Sinhá Maria" (de René Bittencourt).

Nos primeiros anos de sucesso, Orlando Silva teve milhares de fãs, que não lhe davam sossego, e muitas namoradas, sem prender-se a nenhuma delas. Segundo sua irmã Nezeli, em depoimento a Jonas Vieira (autor da biografia *Orlando Silva: O Cantor das Multidões*), "ele tinha muitas mulheres. [...] Não sei como atendia a tanta gente...". Mas em 1940, entrou em sua vida, para valer, a radioatriz e cantora Maria José Gonzalez, a popular Zezé Fonseca (5 de agosto de 1915-16 de agosto de 1962). Bonita, sensual, inteligente, objeto do desejo de políticos e artistas, Zezé era dotada de uma forte personalidade, passional e possessiva. Bem mais culta do que o amante, logo passou a exercer sobre ele uma ação sufocante, policiando-lhe o convívio com as fãs e exigindo-lhe exclusividade. Daí as discussões e brigas, os constantes rompimentos e reconciliações.

Ao mesmo tempo em que vivia esse romance conturbado, Orlando entrou num processo de deterioração de vida, descuidando-se dos compromissos profissionais, abandonando a gravadora Victor e entregando-se, primeiro, à droga pesada (morfina) e, em seguida, ao álcool. Para piorar a situação, foi obrigado a extrair os dentes, em razão de uma infecção nas gengivas. Como resultado de tudo isso, sua carreira sofreu um colapso, perdendo-se para sempre o brilho dos agudos e a firmeza dos graves, enfim, a excepcionalidade de sua voz. É possível que os efeitos da morfina tenham atingido seus nervos periféricos, entre os quais os das cordas vocais, tornando-os frouxos, lassos, conforme hipótese levantada pelo escritor Ruy Castro no ensaio "Caprichos do destino" (incluído numa caixa de CDs lançada pela BMG em 1995).

O fato é que, ao voltar ao disco em novas gravadoras, em novembro de 1942, seu canto já não era mais o mesmo. O declínio, acentuando-se nos anos seguintes, culminaria no período 1945-1947, quando ele chegou a ausentar-se das atividades radiofônicas, embora continuasse gravando. Todavia, contrariando os maus fados, Orlando Silva teve a sorte de encontrar em abril de 1947 uma moça chamada Maria de Lourdes de Souza Franco. Ao mesmo tempo esposa e anjo da guarda, Lourdes realizou a façanha de pôr em ordem sua vida, afastando-o da morfina, da farra e das más companhias. Só não foi possível fazê-lo voltar a ser O Cantor das Multidões. De 1943 a 1973, período em que gravou cerca de 400 fonogramas, o melhor que se pode dizer de sua atuação é que foi um cantor correto, bom intérprete, mas de maneira alguma extraordinário. Uma prova disso é que os sucessos se tornaram escassos e sem a pujança dos áureos tempos. Seu maior trunfo nessa fase consistiu em reviver os clássicos que o consagraram no início da carreira. Parecia um outro cantor imitando Orlando Silva.

Nascido no bairro carioca de São Cristóvão, Sílvio Antônio Narciso de Figueiredo Caldas, O Caboclinho Querido (23 de maio de 1908-3 de fevereiro de 1998), começou a trabalhar aos 9 anos, como aprendiz de mecânico de automóvel. Aliás, começou a trabalhar, a cantar e a dançar, pois por essa época já participava de festinhas, reuniões musicais e até de um bloco carnavalesco, organizado por uma vizinha. Aos 19 anos, depois de muitas serenatas, ele chegava ao rádio, por intermédio do cantor de tangos Milonguita (Antônio Gomes), estreando em disco aos 22, nas gravadoras Victor e Brunswick.

Um dos ícones da geração de 30, Sílvio Caldas iria se celebrizar como o grande seresteiro, o cantor sentimental por excelência, apesar de também se destacar como sambista. Possuidor de bela voz, porém não tão forte e extensa como as dos rivais Francisco Alves e Orlando Silva, ele desenvolveu um primoroso estilo de interpretação, juntando na dosagem certa técnica e emoção. Pode-se mesmo afirmar que ninguém foi capaz de superá-lo na maneira de interpretar letras românticas, até mesmo de dizer certas palavras — "saudade", por exemplo —, a inflexão precisa no momento exato. Seu canto, ao mesmo tempo coloquial e veemente, cativou várias gerações de admiradores no transcorrer de uma longa carreira que se divide essencialmente em três fases. A inicial, de 1930 a 1934, teve o samba como gênero preferido e cujos maiores sucessos foram composições de Ary Barroso, como "Faceira" (1931), "É mentira, oi" (1932), "Um samba em Piedade" (1932), "Tu" (1934) e "Maria" (de Ary e Luís Peixoto, 1933), todas elas sambas, além da valsa "Mimi" (de Uriel Lourival, 1934).

A segunda — de 1935 a 1944 —, sua melhor fase, começou com o ciclo de valsas que fez em parceria com Orestes Barbosa, já mencionado, revelando-se como compositor. Prosseguiu com sucessos como as valsas "Boneca" (de Benedito Lacerda e Aldo Cabral, 1935), "Sorris da minha dor" (de Paulo Medeiros, 1938), "Deusa da minha rua" (de Newton Teixeira e Jorge Faraj, 1939), "Não" (de Newton Teixeira e Cristóvão de Alencar, 1940) e "Três lágrimas" (de Ary Barroso, 1941); os sambas "Inquietação" (de Ary Barroso, 1935), "Minha palhoça" (de J. Cascata, 1935), "Professora" (de Benedito Lacerda e Jorge Faraj, 1938), "Da cor do pecado" (de Bororó, 1939), "Morena boca de ouro" (de Ary Barroso, 1941) e "Meus vinte anos" (do próprio Sílvio e de Wilson Batista, 1942); as marchas "Pastorinhas" (de João de Barro e Noel Rosa, 1938) e "Florisbela" (de Nássara e Frazão, 1939). E terminou com uma notável série de composições de Custódio Mesquita, que incluiu valsas como "Velho realejo" (1940) e "O pião" (1941), as duas em parceria com Sadi Cabral, "Valsa do meu subúrbio" (parceria de Evaldo Rui, 1944) e "Caixinha de música" (1941); os sambas "Promessa" (parceria de Evaldo Rui, 1943), "A vida em quatro tempos" (parceria de Paulo Orlando, 1943) e "Algodão" (parceria de David Nasser, 1944); o samba-canção "Como os rios que correm para o mar" (parceria de Evaldo Rui, 1944) e o fox "Mulher" (parceria de Sadi Cabral, 1940).

A terceira fase, enfim, começou em 1945 e se estendeu até quando Sílvio teve fôlego para cantar. Predominou nesta fase, menos rica, a realização de shows e de regravações de clássicos de nossa música popular, lançados originalmente por ele e por outros cantores.

Homem de muitos amores, trovador errante que percorreu o Brasil de ponta a ponta, fazendo amigos por onde passou, O Caboclinho Querido viveu seus últimos anos num sítio de sua propriedade, no município paulista de Atibaia.

Completa o grande quarteto Carlos Galhardo (Catello Carlos Guagliardi, 26 de abril de 1913-25 de julho de 1985). Embora sem o carisma dos colegas Chico, Orlando e Sílvio, Galhardo conquistou merecidamente um lugar entre os melhores cantores populares brasileiros de seu tempo, pela beleza e correção de seu canto e o alto grau de popularidade de que sempre desfrutou. Nascido em Buenos Aires durante curto período em que seus pais, imigrantes italianos radicados no Brasil, decidiram tentar a sorte na Argentina, ele foi criado no Rio de Janeiro, desde a idade de 4 meses.

Aos 19 anos, depois de desistir da profissão de alfaiate, em que se iniciara na adolescência, Carlos Galhardo cantou pela primeira vez no rádio levado pelo compositor Bororó (outra vez ele...). Em seguida, em janeiro de 1933, contratado pela Victor, estreava em disco, gravando os frevos "Você não gosta de mim" (dos Irmãos Valença) e "Que é que há" (de Nelson Ferreira). Ainda nesse ano, chegaria ao primeiro sucesso com a marcha natalina "Boas festas" (de Assis Valente). Em 1935, o grande êxito de "Cortina de veludo" (de Paulo Barbosa e Osvaldo Santiago) mostrou que o gênero ideal para a voz romântica de Carlos Galhardo era a valsa. Então, a canção ternária passaria a predominar para sempre em seu repertório, contando-se entre os seus maiores sucessos valsas como "Italiana" (de José Maria de Abreu, Paulo Barbosa e Osvaldo Santiago) e "Sonhos azuis" (de João de Barro e Alberto Ribeiro), ambas de 1936; "A você" (de Ataulfo Alves e Aldo Cabral), "E o destino desfolhou" (de Gastão Lamounier e Mário Rossi) e "Mais uma valsa... mais uma saudade" (de José Maria de Abreu e Osvaldo Santiago), as três de 1937; "Linda borboleta" e "Mares da China" (de João de Barro e Alberto Ribeiro, 1938); "Salão grená" (de Paulo Barbosa e Francisco Célio, 1939); "Roleta da vida" (de Heriberto Muraro e Osvaldo Santiago, 1940); a carnavalesca "Nós queremos uma valsa" (de Nássara e Frazão, 1941); "Gira, gira, gira" (de Custódio Mesquita e Evaldo Rui, 1944); e "Bodas de

Mais um dos Quatro Grandes, Carlos Galhardo foi o maior intérprete da valsa romântica brasileira.

prata" (de Roberto Martins e Mário Rossi) e "Será?" (de Mário Lago), 1945. Mas Galhardo brilhou também cantando em outros ritmos, como o das marchas "Carolina" (de Bonfiglio de Oliveira e Hervê Cordovil, 1934) e "Alá-lá-ô" (de Nássara e Haroldo Lobo, 1941), do fox "Rosa de maio" (de Custódio Mesquita e Evaldo Rui, 1944) e dos sambas "Sei que é covardia" (de Ataulfo Alves e Claudionor Cruz, 1940) e "Disse me disse" (de Pedro Caetano e Claudionor Cruz, 1945).

Um dos cantores brasileiros de maior discografia, Carlos Galhardo empregou seus últimos anos em programas de televisão, gravações de alguns LPs e, principalmente, no trabalho na Socinpro (Sociedade Brasileira de Intérpretes e Produtores de Fonogramas), entidade que ajudou a fundar e da qual foi presidente e diretor. Ao morrer, em 1985, completara trinta anos de um casamento que lhe deu três filhos.

34. O CINEMA MUSICAL BRASILEIRO

Apenas cinco meses depois da chegada do cinema sonoro ao Brasil — com o filme *Alta traição*, em abril de 1929, como foi dito —, era lançado em São Paulo *Acabaram-se os otários*, o primeiro longa-metragem brasileiro inteiramente falado e cantado, inclusive com sincronização de ruídos. Deveu-se a façanha ao legendário cineasta Luiz (Lulu) de Barros, que o escreveu, dirigiu e montou para uma produtora intitulada Synchrocinex, da qual era sócio. *Acabaram-se os otários* era uma comédia musical que narrava as aventuras na capital paulista de dois caipiras e um colono italiano, interpretados por Genésio Arruda, Tom Bill e Vincenzo Caiaffa. Completavam o elenco Margareth Edwards, Rina Weiss, Gina Bianchi, Açucena Fonseca, o cantor-compositor Paraguaçu (Roque Ricciardi) e uma tal Miss Florinda. Sonorizado por Moacir Fenelon, um técnico de som formado nos Estados Unidos e que na ocasião trabalhava numa casa de aparelhos de rádio, o filme apresentava as canções "Bem-te-vi" e "Sol do sertão", de Paraguaçu, e o futuramente célebre choro "Carinhoso", de Pixinguinha, ainda sem letra. Embora espinafrado por um crítico, que o considerou "uma pachouchada (sic) ridícula", *Acabaram-se os otários* foi um sucesso, tendo sido assistido só na primeira semana por 35 mil espectadores.

Em outubro de 1931, coube ainda a São Paulo mais um feito pioneiro no cinema nacional, o lançamento de *Coisas nossas*, considerado o primeiro filme musical brasileiro. Êxito absoluto, esta produção de Byington & Cia. concretizou-se graças, principalmente, à atração que sentia pelo cinema musical o empresário americano Wallace Downey, ligado à gravadora Columbia. Dirigido por ele, *Coisas nossas* mostra uma sucessão de quadros artísticos com cantores e atores do rádio e do teatro paulistas (na maioria) e cariocas, como o ventríloquo Batista Júnior, a menina Dircinha, sua filha, Zezé Lara, Alzirinha Camargo, Arnaldo Pescuma, Procópio Ferreira e a dupla Jararaca e Ratinho. De sua trilha sonora tem-se notícia apenas da canção "Saudades" (de Marcelo Tupinambá), com a grã-fina Helena Pinto de Carvalho, dos temas populares "Bambalelê" e "Batuque, dança do Quilombo dos Palmares", arranjados e cantados por Stefana de Macedo, e do choro "Tico-tico no fubá" (de Zequinha de Abreu), com a Orquestra Columbia, dirigida por Gaó. Não é verdadeira a afirmativa de alguns historiadores, que inclui o samba "Coisas nossas", de Noel Rosa, somente composto em 1932.

A razão do êxito desse filme, desprovido de enredo e pobremente realizado, consistia tão somente na apresentação na tela de cantores do rádio interpretando seu repertório. Isso vinha demonstrar que, não havendo ainda televisão, o cinema poderia ser usado com sucesso para levar ao público a imagem de seus ídolos, que ele ansiava por conhecer cantando, falando, movimentando-se e não apenas por meio de fotografias. Daí a presença de praticamente todos os nossos grandes cantores em filmes no período 1933-1957.

E uma longa série de sucessos então se iniciou com duas produtoras do Rio de Janeiro — a Cine-Som e a Cinédia —, que, aproveitando a animação do carnaval de 1933, tomaram a iniciativa de realizar os primeiros musicais carnavalescos do cinema brasileiro. A modesta Cine-Som lançou um média-metragem, intitulado *Carnaval de 1933*, dirigido por Léo Marten e Fausto Muniz, que misturava cenas documentais com outras rodadas em estúdio, mostrando artistas como Genésio Arruda, os Irmãos Tapajós e a dupla Jonjoca e Castro Barbosa.

Já a Cinédia, melhor aparelhada, produziu o longa *A voz do Carnaval*, primeiro filme nacional com o som gravado na película pelo sistema óptico Movietone. Também semidocumentário, com cenas de rua e de bailes, como o das atrizes, e sequências produzidas em estúdio, este filme é um marco na cinematografia brasileira, pois estabeleceu o esquema básico do musical carnavalesco, ou seja, quadros musicais entremeados por anedotas, que seria adotado por muitos anos. Dirigido por Ademar Gonzaga e Humberto Mauro, *A voz do Carnaval* mostrava o cômico Pablo Palitos, no papel do Rei Momo, Elza Moreno, Jararaca, Apolo Correia, Gina Cavalieri, Regina Maura, Sara Nobre, Edmundo Maia, a estreante Carmen Miranda, cantando na Rádio Mayrink Veiga "Good bye" (de Assis Valente) e "Moleque indigesto" (de Lamartine Babo) e vários outros artistas. Na parte musical, além das duas composições citadas, uma profusão de marchas e sambas como "Linda morena", "Aí, hein" e "Boa bola" (de Lamartine Babo, sendo a última com Paulo Valença), "Fita amarela" (de Noel Rosa), "Vai haver barulho no chatô" (de Noel e Valfrido Silva), "Trem blindado" e "Moreninha da praia" (de

João de Barro), "Formosa" (de Nássara e J. Rui), "Macaco olha o teu rabo" (de Benedito Lacerda e Gastão Viana) e outras menos conhecidas.

Cada vez mais interessado em filmes musicais, mas não dispondo de aparelhagem e estúdios à altura dos que a Cinédia possuía, o empreendedor Wallace Downey se associaria então a Ademar Gonzaga para a execução de seu projeto cinematográfico. Tal sociedade, intitulada Waldow-Cinédia, foi vantajosa para ambos — e também para o cinema nacional —, pois, unindo esforços, eles tiveram a oportunidade de oferecer um produto superior ao que realizariam isoladamente, dentro da precariedade de recursos disponíveis na época.

Como até então centralizara suas atividades em São Paulo, Downey não estava familiarizado com o meio musical do Rio de Janeiro, onde atuava a maioria dos artistas de que precisava para os seus filmes. A fim de suprir essa deficiência, ele contratou, orientado pelo editor Vicente Mangione, os compositores cariocas Braguinha (João de Barro) e Alberto Ribeiro, que, aliás, haviam-se conhecido também por intermédio de Mangione.

Constituída no final de 1934, a Waldow-Cinédia entrou imediatamente em ritmo de produção para realizar e estrear seu primeiro filme, *Alô, alô, Brasil*, em janeiro de 1935, criando assim a praxe do lançamento de musicais carnavalescos nos dias que antecediam o carnaval. *Alô, alô, Brasil* apresentava canções, piadas e, entre um quadro e outro, as peripécias de um quixotesco radiomaníaco — interpretado por Mesquitinha — que desejava a todo custo encontrar a sua Dulcineia na figura de uma cantora de rádio. Sua trilha musical abrangia onze canções, das quais dez eram marchas: "Cidade maravilhosa" (de André Filho) e "Ladrãozinho" (de Custódio Mesquita), com a então iniciante Aurora Miranda; "Rasguei a minha fantasia" (de Lamartine Babo), com Mario Reis; "Deixa a lua sossegada" (composição de estreia da dupla João de Barro-Alberto Ribeiro), com Almirante e o Bando da Lua; "Salada portuguesa" (de Vicente Paiva e Paulo Barbosa), com Manoel Monteiro; "Menina internacional" (de João de Barro e Alberto Ribeiro), com Dircinha Batista e Arnaldo Pescuma; "Fiquei sabendo" (de Custódio Mesquita), com Elisa Coelho; "Muita gente tem falado de você" (de Mário Paulo e Arnaldo Pescuma), com Pescuma; "Garota colossal" (de Ary Barroso e Nássara), com Ary — composição, aliás, que seria cortada pela Censura, por reproduzir alguns compassos de nosso Hino Nacional —; e, no quadro de encerramento, "Primavera no Rio" (de João de Barro), cantada pela principal estrela do elenco, Carmen Miranda, trajando vaporoso vestido branco e chapelão de abas enormes. Fechava o repertório um solitário samba, o sucesso "Foi ela" (de Ary Barroso), na voz de Francisco Alves, sendo este e outros números acompanhados pela Orquestra de Simon Bountman. Além dos nomes citados, participavam do elenco Barbosa Júnior, Manoelino Teixeira, Afonso Stuart, Cordélia Ferreira, Jorge Murad (contando anedotas) e César Ladeira (na função de *speaker*, como se dizia na época). A produção era de Ademar Gonzaga e o argumento, de Braguinha e Alberto Ribeiro, que, além de arregimentarem os artistas, ajudaram Wallace Downey na direção. Estreando no Cine Alhambra, no Rio, em 28 de janeiro de 1935, *Alô, alô, Brasil* permaneceu três semanas em cartaz.

Mas as atividades da Waldow-Cinédia em 1935 não se limitaram a essa produção. *Alô, alô, Brasil* ainda percorria os circuitos exibidores e já a empresa aprontava em seus estúdios na rua Abílio, no bairro de São Cristóvão, a comedinha *Estudantes*, lançada no Rio e em São Paulo em julho, com Carmen Miranda, Mario Reis, Mesquitinha e Barbosa Júnior nos papéis principais. Embora não se tratasse de um musical, *Estudantes* incluía várias canções como a marcha "Linda Mimi" (de João de Barro), a toada "Assim como o rio" (de Almirante) e a marcha junina "Sonho de papel" (de Alberto Ribeiro).

Um espaço de apenas três meses separou esse lançamento do início das filmagens de *Alô, alô, Carnaval*, o musical da Waldow-Cinédia para o verão de 1936. A perspectiva de ampliação da plateia conquistada pelos filmes anteriores animou Gonzaga e Downey a empregar na nova produção o máximo de recursos que puderam mobilizar. Por isso, *Alô, alô, Carnaval* contaria com cenários mais ricos e maior número de estrelas no elenco, podendo ser considerado nosso melhor filme-revista da década de 1930.

Mais uma vez responsáveis pelo argumento, Braguinha e Ribeiro situaram seus personagens em um grande cassino (título a princípio cogitado para o filme), o que lhes proporcionava motivos para a apresentação dos quadros musicais. Nesse ambiente desenrolava-se a aventura de dois autores principiantes (Barbosa Júnior e Pinto Filho) que se empenhavam em convencer um poderoso empresário (Jaime Costa) a encenar uma revista escrita por eles. Naturalmente, tudo se encaminhava para um final feliz, com a apresentação do espetáculo, um alentado desfile de composições e anedotas: "A-M-E-I" (marcha de Nássara e Frazão), "Manhãs de sol" (marcha de João de Barro e Alberto Ribeiro) e "Comprei uma fantasia de pierrô" (samba de Lamartine Babo), com Francisco Alves; "Querido Adão" (marcha de Benedito Lacerda e Osvaldo Santiago) e "Cantores de rádio" (marcha de Lamartine Babo, João de Barro e Alberto Ribeiro), com Carmen Miranda, sendo a segunda em dupla com sua irmã Aurora; "Molha o pano" (samba de Getúlio Marinho e Cândido Vasconcelos), com Aurora Miranda; "Teatro da vida" (marcha de A. Vitor), "Cadê Mimi" e "Fra Diavolo no carnaval" (marchas de João de Barro e Alberto Ribeiro, sendo a última também de Carlos A. Martinez), com Mario Reis; "Pierrô apaixonado" (marcha de Noel Rosa e Heitor dos Prazeres) e "Maria, acorda que é dia" (marcha de João de Barro e Alberto Ribeiro), com Joel e Gaúcho e a participação da atriz Dulce Weytingh na segunda; "Pirata" e "Muito riso, pouco siso" (marchas de João de Barro e Alberto Ribeiro), com Dircinha Batista, na ocasião uma adolescente de 13 anos; "Negócios de família" e "Não resta a menor dúvida" (marchas de Hervê Cordovil, a primeira em parceria com Assis Valente e a segunda, com Noel Rosa), com o Bando da Lua; "Fox-mix" (fox-trot de Ari Fragoso, o Gato Félix) e "Seu Libório" (samba de João de Barro e Alberto Ribeiro), com Luís Barbosa; "As armas e os barões" (marcha de Alberto Ribeiro), com Almirante e Lamartine Babo; "Cinquenta por cento" (marcha de Lamartine Babo), com Alzirinha Camargo; "Não beba tanto assim" (marcha de Geraldo Decourt), com as Irmãs Pagãs; e três cantorias cômicas: "Tempo bom" (de João de Barro e Heloísa Helena), com Heloísa Helena e os "bêbados" Sidney Sharp, Jorge Fontenele, Evaldo Ferreira, Armando Couto e Nivaldo Carvalho; "Sonho de amor" ("Rêve d'amour", de Liszt), com Jaime Costa, de travesti, utilizando o canto em falsete de Francisco Alves; e uma paródia, de Alberto Ribeiro, sobre a "Canção do aventureiro" (da ópera *O Guarani*, de Carlos Gomes), com Barbosa Júnior. Os acompanhamentos ficaram a cargo da Orquestra de Simon Bountman, do Conjunto Regional de Benedito Lacerda e do pianista Heriberto Muraro. Estava ainda programada uma sequência com Araci de Almeida, no papel de uma lavadeira, cantando "Palpite infeliz" (de Noel Rosa), enquanto estendia roupa num varal. Mas a cena, considerada depreciativa pela cantora, foi cancelada, o que causou grande aborrecimento a Noel.

Afora os nomes mencionados, participaram do elenco Jorge Murad, Oscarito, Lelita Rosa, Henrique Chaves, Paulo de Oliveira Gonçalves e diversos rapazes e moças da sociedade que, indo ao estúdio para assistir às filmagens, acabaram colaborando como figurantes. Produzido por Ademar Gonzaga e Wallace Downey e dirigido por Gonzaga, *Alô, alô, Carnaval* seria lançado no Alhambra do Rio (em 20 de janeiro de 1936) e em seu homônimo paulista (em 3 de fevereiro de 1936), constituindo-se num êxito absoluto de bilheteria. Mas, apesar do sucesso, esta foi a última produção da Waldow-Cinédia. Pouco depois do seu lançamento, Downey se associaria a Alberto Byington Júnior para fundar a Sonofilmes, uma empresa que atuaria até meados dos anos 40. Por incrível que possa parecer, *Alô, alô, Carnaval* é o único filme musical brasileiro que restou de sua época, tendo sido restaurado por Alice Gonzaga, filha de Ademar Gonzaga, primeiro de forma parcial em 1975, e depois, em 2002, com acréscimo de cenas e a remasterização do som com tecnologia digital.

Ainda do início da era do cinema musical brasileiro, merecem ser citados dois filmes não carnavalescos, *Favela dos meus amores* (de 1935) e *Cidade mulher* (de 1936), realizados pelo trio Humberto Mauro (roteirista e diretor), Henrique Pongetti (argumentista) e Carmen Santos (produtora e atriz). *Favela dos meus amores* contava a história de dois sujeitos de classe média alta que cismavam em montar um cabaré no morro, com o apoio de um milionário português, louco por mulatas. Daí desenvolvia-se uma trama que misturava personagens de níveis sociais diferentes, como o malandro tuberculoso, a professorinha dedicada que renunciava à vida na cidade, o jovem grã-fino que por ela se apaixonava e o trovador que a amava sem ser correspondido, personagens respectivamente interpretados por Armando Louzada, Carmen Santos, Rodolfo Mayer e Sílvio Caldas. Integravam a parte musical algumas composições importantes como as canções "Torturante ironia" e "Quase que eu disse" (de Sílvio Caldas e Orestes Barbosa), os sambas "Arrependimento" (de Sílvio Caldas e Cristóvão de Alencar) e "Inquietação" (de Ary Barroso), a canção "Por causa dessa cabocla" (de Ary Barroso e Luís Peixoto) e outras que jamais seriam lançadas em disco como "Quando um sambista morre" (de Ary Barroso), "Tolinha" (de Custódio Mesquita) e uma composição de título igual ao do filme, de autoria de Nássara.

Não tão boa quanto a produção anterior, *Cidade mulher* era uma carinhosa homenagem ao Rio de Janeiro, com um grande elenco liderado por Carmen Santos, onde destacavam-se figuras como Mário e Zilka Salaberry, Jaime Costa, Sara Nobre, Maria Amaro, Bandeira Duarte e as então meninas Bibi Ferreira e Lourdinha Bittencourt. No repertório musical havia canções de Valdemar Henrique, Assis Valente, Heriberto Muraro e Raul Roulien, além das seis composições de Noel Rosa já mencionadas — "Tarzan", "Dama do cabaré", "Morena sereia", "Na Bahia", "Numa noite à beira-mar" e "Cidade mulher". Por sinal, esta última, uma vibrante marchinha, era cantada por Orlando Silva (que a gravou) e as Irmãs Pagãs.

Sendo *Tereré não resolve* (de 1938) apenas uma comédia romântica passada durante o carnaval, o primeiro filme a retomar o esquema de *Alô, alô, Carnaval* é *Banana da terra*, da Sonofilmes. Produzido por Downey e dirigido por Rui Costa, com argumento de Braguinha e Mário Lago — sobre uma ilha chamada Bananolândia, cujo grande problema era produzir bananas em excesso —, o filme estrearia no Cine Metro Passeio do Rio de Janeiro em 10 de fevereiro de 1939. Seus maiores méritos foram lançar Dorival Caymmi e transformar Carmen Miranda numa baiana estilizada, que lhe abriria as portas para uma carreira internacional. A canção que proporcionou este duplo sucesso foi "O que é que a baiana tem", de Caymmi, número principal de um repertório de onze composições, a maior parte de autoria de Braguinha: "Pirulito" (marcha de João de Barro e Alberto Ribeiro), com Carmen Miranda e Almirante; "A jardineira" (marcha de Benedito Lacerda e Humberto Porto), com Orlando Silva; "Sei que é covardia" (samba de Ataulfo Alves e Claudionor Cruz), "Sem banana macaco se arranja" e "Mares da China" (respectivamente, marcha e valsa de João de Barro e Alberto Ribeiro), com Carlos Galhardo; "Menina do regimento" (marcha de João de Barro e Alberto Ribeiro), com Aurora Miranda; "Tirolesa" (marcha de Paulo Barbosa e Osvaldo Santiago), com Dircinha Batista; "Eu vou pra farra" e "Não sei por quê" (marchas de João de Barro, sendo a segunda com Alcir Pires Vermelho), com o Bando da Lua; e "Amei demais" (samba de Castro Barbosa), com o autor. O elenco, integrado por artistas do rádio e do Cassino da Urca, incluía, além dos nomes citados, Oscarito, Lauro Borges, Linda Batista, Jorge Murad, Emilinha Borba, Neide Martins, Fernando Alvarez e Jack Lenny. A nota curiosa era o aproveitamento de Aloísio de Oliveira (do Bando da Lua) como galã, fazendo o par romântico com Dircinha Batista.

Nos anos seguintes, a Sonofilmes lançaria *Laranja da China* (1940) e *Céu azul* (1941), seus últimos filmes de carnaval, e *Abacaxi azul* (1944), um musical não carnavalesco, enquanto a veterana Cinédia — com *Samba em Berlim* (1943) e *Berlim na batucada* (1944) — e as novatas Panamerican e Régia — respectivamente, com *Vamos cantar* (1941) e *Entra na farra* (1943) — encerravam, pode-se dizer, a primeira fase de nosso cinema musical, a fase da pré-chanchada. De novidade nessas produções, apenas a presença de alguns artistas que então começavam a se projetar, como o conjunto vocal Anjos do Inferno, cantando a marcha "Cowboy do amor" (de Wilson Batista e Roberto Martins) e o samba "Helena, Helena" (de Antônio Almeida e Secundino) em *Céu azul*, e Dalva de Oli-

Dircinha Batista (1922-1999), sucesso no rádio e no cinema musical desde a adolescência.

veira, com a Dupla Preto e Branco, mais Grande Otelo, com o samba "Silenciar Mangueira, não" (de Herivelto Martins e o próprio Otelo) em *Berlim na batucada*.

Com um bombástico manifesto de lançamento que prometia "indiscutíveis serviços para a grandeza nacional", foi fundada no Rio de Janeiro em 18 de setembro de 1941 a Atlântida Empresa Cinematográfica do Brasil S.A. Seus fundadores eram Moacir Fenelon, Alinor Azevedo, Arnaldo Farias e os irmãos Paulo e José Carlos Burle, que, logo depois, conseguiriam atrair para a empresa o conde Pereira Carneiro, do *Jornal do Brasil*. Além do idealismo expressado no manifesto, seus signatários acreditavam na eficácia do decreto nº 21.240, assinado pelo presidente Vargas em 30 de dezembro de 1939, que procurava proteger o nosso cinema, obrigando cada sala de exibição a programar pelo menos um filme nacional por ano.

Assim, em meados de 1942, instalada com estúdio na rua Visconde do Rio Branco, 51, Zona Centro do Rio, a Atlântida começou a funcionar lançando seu jornal cinematográfico e a seguir, em fevereiro de 1943, *Astros em desfile*, seu primeiro média-metragem. Os astros, que desfilavam sob o comando de José Carlos Burle, eram Manezinho Araújo, Déo, Emilinha Borba, Luiz Gonzaga, Quatro Ases e um Curinga, Monteiro & Edelweiss, Chiquinho (nada a ver com o acordeonista) e Seu Ritmo e Grande Otelo, que cantava uma paródia do tango "Mano a mano". Mas cinejornais e médias-metragens, além de renderem pouco, estavam muito abaixo das pretensões artísticas da Atlântida, que queria fazer cinema para valer. Então, depois de desistirem de alguns projetos considerados inadequados ao público brasileiro, os dirigentes da empresa escolheram como tema para o seu primeiro longa-metragem uma biografia do ator Grande Otelo, que se chamou *Moleque Tião*. Realizado e lançado em 1943, o filme teve a direção de José Carlos Burle e contou no elenco com o biografado, coadjuvado por artistas como Lourdinha Bittencourt, Sara Nobre, Teixeira Pinto, Hebe Guimarães e o compositor Custódio Mesquita, que, além de atuar, contribuiu para a trilha sonora com os sambas "Mãe Maria" (com David Nasser), "Promessa" e "Pretinho" (com Evaldo Rui). Informa o historiador Sérgio Augusto (no livro *Este mundo é um pandeiro*) que *Moleque Tião*, apesar de "ter elevado o orçamento da produção de 180 para 240 contos de réis, acabaria rendendo cinco ou seis vezes mais", o que pode ser considerado um sucesso.

Entretanto, sofrendo ainda em 1943 um retumbante fracasso artístico e comercial com seu segundo longa, *É proibido sonhar*, de Moacir Fenelon, o que ocasionou a perda do apoio da Cooperativa Nacional de Filmes, o pessoal da Atlântida decidiu então apelar para a velha e boa fórmula dos musicais carnavalescos, filmando a comédia *Tristezas não pagam dívidas*. Foi assim que, no dia 21 de janeiro de 1944, estreou em São Paulo e duas semanas depois no Rio este filme inaugural do ciclo das chanchadas, que marcou a presença da Atlântida na história do cinema brasileiro. *Tristezas não pagam dívidas* tinha como personagens principais os viúvos Benevides (Jaime Costa) e Marieta Pilantrina (Ítala Ferreira), sendo que esta, achando Benevides a cara do falecido marido, conseguia convencê-lo a cumprir em sua companhia a última vontade do morto, ou seja, cair na folia carnavalesca. Daí o pretexto para a apresentação de números musicais como "Atire a primeira pedra" (samba de Ataulfo Alves e Mário Lago), com Emilinha Borba, "Laura" (samba de Ataulfo), com Sílvio Caldas, "Clube dos barrigudos" (marcha de Haroldo Lobo e Cristóvão de Alencar), com Linda Batista, "Embolada da pulga" (de Manezinho Araújo), com o autor, e "Alarga a rua" (samba de

O grande Oscarito entre os radialistas Héber de Boscoli, que atuou com Lamartine Babo no programa "O Trem da Alegria", e Vitor Costa, diretor da Rádio Nacional.

Roberto Martins, Paulo Barbosa e Osvaldo Santiago), com Oscarito, que fazia o papel de filho maluco da viúva. Participavam ainda do elenco Grande Otelo, Ataulfo Alves, Blecaute, Zilah Fonseca, Quatro Ases e um Curinga, Restier Júnior, Norma de Andrade, Joel e Gaúcho, Sandro Polônio, as bailarinas de Yuco Lindberg e vários outros nomes. A direção e o argumento eram de Rui Costa, que, por desavença com Fenelon, deixou as filmagens, sendo estas concluídas por José Carlos Burle.

Tristezas não pagam dívidas foi também o primeiro dos treze filmes da dupla Oscarito-Grande Otelo. Na verdade, eles já haviam atuado juntos nos filmes *Noites cariocas* e *Céu azul*, porém sem formar uma dupla. A conjunção dos talentos desses dois extraordinários atores acabou por dotar as chanchadas de um novo atributo. Além da habitual atração exercida pelos cantores do rádio, os espectadores podiam agora também curtir as graças de Oscarito e Otelo. E isso iria ainda beneficiar indiretamente outros personagens, como o vilão (muitas vezes interpretado por José Lewgoy), que passou a ter maior participação na trama, por conta de suas múltiplas desventuras, quase sempre causadas pelas artimanhas dos comediantes.

Então, a partir de 1947 e pela maior parte da década seguinte, com filmes muito mais bem realizados — a princípio sob a direção de Watson Macedo e depois de Carlos Manga —, a chanchada viveu sua fase de ouro, carreando milhões para os cofres da Atlântida. Só que a essa altura dos acontecimentos, seus fundadores, bem mais idealistas do que comerciantes, haviam cedido a empresa a Luís Severiano Ribeiro Júnior, que na época já era o feliz proprietário de um grande laboratório cinematográfico, uma distribuidora de filmes e um circuito exibidor que abrangia quase todo o Brasil.

35.
UM BAIANO CHAMADO DORIVAL

Foi na noite de 24 de junho de 1938, num programa da rádio Tupi de que participavam Herivelto Martins, Dalva de Oliveira e outros artistas da casa, que Dorival Caymmi ganhou seu primeiro cachê (30 mil réis) no rádio carioca. Após o baiano terminar o seu número, a canção "Noite de temporal", o locutor Carlos Frias informou: "o cantor que acabaram de ouvir encontra-se à disposição dos interessados na rua São José, 35, 1º andar". Hospedado neste endereço, uma modesta pensão, desde 4 de abril, quando, vindo de Salvador no navio Itapé, desembarcara no Rio, Dorival tentara até então, sem sucesso, realizar testes para cantor na Rádio Mayrink Veiga e para desenhista na revista *O Cruzeiro*.

Mas a oportunidade desejada não tardou. Em outubro de 1938, um desentendimento entre Ary Barroso e o produtor Wallace Downey, propiciou-lhe a inclusão de seu samba "O que é que a baiana tem", substituindo "Na Baixa do Sapateiro" (de Ary), no filme *Banana da terra*, cantado por Carmen Miranda. Com o sucesso da canção na tela (em fevereiro) e no disco (em abril) — gravada também por Carmen, ao lado do compositor —, Dorival Caymmi tornou-se de repente conhecido em todo o Brasil, um ano depois de sua chegada ao Rio.

Nascido em 30 de abril de 1914 na rua do Bângala (atual Luís Gama), em Salvador, Dorival é o segundo filho do casal Durval Henrique, o Ioiô, e Aurelina Cândida, a Sinhá. Sua cor mulata vem de Saloméa, a avó negra, e o sobrenome do bisavô Enrico Caimi (a grafia Caymmi foi criada depois, não se sabe por quem), um italiano que, contratado para trabalhar na construção do Elevador Lacerda, acabou por se fixar e constituir família na Bahia.

Estimulado por sua forte musicalidade, o futuro compositor começou a se familiarizar com o violão, aos 10, 11 anos, tocando num instrumento do pai, sob a orientação deste e de um tio materno, boêmio e bom violonista, chamado Alcides Soares, o Tio Cici. Mais adiante, já rapaz, passou a frequentar e, vez por outra, a cantar nas incipientes rádios baianas. Foi por essa época que se animou a formar com o irmão Deraldo e os amigos Zezinho (José Rodrigues de Oliveira) e Luís (irmão de Zezinho) um conjunto vocal. Esse quarteto seria batizado com o pitoresco nome de Os Três e Meio, sendo o "Meio" o baixinho Luís, pandeirista do conjunto.

Embora compondo desde a adolescência, Caymmi não gostava de incluir suas canções no repertório dos Três e Meio. Para isso concorria uma certa incompreensão dos amigos, um dos quais, Esmeraldo Fernandes, chegou a lhe aconselhar: "você canta umas macumbas... larga isso, rapaz, faz umas coisas bonitas...". Assim, fora do estilo "macumba", ele chegou a compor sambinhas à moda carioca, como "A Bahia também dá", com o qual venceu um concurso patrocinado pelo jornal *O Imparcial* no carnaval baiano de 1936. "Ganhei um tremendo abajur de cetim cor-de-rosa", relembrou muitos anos depois o compositor premiado.

Reconhecendo a impossibilidade de se sustentar cantando ou desenhando — outra arte para a qual sempre teve vocação — na acanhada Salvador da época, Dorival prestou, e foi aprovado em segundo lugar, um concurso para escrivão de coletoria de impostos em Irecê, no interior do estado. Cansado de esperar a nomeação, que jamais aconteceu (felizmente...), ele então resolveu tentar a profissão de vendedor, passando a percorrer a praça, muito a contragosto, a serviço de uma empresa de bebidas. O sacrifício durou até o dia em que bebeu o mostruário e, desiludido com a qualidade da mercadoria, abandonou a função.

Pouco depois, entretanto, um encontro casual com um amigo, Baby Soares, pianista de um navio do Loide Brasileiro, o ajudaria a optar por uma decisão que, na verdade, já estava em sua mente há algum tempo. Falante, bom argumentador, Baby num instante convenceu os Caymmi, pai e filho, que o futuro do rapaz estava no Rio de Janeiro. Daí, foi só pegar um ita no Norte para ir no Rio morar.

Em seus três primeiros anos de carreira, Dorival Caymmi lançou treze composições que se tornariam clássicos, várias delas feitas na Bahia. O mais importante é que esse repertório já apresentava três dos quatro segmentos básicos de sua obra, as vertentes baianas, ou seja, as canções praieiras — "Promessa de pescador", "Rainha do mar", "Noite de temporal", "O mar", "É doce morrer no mar" e "A jangada voltou só" —, os sambas de remelexo, inspirados nos sambas de roda — "O que é que a baiana tem", "O samba da minha terra", "Balaio grande", "Requebre que eu dou um doce" e "Você já foi à Bahia?" — e as canções desenvolvidas sobre motivos folclóricos — "A preta do acarajé" e "Roda pião". Isso mostra que, ao estrear no meio musical carioca, o jovem Dorival já era um compositor pronto para o sucesso, capaz de conquistar o grande público com a qualidade e a originalidade de seus versos e melodias. E de quebra, era também um ótimo cantor, com um vozeirão grave de barítono, quase baixo.

Logo adaptado à nova vida na então Capital Federal, sem perder a baianidade, Caymmi conheceu, apaixonou-se e, no dia em que completou 26 anos, casou-se com Stella Maris. A moça cantava no rádio e seu nome verdadeiro era Adelaide Tostes. Ao casar-se, deixou de cantar, mas continuou para sempre Stella. Dessa união nasceram Nana (Dinair), Dori (Dorival) e Danilo, que, a exemplo do pai, tornaram-se personagens da música popular brasileira.

Depois de um período em que predominaram sambas, lançados na maioria pelos Anjos do Inferno — "Rosa morena" e "Vatapá", 1942; "Acontece que eu sou baiano" e "Vestido de bolero", 1944; e "Doralice", parceria de Antônio Almeida, 1945 — e cujo maior sucesso foi o samba "Dora" (1945), o compositor inaugurou em 1947 o quarto grande segmento de sua obra, o dos requintados sambas-canção de inspiração carioca, precursores da moderna canção brasileira. Marcou o início desse segmento a obra-prima "Marina", um de seus maiores sucessos. Gravada quase simultaneamente por Francisco Alves, Nelson Gonçalves, Dick Farney e o autor, "Marina" quebrou a praxe até então vigente de que só o lançador de uma composição tinha o direito de gravá-la.

O ano de 1947 marcou também o início da melhor fase da carreira de Dorival Caymmi, em que ele compôs o maior número de sucessos, mais gravou e mais foi gravado. Nesta fase, que se estendeu até 1957, destacam-se os sambas-canção "Saudade", com Fernando Lobo (1947), "Adeus" (1948), "Nunca mais" (1949), "Você não sabe amar", com Carlos Guinle e Hugo Lima (1950), "Sábado em Copacabana" (1951) e "Não tem solução", com Carlos Guinle, e "Nem eu" (os dois últimos em 1952), "Só louco" (1955), além do citado "Marina"; as canções praieiras "Lenda do Abaeté" e "Saudade de Itapuã" (1948), "O bem do mar" e "Quem vem pra beira do mar" (1954) e a suíte "História de pescadores" (1956); as canções sobre temas folclóricos "Sodade matadera" (1948) e "Eu fiz uma viagem" (1956); e os sambas "Lá vem a baiana" (1947), "João Valentão" (1953), "Maracangalha" (1956) e "Saudade da Bahia" (1957), constituindo os três últimos autênticos megassucessos. Uma nota curiosa na biografia de Caymmi nesse período é a sua atuação como ator

O astro Dorival (1914-2008) e sua filha, a cantora Nana Caymmi.

no filme *Estrela da manhã*, baseado num argumento de Jorge Amado e dirigido pelo crítico Jonald (Osvaldo Marques de Oliveira), em 1949. Em sua própria definição, ele fazia um galã rústico, na figura de um pescador, que disputava e perdia para um médico (vivido por Paulo Gracindo) o amor da heroína (Dulce Bressane).

A partir do final dos anos 50, Caymmi diminuiu suas atividades musicais, embora registrando esporadicamente sucessos, como o samba-valsa "Das rosas" (1965) e as canções "Oração de Mãe Menininha" (1972), "Modinha para Gabriela (1975) e a densa "Sargaço mar" (1985). Daí a limitação de sua obra a somente 120 composições, segundo o levantamento realizado por sua neta e biógrafa Stella Caymmi, publicado no livro *Dorival Caymmi: o mar e o tempo*. Desse total, dezoito permaneciam inéditas em disco até o ano de 2001.

Impressionando pela simplicidade da linguagem, a obra caymmiana tem letras e melodias extraordinariamente trabalhadas, com as palavras casando-se com as notas adequadas, num exercício de paciência perfeccional. Isso justifica a lentidão do seu método de compor, em parte responsável pela fama de preguiçoso que o persegue. O samba "João Valentão", por exemplo, levou nove anos para ser aprontado e mais sete para ser gravado... Nesta e em várias outras composições, principalmente nas praieiras, ressalta uma faceta bem característica de seu estilo, o teor descritivo-pictórico das letras, uma influência do pintor que coexiste com o poeta, o cantor e o compositor Dorival Caymmi.

Um intuitivo, ele procurou ouvir desde cedo a boa música, de Mozart e Bach a Fauré e Debussy, apreciou os sambas de Sinhô, Noel e Ary e encantou-se com o mar e o folclore de sua terra, enquanto no campo da literatura enfronhava-se nos escritos de Neruda, Drummond, Manuel Bandeira e do amigo Jorge Amado. Sem imitar ninguém, reelaborou todas essas influências e criou seu estilo original e único, ao mesmo tempo brasileiro e universal. Imprimindo em tudo o que compôs sua marca inconfundível, não tem, pode-se afirmar, antecessores nem sucessores musicais. Sua música independe de correntes, escolas ou modismos, soando atual em qualquer época, como soava nos anos 50, quando foi incorporada por cultores da bossa nova. É absolutamente atemporal.

Depois de mais de sessenta anos de atividade artística, reconhecido nacional e internacionalmente como um dos maiores compositores e cantores da música popular brasileira, o nonagenário Dorival Caymmi manteve, neste século XXI, sempre ao lado da mulher Stella, uma rotina de vida simples e sossegada, bem diferente da movimentada existência que experimentou no auge da carreira. Essa vidinha tranquila, sem compromissos, tão almejada pelo artista, nunca sofreu alterações, mesmo passando-se ora numa, ora noutra de suas duas residências, o apartamento em Copacabana e a casa em Pequeri, o primeiro à beira-mar e a segunda ao pé das serras mineiras. Caymmi morreu em 16 de agosto de 2008; onze dias depois, se foi também a sua querida Stella.

36.
OS CAIPIRAS CHEGAM AO DISCO

Certo dia, no final de 1928, o folclorista Cornélio Pires dirigiu-se ao escritório da Byington & Cia., empresa paulista que acabara de assumir a representação da gravadora Columbia no Brasil. Apaixonado pela cultura caipira, ele queria levá-la para o disco e para isso precisava da aprovação do americano Wallace Downey, supervisor artístico da gravadora. Como Downey ainda não falava o português, Cornélio trazia consigo, para servir de intérprete, seu jovem sobrinho Ariovaldo Pires, que tinha noções de inglês. Sentindo-se incapacitado de resolver a questão, Downey encaminhou os dois ao dono da empresa, Albert Jackson Byington Junior. Este, secamente, rejeitou a proposta, alegando que não existia mercado para o gênero. Mas o obstinado Cornélio insistiu em patrocinar o empreendimento. Então, Byington, ansioso para livrar-se dos caipiras, fez exigências que considerava desanimadoras: tiragem mínima de 1 mil exemplares para cada disco gravado e pagamento adiantado em dinheiro vivo.

Uma hora depois dessa conversa, Cornélio Pires voltava à sala de Byington, sobraçando volumoso embrulho em papel de jornal. Era o "dinheiro vivo" que acabara de conseguir, emprestado por um amigo português dono de joalheria. E para surpresa de Byington, foi logo encomendando e pagando 5 mil exemplares de cinco discos diferentes, ou seja, um total de 25 mil discos, de nada adiantando a advertência de que nem os artistas famosos da época faziam jus a uma tiragem daquelas.

Em maio de 1929, saíram os primeiros discos caipiras — seis e não cinco, como havia sido acertado —, com numeração (20000 a 20005) e selo próprios (embora sob a marca Columbia), uma exigência do cliente. Das doze faces apresentadas, nove eram classificadas como anedotas ("Astúcia de negro velho", "Batizado do sapinho", "Numa escola sertaneja" etc.), sendo musicais as três restantes ("Desafio entre caipiras", "Verdadeiro samba paulista" e "Danças regionais paulistas"). Conforme os selos, Cornélio Pires participava de todas elas, contando as anedotas e cantando com a sua "Turma Caipira". Não havia indicação de autorias.

Recebida a encomenda, o empresário-intérprete-produtor tornou-se também vendedor, partindo com dois carros, o segundo abarrotado de discos, em direção a Bauru. No meio da viagem, ao chegar a Jaú, o estoque já estava esgotado, o que o obrigou a pedir nova tiragem. O sucesso dessa série prosseguiu até o início de 1931, já com Cornélio cedendo à Columbia sua distribuição, ou seja, a parte do leão do negócio.

No total foram 53 discos, dos quais dois são reedições. Divididos em cinco segmentos — as séries humorística, folclórica, regional, patriótica e de serenatas —, os discos apresentam anedotas, imitações, contradanças, valsinhas, toadas e, principalmente, modas de viola. São coisas como "O bonde camarão", "Na asa do beija-flô", "Coração amagoado", "O leilão das moça", "Jorginho do sertão" (primeira moda de viola gravada), "Galo sem crista" e "A fala de nossos bichos", cantadas, recitadas ou faladas por gente como Arlindo Santana, a dupla Mariano e Caçula, Antônio Godoy, Luizinho, Bico Doce (Raul Torres), Sebastião Arruda, Zé Messias e Cornélio Pires, que participou de todas as faixas. A maior parte desses caipiras foi recrutada em Piracicaba e adjacências. Alguns deles, como Raul Torres, Arlindo Santana, Mariano e Caçula, logo se tornariam conhecidos no país.

Descendente de bandeirantes, o paulista de Tietê Cornélio Pires (13 de julho de 1884-17 de janeiro de 1958) foi assim o grande pioneiro na divulgação da cultura de seu povo, escrevendo livros (mais de vinte), fazendo palestras, organizando apresentações de violeiros e cantadores e finalmente consagrando-se como o homem que, ao levar seus matutos para o disco, abriu as portas da mídia ao universo da cultura caipira. Naturalmente, já haviam acontecido anteriormente gravações de gêneros musicais rurais cultivados no país. Foram, entretanto, gravações com cantores urbanos como Cadete, Bahiano, Eduardo das Neves, ao contrário dos caipiras autênticos de Cornélio Pires. Na verdade, o incansável Cornélio poderia até ter enriquecido com suas múltiplas atividades, o que não aconteceu. A razão é que ele era muito mais idealista do que comerciante.

Não é por acaso que as modas de viola predominam no repertório desses discos pioneiros. São 26 nos 102 fonogramas editados. Parte do catira que caiu no gosto do povo e ganhou vida autônoma, a moda de viola é a expressão musical maior do artista caipira. Definida no dicionário *Novo Aurélio* como "habitante do campo ou da roça, particularmente os de pouca instrução e de convívio e modos rústicos e canhestros", a palavra caipira tem dezenas de sinônimos como beiradeiro, canguçu, capiau, guasca, jeca, matuto, roceiro, tabaréu etc. De etimologia controvertida, o termo é definido por João Luís Ferrete (no livro *Capitão Furtado, viola caipira ou sertaneja?*) como o possível resultado da contração das palavras tupis "*caa*" (mato) e "*pir*" (que corta), o que faz sentido, pois o trabalho mais comum de nosso antigo caboclo era cortar mato, a fim de abrir trilhas ou de limpar terrenos para plantações.

Já o catira ou cateretê é uma dança rural das regiões Sudeste e Centro-Oeste, originária de uma antiquíssima dança indígena, que o padre José de Anchieta adaptou para as festas católicas. No primeiro século da colonização, ele a usava para fazer o índio dançar e cantar textos cristãos traduzidos para o tupi. Mantendo alguns traços originais de sua remota estrutura, os catireiros alternam canto e dança com vigorosos batimentos de palmas e pés. Rosa Nepomuceno (em seu livro *Música caipira: da roça ao rodeio*) explica: "O catira tem momentos bem definidos: no início, é moda de viola, narrando fatos e histórias de santos, entrecortados por ponteados de viola (os solos). Nesse ponto as danças evoluem. O desfecho é chamado de recortado, quando as 'peripécias' com o sapateado chegam ao clímax e a cantoria se mistura a elas". Ainda sobre cateretê, afirmava Sílvio Romero que o termo já designou também baile popular, em Minas Gerais.

Outros gêneros caipiras são: o cururu, nome de antiga dança indígena, mas, que, na atualidade, designa no interior paulista um desafio improvisado entre cantadores; o calango, dança e canto populares no Rio de Janeiro, Minas Gerais e no Nordeste (só o canto), em que o solista canta quadrinhas, enquanto o coro repete o refrão; os vários tipos de música que na região Sul existem em função das danças de roda englobadas sob o título de fandango, ou seja, a tirana, o cerra-baile, a cana-verde, o recortado, o nhô-chico, a chimarrita etc. E finalmente as tradicionais toadas, valsinhas, polquinhas e batuques sertanejos. A propósito, com estilizações principalmente sobre esses últimos, o compositor paulista Marcelo Tupinambá (1892-1953), cujo nome verdadeiro era Fernando Lobo, construiu vasta obra de grande sucesso nas décadas de 1910 e 1920 — "Maricota sai da chuva", "Viola cantadeira", "Tristeza de caboclo" —, que inclui até suítes, bailados e operetas.

Muito difundida em Portugal no século XVI e introduzida no Brasil já no início da colonização, a viola é a companheira inseparável do caipira, seu principal instrumento de acompanhamento. E assim continuou sendo, juntamente com o violão, quando a música caipira chegou ao disco, ao rádio e à televisão, geralmente cantada por duplas. O violeiro-compositor-pesquisador Roberto Corrêa usa o termo "viola de arame" para denominar todas as espécies de violas oriundas da viola portuguesa. A razão é definir de forma genérica e inequívoca o instrumento, uma vez que a palavra, sem adjetivação, é utilizada também para denominar a viola de cordas friccionadas da família do violino e, em certas regiões de Portugal, o próprio violão.

No Brasil, de um modo geral, a viola de arame tem dez cordas, dispostas em cinco ordens de cordas duplas. Mas há ainda violas de doze, onze, nove, oito, sete, seis e até de cinco cordas. Quanto às afinações, são bem variadas. Roberto Corrêa (em seu livro *A arte de pontear viola*) descreve e comenta 32 delas. Já sobre os tamanhos, não há propriamente uma padronização. A variação vai das pequenas machetes, do interior baiano, às de tamanho grande, encontradas no litoral do Paraná. Predominando a confecção artesanal até as primeiras décadas do século XX, a fabricação de violas brasileiras passou ao encargo de empresas especializadas, à proporção que se desenvolveu nossa indústria de instrumentos musicais.

Conforme foi dito, vários componentes da turma de Cornélio Pires logo ganharam popularidade, o mesmo acontecendo com os da turma da gravadora Victor, formada no final de 1929. Um desses artistas, que entrou para a história como a mais famosa figura da música caipira nos anos 30 e 40, é o cantor, compositor e violeiro Raul Torres (11 de julho de 1906-12 de julho de 1970). Filho de imigrantes espanhóis, nascido em Botucatu (SP), então movimentado centro de atividades de fazendeiros, lavradores, tropeiros e... violeiros, Torres mudou-se adolescente para a capital, onde começou a trabalhar como entregador de lenha e carvão. Aos 21 anos, já exercendo a profissão de cocheiro, com ponto na Estação da Luz, ele aproveitava todas as oportunidades que surgiam para exibir-se em bares, circos e teatros. Por essa época, atraído pela cantoria dos Turunas da Mauriceia, tornou-se também um exímio cantor de emboladas, gênero que passou a intercalar com as modas caipiras.

Em 1930, depois de lançar um disco no selo Brasilphone (em 1927) e de participar de vários outros, com o pseudônimo de Bico Doce, na série de Cornélio Pires, Raul Torres já era bastante conhecido no meio artístico, sendo convidado a gravar na Parlophon. Seu primeiro sucesso, a moda de viola "Boi amarelinho", de sua autoria, aconteceu no final de 1933, quando foi gravada em dupla com Ascendino Lisboa. O segundo, a batucada "A cuíca tá roncando", lançada por ele em agosto de 1934, ultrapassou as fronteiras do mundo rural, para consagrar-se como uma das músicas mais cantadas no carnaval carioca de 1935. Neste mesmo ano, excursionou ao Paraguai, familiarizando-se com a música local, sendo, possivelmente, o primeiro brasileiro a compor rasqueados. Ainda em 1935, Raul Torres iniciou sua parceria com João Batista da Silva, o João Pacífico (5 de agosto de 1909-30 de dezembro de 1998), um dos maiores compositores da música caipira. Neto de escravos, nascido numa fazenda em Cordeirópolis (SP), Pacífico deixou (segundo Rosa Nepomuceno) 256 músicas gravadas, 36 das quais com Raul Torres. Pertencem à dupla clássicos como "Chico Mulato", "Cabocla Teresa" — a canção preferida de Torres —, "Cadê minha morena", "Pingo d'água" e o megassucesso "A moda da mula preta", um tema adaptado do folclore mineiro.

Durante sua carreira, Torres formou duplas com vários violeiros — Joaquim Vermelho, Ascendino Lisboa, Mariano, João Pacífico, Serrinha e Florêncio — sendo as duas últimas as de maior duração. Outros sucessos de sua autoria são "Mandei benzer", "Carnavá da bicharada", "Boiada cuiabana", "Meu cavalo zaino", "Do lado que o vento vem", mais a velha valsa "Saudades de Matão" (de Jorge Galati), para a qual compôs letra em 1938. Depois de uma intensa atividade de mais de 25 anos, a carreira de Raul Torres começou a declinar na segunda metade dos anos 50. Mesmo assim, ainda lhe restaria prestígio para gravar seis LPs, que, somados a dezenas de discos de 78 rotações, atingiriam um total de quase quinhentos fonogramas. Uma curiosidade: nomeado em 1924 para a Estrada de Ferro Sorocabana, como lenheiro, passando depois a escriturário, Torres conseguiu preservar o emprego, apesar da vida artística, aposentando-se em 1954.

Outra figura de grande expressão na primeira geração de caipiras do rádio e do disco é o poeta, ator, produtor, escritor, conferencista e radialista tieteense Ariovaldo Pires, o Capitão Furtado (31 de agosto de 1907-10 de novembro de 1979). Sua entrada no meio artístico aconteceu quando ele, acompanhando o tio Cornélio Pires em seu primeiro contato com a gravadora Columbia, conheceu Wallace Downey, que o contratou como secretário. Pouco depois, no início de 1929, quando a Rádio Cruzeiro do Sul, pertencente ao Grupo Byington, começou suas transmissões regulares, Ariovaldo iniciava também as atividades como radialista, escrevendo programas e interpretando personagens criados por ele próprio.

Ao mesmo tempo, estreava como letrista, ao ser lançada a toada "Coração", de Marcelo Tupinambá, cujos versos são de sua autoria. Pelos próximos cinco anos ele seria elemento-chave na Cruzeiro do Sul, não só atuando ao microfone como organizando programas, entre os quais o de calouros, então novidade, apresentado por Celso Guimarães. É desse período seu primeiro grande sucesso radiofônico, o programa "Cascatinha do Genaro".

No ano de 1934, Ariovaldo Pires e todo o elenco de Cascatinha do Genaro transferiram-se para a então recém-inaugurada Rádio São Paulo. Meses depois, procurando uma dupla para atuar no filme *Fazendo fita*, de Vitorio Capellaro, descobriu na própria rádio Alvarenga e Ranchinho, que cantavam tangos, transformando-os em caipiras. Em 1936, após ganhar um concurso de músicas para o carnaval paulista, com a marcha "Mulatinha da caserna" (com Martinez Grau), Ariovaldo, que na ocasião já adotara o pseudônimo de Capitão Furtado, aproveitou o dinheiro do prêmio para, em companhia de Alvarenga e Ranchinho, tentar a sorte no Rio de Janeiro. Iniciou-se então a melhor fase de sua carreira, quando passou a atuar na Rádio Tupi carioca e teve gravada uma série de sucessos de sua autoria: as modas de viola "Itália e Abissínia", "Liga dos bichos", "A baixa do café", "A moda do beijo", a toada "Lição de geografia" e o cateretê "Caboclo viajado". Todas essas composições tinham a parceria de Alvarenga e Ranchinho e eram gravadas por eles. Outros sucessos desta fase são o monólogo "Descobrimento da América", gravado por ele, a moda de viola "Caipira em Hollywood", sua e da atriz Alda Garrido, gravada pelos dois, o disco de imitações *Amanhecer no sertão*, que ele gravou com Laureano e Dulce Malheiros, e a peça *O tesouro do sultão*, vencedora de um concurso promovido pelo Serviço Nacional de Teatro e montada por Jardel Jercolis, com música de Radamés Gnattali. Em 1939, insatisfeito com a Rádio Nacional, para a qual se transferira, voltou a São Paulo, onde criou, na Rádio Difusora, o Arraial da Curva Torta. Nesse programa, que permaneceu no ar durante vários anos, revelou inúmeros artistas, como a dupla Tonico e Tinoco, a cantora Hebe Camargo — então adolescente e que formava com a irmã Estela a dupla Rosalinda e Florisbela —, o sambista Blecaute e os acordeonistas Mário Zan e Orlando Silveira.

Sempre compondo, chegou ao sucesso nos anos 40 com a moda de viola "De madrugada", parceria e gravação de Xerém e Bentinho, a toada "Sonho de matuto" (com Laureano), gravação de Nhá Zefa e o Quarteto de Bronze, a toada "A carta do expedicionário" e as modas "O mundo daqui a cem anos" e "Salada internacional", as três em parceria e gravação de Palmeira e Piraci. No mesmo período, compôs fora do âmbito caipira alguns sucessos como as valsas "E o vento levou" (com Jerônimo Cabral) e "Linda flor que morreu" (com J. Soares), lançadas, respectivamente, por Orlando Silva, no auge da carreira, e Gilberto Alves. Fez também versões para músicas estrangeiras, entre as quais "Jambalaya", "Lili Marlene" e "Violetas imperiais". Depois de uma temporada em Salvador, onde dirigiu a Rádio Excelsior, Ariovaldo Pires entrou pelos anos 50 atuando na Rádio Cultura paulista e em seguida na Difusora. A partir de 1956, passou a coordenar programas patrocinados pela empresa São Paulo Alpargatas. Sem jamais deixar de trabalhar, dedicou seus últimos anos à atividade de pesquisador musical.

Cantando em terças, com a segunda voz sendo sempre a mais grave, proliferaram nas décadas de 1930 e 1940 as duplas caipiras, algumas delas de muito boa qualidade. Assim, além dos citados Alvarenga e Ranchinho e Raul Torres e Serrinha, tiveram público fiel e numeroso Mandi (Manoel Rodrigues Lourenço) e Sorocabinha (Olegário José de Godoy), que começaram na Turma Caipira Victor como Lourenço e Olegário; Mariano e Caçula, respectivamente, pai e tio do popular tecladista Caçulinha; Zico Dias e Ferrinho; Nhá Zefa (Maria di Leo) e Nhô Pai (João Alves dos Santos); Nhô Nardo e Cunha Júnior; Laureano e Soares; e Lázaro e Machado. Mariano também formou duplas com Cobrinha, Laureano, Luizinho e Joanico. Das duplas surgidas nos anos 40, destacaram-se a citada Torres e Florêncio; Palmeira (Diogo Mulero) e Piraci; Serrinha e Caboclinho; as Irmãs Castro (Maria de Jesus e Lourdes); e Tonico (João Salvador Pérez) e Tinoco (José Pérez), a mais célebre e duradoura de todas as duplas, que gravou cerca de 1.400 fonogramas. São sucessos de Tonico e Tinoco clássicos como "Chico Mineiro" (Tonico e Francisco Ribeiro), "A cruz do caminho" (Arlindo Pinto e Anacleto Rosas Júnior), "Destinos iguais" (Ariovaldo Pires e Laureano), "Besta ruana" (Ado Benatti e Tonico) e "Camisa preta" (Tonico, Tinoco e Sebastião Oliveira), todos dos anos 40, e, mais adiante, "Casinha branca" (Anacleto Rosas Júnior e Tonico), "Moreninha linda" (Tonico, Priminho e Mariano) e "A marca da ferradura" (Lourival dos Santos e Riachão).

Outros nomes importantes da música caipira no período 1930-1950 são: o compositor paulista Anacleto Rosas Júnior (1911-1978), autor de dezenas de sucessos como "Cavalo preto", "Mestiça", "Rancho vazio" e "Baldrana macia" (os dois últimos com Arlindo Pinto); o acordeonista e compositor Mário Zan (João Zandomenighi), nascido em Roncade (Itália) em 1920 e vindo para o Brasil aos 4 anos de idade, autor do clássico "Chalana" (com Arlindo Pinto), falecido em Portugal em 2006; o compositor, cantor e radialista José Fortuna (1923-1993), nascido em Itápolis (SP) e autor de "Rancheiro triste" e da "Moda das flores" (com Raul Torres); o compositor paulistano Arlindo Pinto (1906-1968), parceiro de Anacleto Rosas Júnior e Mário Zan, como foi dito, e de outros nomes importantes como Palmeira, com quem fez "Nossa Senhora das Graças" e "Peão de classe"; e o compositor e instrumentista itaporanguense Angelino de Oliveira (1888-1964), que viveu a maior parte de sua vida em Botucatu (SP), autor do clássico dos clássicos da música caipira, a toada "Tristezas do jeca".

Pertencente a essa época, porém só descoberto em 1979, no Vale do São Francisco, é o fabuloso Zé Coco do Riachão (José Barbosa dos Santos), nascido em Riachão, no município de Brasília de Minas (MG), em 1911, e morto em 1998. Sapateiro, entalhador, marceneiro, carpinteiro, ferreiro, mas, sobretudo, tocador, fabricante e consertador de viola e rabeca, Zé Coco compunha belas melodias, sem possuir o menor conhecimento de teoria musical. Por tudo isso é considerado uma figura importante no universo da música caipira.

37.
O RIO DESCOBRE A MÚSICA NORDESTINA

Aos 14, 15 anos de idade, o compositor Elton Medeiros iniciava sua vida musical tocando saxhorne barítono[3] na Orquestra Juvenil de Estudantes. Patrocinada pela prefeitura carioca, a orquestra ensaiava na sede da Superintendência de Educação Musical e Artística (SEMA) do município, na rua Almirante Barroso, centro da cidade. Chefiava a portaria do edifício "Seu" João, um velhinho simpático, que estava sempre brincando e discutindo futebol com a moçada. Um dia, a responsável pela orquestra, Cacilda Campos Borges Barbosa, assistente de Villa-Lobos, interrompeu o ensaio de uma peça difícil, uma suíte sobre temas brasileiros, e mandou chamar "Seu" João. À chegada do porteiro, a maestrina sentou-se ao piano e começou a mostrar-lhe trechos da composição, comentando detalhes da orquestração e pedindo-lhe opiniões. Percebendo então o espanto de Elton, seu colega, o trombonista José da Silva, explicou-lhe a razão da surpreendente cena: "Seu" João era João Pernambuco, o famoso violonista-compositor, introdutor da música nordestina no Rio de Janeiro e que cumpria na portaria da SEMA seus últimos anos como funcionário público subalterno.

Filho de família muito humilde, João Teixeira Guimarães nasceu em Jatobá, atual Petrolândia (PE), em 2 de novembro de 1883 e morreu no Rio de Janeiro (RJ), em 16 de outubro de 1947. Ferreiro de profissão, simplório e semianalfabeto, era possuidor de grande talento, tornando-se exímio violonista já na adolescência. Assim, em 1904, ao mudar-se para a então capital do país, trazia na bagagem, além do inseparável vio-

[3] Saxhorne é um termo formado pela associação do sobrenome francês "sax" e da palavra alemã "horne" (que significa trompa), para designar a mais completa família de instrumentos de bocal, inventada pelo fabricante de instrumentos belga Antoine Adolphe Sax (1814-1884). Segundo o *Dicionário de música* (de Tomás Borba e Fernando Lopes Graça), o saxhorne barítono é o quarto da família de seis, que começa com saxhorne sopranino e vai até o saxhorne contrabaixo, mais conhecido como tuba. A extensão musical de toda a família é de cinco oitavas e uma quarta (de si bemol 2 a mi bemol 5).

O violonista e compositor João Pernambuco (1883-1947), introdutor da música nordestina no Rio de Janeiro.

lão, um vasto conhecimento da cultura popular de sua região, adquirido no interior e na cidade de Recife. Sua escola foram as feiras livres, onde ouviu cantadores como Inácio Catingueira, Mané do Riachão, Romano da Mãe D'Água e Ugulino Teixeira, e violeiros como Cirino da Guajurema, Cego Sinfrônio, Falcão das Queimadas, Manoel da Cabeceira, Bem-te-vi, Mandapolão e Serrador, todos autênticos artistas populares.

Malhando ferro durante o dia e à noite tocando violão, João Pernambuco foi aos poucos conhecendo músicos da cidade — Quincas Laranjeira, Sátiro Bilhar, Donga, Pixinguinha, Mário Álvares — e firmando reputação no meio musical. Ao mesmo tempo em que apresentava aos cariocas os cocos, emboladas e toadas de sua terra, enfronhava-se ele mesmo nos segredos do choro. Ao chegar a década de 1910, dispondo de mais tempo para a música, pois havia sido nomeado servente da prefeitura, graças a seu admirador, o senador Pinheiro Machado, João já estava bem enturmado, tocando em clubes carnavalescos e frequentando redutos de músicos, como a festa da Penha.

Por essa época, atuando como uma espécie de assessor para assuntos sertanejos do poeta Catulo da Paixão Cearense — que jamais viveu no meio rural —, forneceu-lhe abundantes informações, que ele usaria em seus poemas. De quebra, deu-lhe ainda dois temas musicais que Catulo transformou nas canções "Caboca de Caxangá" e "Luar do sertão", esquecendo de mencioná-lo como parceiro. Sem muita noção do que representavam os direitos autorais de uma música célebre, João Pernambuco jamais tratou de reivindicá-los judicialmente, embora para isso contasse com o apoio de pessoas como Villa-Lobos, Almirante (Henrique Foréis Domingues) e Mozart de Araújo.

Por volta de 1913, juntamente com outros músicos, ele formou um bloco que, com o nome de Grupo de Caxangá, saiu às ruas com sucesso nos carnavais de 1914 a 1919. Como foi dito, este grupo seria o embrião dos Oito Batutas, conjunto ao qual o próprio João pertenceu por cerca de dois anos.

Admirado por todos, João Teixeira Guimarães chegou ao disco nos anos 20, tendo gravado como solista catorze fonogramas, com músicas de sua autoria, e vários outros como acompanhador. Já como autor, criou algumas dezenas de composições, entre as quais destacam-se as toadas "Vancê" (com E. Tourinho), "Cuscuz de Sinhá Chica" (com Junquilho Lourival) e "Preto no branco"; os cocos "Sodade cabocla" (com E. Tourinho) e "Bira o biro Iaiá"; a embolada "Seu Coitinho pegue o boi"; o baião "Estrela d'alva"; as canções "Currupião da lagoa" (com Junquilho Lourival) e "Estrada do sertão" (que recebeu letra de Hermínio Bello de Carvalho nos anos 80); e, no repertório instrumental, o jongo "Interrogando" e os choros "Graúna", "Brasileirinho", "Sons de carrilhões", "Magoado", "Recordando" e "Dengoso". Recolheu e arranjou, ainda, temas populares como as emboladas "Meu noivado", "Perigando" e "Ajueia Chiquinha", e as toadas "Catirina" e "Amô de caboclo", gravadas por Jararaca.

Em 1921, Os Oito Batutas realizaram uma temporada em Salvador e Recife. A excursão foi patrocinada por Arnaldo Guinle, que incumbiu Pixinguinha e João Pernambuco de fazerem uma pesquisa sobre temas populares nordestinos. Essa, aliás, era a segunda pesquisa encomendada à dupla pelo mecenas. A primeira, em 1919, cobrindo os estados de Minas e São Paulo, foi um fracasso porque os "pesquisadores" nada anotaram. Aborrecido com o fato, doutor Arnaldo chegou a declarar que "não queria mais negócio com os dois". Mas voltou atrás e, segundo Donga, "agora Pixinguinha trouxe tudo escrito direitinho". Infelizmente, não se tem notícia do paradeiro desse trabalho.

Estreando em Recife em 6 de julho de 1921, no Cine-Teatro Cassino Moderno, localizado na Praça da Concórdia, pertinho da rua Nova, na época a mais importante da cidade, Os Oito Batutas alcançaram grande sucesso. Abria seus espetáculos o conjunto Os Boêmios, formado por jovens músicos pernambucanos, que causou ótima impressão aos Batutas. Dessa admiração nasceu forte camaradagem e a sugestão de Pixinguinha para que Os Boêmios atuassem no Rio de Janeiro.

Não se fazendo de rogado, o grupo, rebatizado de Turunas Pernambucanos, rumou para o Sul, na terceira classe de um navio, em abril de 1922. Sua formação, segundo Almirante (no livro *No tempo de Noel Rosa*), era a seguinte: Jararaca (José Luís Rodrigues Calazans), violão e voz; Ratinho (Severino Rangel de Carvalho), saxofone; Cipoal (Cipriano Silva), viola; Sapequinha (Robson Florence), cavaquinho; Cobrinha (Adelmar Adour), pandeiro e ganzá; Sabiá (Artur Costa), reco-reco; e Bronzeado (Romualdo Miranda), violão. Logo o conjunto seria reforçado por Jacó Palmieri (pandeiro), João Pernambuco e Felinto Morais (violões).

Hospedados na casa de João, no atual Bairro de Fátima, o grupo exibiu-se inicialmente no Cine-Teatro Beira-Mar. Tal como o Grupo de Caxangá, os Turunas usavam chapelões com seus nomes artísticos escritos nas abas, sendo anunciados como "caboclos brasileiros" que cantavam "cantigas do sertão, emboladas e desafios". Obtendo sucesso, foram contratados pelo Cine Palais, onde permaneceram por vários meses, passando a seguir por outros cinemas como o Trianon e o Politeama. Além do grande êxito das emboladas "A espingarda, pá", "Sapo no saco" e da toada "Vamo apanhá limão", todas de Jararaca, o grupo impressionou com cantigas como "Vamos s'imbora Maria", "Passarinho verde" e "Meu cavaquinho" (de Jararaca) e choros como "Faz que olha" e "Vamos pra Caxangá" (de Ratinho). Encerradas as atividades nos palcos cariocas, os Turunas Pernambucanos foram contratados pela Companhia Abigail Maia para uma excursão ao Sul, chegando a atuar em Buenos Aires, onde o grupo se desfez. Pouco depois, em 1925, Jararaca (29 de setembro de 1896-9 de outubro de 1977) e Ratinho (1896-1972) passariam a formar uma das mais importantes e duradouras duplas caipira-humorísticas do rádio e do disco brasileiros.

Em 1927, com a temporada no Rio de mais um conjunto pernambucano, os Turunas da Mauriceia, completou-se o primeiro ciclo de sucesso da música nordestina fora de sua região. É ainda Almirante, no livro citado, quem informa a constituição do grupo: Augusto Calheiros, voz; João Miranda, bandolim; Romualdo Miranda, João Frazão e o cego Manoel de Lima, violões. Mesmo sem contar com o excepcional bandolim de Luperce Miranda, integrante da turma que na ocasião preferiu permanecer em Recife, os Turunas da Mauriceia suplantaram os Turunas Pernambucanos, alcançando estrondoso sucesso, que resultou na gravação inicial de dez discos (lançados pela Odeon em novembro de 1927) e na fixação do conjunto na capital do país, onde atuou por cerca de três anos. Suas músicas de maior êxito foram as canções "Único amor", "Na praia" e "Amor secreto", e as emboladas (classificadas nos discos como sambas) "O pequeno Tururu", "Pinião", "Indurinha de coqueiro", "Helena", "Pandeiro furado" e "Samba de Caná". Todas essas composições saíram na primeira edição dos discos sem indicação de autoria. Posteriormente, nas reedições, os nomes dos autores seriam identificados em algumas, como "Único amor" (Alfredo Medeiros e Armando Gayoso), "Na praia" (Raul C. de Morais), "Amor secreto" (Romualdo Miranda e Leovigildo Jr.), "O pequeno Tururu" e "Pinião" (Augusto Calheiros e Luperce Miranda). A propósito, a popularidade de "Pinião" atravessou todo o ano de 1927 para consagrar-se como a música mais cantada no carnaval de 1928.

Além da qualidade dos músicos, da beleza do repertório e da curiosidade despertada por suas vestimentas rústicas, os Turunas da Mauriceia contaram para conquistar a admiração dos cariocas com um grande trunfo, que foi a bonita voz de seu cantor solista Augusto Calheiros, a Patativa do Norte. Assim, o surpreendente sucesso daqueles caboclos acabaria contribuindo para a propagação no Rio de Janeiro de uma verdadeira mania pelo assunto sertão. Isso refletiu-se no aparecimento de imitadores, como o conjunto Flor do Tempo, que se transformou no Bando de Tangarás, cantores de emboladas, como o próprio Almirante, e muitas canções e quadros sertanejos, explorados pelo teatro de revista. Mais adiante, por iniciativa do bailarino Duque, com o apoio da empresa Pascoal Segreto, foi fundada a Casa de Caboclo, um teatrinho que apresentava espetáculos de estilo sertanejo. Instalada nos escombros do antigo Teatro São José, na Praça Tiradentes, n°s 3 e 5, o estabelecimento procurava reconstituir uma típica morada caipira, com seu madeiramento tosco e sua cobertura de sapé formando frisas e camarotes. A Casa de Caboclo funcionou de 1932 a 1940, tendo passado por seu palco um bom número de artistas famosos, como Jararaca e Ratinho, Augusto Calheiros, a atriz Dercy Gonçalves e os cômicos João Lino e Apolo Correia. Nesse mesmo período, projetou-se como grande criador e cantor de emboladas o pernambucano Manezinho Araújo (Manoel Pereira de Araújo, 27 de setembro de 1910-23 de maio de 1993), autor de clássicos do gênero como "Pra onde vai valente", "Cuma é o nome dele" e "O carrité do coroné".

Um processo poético-musical praticado em várias manifestações folclóricas, como o coco e o desafio, a embolada adquiriu vida própria ao se tornar cantiga descritiva de teor geralmente cômico-satírico, em que a letra é mais importante do que a melodia. Apresentando a forma estrofe-refrão e cantada em andamento rápido, utilizando recursos de aliteração e assonância, a embolada exige do intérprete dicção e fôlego extraordinários para não "tropeçar" nas palavras e se fazer entender com clareza.

Já o coco é uma das danças mais populares do Norte e do Nordeste brasileiros. De possível origem africano-ameríndia, nasceu no interior, nas cercanias das usinas açucareiras, deslocando-se depois para o litoral, onde é dançada com os pares volteando, batendo palmas e se dando umbigadas. Há muitas formas de coco — coco agalopado, coco bingolê, coco de praia, coco-catolé, coco de ganzá, coco desafio, coco de roda e outros mais —, ocorrendo as variações algumas vezes em razão da região onde é praticado. Musicalmente, há sempre um tirador de coco, ou coqueiro, que entoa versos respondidos pelo coro. Também obedecendo à forma estrofe-refrão — ou seja, refrões que se repetem intercalados por segundas partes — e adotando os compassos 2/4 e 4/4, o coco cantiga, que os nordestinos difundiram no Sul na década de 1920, tem muito a ver com o chamado coco-embolada, cujo processo poético-musical identifica-se com a própria embolada. A diferença é que nos terreiros as estrofes são geralmente improvisadas.

38.
O FREVO E O MARACATU

Além dos gêneros focalizados, há duas importantes manifestações musicais populares nordestinas de muito sucesso no estado de Pernambuco: o frevo e o maracatu. A história do frevo começa na década de 1850, quando aconteciam nas ruas do Recife os desfiles das bandas musicais do Quarto Batalhão de Artilharia, chamada simplesmente "O Quarto", e do Corpo da Guarda Nacional, conhecida como "Espanha", por ser dirigida por um espanhol, o mestre Pedro Francisco Garrido.

Normalmente, o desfile de uma banda desperta alegria, prazer e curiosidade, como ressalta a famosa marchinha de Chico Buarque. No caso das velhas bandas recifenses, porém, não era assim. "O Quarto" e o "Espanha" tinham partidários que levavam a rivalidade às raias do absurdo. Cada vez que as duas corporações saíam às ruas reuniam verdadeiras maltas de capoeiras, armados de facas e cacetes, que, pulando e gingando à frente dos músicos, desafiavam os rivais, aos gritos e palavrões. Apesar de uma ordem governamental, de 1856, para tirar os arruaceiros dos desfiles, os conflitos continuaram até 1865, quando "O Quarto" partiu para a Guerra do Paraguai. Cessado o confronto das bandas, restou dos pulos e das gingas dos capoeiras a inspiração para a futura coreografia do frevo, ou seja, o passo.

Então, com o decorrer do tempo, as estripulias da molecada foram se tornando menos violentas, em razão da repressão policial. Assim, ao chegar em 1888 a Abolição da Escravatura, o fenômeno frevo — na ocasião a palavra ainda não existia — estava suficientemente maduro para possibilitar sua entrada definitiva no carnaval, com o surgimento de suas primeiras agremiações: o Clube Carnavalesco Misto Vassourinhas (janeiro de 1889); as Pás, que já saía em 1888 como Bloco das Pás de Carvão e transformou-se em clube em 1890; e o Clube dos Lenhadores, fundado em 1897. Depois viriam o Pão Duro (1916), Toureiros de Santo Antônio (1916) e Prato Misterioso (1919), além de vários outros de vida efêmera.

Denominadas clubes de rua, essas agremiações juntaram em seus cortejos influências de várias origens, entre as quais as dos desfiles militares e das procissões religiosas. Isso está bem evidente na formação de suas orquestras e na escolha de seus símbolos, distintivos e estandartes. O cortejo padrão de um clube tradicional na primeira metade do século XX, por exemplo, apresentava à frente seu pesado e rico estandarte, conduzido sempre por pessoa credenciada, rodeada por alguns elementos fantasiados. Seguia-se a corrente humana, a chamada "onda", constituída por centenas, às vezes milhares de passistas deslocando-se em frenéticos movimentos. Atrás da "onda" vinha a orquestra, chamada de fanfarra, pela força predominante dos metais. Finalmente, encerrando o préstito, apresentava-se o "cordão", um grupo de sócios do clube, fantasiados e empunhando seus distintivos — as machadinhas dos Lenhadores, as pás e as vassourinhas dos clubes homônimos —, que, ao invés do passo acrobático, executavam manobras ensaiadas, mais próximas da tradição pastoril. O impressionante é que esses desfiles, além de som e imagem, tinham cheiro: o cheiro forte do carbureto queimado nas tochas de iluminação, misturado com o cheiro, não menos forte, do suor abundante dos passistas, e amenizado apenas pelo cheiro esguichado dos lança-perfumes, na época fartamente usados pelos foliões.

A música que se desenvolveu e cristalizou-se em razão dos clubes de rua, e que estimula e possibilita o passo, é o frevo instrumental, denominado frevo de rua e considerado pelos puristas como o único e verdadeiro frevo. Descendente direto do dobrado e da polca-marcha, com alguma influência da quadrilha e do maxixe, este binário vibrante ganhou — tal como o passo — forma definitiva no período 1905-1915, época em que também criou-se para designá-lo a palavra "frevo", derivada do verbo ferver. Seu sistematizador foi um pernambucano de Pau D'Alho, José Lourenço da Silva, o popular Capitão Zuzinha, músico, compositor, arranjador, mestre da banda do 40º Batalhão de Infantaria e depois ensaiador das bandas da Brigada Militar. O legendário jornalista Mário Melo, um estudioso da cultura popular pernambucana, afirmava: "Zuzinha é o pai do frevo". Antes dele, pode-se dizer, o gênero ainda em estágio embrionário era uma espécie de dobrado dançante.

Explica o maestro Edson Rodrigues no folheto "O frevo", da série "Ritmos e danças", editada pela Funarte nos anos 80: "normalmente os frevos se compõem de introdução (melodia inicial) e da frase musical, chamada 'resposta', que antecede a segunda parte. As partes geralmente são repetidas. [...] Nos grandes clubes, troças e outras agremiações, o frevo é executado por um conjunto musical 'pesado', com, no mínimo, dez metais. [...] A percussão é composta de caixas-surdas, taróis e pandeiros". Responsáveis pela pujante estridência do frevo, os trombones e trompetes têm em contrapartida a ação amaciante das palhetas (clarinetes, saxofones) e em especial da requinta (miniclarinete), à qual muitas vezes cabem virtuosísticos solos de improviso. Por isso um bom requintista é sempre muito disputado pelas orquestras.

O frevo de rua tem uma característica que nenhum outro gênero musical popular brasileiro tem: já nasce orquestrado. Na prática, por ser composto sempre para conjuntos instrumentais, não admite compositores que não tenham boa noção de arranjo. São compositores, no dizer do historiador-músico Valdemar de Oliveira (no livro *Frevo, capoeira e passo*), "que conhecem a arquitetura do gênero, jogam habilmente com os timbres e sabem dar à produção o seu 'facies' específico". Assim, qualquer relação de bons compositores de frevo de rua terá sempre a presença de figuras como Nelson Ferreira ("Gostosão", "Gostosinho", "Vem fervendo"), Levino Ferreira ("Último dia", "Diabo solto"), Sérgio Lisboa ("Fogão"), Nino Galvão ("Canhão 75"), Antônio Sapateiro ("Luzia no frevo"), Lídio Francisco da Silva ("Às três da tarde"), José Menezes ("Freio a óleo", "Gavião"), Zumba ("Eu e você", "Agora vai"), Duda ("Nino, o pernambuquinho"), John Johnson ("Toca quem pode"), Lourival de Oliveira ("Clarinete infernal"), Carnera ("Folia chegou") e Ivanildo Maciel ("Na poeira das ruas"), todos eles excelentes instrumentistas. Várias das composições citadas enquadram-se em subgêneros, que são variações do frevo de rua, como por exemplo: frevo-abafo ou frevo de encontro — que procura identificar a agremiação que o apresenta e é tocado no encontro de clubes; frevo-ventania — que tem andamento muito rápido; e frevo-coqueiro — que tem a predominância de notas muito agudas.

Embora um dos mais antigos frevos — a "Marcha nº 1 do Clube Vassourinhas" (conhecida simplesmente como "Vassourinhas"), composta por Matias da Rocha em 1909 — tenha letra, foi só nos anos 20 que o frevo-canção, ou seja, o frevo com letra, começou a se popularizar. Deveu-se o fato à adoção, nessa década, da prática de se cantar em bailes carnavalescos, iniciada no Rio de Janeiro. Então, começaram a proliferar os frevos cantados, que são praticamente marchinhas (introdução, estribilho e segunda parte), com andamento mais vivo. A diferença, que dá sabor pernambucano ao gênero, é a introdução em tempo de frevo de rua, vibrante e sacudida.

A era de ouro do frevo-canção foram os anos 30 e 40, quando seus maiores compositores — os ecléticos Nelson Ferreira (9 de dezembro de 1902-21 de dezembro de 1976) e Capiba (Lourenço da Fonseca Barbosa, 23 de outubro de 1904-31 de dezembro de 1997) —, autênticos fixadores do gênero, disputavam a preferência dos foliões com as melhores composições a cada carnaval. São desse período frevos-canção como "Oia a virada", "Pare, olhe, escute e goste", "Que fim você levou", "Arlequim" e "Passo do caroá", de Nelson Ferreira, tendo o último letra de Sebastião Lopes; e "É de amargar", "Manda embora essa tristeza", "Júlia", "Gosto de te ver cantando" e "Que bom que vai ser", de Capiba. Esses frevos eram gravados no Rio por grandes cantores — Francisco Alves, Carlos Galhardo, Araci de Almeida, Mario Reis — e tinham mercado certo no Nordeste. Outros bons compositores de frevo-canção são os irmãos João e Raul Valença ("Máscara de veludo", "Você não gosta de mim", "Um sonho que durou três dias"), Marambá (José Mariano Barbosa), Gildo Branco e Mário Griz e, no final do século XX, Carlos Fernando e J. Michiles, renovadores da linguagem do gênero.

Uma exceção à regra de que frevo só faz sucesso em Pernambuco é a acolhida que lhe foi dada na Bahia. Tudo começou em 1951, quando o Clube Vassourinhas, de passagem pela capital baiana, numa viagem que fazia para apresentar-se no Rio de Janeiro, desceu do navio e desfilou pela cidade. A presença da tradicional agremiação fazendo o passo nas ruas de Salvador, ao som de uma fanfarra de 65 músicos, causou forte impressão na população. Então, já a partir do carnaval de 1951, a dupla Dodô e Osmar — que começara a sair no ano anterior, tocando com um sistema de amplificação de som montado sobre um calhambeque — passou a executar frevos, que acabaram se tornando presença assídua no repertório dos trios elétricos e conquistando espaço no carnaval da Boa Terra. Isso levou artistas baianos do porte de Caetano Veloso e Moraes Moreira a comporem frevos-canção como "Atrás do trio elétrico", "Chuva, suor e cerveja" (de Caetano) e "Tentação" (de Moreira), de sucesso nacional.

A mais suave e sentimental modalidade de frevo é o frevo de bloco, que está para o frevo-canção assim como a marcha-rancho está para a marchinha carioca. Estruturado também com introdução em forma de frevo de rua, porém com estribilho e segunda parte em andamento lento, o frevo de bloco é sempre cantado por coro feminino, acompanhado por orquestra de pau e corda — clarinetes, flautas, violões, bandolins e cavaquinhos — e percussão leve. Restrito quase que exclusivamente aos blocos pernambucanos, ganhou inesperada projeção no carnaval de 1957, quando Nelson Ferreira compôs e gravou, com o Bloco Carnavalesco Batutas de São José, a obra-prima "Evocação". Sucesso estrondoso em todo o país, este frevo rememora velhos carnavais recifenses, citando nomes de agremiações (Bloco das Flores, Andaluzas, Pirilampos, Apois Fum) e de lendários foliões (Felinto, Pedro Salgado, Guilherme, Fenelon, Raul Morais). Estimulado por este sucesso, Nelson lançou então uma série de "evocações", homenageando outras figuras ilustres e tornando-se o grande autor de frevos de bloco.

Conta o historiador Leonardo Dantas Silva (no livro *Carnaval do Recife*) que "o maracatu, da forma hoje conhecido, tem suas origens na instituição dos Reis Negros, já registrada na França e em Espanha no século XV, em Portugal no século XVI, [...] e em Pernambuco, a partir de 1666. [...] Com a Abolição da Escravatura, a figura do Rei do Congo [...] perdeu a sua razão de ser. Os cortejos dos reis negros já presentes no carnaval (do Recife), por sua vez, passaram a ter como chefe temporal e espiritual os babalorixás dos terreiros do culto Nagô". Então, "em sua nova forma", conclui o historiador, "o antigo cortejo do Rei do Congo veio a ser chamado pela imprensa de maracatu". Organizados em sociedades carnavalescas que, ao invés de clube, adotam o nome de "nação" — Nação do Elefante, Nação do Leão Coroado, Nação do Indiano, Nação da Estrela Brilhante, Nação da Cambinda Estrela —, os maracatus atravessaram o século XX como os mais legítimos representantes da tradição africana no carnaval de Pernambuco.

Sem prender-se a esquemas rígidos na distribuição dos participantes nos cortejos, o maracatu tem sempre a rainha, o rei, os personagens da corte, as damas de frente, as damas de passo — que carregam a boneca, fetiche do grupo —, o porta-estandarte, os caboclos e as baianas. Nas agremiações tradicionais a orquestra é constituída somente de instrumentos de percussão — gonguês, taróis, caixas de guerra, zabumbas —, enquanto nos maracatus de orquestra, surgidos na década de 1930, são utilizados instrumentos de sopro. Ainda nos grupos tradicionais, as peças musicais são chamadas de "toadas", observando-se geralmente — segundo o mestre Guerra Peixe no livro *Maracatus do Recife* — "o canto a uma voz, com dialogação entre o solista e o coro ou o canto executado exclusivamente em conjunto". É uma música impressionante, em que se destaca a cantoria grave, soturna, dramática, meio mística, entremeada de lamentos e sustentada por uma forte base rítmica, barulhenta e bem marcada.

Foi da estilização dessas toadas que surgiu o maracatu, canção, gênero criado e cultivado a partir dos anos 30 por compositores populares como Capiba, os Irmãos Valença, Ascenço Ferreira, Miro de Oliveira, Sebastião Lopes e até Luiz Gonzaga. Por sua dedicação ao gênero, sobressai-se a figura de Capiba, autor de maracatus de rara beleza como "É de Tororó" (com Ascenço Ferreira), "Eh Luanda", "Nação Nagô" e "Vira a moenda". No final do século XX, com o surgimento da Frevança (Encontro Nacional do Frevo e do Maracatu, criado por Leonardo Dantas Silva), apareceram novos compositores — como Ademir Araújo, Marcelo Varela, Antônio Carlos Nóbrega, Edson Rodrigues, Dimas Sedícias e Antônio José Madureira —, que muito contribuíram para uma revitalização do gênero.

Mas não se restringe apenas aos compositores populares o interesse pelas toadas dos velhos maracatus. Também os eruditos — como Francisco Mignone, Guerra Peixe, Marlos Nobre, Carlos Alberto Pinto Fonseca, Ernesto Mahle e Mário Guedes Peixoto, entre outros — vão buscar inspiração nessas cantigas primitivas para criar peças para orquestra e canto coral. Uma dessas peças mais conhecidas é o imponente "Maracatu de Chico Rei", composto por Mignone em 1933.

39.
A FORÇA DOS CONJUNTOS REGIONAIS E VOCAIS

No início dos anos 30, com o crescimento do rádio e da produção de discos, aumentou também em nossas emissoras e gravadoras a demanda por músicos para acompanhar cantores. Bem mais prático e fácil de administrar do que uma orquestra — geralmente até dispensava o arranjo escrito —, proliferou então um tipo de conjunto musical que ganhou o nome de regional. Esses regionais eram simples continuadores dos pioneiros conjuntos de choro, que, como foi dito, a partir do final do século XIX começaram a ser requisitados para acompanhar cantores de serenata. Até sua constituição básica era a mesma (um instrumento solista, dois violões e um cavaquinho), apenas acrescida de um pandeiro ou de outro instrumento leve de percussão.

Os primeiros registros da presença de regionais em gravações de cantores datam de 1932, como, por exemplo, a do Grupo do Canhoto — dois violões, cavaquinho, flauta e pandeiro — acompanhando no dia 6 de julho Patrício Teixeira na embolada "Casar é pra quem tem sorte" (de Roberto Borges e Zaíra de Oliveira), lançada no disco Victor nº 33653-a. Na verdade, esta era apenas uma das formações do Grupo do Canhoto (Rogério Guimarães), que se modificava de acordo com o repertório executado e utilizava o elenco de instrumentistas da gravadora.

O regional de extraordinária qualidade, que atravessou as décadas de 1930 e 1940 gravando cerca de 350 discos e servindo de modelo a outros regionais, foi um conjunto organizado e dirigido pelo flautista Benedito Lacerda (14 de março de 1903-16 de fevereiro de 1958), chamado Conjunto Regional de Benedito Lacerda ou de Benedito Lacerda e seu Regional. Natural de Macaé (RJ), este ótimo músico e compositor morou a partir dos 17 anos na cidade do Rio de Janeiro, onde diplomou-se em flauta e composição no Instituto Nacional de Música. Depois de tocar nas bandas da Polícia e da Escola Militar de Realengo, no Grupo Boêmios da Cidade e em várias orquestras de cinemas e teatros, ele criou em março de 1930 seu primeiro conjunto, o Grupo Gente do Morro.

Por mais de vinte anos Benedito Lacerda e seu Regional
acompanharam os maiores cantores brasileiros.

Formado inicialmente por Lacerda (flauta), Jaci Pereira, o Gorgulho, e Henrique Brito (violões), Júlio dos Santos (cavaquinho), Alcebíades Barcelos e Gastão de Oliveira (tamborins), Juvenal Lopes (chocalho) e o pandeirista Antônio Cardoso Martins, o Alemão, depois apelidado de Russo do Pandeiro, o grupo era um projeto de regional, com uma seção de percussão um tanto pesada para esse tipo de conjunto. Tal exagero devia-se ao sucesso da gravação da batucada "Na Pavuna", que muitos queriam imitar. O Gente do Morro, nome sugerido por Sinhô, durou três anos, tendo gravado cerca de quarenta discos na Brunswick (a maioria), na Parlophon, na Columbia, na Odeon e na Victor, ou seja, em todas as gravadoras brasileiras da época. A nota curiosa é que Benedito Lacerda tinha veleidades de cantor, uma pretensão que em boa hora abandonou, depois de figurar como vocalista em sete desses discos.

Extinto o Grupo Gente do Morro, surgiu o Conjunto Regional de Benedito Lacerda, com o próprio na liderança e na flauta, Gorgulho e Nei Orestes (violões), Waldiro Frederico Tramontano, também apelidado de Canhoto (cavaquinho) e Russo do Pandeiro (pandeiro). Em 1937, Nei

Orestes morreu em consequência de problemas pulmonares adquiridos numa excursão à Argentina, sendo substituído por Horondino José da Silva, o Dino. Pouco depois, Lacerda desentendeu-se com Carlos Lentine, que substituíra Gorgulho, colocando em seu lugar Jaime Tomás Florence, o Meira. Com a saída de Russo, que se tornara um superpandeirista, imbatível em malabarismos, o quinteto fixou-se em sua melhor formação: Lacerda (flauta), Dino e Meira (violões), Canhoto (cavaquinho) e Rubens Alves, o queixudo Popeye do Pandeiro (pandeiro). Contando com o virtuosismo de Dino e Meira, dois de nossos maiores violonistas acompanhadores, como foi dito, e o apoio firme do cavaquinho do Canhoto, o conjunto de Benedito Lacerda — ele também um virtuose — viveu nos treze anos seguintes sua fase de maior prestígio e popularidade, com memoráveis atuações. Tendo passado pelas gravadoras Odeon, Victor, Columbia e Continental, emissoras de rádio e cassinos, o grupo, como nenhum outro, teve a oportunidade de acompanhar praticamente todos os grandes cantores e cantoras da época. Além disso, participou da importante série de 34 fonogramas gravada com mestre Pixinguinha no período 1945-1950.

Autor de cerca de 160 composições — entre as quais clássicos como os sambas "Normalista" (com David Nasser), "Amigo leal" e "Despedida de Mangueira" (com Aldo Cabral); as marchas "Querido Adão" (com Osvaldo Santiago) e "A jardineira" (com Humberto Porto); as valsas "Boneca" (com Aldo Cabral) e "Número um" (com Mário Lago); e os choros "Doidinho" e "Dinorá" —, Benedito Lacerda foi também um ativo defensor dos direitos do compositor, sendo muito estimado no meio musical, embora por vezes se mostrasse impulsivo e brigão. Em 1951, quando exercia o segundo mandato como presidente da SBACEM, achando-se sem tempo para tocar, resolveu parar com o regional.

Mas a deserção do líder não extinguiu o grupo. Dino, Meira, o pandeirista Gilson (sucessor de Caramujo, que substituíra Popeye) e Canhoto, sob a liderança deste último, prosseguiram atuando juntos, com o reforço de dois ótimos músicos, o flautista Altamiro Carrilho e o acordeonista Orlando Silveira. Contratados pela Mayrink Veiga, por indicação de Luiz Gonzaga, Canhoto e seu Regional mantiveram-se em atividade no rádio e no disco até meados dos anos 60, tendo, a partir de 1957, Carlos Poyares e Jorge José da Silva, o Jorginho do Pandeiro, substituído, respectivamente, Altamiro e Gilson.

Dois interessantes experimentos marcaram o conjunto de Canhoto: as inclusões do acordeão e do violão de sete cordas em regionais. Bem

O Regional de Canhoto: Gilson, Canhoto e Altamiro Carrilho (de pé); Meira, Orlando Silveira e Dino (sentados).

mais do que a primeira — uma prática trazida por Orlando Silveira do grupo paulista de Antônio Rago —, a segunda, implantada por Dino, obteve completo sucesso, tornando praticamente obrigatória a adoção do violão de sete cordas em conjuntos desse tipo. A propósito, o violão de sete cordas foi muito tocado na primeira metade do século XX por Tute (Artur de Souza Nascimento), inspirador de Dino. Também deve ter sido utilizado por China (Otávio Viana), irmão de Pixinguinha, que aparece numa fotografia portando este instrumento.

Espalhados por todo o Brasil, existiram nos anos 30 e 40 dezenas de conjuntos regionais. Limitando-se aos atuantes no eixo Rio-São Paulo, podem-se apontar como os mais importantes do Rio os dirigidos por Claudionor Cruz, Dante Santoro, Luperce Miranda, Luís Americano, Pereira Filho, Rogério Guimarães (outro Canhoto), Waldir Azevedo e o da Mayrink Veiga (quando então contou com a presença de Pixinguinha), além, naturalmente, dos regionais de Benedito Lacerda e Canhoto. Já em São Paulo, destacaram-se os de Antônio Rago, Zezinho (José do Patrocínio de Oliveira), à época da Tupi, e o famoso regional da Record, liderado pelo violonista Armandinho (Armando Neves) e completado por Rago, Zezinho, Ernesto, Sute e Penosa.

Mesmo depois que Canhoto (Tramontano) e a maioria de seus companheiros de geração se aposentaram, os regionais continuaram — principalmente como grupos de choro — marcando presença, como foi o caso do Época de Ouro, conjunto criado nos anos 60 para acompanhar Jacob do Bandolim e que entrou no século XXI em plena atividade. Participavam então de sua formação o incansável mestre Dino (já então chamado Dino Sete Cordas), seu irmão Jorginho do Pandeiro, os violonistas César Faria e Toni, o bandolinista Ronaldo e o cavaquinista Jorge, filho de Jorginho.

Os brasileiros muito apreciam o canto coletivo, especialmente o praticado por pequenos conjuntos de cinco, seis elementos. Começando a aparecer na terceira década do século XX, esses grupos, a princípio limitados a arranjos simplórios, logo evoluíram para assumir um lugar importante na história da música popular brasileira.

Nosso primeiro conjunto vocal urbano a se fazer notar foi o Bando de Tangarás, que existiu entre 1928 e 1933. Era urbano, aliás, bem mais pela origem de seus componentes — jovens moradores do bairro carioca de Vila Isabel e adjacências — do que pelo seu repertório, recheado de emboladas e cateretês. Isso porque os Tangarás provinham, como foi dito, de um grupo amadorístico, o Flor do Tempo, que se inspirara no conjunto sertanejo nordestino Turunas da Mauriceia.

Estrelado, como foi dito, por três futuras celebridades de nossa música, os compositores Noel Rosa e Braguinha (João de Barro) e o cantor Almirante (Henrique Foréis Domingues) e complementado pelo violonista Henrique Brito e o cantor Alvinho (Álvaro de Miranda Ribeiro), o Bando de Tangarás foi o meio que esses artistas utilizaram para se fazer conhecidos. Alcançado o objetivo, o quinteto se desfez, seguindo cada um o seu rumo. Sem requintes harmônicos, o bando cantava sempre em uníssono, revezando-se Noel, Braguinha, Almirante e Alvinho na função de cantor solista.

Liderado por meia dúzia de rapazes, residentes na Vila Martins da Mota, quase vizinha do Palácio do Catete, apresentava-se no final dos anos 20 em batalhas de confete e banhos à fantasia um grupo conhecido como Bloco do Bimbo. Pressentindo em seus músicos alguma qualidade, o descobridor de talentos Josué de Barros levou-os então a gravar na

Brunswick em 1931. Como eram numerosos, selecionou os sete melhores, que, assim, com o nome de Bando da Lua (sugerido por Nelson Pereira, parente de um dos rapazes), começaram uma longa e bem sucedida jornada artística. Era a seguinte a constituição do septeto original: Aloísio de Oliveira (violão e cantor solista), Hélio Jordão Pereira (violão), Ivo Astolfi (a princípio violão, depois violão tenor e banjo), Osvaldo Éboli, o Vadeco (pandeiro) e os irmãos Osório, Armando (violão), Stênio (cavaquinho) e Afonso (percussão).

Depois de quase dois anos, período em que atuou em rádio e shows, o Bando da Lua voltou ao disco em dezembro de 1932, contratado pela Odeon. Na ocasião, já firmara um estilo, suave e intimista, inspirado nos Mill's Brothers, um trio americano muito apreciado por Aloísio, Hélio e Ivo, os harmonizadores do conjunto. A partir de 1934 e até 1939, transformado em sexteto, pela saída de Armando Osório (que preferiu ser bancário), o conjunto viveu sua grande fase, realizando seis temporadas na Argentina e lançando pela Victor sucessos como os sambas "Mangueira" (de Assis Valente e Zequinha Reis), 1934; "Maria boa" (de Assis Valente), 1936; "Olha a lua" (de Ary Barroso) e "Cansado de sambar" (de Assis Valente), 1937; e "Não quero não" (de Assis Valente), 1938; e as marchas "A hora é boa" (de Mazinho e Aloísio de Oliveira), 1934; "Lalá" (de João de Barro e Alberto Ribeiro), 1935; "Não resta a menor dúvida" (de Noel Rosa e Hervê Cordovil), 1936; "Chiribiribi quá-quá" (de Ary Barroso e Nássara), 1937; "Foi Maria" (de Tony Moura) e "Pegando fogo" (de José Maria de Abreu e Francisco Matoso), 1939. Ainda nesse período, além da presença constante em programas radiofônicos, participou dos filmes *Alô, alô, Brasil*, *Estudantes*, *Alô, alô, Carnaval* e *Banana da terra*.

Como foi visto, o Bando da Lua mudou-se para os Estados Unidos em 1939, para atuar no pavilhão brasileiro da Feira Mundial de Nova York e, sobretudo, para acompanhar Carmen Miranda. Em 1940, numa breve visita ao Brasil, gravou na Columbia quatro músicas, entre as quais o famoso "Samba da minha terra", de Dorival Caymmi. Daí até o seu final, em 1955 — quando do grupo original só restava seu eterno líder, Aloísio de Oliveira (1914-1995) —, o Bando da Lua gravou na Decca americana diversos discos, além dos que já gravava com Carmen.

Bem mais expressivos do que o Bando da Lua, os Anjos do Inferno dividiram com os Quatro Ases e um Curinga, nos anos 40, a preferência dos admiradores de conjuntos vocais. Mas, até chegar a esse ponto, o grupo viveu por bom tempo num quase anonimato, só vencendo graças à persistência e ao talento de seu líder e cantor solista Léo Vilar (1914-1969). Carioca, filho de italianos, Léo (cujo nome verdadeiro era Antônio Fuína) assumiu em 1936 a direção dos Anjos, que, fundados dois anos antes pelo bancário Oto Borges, tinham então a seguinte constituição: Oto (crooner), Moacir Bittencourt e Felipe Brasil (violões), José Barbosa (violão tenor), Antônio Barbosa (pandeiro) e Milton Campos (pistão nasal), uma excentricidade que marcaria o conjunto por toda a sua existência.

Finalmente, em seu quarto disco, lançado pela Columbia em fevereiro de 1940, os Anjos do Inferno despontaram para o sucesso com o samba "Bahia, oi... Bahia" (de Vicente Paiva e Augusto Mesquita), composição que se tornaria prefixo do grupo. Daí, até 1944, eles brilharam intensamente, lançando um sucesso atrás do outro, entre os quais os sambas "Helena, Helena" (de Antônio Almeida e Constantino Silva), "Chô, chô" (de Antônio Almeida e Ciro de Souza), "Brasil pandeiro" (de Assis Valente), "Que bate fundo é esse" (de Alcebíades Barcelos e Armando Marçal), "Você já foi à Bahia?" e "Requebre que eu dou um doce" (de Dorival Caymmi), todos de 1941; "Dolores" (de Alberto Ribeiro, Marino Pinto e Arlindo Marques Júnior), "Nega do cabelo duro" (de Rubens Soares e David Nasser), "Vatapá" e "Rosa Morena" (de Dorival Caymmi), de 1942; "Cinco horas da manhã" (de Ary Barroso), 1943; e "Acontece que eu sou baiano" e "Vestido de bolero" (de Dorival Caymmi), de 1944; as marchas "Caubói do amor" (de Wilson Batista e Roberto Martins), 1941; "Nós os carecas" (de Roberto Roberti e Arlindo Marques Júnior), 1942; "Roberta" (de Roberto Martins, Mário Rossi e Roberto Roberti), 1943; e a valsinha "Sereno" (de Antônio Almeida), 1943.

Na maior parte desse período, o grupo alcançou a sua melhor formação, com Léo Vilar (cantor solista), Roberto Medeiros, o Paciência, e Valter Pinheiro (violões), Aloísio Ferreira (violão tenor), Hélio Verri (pandeiro) e Harry Vasco de Almeida (pistão nasal). O bom gosto dos arranjos, embora um tanto ingênuos, a graça e o ritmo seguro de Léo, um exímio cantor de sambas e marchinhas, mais as intervenções do exótico pistão nasal de Harry, o perfeito entrosamento das vozes do conjunto e o acerto na escolha do repertório foram as qualidades que possibilitaram o seu grande sucesso.

Em outubro de 1944, o grupo iniciou uma nova fase, menos exitosa, gravando na Victor. Mesmo assim, registrou sucessos como os sambas "Bolinha de papel" (de Geraldo Pereira) e "Doralice" (de Dorival Caymmi e Antônio Almeida), 1945; e a marcha "Cordão dos puxa-sacos" (de

Roberto Martins e E. Frazão), 1946. Em meados de 1947, os Anjos do Inferno realizaram uma excursão à Argentina, de lá seguindo para o México, onde, além de atuarem em rádios e shows, participaram de vários filmes. Nessa longa temporada, o conjunto começou a desintegrar-se, alterando seguidamente sua constituição. Nos anos 50 e início dos 60, apesar das dificuldades, Léo Vilar ainda tentou por todos os meios reanimá-lo, sem sucesso. O estilo dos Anjos envelhecera e os tempos eram outros.

O Bando da Lua começou com três cearenses (os irmãos Osório), os Quatro Ases e um Curinga, com cinco, sendo três deles irmãos (os Pontes Medeiros). Um pouco mais adiante, os Vocalistas Tropicais também contariam com cinco cearenses em sua formação. Vê-se assim que nos anos 30 e 40 o Ceará forneceu muita gente boa para os conjuntos vocais. O fato não chegou a ser surpreendente, pois, num período anterior, haviam feito sucesso no Sul os conjuntos sertanejos Turunas Pernambucanos e Turunas da Mauricéa, integrados também por nordestinos, na maioria pernambucanos.

Na verdade, os Quatro Ases e um Curinga começaram em 1940, no Rio, onde os Pontes Medeiros e André Batista estudavam e, nas horas vagas, reuniam-se para cantar e tocar. No final do ano, passando as férias em Fortaleza, o quarteto, incentivado por João Dumar, dono da Ceará Rádio Clube, resolveu profissionalizar-se, pelo menos até a conclusão dos estudos. Então, com o reforço do violonista Esdras Falcão Guimarães, o Pijuca, também estudante, nasceu o Bando Cearense, logo rebatizado de Quatro Ases e um Melé, por sugestão do jornalista Demócrito Rocha. Melé no Nordeste é curinga, daí a adoção do título definitivo (por sinal, dos mais originais) de Quatro Ases e um Curinga, para que o resto do Brasil entendesse. Na época a palavra "curinga" (carta do baralho) escrevia-se com "o", e "ás" com "z", registrando-se o nome do grupo em seus discos como "4 Azes e 1 Coringa", assim mesmo com algarismos.

No início de 1941, de volta ao Rio e às aulas, o quinteto não demorou para chegar ao rádio, estreando na Mayrink Veiga e logo sendo levado, por Fernando Lobo, para a Tupi, com a qual assinou o seu primeiro contrato. No dia 23 de setembro, os Quatro Ases e um Curinga gravaram na Odeon o seu disco inicial — a marcha "Os dois errados" (de Estanislau Silva, Álvaro Nunes e Nelson Trigueiro) e o samba "Dora, meu amor" (de André Vieira, o Curinga, e Constantino Silva) —, apresentando a formação que seria considerada por seus componentes como a principal: Permínio de Pontes Medeiros (cantor solista e gaita de boca),

José de Pontes Medeiros e Pijuca (violões), Evenor de Pontes Medeiros (violão tenor) e André (pandeiro). Em toda a sua fase áurea o conjunto manteve 80% dessa constituição, mudando apenas o pandeirista. Daí sua extraordinária homogeneidade, que, somada à adequação dos arranjos e ao ecletismo das interpretações — "cariocas", geralmente, mas "nordestinas" autênticas, quando necessárias — foram sempre o ponto alto dos Quatro Ases e um Curinga. Depois que André resolveu voltar ao Ceará, seu lugar seria ocupado por vários pandeiristas, entre os quais Miro, Nilo, Falcão, Jorginho do Pandeiro e Miltinho (Milton Santos de Almeida, 1928-2014), que antes de se tornar cantor de sucesso atuou nos principais conjuntos vocais da Época de Ouro.

Aconteceram no Nordeste, em 1942, os primeiros sucessos do conjunto, os sambas "Eu vi um leão" (de Lauro Maia) e "No Ceará é assim" (de Carlos Barroso). Mas já no ano seguinte os Quatro Ases e um Curinga entravam em sua fase de sucessos nacionais, cantando sambas como "Terra seca" (de Ary Barroso), "Samba de casaca" (de Pedro Caetano e Valfrido Silva), de 1943; "Dinheiro, saúde e mulher" (de Peterpan e Ari Forlain), 1945; "Barão das cabrochas" (de Alcebíades Barcelos e Armando Marçal) e "O samba agora vai", 1946; "Onde estão os tamborins" e "Sambolândia", 1947; e "É com esse que eu vou", 1948 (os quatro últimos de autoria de Pedro Caetano); "Cabelos brancos" (de Herivelto Martins e Marino Pinto), 1949; "Boneca de pano" (de Assis Valente), 1950; as marchas "Feijoada" (de Rubens Soares), "Trem de ferro" (de Lauro Maia), 1943 — o "Trenzinho" ressuscitado por João Gilberto —; "O periquito da madame" (de Nestor de Holanda, Carvalhinho e Afonso Teixeira), 1947; e a "Marcha do caracol" (de Peterpan e Afonso Teixeira), 1951; o famoso "Baião" (de Luiz Gonzaga e Humberto Teixeira), 1946; a rancheira "Sá Mariquinha" (de Luís Assunção e Evenor), 1947; e o xote "Mangaratiba" (de Luiz Gonzaga e Humberto Teixeira), 1949. A partir de 1950, os Quatro Ases e um Curinga gravaram durante quatro anos na RCA Victor, depois passando por diversas pequenas gravadoras, sem maior sucesso, até encerrarem a carreira no final dos anos 60.

Completam a relação dos bons conjuntos vocais da Época de Ouro o Grupo X, os Namorados da Lua e os Vocalistas Tropicais. Criado à imagem e semelhança do Bando da Lua, o Grupo X existiu no período de 1935 a 1942 na cidade de São Paulo, onde atuou em rádio, shows e gravou doze discos na Columbia. Inicialmente um sexteto, formado por Orlando Romano (cantor solista), Alberto Cabral, Frederico Menzel e

O conjunto vocal Trio de Ouro trouxe, juntamente com Nilo Chagas (à esquerda), dois nomes de grande destaque na música brasileira: a cantora Dalva de Oliveira e o compositor Herivelto Martins.

Mário Romano (violões), Amílcar de Conde (violão tenor) e Heitor Rabelo (pandeiro), tornou-se em 1940 um quinteto, com Orlando Romano, Mário, Amílcar, Araré Patusca (violão) e Orlando Medeiros (pandeiro).

Os Namorados da Lua foram, pode-se dizer, produto exclusivo da dedicação do cantor e violonista Lúcio Alves, que conseguiu reunir entre 1942 e 1947 grupos de rapazes com vocação musical, que ele transformava em conjuntos vocais. De qualquer maneira, dos catorze elementos que, além de Lúcio, participaram dos Namorados da Lua, alguns fizeram carreira, como o violonista Nanai (Arnaldo Humberto de Medeiros), o violão tenor Chicão (Francisco Guimarães Coimbra) e os pandeiristas Russinho (José Ferreira Soares) e Miltinho (Milton Santos de Almeida). No total, o conjunto de Lúcio Alves gravou dezenove fonogramas, alcançando o sucesso com os sambas "Casado não pode" (de Alcebíades Nogueira e Rutinaldo) e "De conversa em conversa" (de Lúcio Alves e Haroldo Barbosa), ambos de 1947, sendo o último gravado com Isaura Garcia. Detalhe: Lúcio tinha apenas 15 anos quando criou os Namorados da Lua.

Embora só tenha estreado em disco em março de 1946, os Vocalistas Tropicais, ou melhor, os que constituíram o seu núcleo, já atuavam juntos havia onze anos. A princípio, como Bando Liceal e, a partir de 1942, como Vocalistas Tropicais. Contratado pela Rádio Tupi do Rio e gravando na Odeon, este conjunto cearense alcançou os maiores sucessos com marchinhas carnavalescas, como "Jacarepaguá", 1949, "Daqui não saio", 1950, e "Tomara que chova", 1951, todas de Paquito e Romeu Gentil, sendo a primeira também de Marino Pinto. Nessa fase os Vocalistas Tropicais atuaram com sua melhor formação, a saber: Nilo Xavier da Mota (cantor solista, arranjador e violonista), Arlindo Borges (violão), Raimundo Evandro Jataí de Souza (violão), José Artur de Oliveira (afoxê) e Danúbio Barbosa Lima (tantã), contando ainda com participações de Paulo de Tasso (violão tenor). Tal como os Quatro Ases e um Curinga, os Vocalistas saíram de cena nos anos 60.

Na segunda metade do século XX, nossos grandes conjuntos vocais — como os Cariocas, o MPB-4, o Quarteto em Cy, — passaram a ostentar arranjos sofisticados, que os da Época de Ouro não podiam oferecer. Pertence porém aos grupos pioneiros, com seu charme ingênuo, o mérito de despertarem a atenção do público para o vocal brasileiro, abrindo caminho aos seus sucessores.

40. O ESTADO NOVO E A MÚSICA POPULAR

O compositor Pedro Caetano estava em uma festinha na Tijuca, quando uma menina lhe pediu: "Eu queria tanto que o senhor fizesse uma música para mim...". Embora não gostasse de compor por encomenda, Pedro motivou-se ao saber que a garota chamava-se Maria Madalena de Assunção Pereira, um nome tão musical que tinha até ritmo de samba. E ali mesmo, entre chopes e salgadinhos, começou a escrever a composição ("Maria Madalena de Assunção Pereira/ teu beijo tem aroma de botões de laranjeira..."), um samba-choro a que deu o nome de "Botões de laranjeira". Dias depois, a música foi entregue a Ciro Monteiro, que a lançou com muito sucesso no programa de César Ladeira, na Rádio Mayrink Veiga. Marcada a data para a gravação, porém, surgiu um empecilho. A Censura proibia nomes próprios por extenso em letras de música, alegando que isso afetava a privacidade das pessoas. Desolados, Pedro e Ciro — pois o charme do sambinha era justamente o nome da garota funcionando como verso — argumentaram em vão com os censores e já estavam desanimados, quando surgiu a solução numa sugestão de César Ladeira: substituiu-se o "de Assunção" por "dos Anzóis", cessando o pretexto da proibição. César ainda brincou: "Se aparecer alguém chamada Maria Madalena dos Anzóis Pereira, mandem prender porque isso não é nome que se use".

Esse fato, acontecido em fevereiro de 1942, mostra a abrangência do poder exercido sobre a música popular pelo Estado Novo getulista, através de seu Departamento de Imprensa e Propaganda, o famigerado DIP. Sucessor do Departamento Oficial de Propaganda (DOP), criado em 2 de julho de 1931, reorganizado como Departamento de Propaganda e Difusão Cultural (DPDC), em 10 de julho de 1934, e transformado em Departamento Nacional de Propaganda (DNP), no início de 1938, o DIP foi criado, por decreto de 27 de dezembro de 1939, à semelhança do órgão congênere da ditadura fascista de Benito Mussolini. Sediado no Palácio Tiradentes — então disponível em razão do fechamento da Câmara Federal —, diretamente subordinado à Presidência de República e dirigido pelo jornalista Lourival Fontes, suas funções consistiam em "centralizar, coordenar e superintender a propaganda nacional, interna ou externa, fazer a censura do teatro, do cinema, das atividades recreativas e esportivas, da radiodifusão, da literatura e da imprensa e promover, organizar, patrocinar manifestações cívicas e exposições das atividades do governo". Em suma, ao DIP cabia exercer o controle absoluto das comunicações do país, divulgar maciçamente as ideias e realizações do governo e exaltar a figura do presidente. Havia mesmo um boletim de instruções, distribuído mensalmente à imprensa, que listava os assuntos proibidos de publicação, como, entre outros, notícias sobre escassez de gêneros alimentícios, reivindicações de trabalhadores, processos de presos políticos, passeatas de estudantes, irregularidades no serviço público e, pasmem, qualquer texto assinado pelo escritor Oswald de Andrade.

Naturalmente, por sua influência, sua presença no cotidiano do brasileiro, a música popular constituía um dos segmentos mais importantes a serem fiscalizados, censurados e, na medida do possível, utilizados pelo Estado. Assim, por exemplo, só no ano de 1940 foram vetadas pela máquina da Censura, dirigida pelo major Antônio José Coelho dos Reis, 373 letras de músicas e proibidos 108 programas de rádio. Paralelamente aos vetos e proibições, era ainda aplicado às emissoras radiofônicas um rigoroso sistema de multas, como punição à desobediência às normas estabelecidas. O curioso é que em sua maioria as proibições não se referiam a críticas e ataques ao regime e sim às citadas desobediências, como foi o caso do samba "Botões de laranjeira".

Aliás, ao contrário da ditadura militar, não houve no Estado Novo fatos marcantes de perseguição a compositores. Isso não significa que a repressão da polícia getulista fosse menos intensa — que o digam os escritores Graciliano Ramos e Jorge Amado — e sim que, no ambiente pouco politizado em que viviam os compositores da época, ninguém se interessava em fazer música de protesto político, mesmo existindo no meio esquerdistas como Mário Lago. Além do mais, autor da chamada Lei Getúlio Vargas (Decreto nº 5.492 de 16 de julho de 1928), que regulamentava e protegia direitos autorais, o ditador, juntamente com sua família, mostrava-se amigo de vários artistas, como as irmãs Batista, Herivelto Martins e elementos do Bando da Lua.

As campanhas de proibição ou incentivo ao uso de determinados temas prescindiam geralmente de instruções escritas, impondo-se através da conversa dos censores e de seu poder de veto. Assim aconteceu com a

Getúlio e Darcy Vargas recebem artistas da MPB em 1939. Entre eles: Dorival Caymmi, Braguinha, Dircinha Batista e Orlando Silva.

cruzada antimalandragem, uma tentativa de "purificação" do samba realizada pelo DIP em seu primeiro ano de atividade. Numa profunda demonstração de incompreensão e preconceito, alguns teóricos do regime consideravam indecentes "o samba, o maxixe, a marchinha e os demais ritmos selvagens da música popular". Daí o propósito de "civilizá-los", livrando-os de suas "impurezas", uma vez que seria impraticável proibi-los. Isso está bem claro num artigo de Álvaro Salgado, publicado em 1941 na revista *Cultura Política*, editada pelo próprio DIP, e citado por Eulícia Esteves em sua monografia "Tentou-se organizar a batucada": "O samba, que traz em sua etimologia a marca do sensualismo, é feio, indecente, desarmônico e arrítmico. Mas, paciência: não repudiemos esse nosso irmão pelos defeitos que contém. Sejamos benévolos: lancemos mão da inteligência e da civilização. Tentemos, devagarinho, torná-lo mais educado e social". Este artigo justificava plenamente a tal cruzada, já então em andamento.

Embora tendo conseguido coibir a apologia à malandragem, a atuação do DIP foi bem menos efetiva na campanha de incentivo ao trabalho e ao trabalhador, limitando-se a cinco as canções conhecidas sobre o assunto: os sambas "O amor regenera o malandro" (de Sebastião Figueiredo), 1940; "O bonde de São Januário" (de Wilson Batista e Ataulfo Alves), "Eu trabalhei" (de Roberto Roberti e Jorge Faraj) e "É negócio casar" (de Ataulfo Alves), os três de 1941; e a marcha "Canção do trabalhador" (de Ari Kerner Veiga de Castro), 1940.

No animado "O amor regenera o malandro", o autor afirma "que todo mundo deve ter o seu trabalho para o amor merecer" e, adiante, "regenerado, ele (o malandro) pensa no amor", para concluir com os versos "mas, para merecer carinho, tem que ser trabalhador". Acontece que os intérpretes do sambinha, os boêmios Joel e Gaúcho, acrescentaram (provavelmente por conta própria) ao verso final o debochado breque "que horror!", desmoralizando a "mensagem" da composição... Outro malandro regenerado, transformado em ordeiro operário, é o protagonista de "O bonde de São Januário". No estribilho — de Wilson Batista, que nunca "pegou no pesado" — ele afirma, com convicção: "Quem trabalha é que tem razão, eu digo e não tenho medo de errar...", enquanto na segunda parte — de Ataulfo Alves — confessa: "antigamente eu não tinha juízo, mas resolvi garantir meu futuro", e agora vive "muito bem". Com este samba, a dupla Wilson-Ataulfo bisou no carnaval de 1941 o êxito de "Ó Seu Oscar", no ano anterior, inclusive repetindo o intérprete, Ciro Monteiro. Bem veemente é o personagem de "Eu trabalhei", que, utilizando o vozeirão de Orlando Silva, proclama: "Eu hoje tenho tudo o que o homem quer, tenho dinheiro, automóvel e uma mulher. Mas, pra chegar até o ponto em que cheguei, eu trabalhei, trabalhei, trabalhei...". E como reforço, enfatiza: "E quem diz que o trabalho não dá camisa a ninguém, não tem razão, não tem, não tem...". Mas muito mais agradável ao pessoal do DIP deve ter soado o samba "É negócio casar", que superava no quesito "cooperação" as músicas acima comentadas e até a composição "Canção do trabalhador", uma marcha repleta de versos laudatórios ao operariado. Com uma melodia típica de Ataulfo Alves, que o gravou, este samba apresenta mais um boêmio recuperado, que conta as vantagens de sua nova vida de trabalhador e chefe de família. Entre elogios ao Estado Novo (que "veio para nos orientar") e ao Brasil (onde "tem café, petróleo e ouro"), ressalta uma notícia sobre uma esperada lei (jamais concretizada) que estimularia o crescimento da população: "E quem for pai de quatro filhos o presidente manda premiar". Por isso era negócio casar...

Em 1939, aconteceu o retumbante lançamento de "Aquarela do Brasil", canção que se tornaria paradigma de um novo tipo de samba, o samba-exaltação. Embora não tenha sido essa a intenção do autor Ary Barroso — que não era getulista e, como foi dito, até fez carreira política em um partido (a UDN) contrário ao getulismo —, o fato é que o samba-exaltação veio bem ao encontro dos interesses do Estado Novo, desejoso de passar para o povo a imagem de um Brasil próspero e feliz, que não correspondia à realidade. Então, motivada pelo sucesso da "Aquarela" e sob as bênçãos de Lourival Fontes e seus auxiliares, iniciou-se uma onda de sambas-exaltação que se estenderia pelos próximos quatro anos, destacando-se desse repertório composições como "Brasil" (de Benedito Lacerda e Aldo Cabral), 1939; "Brasil moreno" (de Ary Barroso e Luís Peixoto), "Brasil pandeiro" (de Assis Valente), "Canta Brasil" (de Alcir Pires Vermelho e David Nasser) e "Onde o céu azul é mais azul" (de Alcir Pires Vermelho, João de Barro e Alberto Ribeiro), os quatro de 1941; "Brasil brasileiro" (de Sebastião Lima e Henrique de Almeida), "Brasil, usina do mundo" (de Alcir Pires Vermelho e João de Barro) e "Isto aqui o que é" (de Ary Barroso), de 1942; e, finalmente, "Onde florescem os cafezais" e "Vale do Rio Doce" (ambos de Alcir e David Nasser), 1943. Dessa relação de sambas desbragadamente ufanistas, cinco são de autoria de Alcir Pires Vermelho, um grande melodista, que, juntamente com Ary Barroso, foi o maior compositor de sambas-exaltação. Por coincidência, Ary e Alcir eram mineiros e pianistas.

Além desses sambas grandiloquentes, ainda apareceram na era do DIP diversas composições de endeusamento e bajulação à figura do chefe do governo, como a marcha "Quem é o tal?" (de Ubirajara Nesdan e Afonso Teixeira), 1942, e os sambas "O sorriso do presidente" (de Alcir Pires Vermelho e Alberto Ribeiro), 1942, e "Salve 19 de abril" (de Benedito Lacerda e Darci de Oliveira), 1943, que se referia à data de aniversário de Getúlio Vargas.

No desempenho das atribuições de promotor de eventos, o DIP incorporou, logo em seus primeiros dias de existência, a organização dos concursos de músicas carnavalescas, que despertavam grande interesse e eram até então patrocinados pela prefeitura do Rio de Janeiro. Assim, fez realizar em 27 de janeiro de 1940 no estadinho do América, na Tijuca, "A Noite da Música Popular", título pomposo que emprestou ao show de apresentação dos 32 sambas e marchas finalistas do certame do ano.

Em razão de ter o concurso anterior utilizado o sistema do voto popular, o que foi considerado injusto pelos perdedores, que atribuíram o resultado ao trabalho dos cabos eleitorais, o DIP resolveu que o seu concurso seria julgado por um corpo de jurados eleito pelos próprios concorrentes. Desfilou então diante dos ilustres juízes escolhidos — os maestros-compositores Heitor Villa-Lobos e Pixinguinha, o poeta-letrista Luís Peixoto e os jornalistas Eduardo Brown e Caribé da Rocha — um elenco de dezessete cantores, acompanhados pela Orquestra de Fon-Fon, que apresentou as músicas por eles gravadas, em sua maioria. Desse elenco faziam parte nomes consagrados, como Francisco Alves, Orlando Silva, Sílvio Caldas, Carlos Galhardo, Araci de Almeida e Dircinha Batista, o que garantiu o sucesso do espetáculo e uma grande renda, dividida entre as associações beneficentes Cidade das Meninas e Abrigo do Pequeno Jornaleiro, dirigidas pela primeira-dama, D. Darcy Vargas.

No final foram premiados em 1º, 2º e 3º lugares, respectivamente, os sambas "Ó Seu Oscar" (de Wilson Batista e Ataulfo Alves), cantado no estádio pelos autores e gravado por Ciro Monteiro, "Despedida de Mangueira" (de Benedito Lacerda e Aldo Cabral), com Francisco Alves, que se apresentou de *smoking*, e "Cai, cai" (de Roberto Martins), com Joel e Gaúcho, e, na mesma ordem, as marchas "Dama das Camélias" (de Alcir Pires Vermelho e João de Barro), com Francisco Alves, "Pele vermelha" (de Haroldo Lobo e Milton de Oliveira), com Patrício Teixeira, e "Malmequer" (de Newton Teixeira e Cristóvão de Alencar), com Orlando Silva. No julgamento das marchas, Pixinguinha achava que "Malmequer" merecia o primeiro lugar, enquanto Villa preferia "Dama das Camélias", prevalecendo a sua opinião. Mas, ao contrário do que sucedera em outros concursos, o público gostou do resultado, aplaudindo os vencedores. Quem não gostou foi Ary Barroso, que competira com "Aquarela do Brasil" e as marchas "Iaiá boneca" e "Upa, upa", apresentadas, respectivamente, por Alves, Sílvio e Dircinha, nada ganhando. Inconformado, Ary descarregou sua irritação em cima de Villa-Lobos (que considerou inadequada a inscrição de "Aquarela do Brasil" em um concurso de música carnavalesca), com quem rompeu relações, só se reconciliando quinze anos depois.

No dia 29 de outubro de 1945, Getúlio Vargas foi deposto por um golpe militar, desaparecendo o Estado Novo e com ele o Departamento de Imprensa e Propaganda (que, aliás, já havia sido desativado há alguns meses), sendo este ano considerado como o último da Época de Ouro. Entretanto, embora sem a força de antes, a Censura continuou, revigorando-se a partir de 1964 com a ditadura militar. Nesse ínterim, houve até em governos democráticos episódios curiosos, como o do samba "Não vou pra Brasília" (de Billy Blanco), que em 1957 foi proibido na programação da Rádio Nacional, por ordem do simpático presidente Juscelino Kubitschek de Oliveira.

Terceiro tempo
A TRANSIÇÃO (1946-1957)

41.
A GERAÇÃO PÓS-ÉPOCA DE OURO

Dois feitos importantes marcaram os sucessores da geração de 30, atuantes no período 1946-1957: o revigoramento da música nordestina, concretizado com o estrondoso sucesso do baião, e o crescimento do samba-canção, que assumiu a hegemonia da música romântica, conquistando o espaço até então ocupado pela valsa e o fox. Além disso, tiveram o mérito de promover o aceleramento do processo de modernização de nossa música popular, o que caracterizou o seu tempo como um tempo de transição.

As maiores figuras do baião são o compositor, cantor e sanfoneiro pernambucano Luiz Gonzaga (1912-1989) e seu parceiro, o letrista e compositor cearense Humberto Teixeira (1916-1979). Foram eles que estilizaram e comercializaram o gênero, tornando-o conhecido e admirado em todo o país. Um matuto encabulado que só gravava música instrumental, Gonzaga revelou-se cantor em 1945, logo se impondo como o melhor intérprete de sua obra. Outro excelente letrista-compositor foi o pernambucano de Carnaúba Zé Dantas (José de Souza Dantas Filho, 1921-1962), segundo maior parceiro de Gonzaga.

Destacaram-se ainda no domínio da música nordestina os compositores-cantores Luís Vieira (1928-2020) e Luís Bandeira (1923-1998), nascidos em Pernambuco, os paraibanos Jackson do Pandeiro (José Gomes Filho, 1919-1982) e Zé do Norte (Alfredo Ricardo do Nascimento, 1908-1979), o maranhense João do Vale (1934-1996) e o cearense compositor-pianista Lauro Maia (1912-1950). Além dos citados, sobressaíram como intérpretes do baião e de ritmos afins a carioca filha de cearenses Carmélia Alves (1925-2012); a chamada Princesinha do Baião, Claudette Soares (1937), que depois mudou de estilo; a pernambucana Marinês (Inês Caetano de Oliveira, 1935-2007); e várias estrelas radiofônicas vindas de outras áreas.

Mas pertence à área do samba-canção a maioria dos artistas que integram a geração pós-Época de Ouro. Assim, estão entre suas figuras mais destacadas cultores do gênero como os compositores Antônio Carlos Jobim (1927-1994), Antônio Maria (1921-1964), Armando Cavalcânti (1914-1964), Klecius Caldas (1919-2002), Luís Antônio (Antônio de Pádua Vieira da Costa, 1921-1996) e Luís Bonfá (1922-2001); os compositores-cantores Sérgio Ricardo (João Mansur Lufti, 1932-2020), Tito Madi (Chauki Maddi, 1929-2018), Dolores Duran (Adiléia Silva da Rocha, 1930-1959) e Maysa (Maysa Figueira Monjardim, 1936-1977); os cantores Dick Farney (Farnésio Dutra e Silva, 1921-1987), Lúcio Alves (1927-1993) e Agostinho dos Santos (1932-1973); as cantoras Nora Ney (Iracema de Souza Ferreira, 1922-2003) e Dóris Monteiro (1934); e o conjunto vocal Os Cariocas. Todos esses elementos tinham, pode-se dizer, um comprometimento com a modernidade, desempenhando alguns deles — como Antônio Carlos Jobim — papel relevante no vindouro movimento bossanovista.[4]

Houve ainda nessa geração artistas adeptos do samba-canção de feitio tradicional, entre os quais vale mencionar os compositores Raul Sampaio (1928-2022) e Adelino Moreira (1918-2002), os cantores Cauby Peixoto (1931-2016), Francisco Carlos (Francisco Rodrigues Filho, 1928-2003), Jamelão (José Bispo Clementino dos Santos, 1913-2008), Jorge Goulart (Jorge Neves Bastos, 1926-2012) e as cantoras Ângela Maria (Abelim Maria da Cunha, 1929-2018) e Elizeth Cardoso (1920-1990). A maioria desses cantores gravou também música carnavalesca.

Talentosos, versáteis e bastante numerosos são os músicos revelados por essa geração, como os violonistas José Menezes (1921-2014), que domina vários outros instrumentos de corda, e o já citado Luís Bonfá; o tecladista João Donato (1934); o flautista Altamiro Carrilho (1924-2012); os saxofonistas Moacir Silva (1918-2002) e Moacir Santos (1924-

[4] Outros integrantes da geração pós-Época de Ouro cultores do samba-canção: compositores — Billy Blanco (William Blanco de Abrunhosa Trindade, 1924-2011), Denis Brean (Augusto Duarte Ribeiro, 1917-1969), Fernando César (Fernando César Pereira, 1917-1983), Fernando Lobo (1915-1996), Haroldo Barbosa (1915-1969), Ismael Neto (1925-1956), Johnny Alf (Alfredo José da Silva, 1929-2010), Jota Júnior (Joaquim Antônio Candeias Júnior, 1923-2009), Newton Mendonça (1927-1960), Paulo Soledade (1919-1999) e Chocolate (Dorival Silva, 1923-1989); cantores — Luís Cláudio (Luís Cláudio de Castro, 1935-2013), Gilberto Milfont (João Milfont Rodrigues, 1922), Ivon Curi (1928-1995), José Tobias (1928), Alcides Gerardi (1918-1978), Orlando Correia (1928-2002) e Roberto Luna (Valdemar Farias, 1929); cantoras: Elza Laranjeira (1925-1986), Lana Bittencourt (Irlan Figueiredo Passos, 1931), Helena de Lima (1926), Marlene (Victória Bonaiutti, 1924-2014), Marisa (Marisa Vértulo Brandão, 1933-2003) e Zezé Gonzaga (Maria José Gonzaga, 1926-2008). Versáteis, esses artistas também se dedicaram a outros gêneros, tendo vários deles composto e/ou gravado música carnavalesca.

Após o período inicial com os Namorados da Lua, Lúcio Alves (1927-1993) se consagraria como intérprete do moderno samba-canção, tornando-se um importante precursor da bossa nova.

-2006); o clarinetista-saxofonista Paulo Moura (1932-2010); o trombonista Nelsinho (Nelson Martins dos Santos, 1927-1996); o trompetista Maurílio Santos; os acordeonistas Chiquinho (Romeu Seibel, 1928-1993), Sivuca (Severino Dias de Oliveira, 1930-2006) e Orlando Silveira (1925-1993); o violinista Fafá Lemos (Rafael Lemos Júnior, 1921-2004); o cavaquinista Waldir Azevedo (1923-1980); os percussionistas Jorginho do Pandeiro (Jorge José da Silva, 1930-2017), Mestre Marçal (Nilton Delfino Marçal, 1930-1994) e Dom Um Romão (1925-2005).[5]

[5] Outros instrumentistas da geração pós-Época de Ouro: violonistas — Bola Sete (Djalma Andrade, 1923-1987), Manoel da Conceição (1930-1966) e Nanai (Arnaldo Humberto de Medeiros, 1923-1990); tecladistas — Valdir Calmon (1919-1982), Ed Lincoln (Eduardo Lincoln Barbosa Sabóia, 1932-2012) e Moacir Peixoto (1921-2003); saxofonistas — Cipó (Orlando Costa, 1922-1992), Juarez Araújo (1930-2003) e Zé Bodega (José de Araújo Oliveira, 1923-2003); flautista — Carlos Poyares (1928-2004); trombonistas — Edson Maciel e Edmundo Maciel; trompetistas — Formiga (José Luís

Coincidindo com uma fase em que as orquestras populares mais atuaram — no rádio, na televisão, nas casas noturnas e, principalmente, nas gravações — a geração pós-Época de Ouro foi pródiga em arranjadores, como Carlos Monteiro de Souza (1916-1975), Carioca (Ivan Paulo da Silva, 1910-1991), Edmundo Peruzzi (1918-1975), Lindolfo Gaya (1921-1987), Luís Arruda Paes (1926-1999), Renato de Oliveira (1923-1980) e os citados Astor, Cipó, Moacir Santos, Moacir Silva, Nelsinho, Orlando Silveira e Paulo Moura.

Já em matéria de samba, revelou-se muito pouca gente: os compositores Zé Kéti (José Flores de Jesus, 1921-1999) e Monsueto Menezes (1924-1973) e os ótimos cantores Jorge Veiga (Jorge de Oliveira, 1910-1979) e Roberto Silva (Roberto Napoleão, 1920-2012), um seguidor da escola Ciro Monteiro. Não sendo uma revelação, pois já atuava no meio artístico desde os anos 30, destacou-se o compositor, cantor e comediante Adoniran Barbosa (João Rubinato, 1910-1982), que na década de 1950 começou a fazer grande sucesso com seus sambas pitorescos, que o tornaram o compositor mais popular da cidade de São Paulo e levaram ao estrelato os Demônios da Garoa, seus principais intérpretes.

Também escassas foram as revelações na área da canção carnavalesca tradicional, que entrou em declínio nos anos 50, praticamente desaparecendo no final da década seguinte. Ocasionaram essa decadência o encarecimento da produção e divulgação do disco, o que provocou o desinteresse das gravadoras, e o desgaste de determinadas fórmulas de composição, interpretação e orquestração do gênero, repetidas à exaustão pelos anos afora. Então a qualidade dos sambas e marchinhas carnavalescas só não despencou de vez graças ao trabalho de alguns veteranos — como Braguinha e Haroldo Lobo —, que permaneceram na luta ao lado dos talentosos e ecléticos novatos Klecius Caldas, Armando Cavalcânti, Luís Antônio e Jota Júnior, já citados, mais João Roberto Kelly, que se destacaria na década seguinte.

Nos domínios do choro, os astros de maior brilho, que mantiveram o gênero em evidência, já foram mencionados: o cavaquinista Waldir Azevedo, um campeão em vendagem de discos, o flautista Altamiro Carrilho, o bandolinista Jacob do Bandolim, o clarinetista Abel Ferreira e a cantora Ademilde Fonseca, sendo que os três últimos já atuavam na fase

Pinto, 1932), Araken Peixoto (1930-2008), Geraldo Medeiros (1917-1978) e Astor Silva (1922-1968); bateristas — Hanestaldo Américo, Bibi Miranda e Milton Banana (Antônio de Souza, 1935-1999).

A eclética Elizeth Cardoso, cujo repertório sintetiza o melhor da MPB de seu tempo, e Ademilde Fonseca, a principal intérprete do choro cantado.

anterior. Ademilde, aliás, foi uma pioneira, criando um estilo especial para a interpretação do choro cantado, valendo-se de uma extraordinária capacidade de cantar em andamento veloz, sem tropeçar nas palavras nem perder a afinação.

Ao lado de seus sucessores, teve ainda uma marcante atuação no período 1946-1957 um numeroso contingente de artistas vindos da Época de Ouro. Vários deles, aliás, viveriam inclusive sua fase de maior prestígio, como foi o caso dos compositores Dorival Caymmi, Geraldo Pereira, Herivelto Martins e Lupicínio Rodrigues, os cantores Nelson Gonçalves, Dalva de Oliveira, Isaura Garcia e Emilinha Borba, e os músicos Copinha (Nicolino Cópia), Garoto (Aníbal Augusto Sardinha), Abel Ferreira, o próprio Luiz Gonzaga e Severino Araújo.

O gaúcho Lupicínio Rodrigues (1914-1974) alcançou grande sucesso cantando amores infelizes em ritmo de samba-canção.

Não tão em evidência, porém ainda bastante prestigiados pelo público, prosseguiram em suas atividades artísticas veteranos como os compositores Ary Barroso, Alcir Pires Vermelho e Mário Lago, e os cantores Carlos Galhardo, Roberto Paiva, Déo, Francisco Alves, Gilberto Alves, Moreira da Silva, Orlando Silva, Sílvio Caldas, Vicente Celestino, Araci de Almeida, Leny Eversong, Linda e Dircinha Batista.

Sem pretender desmerecer o valor da geração pós-Época de Ouro, é justo ressaltar as vantagens que lhe foram proporcionadas pela chegada ao Brasil de importantes aprimoramentos tecnológicos na indústria do lazer. Entre essas novidades estavam a televisão (1950), o disco LP (1951) e os sofisticados processos de gravação do som, com a substituição da cera pela fita magnética e o emprego da máquina de múltiplos canais de som. Tais aprimoramentos contribuíram para o sucesso dessa geração, promovendo-a e conduzindo-a ao caminho da modernidade.

42.
O ESTOURO DO BAIÃO

Bem encaminhado na vida artística, há mais de quatro anos gravando valsas, polcas e chorinhos, na maioria de sua autoria, Luiz Gonzaga sentia em 1945 a necessidade de arranjar um bom parceiro, nordestino como ele, que o ajudasse a mostrar ao Brasil a música de sua região: "Eu me lembrava do Nordeste, eu queria cantar o Nordeste. E pensava que no dia em que encontrasse alguém capaz de escrever o que eu tinha na cabeça, aí é que me tornaria um verdadeiro cantor", afirmaria muito tempo depois à sua biógrafa Dominique Dreyfus.

Foi para isso que procurou Lauro Maia, um compositor cearense, recém-radicado no Rio, que supria boa parte do repertório dos Quatro Ases e Um Curinga. O que animava Gonzaga era que várias das músicas de Maia — como o xote "Fa ran fun fan", o balanceio "Eu vou até de manhã" e a ligeira "A ribeira do Caxia" — tinham um autêntico sabor nordestino. Todavia, depois de ouvir a proposta de trabalho, o cearense confessou-se boêmio inveterado, avesso a compromissos, sendo, além disso, muito mais compositor do que letrista. Indicou-lhe, porém, seu cunhado Humberto Teixeira, cearense do Iguatu, poeta e compositor inspirado, com músicas gravadas, o elemento ideal para aquela empreitada.

Então, numa tarde de agosto de 1945, Luiz Gonzaga teve seu primeiro encontro com o futuro parceiro. É o próprio Teixeira quem descreve esse encontro, em depoimento prestado ao pesquisador Nirez, em 11 de dezembro de 1977: "Um dia estou lá no escritório, na avenida Calógeras (centro do Rio), quando me procurou o Luiz Gonzaga, que conhecia de nome, mas era a primeira vez que o via. Ele começou contando a conversa com o Lauro e, em seguida, explicou-me a história de deflagrar a música do Norte nos grandes centros (na época, usava-se muito o termo Norte em lugar de Nordeste). Aí, ficamos conversando de quatro e meia à meia-noite. Eu fechei o escritório (de advocacia), como fazia quando tratava de música, e relembramos aqueles ritmos do Ceará, de Pernambuco, e naquele dia mesmo nós chegamos à conclusão de que a música a ser utilizada (no projeto) deveria ser o baião, pois era a que tinha a característica mais fácil, mais uniforme para se lançar".

Durante o século XIX, criou-se no interior da Bahia uma variante do lundu, descrita por Pereira da Costa (citado no *Dicionário do folclore brasileiro*, de Câmara Cascudo) como "uma dança rasgada, lasciva, movimentada, ao som de canto próprio, com letras e acompanhamento a viola e pandeiro". Com o passar do tempo, subvariantes dessa dança espalharam-se por outros estados do Nordeste, popularizando-se sob o nome "baião", uma corruptela de "baiano", termo como era conhecida originalmente. Foi a música ligada a essa dança, também chamada baião, que Luiz Gonzaga e Humberto Teixeira escolheram como modelo a ser usado no projeto. Preferida para animar os bailes sertanejos, essa música inspirou também um certo toque de viola, executado nos intervalos das cantorias de repentistas, base do ritmo adotado na estilização.

Dos encontros iniciais nasceram as primeiras composições da dupla, o xote "No meu pé de serra" e "Baião", uma espécie de canção-manifesto que apresentava ao público o gênero homônimo e convidava-o a dançá-lo: "Eu vou mostrar pra vocês/ como se dança o baião/ oi quem quiser aprender/ é favor prestar atenção...". O curioso é que Gonzaga gravou "No meu pé de serra" (em 27 de novembro de 1946), entregando o "Baião" (que só gravaria três anos depois) aos Quatro Ases e Um Curinga, talvez por achar que a composição atingiria um público maior se cantada pelo popular conjunto. Ao que se sabe, esta seria a segunda vez em que se empregava a palavra "baião" para designar o ritmo de uma canção na discografia brasileira. A primeira foi usada por João Pernambuco em sua composição "Estrela d'alva", cantada em 1930 por Stefana de Macedo no disco Columbia nº 5157.

Em outubro de 1946, mês da chegada às lojas da gravação dos Quatro Ases e Um Curinga, teve início a Era do Baião, quando a música nordestina, devidamente amaciada para o público urbano, alcançaria um sucesso de proporções jamais imaginadas pelos deflagradores da onda, Gonzaga e Teixeira. Infelizmente, a conjunção dos talentos musical do primeiro e poético do segundo desfez-se em 1952, quando eles, já não se entendendo muito bem, passaram a pertencer a diferentes sociedades arrecadadoras de direitos autorais. Mesmo assim, rendeu 27 composições das mais expressivas, como os baiões "Juazeiro" (1949); "Baião de dois", "Paraíba", "Qui nem jiló" e "Respeita Januário" (1950); as toadas "Asa branca" (1947), "Légua tirana" (1949), "Assum preto" e "Estrada do Canindé" (1950); a polca "Lorota boa" (1949); e o xote "Mangaratiba" (1949), além dos citados "Baião" e "No meu pé de serra". Feminina no século XIX, quando se tornou conhecida no Brasil, a denominação "schottisch" passou para o masculino ao popularizar-se como um gênero musical rural, aportuguesando-se na forma "xote".

Com Zé Dantas, seu segundo melhor parceiro, como foi ressaltado, Luiz Gonzaga fez 46 composições, entre as quais clássicos como as toadas "A volta da asa branca" (1950) e "Vozes da seca" (1953), os xotes "Cintura fina" (1950) e "O xote das meninas" (1953), o baião "Dança da moda" (1950) e o "Forró de Mané Vito" (1949). Sertanejo cem por cento, embora tenha vivido vários anos no Rio de Janeiro, onde exerceu a profissão de médico obstetra, Zé Dantas era um apaixonado pela tématica nordestina, motivo único, praticamente, de sua obra.

Além dos citados Luís Vieira, Luís Bandeira, Lauro Maia, Zé do Norte, Zé Gonzaga e Jackson do Pandeiro, destacaram-se como autores de música nordestina compositores especialistas em outros gêneros, como Hervê Cordovil ("Cabeça inchada", 1949, "Sabiá na gaiola", 1950, "Esta noite serenou", 1951), a dupla Klecius Caldas-Armando Cavalcânti ("Boiadeiro" e "Sertão do Jequié", 1950), Waldir Azevedo ("Delicado", 1951) e até o romântico Lúcio Alves, em parceria com Haroldo Barbosa ("Baião de Copacabana", 1951). Aliás, a onda do baião atingiu a quase totalidade do meio musical popular, incluindo entre os seus mais festejados intérpretes gente consagrada em outras áreas, como Ivon Curi ("O xote das meninas"), Emilinha Borba ("Paraíba" e "Baião de dois"), Marlene ("Qui nem jiló") e Dalva de Oliveira ("Kalu" e "Sertão do Jequié"), além das especialistas Carmélia Alves, Claudette Soares e Marinês, já mencionadas.

A Era do Baião durou, pode-se dizer, de 1946 a 1957, alcançando o auge no triênio 1949-1951. Nesse auge, Gonzaga fixou a banda ideal para acompanhá-lo, que se tornaria o conjunto padrão adotado pelos cultores do baião: acordeão, zabumba e triângulo. Na verdade, a ideia dessa formação ele descobrira em antigos grupos que ouvira tocar nos tempos de criança.

Ainda que dividindo, a partir de 1953, a atenção do público adepto da canção nordestina com o novo astro Jackson do Pandeiro, Luiz Gonzaga continuou soberano pelo resto do período de evidência do baião, compondo, cantando e tocando pelo Brasil afora, em incessante atividade. Famoso e realizado, vendo coroado de êxito seu projeto artístico, com a música do Nordeste definitivamente incorporada à história da música brasileira, ele desfrutava em meados dos anos 50 de uma situação bem diferente da que enfrentara na infância e juventude.

Segundo dos nove filhos do casal Januário dos Santos — um agricultor privilegiado, pois tocava e consertava sanfona muito bem — e Ana Batista de Jesus, a Santana, Luiz Gonzaga nasceu no dia 13 de dezembro de 1912, na fazenda do Caiçara, situada ao pé da Serra do Araripe, no município pernambucano de Exu. Ao contrário dos irmãos, que receberam os sobrenomes Januário dos Santos, Luiz Gonzaga seria "do Nascimento", por ter nascido no mês do nascimento de Cristo.

Menino pobre, sem escola, criado solto no mato, Luiz sentia uma atração irresistível pela música. Assim, ainda bem criança, por mera intuição, começou a tocar na sanfona do pai que, reconhecendo-lhe o dom, passou a usá-lo como auxiliar nas festas em que atuava. "Feliz, Gonzaga animava o baile com seu fole, revezando com Januário, até cair de sono", comenta sua biógrafa Dominique. Aos 12 anos, idade em que os meninos da região eram, por tradição, obrigados a trabalhar dois dias por semana para os patrões, o esperto Luiz foi escolhido pelo coronel Manoel Aires de Alencar, rábula e prefeito de Exu, para cuidar de seu cavalo nas muitas viagens que fazia. Desse encargo resultaram-lhe três benefícios: ganhou dinheiro para adquirir sua primeira sanfona e aprendeu, com as filhas do coronel, a ler e a comer com faca e garfo, como gente civilizada. Só que o moleque era abusado. Assim que pôs as mãos na sanfona, largou o cavalo do patrão e passou a ganhar a vida tocando nos forrós da região.

Em julho de 1930, Luiz Gonzaga fugiu de casa e foi ser soldado do Exército em Fortaleza. Aliás, nunca se soube como ele conseguiu assentar praça, pois tinha na ocasião apenas 17 anos e meio. Já sobre a fuga, não há mistério: muito admirado nas cercanias de Exu, por suas qualidades de sanfoneiro, ele aproveitava-se do prestígio para namorar tudo que era fã. Um dia apaixonou-se e foi correspondido pela jovem Nazarena, a Nazinha, da família Olindo. Como o pai da moça proibiu o namoro, o cabra zangou-se, bebeu uns tragos, comprou uma faca e foi tomar satisfações. Conhecendo seus pais, seu Olindo desconversou, mas procurou Santana para queixar-se do atrevimento. Resultado: naquele dia mesmo, a mãe de Gonzaga aplicou-lhe uma tremenda surra com umas cordas que vendia na feira. Então, ao galã desmoralizado só restou o recurso da fuga, que, além do mais, tinha um certo sabor de vingança, pois assim ele deixava de ajudar nas despesas da casa.

Gonzaga permaneceu no Exército por nove anos, oito meses e dez dias. Um ano em Fortaleza e o restante em Minas Gerais, para onde solicitara transferência, movido pelo interesse de conhecer o Sul. Tendo vendido sua sanfoninha de oito baixos para custear a fuga, ele ficaria praticamente sem pegar num fole até 1936, quando adquiriu um novo instrumento, de 48 baixos, que em 1938 substituiria por um acordeão Horner, muito melhor, de 80 baixos. Foi com esse instrumento que viajou para o Rio de Janeiro em 27 de março de 1939, depois de dar baixa na vida militar.

A intenção inicial era voltar ao sertão pernambucano, tanto assim que até já comprara uma passagem de navio para Recife. Acontece que no local onde se hospedara — o quartel do Batalhão de Guardas — esperando o dia do embarque, foi convencido por um soldado a tocar no Mangue, a zona do baixo meretrício carioca, onde poderia ganhar alguns trocados. Chegando ao Mangue, Gonzaga logo "se estabeleceu", tocando a princípio na rua e depois em botequins, ganhando o suficiente para se sustentar e desistir da volta a Exu. Dessa estreia na "zona" à gravadora Victor decorreram dois anos, em que o sanfoneiro passou por muitos bares, gafieiras e cabarés, alcançando por fim o rádio, etapa na época decisiva para chegar ao disco. O curioso é que em seu período inicial no Rio, Gonzaga achava que para se firmar no meio artístico tinha que se dedicar aos gêneros urbanos da moda, embora o seu forte fosse o conhecimento do repertório rural. E foi esse conhecimento que lhe facilitou o ingresso no mundo fonográfico, acompanhando numa gravação o artista caipira Genésio Arruda. O sanfoneiro escolhido para o disco era bisonho e Gonzaga, que na ocasião participava de programas radiofônicos de Zé do Norte, foi chamado para substituí-lo, sendo imediatamente convidado a fazer um teste.

Nove dias após a gravação com Genésio, o futuro Rei do Baião estaria realizando (em 14 de março de 1941) na Victor os seus dois primeiros discos como solista: o de nº 34744 (lançado em maio de 1941), com a mazurca "Véspera de São João" (de Gonzaga e F. Reis) e a valsa "Numa seresta" (de Gonzaga), e o de nº 34748 (lançado em junho de 1941), com a valsa "Saudades de São João Del Rei" (de Simão Jandi) e o chamego "Vira e mexe" (de Gonzaga). Esse negócio de "chamego" era um novo gênero musical — uma espécie de chorinho, ligeiro, alvoroçado, com forte sotaque nordestino —, inventado por Gonzaga.

Daí até o encontro com Humberto Teixeira e o lançamento de seu projeto musical, Luiz Gonzaga gravaria quarenta discos, num total de 79 fonogramas, vários deles de muito sucesso, como o choro "Galo garnizé", o chamego "Penerô xerém", a mazurca "Cortando pano" e "O calango

Luiz Gonzaga (1912-1989), o principal responsável pelo estouro do baião, juntamente com Humberto Teixeira.

da lacraia", todos do próprio Gonzaga, sendo o primeiro em parceria com Antônio Almeida, o segundo com Miguel Lima, o terceiro com Miguel Lima e J. Portela e o quarto com J. Portela.

A partir de 1958, com o início da bossa nova e o fim da Era do Baião, a carreira de Gonzaga mergulhou em prolongado ostracismo. Todavia, apesar da diminuição do interesse popular por seus discos e shows, sua música continuou viva e respeitada. Prova disso ele teria, em plena época do Tropicalismo, quando Gilberto Gil e Caetano Veloso proclamaram a importância de sua obra para a moderna canção brasileira. Numa entrevista a Augusto de Campos (em abril de 1968), Gil afirmou: "O primeiro fenômeno musical que deixou lastro muito grande em mim foi Luiz Gonzaga". E não ficou só nisso: a obra-prima "Domingo no parque", de Gil, segunda colocada no III Festival de MPB da Record, era um exemplo pioneiro da fusão da música nordestina com o pop internacional. Na verdade, além de principal compositor e cantor de sua região, Gonzaga foi dos maiores acordeonistas brasileiros, de competência e talento reconhecidos por especialistas no instrumento, como o maestro-acordeonista Orlando Silveira, que iniciou sua carreira imitando-o e o considerava um grande músico, produto de um assombroso autodidatismo.

Mas a volta consagradora do Rei do Baião ao sucesso, reverenciada por inúmeros artistas das novas geração, só aconteceria em março de 1972, no show intitulado "Luiz Gonzaga volta para curtir", realizado no teatro carioca Teresa Raquel e produzido pelo poeta tropicalista José Carlos Capinan. Começou assim a fase derradeira de sua carreira, que se estendeu até o final dos anos 80. Nesse período, em que lançou em média mais de um LP por ano, renovou seu repertório com compositores como João Silva, Nelson Valença, Onildo de Almeida, Janduhy Finizola, Luís Ramalho, José Marcolino e o pernambucano de Garanhuns Dominguinhos (José Domingos de Morais — 1941-2013), seu sucessor artístico. Foram seus maiores sucessos nessa fase "Ovo de codorna" (de Severino Ramos, 1972), "Capim novo" (de Gonzaga e José Clementino, 1976) e "Sanfoninha choradeira" (de Gonzaga e João Silva, 1984), além de uma emocionante recriação de "Vida de viajante" (de Gonzaga e Hervê Cordovil), gravada em dupla com o filho adotivo, Luiz Gonzaga Júnior, o Gonzaguinha, em 1981. Dos nomes citados, João Silva foi o seu parceiro mais assíduo no período.

Luiz Gonzaga morreu de câncer na próstata, em Recife, no dia 2 de agosto de 1989. Em seus últimos anos viveu praticamente entre o Rio de Janeiro, Recife e Exu. No Rio ele tinha Helena, a mulher com quem foi casado durante quarenta anos; em Recife, Zuíta (Edelzuíta Rabelo), sua grande paixão e com quem por certo se casaria se conseguisse o divórcio de Helena; e em Exu, o Parque Aza Branca, que criou em homenagem às sua origens. Dono de um grande coração, Gonzaga procurou por toda a vida ajudar parentes e amigos. Ao mesmo tempo, como era dominado por um temperamento autoritário, prepotente, sempre viveu às turras com as pessoas que mais estimava. Disso resultaram constantes desavenças com o filho Gonzaguinha — que só diminuíram com o amadurecimento deste — e com a esposa Helena, mandona também, além de possessiva e intransigente, com quem se desentendeu até o fim.

Em 1953, quando a moda da música nordestina começava a perder força, irrompeu no meio musical carioca a figura irrequieta de Jackson do Pandeiro, para renovar-lhe o prestígio. Nascido no município de Alagoa Grande, estado da Paraíba, filho do oleiro José Gomes e da coqueira (cantora de cocos) Flora Maria da Conceição, a Flora Mourão, Jackson (José Gomes Filho) começou na adolescência a dominar tudo quanto era instrumento de percussão, demonstrando uma preferência pelo pandeiro, cujo nome acabaria agregado ao seu pseudônimo artístico. Assim, depois de vários anos de atuação nos mais diversos grupos, conjuntos e orquestras de Campina Grande, João Pessoa e adjacências, Jackson do Pandeiro chegou a Recife em 1948, a fim de integrar o elenco da possante e então recém-inaugurada Rádio Jornal do Comércio.

Por essa época, ele adicionara às qualidades de percussionista a de cantor de muita bossa, que transferira para sua voz rústica as piruetas rítmicas que executava nos instrumentos de percussão. Realmente, estava pronto para ser lançado em escala nacional. Disso se encarregaria a gravadora Copacabana, que o contratou através de seu representante no Nordeste, o compositor Genival Macedo.

As primeiras gravações de Jackson do Pandeiro, que tinha medo de viajar de avião, foram realizadas nos estúdios da rádio, em Recife, em meados de 1953. No repertório, três rojões, três cocos, um baião, um frevo, um batuque e um samba, gênero que o cantor também dominava. No mesmo ano, a Copacabana lançou com grande sucesso duas dessas gravações, que constituíram o disco de estreia do artista, o rojão "Forró em Limoeiro" (de Edgar Ferreira) e o coco "Sebastiana" (de Rosil Cavalcânti). Meses depois, no início de 1954, sairia o segundo, com mais duas dessas gravações, o rojão "Um a um" (de Edgar Ferreira) e o coco "A mulher do Aníbal" (de Genival Macedo e Nestor de Paula), que consolidaram a popularidade do estreante.

Não por acaso, os dois apresentavam apenas cocos e rojões, os gêneros que melhor se adaptavam ao estilo alegre, buliçoso, sacudido, que consagrou Jackson do Pandeiro como um dos maiores artistas nordestinos, enquanto o distinguia do consagrado Luiz Gonzaga, de canto mais sóbrio, mais sentimental. Naturalmente, esses cocos e rojões eram estilizações, sem maior rigor musicológico, dos ritmos folclóricos originais. Aliás, segundo alguns especialistas, o rojão é uma variante do baião em que o cantador narra suas façanhas, contando vantagens. No caso de Jackson, seu rojão diferencia-se do baião convencional por ter um ritmo mais vivo, de forte marcação.

De 1953 a 1962, Jackson do Pandeiro viveu o melhor de sua carreira, sempre se apresentando ao lado de Almira Castilho, parceira que se tornou sua mulher e com quem viveu até 1967. Desse período são o coco "O canto da ema" (de Alventino Cavalcânti, Aires Viana e João do

O paraibano Jackson do Pandeiro (1919-1982) se lançou interpretando sacudidos cocos e rojões.

Vale, 1956); os baiões "Eta baião" (de Marçal Araújo, 1954) e "Cantiga de sapo" (de Jackson e Buco do Pandeiro, 1959); o "Xote de Copacabana" (de Jackson, 1957); os sambas "Vou gargalhar" (de Edgar Ferreira, 1954), "Chiclete com banana" (de Gordurinha e Almira, 1959) e "Samba do ziriguidum" (de Jadir de Castro e Luís Bittencourt, 1962); a marcha "Vou ter um troço" (de Jackson, Arnô Provenzano e Otolindo Lopes); e o "Frevo do bi" (de Brás Marques e Diógenes Bezerra), ambos de 1962, além dos citados "Sebastiana", "Mulher do Aníbal", "Um a um" e "Forró em Limoeiro". Sucessos, essas e outras composições difundidas por Jackson do Pandeiro ainda tiveram o mérito de tornar conhecidos vários de seus autores, como Edgar Ferreira, Rosil Cavalcânti, Genival Macedo, Gordurinha (Waldeck Artur de Macedo) e um certo João do Vale, depois celebrizado com a canção "Carcará".

"Vou ter um troço" e o "Frevo do bi" foram os últimos grandes sucessos de Jackson do Pandeiro. A partir desses lançamentos, sua carreira entrou em declínio, embora ele tenha-se mantido atuando até às vésperas de sua morte em Brasília, em 10 de julho de 1982. Atuando e recebendo elogios de artistas que influenciou, como Gilberto Gil, Alceu Valença, João Bosco e Zé Ramalho.

43. A HEGEMONIA DO SAMBA-CANÇÃO NA MÚSICA ROMÂNTICA

O samba não havia ainda se consolidado em sua forma-padrão, estabelecida pelos compositores do Estácio, e já apresentava uma variante de andamento lento e letra romântica, que se convencionou chamar de samba-canção. Essa denominação aparece na imprensa, possivelmente pela primeira vez, numa notícia publicada no nº 16 da revista *Phono Arte*, de 30 de março de 1929: "'Yayá' ('Linda flor'), o samba-canção que todos conhecem e que, no último carnaval, foi um dos seus mais ruidosos sucessos, acha-se impresso pela Casa Vieira Machado".

É assim "Linda flor", de Henrique Vogeler — em sua terceira versão, com letra feita às pressas por Luís Peixoto para Aracy Cortes cantar na revista *Miss Brasil* e depois gravar —, o primeiro samba-canção de sucesso. Na onda de "Linda flor", foram lançadas ainda em 1929 dezoito composições do gênero, entre as quais "Cansei", de Sinhô, gravada por Mario Reis, que, fiel ao estilo do autor, é na verdade um belo samba amaxixado, cantado em andamento lento.

Enfrentando na área da música romântica a então preferida canção ternária, o samba-canção levaria vinte anos para superá-la. Nesse período se manteria numa média de quinze lançamentos anuais sendo, no início da década de 1940, rotulado muitas vezes apenas como "samba". Mesmo nessa sua fase minoritária, o samba-canção já se destacaria nos repertórios dos nossos melhores cantores e compositores com sucessos como: "No Rancho Fundo" (de Ary Barroso e Lamartine Babo, 1931), com Elisa Coelho; "Maria" (de Ary Barroso e Luís Peixoto, 1933), com Sílvio Caldas; "Serra da Boa Esperança" (de Lamartine Babo, 1937), com Francisco Alves; "Último desejo" (de Noel Rosa, 1938), com Araci de Almeida; "Ave Maria no morro" (de Herivelto Martins, 1942), com o Trio de Ouro; e "Saia do caminho" (de Custódio Mesquita e Evaldo Rui, 1946), com Araci de Almeida.[6]

[6] Outros sambas-canção de sucesso: 1932 — "Mulato bamba" (Noel Rosa); 1933

Mas foi o sucesso notável de três composições — “Copacabana” (de João de Barro e Alberto Ribeiro, 1946), “Marina” (de Dorival Caymmi, 1947) e “Segredo” (de Herivelto Martins e Marino Pinto, 1947), que prenunciaram a próxima chegada do samba-canção ao topo da popularidade. Lançadas, a primeira por Dick Farney; a segunda por Francisco Alves, Dick Farney, Nelson Gonçalves e Dorival Caymmi, quase simultaneamente; e a terceira simultaneamente por Dalva de Oliveira e Nelson Gonçalves, essas composições monopolizaram a preferência do público no segundo semestre de 1947, preferência essa que “Copacabana” já ostentava desde o final do ano anterior.

Então, em 1948, o samba-canção assumiu a hegemonia da música romântica brasileira, levando a valsa a uma posição secundária, ao mesmo tempo em que quase fazia desaparecer o fox-canção. Essa hegemonia pode ser constatada pelo grande número de sambas-canção de sucesso no ano, entre os quais “Caminhemos” (de Herivelto Martins), “Esses moços” (de Lupicínio Rodrigues) e “Quem há de dizer” (de Lupicínio e Alcides Gonçalves), gravados por Francisco Alves; “Somos dois” (de Klecius Caldas, Armando Cavalcânti e Luís Antônio), “Um cantinho e você” (de José Maria de Abreu e Jair Amorim) e “Ser ou não ser” (de José Maria

— “Quando o samba acabou” (Noel Rosa); 1934 — “Tu” (Ary Barroso) e “Na batucada da vida” (Ary Barroso e Luís Peixoto); 1936 — “Menos eu” (Roberto Martins e Jorge Faraj); 1937 — “Amigo leal” (Benedito Lacerda e Aldo Cabral); 1939 — “Pedro Viola” (Laurindo de Almeida); 1940 — “Coqueiro velho” (Fernando Martinez Filho e José Marcílio); 1943 — “Mãe Maria” (Custódio Mesquita e David Nasser); 1944 — “Como os rios que correm para o mar” (Custódio Mesquita e Evaldo Rui); 1945 — “Dora” (Dorival Caymmi); 1946 — “Fracasso” (Mário Lago); 1947 — “Adeus, cinco letras que choram” (Silvino Neto) e “Se queres saber” (Peterpan); 1949 — “Velhas cartas de amor” (Klecius Caldas e Francisco Alves); 1950 — “Cadeira vazia” (Lupicínio Rodrigues); 1951 — “Ave Maria” (Vicente Paiva e Jaime Redondo); 1952 — “Alguém como tu” (José Maria de Abreu e Jair Amorim), “Não tem solução” (Dorival Caymmi e Carlos Guinle) e “Nunca” (Lupicínio Rodrigues); 1953 — “João Valentão” (Dorival Caymmi), “Risque” (Ary Barroso) e “Só vives pra lua” (Othon Russo e Ricardo Galeno); 1954 — “Rua sem sol” (Mário Lago e Henrique Gandelman); 1955 — “Meu vício é você” (Adelino Moreira), “Duas contas” (Garoto) e “Escuta” (Ivon Curi); 1956 — “Neste mesmo lugar” (Klecius Caldas e Armando Cavalcânti); 1957 — “Franqueza” (Denis Brean e Osvaldo Guilherme), “Laura” (Alcir Pires Vermelho e João de Barro) e “A volta do boêmio” (Adelino Moreira); 1958 — “Suas mãos” (Pernambuco e Antônio Maria); 1960 — “Negue” (Adelino Moreira e Enzo de Almeida Passos); 1961 — “Nossos momentos” (Luís Reis e Haroldo Barbosa) e “Poema do adeus” (Luís Antônio); 1962 — “Poema do olhar” (Evaldo Gouveia e Jair Amorim); 1964 — “Matriz ou filial” (Lúcio Cardim); 1967 — “Carolina” (Chico Buarque) e “Ronda” (Paulo Vanzolini). Aliás, “Ronda” é de 1951, mas só chegou ao sucesso no relançamento, em 1967.

de Abreu e Alberto Ribeiro), gravados por Dick Farney; "Aquelas palavras" (de Benny Wolkoff e Luís Bittencourt) e "Nova ilusão" (de José Menezes e Luís Bittencourt), gravados, respectivamente, por Lúcio Alves e o estreante conjunto Os Cariocas.

Não por acaso, 1948 marcou também a intensificação da popularidade no Brasil de um ritmo estrangeiro, o bolero.[7] Presente eventualmente na programação de nossas rádios desde o final dos anos 30, quando o tenor mexicano Pedro Vargas iniciou uma série de temporadas anuais no Rio de Janeiro, o bolero começou a crescer na predileção dos brasileiros a partir de 1945. O motivo foi o grande sucesso do filme *Santa: o destino de uma pecadora* e de sua canção-tema, o bolero "Santa", de Agustín Lara. Estrelado pela atriz Esther Fernández, esse dramalhão permaneceu em cartaz nos cinemas cariocas durante 27 semanas, motivando uma ampla abertura de nosso mercado exibidor ao cinema mexicano. Assim, à medida que vieram dezenas de filmes, vieram também os boleros, reforçando uma preferência que se tornou uma verdadeira paixão dos brasileiros. E, como nosso gênero musical mais próximo do bolero era o samba-canção, este tipo de música cresceu extraordinariamente, passando a desfrutar de um prestígio nunca antes experimentado. A força do bolero, digamos, potencializou a moda do samba-canção.

Registrando a média anual de 28 sambas-canção gravados no triênio 1948-1950, o gênero alcançaria no período 1951-1957 a alentada cifra de 924 composições gravadas, o que representou uma média anual de

[7] O bolero latino-americano nasceu em Santiago de Cuba na segunda metade do século XIX. É herdeiro melódico da canção espanhola e tem em suas características rítmicas forte influência da habanera e da *danza*, gêneros básicos da música popular cubana. Daí o fato de ele ser binário, fundamentalmente diferente do bolero espanhol, que é ternário e do qual só adotou o nome. O mais antigo bolero conhecido chama-se "Tristezas" e foi composto em 1883 pelo cantor e violonista José Pepe Sanchez, muito popular em Santiago de Cuba. Logo espalhado pelo Caribe, o novo ritmo entrou no México pela região de Yucatán no final dos anos 1890. Encontrando nesse país ambiente favorável, evoluiu conquistando os artistas da terra e crescendo muito na década de 1920, quando estreou seu mais importante compositor, o também pianista Agustín Lara (1897-1970). Em 1929, com o lançamento de "Aquellos ojos verdes", dos cubanos Nilo Menéndez e Adolfo Utrera, o bolero iniciou sua fase moderna, tornando-se mundialmente conhecido. Fizeram grande sucesso em seu período áureo no Brasil: "Santa", "Palabras de mujer" e "Pecadora" (de Agustín Lara), "Dos almas" (de Don Fabián) e "Quizás, quizás, quizás" (de Oswaldo Farrés), "Perfidia" e "Frenesi" (de Alberto Dominguez), "La última noche" (de Bobby Collazo), "Maria la-ó" (de Ernesto Lecuona), "Nosotros" (de Pedro Junco) e "Hipócrita" (de Carlos Crespo). Todas essas composições tiveram versões brasileiras, na maioria gravadas por Francisco Alves.

Com seu canto pungente, impregnado de emoção, Dalva de Oliveira (1917-1972) foi a grande diva da canção romântica brasileira.

132. Nessa enxurrada de lançamentos confirmou-se uma tendência que já vinha se manifestando nos anos anteriores, a divisão do samba-canção em duas grandes vertentes, a tradicional e a moderna. A tradicional era musical e poeticamente inspirada em modelos consagrados na Época de Ouro e tinha como expoentes os veteranos compositores Lupicínio Rodrigues e Herivelto Martins. A moderna era essencialmente renovadora, propunha novos rumos não apenas para o samba-canção, mas também para a própria música brasileira, e tinha como figuras emblemáticas os então jovens cantores Dick Farney e Lúcio Alves. Enquanto parte considerável da primeira derivou para formas popularescas, depreciativamente chamadas de música brega, a segunda sofisticou-se, desembocando na bossa nova.

Vindos do período anterior, quando já haviam conquistado o público com inúmeras composições, Lupicínio Rodrigues e Herivelto Martins marcaram presença na grande fase do samba-canção com composições como "Nervos de aço" (1947), "Esses moços" e "Quem há de dizer" (1948), "Vingança" (1951); "Edredom vermelho" (1946), "Segredo"

(1947), "Caminhemos" (1948) e "Negro telefone" (1953), as quatro primeiras de Lupicínio e as restantes de Herivelto. Impregnados de características trágico-românticas, sempre cantando amores infelizes, esses sambas-canção funcionaram como autênticos modelos para composições da vertente tradicional. Os de Herivelto, que pareciam refletir a realidade de sua tumultuada separação da mulher Dalva de Oliveira, chegaram a inspirar "respostas" — como "Errei sim" (de Ataulfo Alves, 1950) e "Calúnia" (de Paulo Soledade e Marino Pinto, 1951) —, o que ocasionou uma célebre polêmica musical, com ganhos promocionais para os litigantes e ótimo lucro para as gravadoras.

Vários outros veteranos de qualidade — como Ataulfo Alves, Ary Barroso, David Nasser, Marino Pinto, Mário Lago e Roberto Martins — continuaram também compondo com frequência no período pós-Época de Ouro sambas-canção nos moldes tradicionais. Já entre os compositores novatos que se integraram nessa corrente, destacaram-se nomes como Adelino Moreira, Chocolate (Dorival Silva), Raul Sampaio, Othon Russo e Nazareno de Brito.

O vasto repertório da vertente tradicional, que já sustentava a popularidade dos cantores Francisco Alves e Nelson Gonçalves, o primeiro no final e o segundo no início da carreira, seria o grande responsável pela glorificação de Dalva de Oliveira e Ângela Maria, certamente as duas mais populares intérpretes do samba-canção nos anos 50. Possuidora de uma bela voz, doce, aguda e dotada de uma pungência que emprestava a tudo o que cantava um ar de veemente tristeza, Dalva (Vicentina de Paula Oliveira, Rio Claro, SP, 5 de maio de 1917-Rio de Janeiro, 31 de agosto de 1972) viveu seus primeiros treze anos de carreira numa posição de coadjuvante, integrando o Trio de Ouro, como foi mencionado. Em 1950, após separar-se de Herivelto Martins, lançou-se em carreira solo, de imediato vitoriosa pela qualidade de sua arte, mas, também, impulsionada pela ruidosa polêmica em que se meteu. Daí e pelos quatro anos seguintes viveu o auge da carreira, quando lançou sucessos como os sambas-canção "Tudo acabado" (de J. Piedade e Osvaldo Martins, 1950), "Fim de comédia" (de Ataulfo Alves, 1952) e "Folha morta" (de Ary Barroso, 1953).

Admiradora inveterada de Dalva, a quem começou imitando, Ângela Maria (Abelim Maria da Cunha, Macaé, RJ, 13 de maio de 1929-São Paulo, SP, 29 de setembro de 2018) foi sua maior rival artística, igualando-a em atributos, como o timbre raro e a capacidade de interpretação, e até superando-a em vigor, com sua voz superpotente. Ex-tecelã,

Ângela Maria (1929-2018), a mais bela voz feminina da geração pós-Época de Ouro.

com passagens por coros evangélicos, programas de calouros e orquestras de *dancings*, a desconhecida Abelim transformou-se na estrela Ângela Maria ao ser descoberta e levada à Mayrink Veiga e à RCA Victor em 1951 pelo compositor Erasmo Silva. A rádio revelou-a ao grande público, enquanto a gravadora confirmou essa revelação lançando-a no mundo do disco. Constante frequentadora das paradas de sucesso pelo resto da década — principalmente com sambas-canção, como "Orgulho" (de Valdir Rocha e Nelson Wadekind, 1953), "Vida de bailarina" (de Chocolate e Américo Seixas, 1954), "Abandono" (de Nazareno de Brito e Priscila Barros, 1955) e "Balada triste" (de Dalton Vogeler e Esdras Silva, 1958) —, Ângela, ao contrário de vários colegas de geração, manteve o prestígio durante as modas da bossa nova, dos festivais e da Jovem Guarda, só decaindo nos anos 70.

Além de Ângela Maria, o samba-canção tradicional contou, como foi dito, entre os novos, com intérpretes do porte de Gilberto Milfont, Francisco Carlos, Jamelão, Jorge Goulart, José Tobias, Roberto Luna, Carlos José, Cauby Peixoto, Zezé Gonzaga e Elizeth Cardoso. Dos nomes citados, merecem destaque especial Cauby e Elizeth.

Pertencente a uma família essencialmente musical, em que brilham o tio pianista Nonô (Romualdo Peixoto), o primo cantor Ciro Monteiro e os irmãos Araken (trompetista), Moacir (pianista) e Andiara (cantora), o niteroiense Cauby Peixoto Barros (10 de fevereiro de 1931-São Paulo, 15 de maio de 2016) revelou-se no início da década de 1950 como uma das mais belas vozes masculinas da música popular brasileira. Além de versátil, dominando vários gêneros musicais, nacionais e estrangeiros, Cauby Peixoto é um ótimo intérprete do samba-canção, transitando entre as áreas tradicional e moderna, embora mostre-se mais à vontade na primeira. Assim, não é de admirar que seu maior sucesso, a música que o identificaria pelo resto da vida, seja um samba-canção, o famoso "Conceição", de Dunga (Valdemar de Abreu) e Jair Amorim, lançado em 1956. Mas Cauby consagrou ainda outras composições do gênero, como "Molambo" (de Jaime Florence e Augusto Mesquita, 1956), "Prece de amor" (de René Bittencourt, 1957) e "Nono mandamento" (de Raul Sampaio e René Bittencourt, 1958). Também sobrevivendo à sua época, o cantor chegou em atividade ao século XXI.

Embora sem jamais ter alcançado o grau de popularidade de Dalva e Ângela, Elizeth Cardoso (Rio de Janeiro, RJ, 11 de julho de 1920-7 de maio de 1990) foi uma cantora maior — a maior de sua geração, na opinião de muitos, que a chamaram de Divina. Dona de uma sensual e melodiosa voz de contralto, quase *mezzo soprano*, cuja qualidade era realçada por uma técnica apurada, Elizeth cantou de tudo, podendo-se classificar seu repertório como uma síntese do que se fez de melhor na música popular brasileira de seu tempo, com uma importante fase dedicada ao samba-canção, iniciada com "Canção de amor" (de Chocolate e Elano de Paula, 1950), o grande sucesso que a revelou. Isso pode ser apreciado em sua vasta discografia de mais de cinquenta LPs, na qual se destaca especialmente um álbum que registra o recital realizado pela cantora, o Zimbo Trio, Jacob do Bandolim e o conjunto Época de Ouro, no dia 19 de fevereiro de 1968, produzido pelo Museu da Imagem e do Som, na época sob a direção de Ricardo Cravo Albin. Dirigido e roteirizado por Hermínio Bello de Carvalho, o espetáculo cobriu trinta anos de música brasileira, com Jacob e o Época de Ouro representando a tradição, o Zimbo Trio, a modernidade, e Elizeth atuando como traço de união entre as épocas focalizadas. Com sua versatilidade, a Divina cantou na ocasião um repertório que ia de Pixinguinha, Ary Barroso, Noel Rosa, Orestes Barbosa e o próprio Jacob a Tom Jobim, Vinicius de Moraes, Baden Powell, Chico Buarque e Milton Nascimento, entre outros.

Com sua voz de contralto e sua técnica apurada, Elizeth Cardoso (1920-1990) foi considerada por muitos a maior cantora de sua geração.

Foram ainda assíduos intérpretes do samba-canção tradicional no período pós-Época de Ouro os ecléticos veteranos Orlando Silva, Sílvio Caldas, Carlos Galhardo, Roberto Paiva, Isaura Garcia e as irmãs Linda e Dircinha Batista, além dos citados Francisco Alves e Nelson Gonçalves.

Passando à vertente moderna, pode-se apontar como seu primeiro sucesso marcante a mencionada gravação de "Copacabana". Marcante não apenas pela beleza da composição e por sua empatia com o público, mas, principalmente, pelo caráter renovador do arranjo de Radamés Gnattali e do canto de Dick Farney. O jovem Dick (Farnésio Dutra e Silva, Rio de Janeiro, 14 de novembro de 1921-São Paulo, 4 de agosto de 1987) revelara um novo estilo romântico de interpretação, moderno, suave e intimista, uma adaptação para o gosto brasileiro da maneira de cantar dos dois grandes cantores americanos da época, Bing Crosby e Frank Sinatra. O curioso é que até então, aos 25 anos de idade, Dick Farney almejara unicamente projetar-se nos Estados Unidos, como cantor e pianista de música norte-americana (daí o nome artístico adotado), só gravando em português para atender a uma imposição do diretor da gravadora a que pertencia, seu amigo Braguinha.

O fato, porém, é que a experiência, reforçada com o sucesso de "Marina", deu certíssimo, resultando no bem-sucedido lançamento de uma sequência de doze gravações, entre 1948 e 1950, das quais dez eram sambas-canção. Esses discos firmaram o prestígio do gênero em sua forma moderna e a carreira do cantor, que até ganhou um clube de admiradores, o Sinatra-Farney Fan Clube, uma novidade no Brasil. Salientaram-se na série "Um cantinho e você", "Ser ou não ser" e "Somos dois", já referidos, além de "Esquece" (de Gilberto Milfont) e "Ponto final" (de José Maria de Abreu e Jair Amorim). "Somos dois", aliás, inspirou o filme homônimo que teve Farney como galã e diálogos de Nelson Rodrigues. Exímio pianista, dono de um refinado estilo jazzístico, Dick Farney seria mais músico do que cantor — embora jamais tenha deixado de cantar — a partir de 1955, quando se esgotou sua fase de maior evidência. Assim, nos trinta anos seguintes, formou e liderou vários trios, quartetos e até uma orquestra, com os quais muito gravou e atuou nas noites paulistana e carioca.

Em março de 1948, a Continental lançou o primeiro disco solo de Lúcio Alves (Lúcio Ciribelli Alves, Cataguazes, MG, 27 de janeiro de 1927-Rio de Janeiro, 3 de agosto de 1993). Cantor moderno, romântico, de voz grave e macia, além de bom violonista, Lúcio seria um cordial competidor de Farney, seu colega de gravadora, de quem se diferenciava por sua formação mais ligada à música brasileira, tendo sido, como foi dito, criador e arranjador de conjuntos vocais. Mas na musicalidade e no bom gosto era tão bom quanto o rival, sendo também importante para o moderno samba-canção o vasto repertório que gravou. São sucessos seus, por exemplo, o clássico "De conversa em conversa", composto por ele aos 17 anos (em parceria com Haroldo Barbosa), "Nunca mais" (de Dorival Caymmi, 1949), "Amargura" (de Radamés Gnattali e Alberto Ribeiro, 1950) e "Sábado em Copacabana" (de Dorival Caymmi e Carlos Guinle, 1952), além do já mencionado "Aquelas palavras". Tanto Lúcio como Dick sentiram-se à vontade quando chegou a bossa nova, tendo ambos gravado muitas músicas do gênero.

Sócia do Sinatra-Farney Fan Clube — tal como os músicos João Donato, Johnny Alf e Paulo Moura, depois celebrizados —, a jovem Iracema de Souza Ferreira gostava de cantar música americana em espetáculos

Influenciado por cantores americanos de sua época, Dick Farney (1921-1987) alcançou grande sucesso, especialmente entre os jovens, cantando música romântica de forma suave e intimista.

amadorísticos e programas de calouros. E foi cantando esse tipo de música que, levada por Lúcio Alves e o cômico Osvaldo Elias, entrou em 1951 para o elenco da Rádio Tupi. Logo, todavia, influenciada pelo compositor e produtor Haroldo Barbosa, descobriu que, com seu belo timbre de contralto e sua maneira de "dizer" as letras das músicas, era uma artista talhada para cantar samba-canção. Com esse propósito e já adotando o nome artístico de Nora Ney, ela chegou em 1952 à boate Midnight do Copacabana Palace e à gravadora Continental, para consagrar-se como cantora do gênero. Criou mesmo um estilo — dramático, confidente, porém seco, sem derramamentos —, na época muito imitado. Além do megassucesso "Ninguém me ama" (de Antônio Maria e Fernando Lobo, 1952), Nora tem em seu repertório outros clássicos do depois chamado samba de fossa, como "De cigarro em cigarro" (de Luís Bonfá), "Onde anda você" (de Antônio Maria e Reinaldo Dias Leme), "Bar da noite" (de Bidu Reis e Haroldo Barbosa) e "Preconceito" (de Fernando Lobo e Antônio Maria), todos de 1953, seu ano de ouro. Carioca do bairro de Olaria, onde nasceu em 20 de março de 1922, Nora casou-se em segundas núpcias com o cantor Jorge Goulart, com quem viveu até a morte, em 28 de outubro de 2003. Uma curiosidade: em meio a um grande número de sambas românticos gravados, a cantora retornou em 1955 aos tempos da mocidade, para lançar no Brasil, cantando em inglês com muito vigor, o sucesso "Rock Around the Clock".

Outros cantores surgidos no período, que também se salientaram interpretando sambas-canção modernos, foram Luís Cláudio (Luís Cláudio de Castro, seguidor da linha Dick-Lúcio), Agostinho dos Santos ("o cantor de voz derrapante", como alardeava seu *slogan* promocional), Marisa Gata Mansa (Marisa Vértulo Brandão), Dóris Monteiro e Helena de Lima, além do conjunto Os Cariocas.

Já entre os compositores que começaram a aparecer a partir do final dos anos 40, houve um numeroso grupo que teve suas obras incluídas na vertente moderna do samba-canção. A figura mais destacada desse grupo foi Antônio Maria (Antônio Maria Araújo de Morais, Recife, PE, 17 de março de 1921-Rio de Janeiro, RJ, 15 de outubro de 1964), jornalista, radialista, poeta e compositor, por vocação, *gourmet* e boêmio contumaz, por temperamento. Talento, vivência e capacidade de observação fizeram de Maria um fino cronista do cotidiano, especialmente da noite carioca, que conheceu como ninguém, exprimindo-se em prosa na imprensa e em verso nas canções. Como era passional e sem sorte na vida amorosa, compôs muitos sambas sofridos em que predominavam o desencanto, a solidão, os amores frustrados, enfim, a temática favorita de Herivelto e Lupicínio, só que desenvolvida sem maiores pieguismos, de uma forma por vezes até coloquial. Além de "Ninguém me ama", "Preconceito" e "Onde anda você", lançados, como foi visto, por Nora Ney, sua melhor intérprete, Maria é autor de outros sambas de fossa como "Quando tu passas por mim" (com Vinicius de Moraes) e "Se eu morresse amanhã", ambos de 1953. Fez também músicas mais amenas, como "Menino grande" (1952) e "Manhã de carnaval" (com Luís Bonfá, 1959). A maior parte dos sucessos, porém, coube às amargas.

Destacaram-se ainda no referido grupo Fernando Lobo, Haroldo Barbosa, Paulo Soledade, Billy Blanco, Klecius Caldas, Armando Cavalcânti, Luís Antônio, Luís Bonfá e Ismael Neto. Embora bastante românticos, esses compositores adotaram uma postura menos sombria do que a de Antônio Maria, mesmo tendo sido Bonfá e Ismael seus parceiros. Como foi mencionado, Klecius, Armando e Luís Antônio também se dedicaram intensamente à música carnavalesca.

Na segunda metade da década de 1950, firmaram-se três figuras muito importantes para a história do moderno samba-canção: Dolores

Situando-se na fronteira da tradição com a modernidade, Dolores Duran (1930-1959) foi, além de cantora versátil, uma excepcional poeta-compositora.

Duran, Tito Madi e Maysa. A primeira e o segundo mais importantes como compositores, embora sendo ótimos cantores, e a terceira como cantora, em que pese ser a autora do megassucesso "Ouça". As composições dos três, especialmente as letras, estão entre as mais representativas dessa fase do gênero.

Dolores Duran (Adiléia Silva da Rocha, Rio de Janeiro, 7 de junho de 1930-24 de outubro de 1959) foi uma menina pobre, criada nos subúrbios cariocas de Pilares e Irajá, dotada de boa voz e grande vocação musical. Descoberta pelo radialista César de Alencar, tornou-se aos 18 anos uma versátil cantora de rádio e boate, cujo repertório abrangia dos sucessos internacionais, cantados nas línguas originais, aos mais variados gêneros brasileiros. Nos últimos três anos de sua curta existência, Dolores revelou-se uma excepcional poeta-compositora. Das trinta composições que deixou, quase todas românticos sambas-canção, bastariam as três obras-primas "Por causa de você" (com Antônio Carlos Jobim, 1957), "Castigo" (1958) e "A noite do meu bem" (1959), para incluí-la no rol dos maiores letristas da música popular brasileira.

Por sua vez, o romântico Tito Madi (Chauki Maddi, Pirajuí, SP, 16 de julho de 1929-Rio de Janeiro, RJ, 26 de setembro de 2018), praticante de um comedido estilo de interpretação, tem — como Dolores Duran — uma obra situada na divisa do tradicional com a bossa nova, para a qual, aliás, compôs o samba "Balanço Zona Sul", mostrando nos versos e harmonias algumas características do movimento. Embora seu maior sucesso seja uma valsa ("Chove lá fora"), predominam em seu repertório autoral os sambas-canção, como "Não diga não" (com Georges Henry, 1954), "Cansei de ilusões" (1954) e "Gauchinha bem querer" (1957).

Tida a princípio apenas como uma bela senhora da sociedade paulista, candidata a cantora e compositora, Maysa (Maysa Figueira Monjardim, São Paulo, 6 de junho de 1936-Rio de Janeiro, 22 de janeiro de 1977) logo impôs sua arte com um sucesso arrasador, o samba-canção "Ouça", como foi dito, além de "Meu mundo caiu", também de sua autoria, ambos de 1957, e um esmerado repertório assinado por outros compositores. Com seu canto denso, torturado, os imensos olhos claros estáticos, fixos na câmera, Maysa foi a primeira cantora brasileira a tirar proveito da televisão. Sem favor, pode-se considerá-la como a melhor intérprete do samba de fossa, juntamente com Nora Ney.

Também pertencente a essa geração, o astro da bossa nova, Antônio Carlos Jobim, começou sua vida musical profissional como pianista em 1951. Tocando a princípio na Rádio Clube, passou-se em seguida para casas noturnas de Copacabana, permanecendo nessa atividade praticamente até seu encontro com a fama, no final da década. Ao mesmo tempo compondo muito, ele teve em 1953, na Sinter, suas primeiras músicas gravadas, os sambas-canção "Incerteza" (parceria de Newton Mendonça), cantado por Mauricy Moura, "Faz uma semana" (parceria de Juca Stokler) e "Pensando em você", cantados por Ernâni Filho. Daí, até o final de 1957, completaria sua fase pré-bossa nova, gravando com diversos intérpretes cerca de cinquenta de suas composições, na maioria sambas-canção, dos quais foram grandes sucessos "Se todos fossem iguais a você" (com Vinicius de Moraes) e "Foi a noite" (com Newton Mendonça), os dois de 1956, mais o mencionado "Por causa de você". Coincidentemente, três outros compositores bossanovistas, Johnny Alf (Alfredo José da Silva), Sérgio Ricardo (João Mansur Lufti) e Newton Mendonça, começaram também a carreira nos anos 50, fazendo sambas-canção

Os olhos claros fixos na câmera, o canto expressivo, confidente, parecendo estar a artista abrindo sua alma ao telespectador, tudo isso fez de Maysa (1936-1977) a primeira cantora brasileira a tirar partido da televisão.

e tocando piano em boates, só que com um número bem menor de músicas gravadas.

Além do citado José Maria de Abreu, duas outras grandes figuras vindas da Época de Ouro — Dorival Caymmi e Vinicius de Moraes —, ofereceram uma valiosa contribuição à moderna vertente do samba-canção. Caymmi com as requintadas composições que marcaram sua fase de influência carioca — entre outras, "Nunca mais", "Nem eu" e "Só louco" — e Vinicius com as nascidas no início de sua segunda e definitiva incursão na música popular, ou seja, nos tempos em que frequentava o legendário bar Vilarinho — "Quando tu passas por mim" (com Antônio Maria), "Em noite de luar" (com Ary Barroso), "Bom dia tristeza" (com Adoniran Barbosa). E desse grupo faria parte, com certeza, se não tivesse morrido em 1945, Custódio Mesquita, um autêntico precursor da modernização de nossa canção popular.

O samba-canção praticamente desapareceu no final da década de 1960, época dos festivais televisivos, passando a ocupar o seu lugar as baladas de ritmos variados.

44.
O ÚLTIMO TROVADOR

Os Quatro Grandes — Francisco Alves, Orlando Silva, Sílvio Caldas e Carlos Galhardo — seriam certamente "cinco" se o cantor Nelson Gonçalves tivesse iniciado sua carreira três ou quatro anos mais cedo, no auge da Época de Ouro. Realmente, em matéria de voz, interpretação e carisma, ele situava-se no mesmo nível dos famosos antecessores, conforme comprovaria em sua carreira de quase sessenta anos. Durante esse largo período, gravou perto de novecentos fonogramas, aproximadamente 30% em discos de 78 rotações, 50% em LPs e 20% em compactos e CDs, só sendo superado em quantidade na discografia brasileira por Francisco Alves.

Também filho de portugueses como Alves, Nelson (Antônio Gonçalves Sobral) nasceu em Santana do Livramento, RS, em 21 de junho de 1919, e passou a infância e a adolescência no bairro paulistano do Brás. Foi ainda menino, nas feiras livres do Pari, São João e do próprio Brás, que o futuro artista começou sua atividade musical, cantando em cima de um caixote canções portuguesas e brasileiras, como "Malandrinha", de Freire Júnior. Na trupe ambulante que o apoiava, figuravam o pai, seu Manoel, que tocava violão, a mãe, dona Libânia, que também cantava, e um cego, chamado Antoninho, que corria o chapéu em volta, recolhendo os trocados de quem quisesse colaborar. Achando que apenas um ceguinho no grupo era pouco, o malandro do pai fingia-se de cego também, para aumentar a compaixão do público.

Embora sempre esperançoso de vencer no meio artístico, Antônio Gonçalves, apelidado de Nico desde criança, começou a ganhar a vida trabalhando como operário, primeiro numa fábrica de tamancos, depois numa metalúrgica, uma vez que seus parcos estudos não lhe permitiam emprego melhor. Isso aos 19 anos de idade, quando acabara de casar-se com Elvira, uma jovem de família italiana, sua vizinha, com quem teria Marilene, a filha predileta, e Nelson Antônio.

Mas como sempre arranjava um jeito de cantar em todos os aniversários, casamentos e batizados que frequentava, Nico acabou sendo descoberto por Sônia Carvalho, uma ex-cantora da Rádio Nacional, amiga da família de Elvira. Entusiasmada com a voz do rapaz, Sônia corrigiu-lhe defeitos de dicção e afinação, aprimorou-lhe a postura de palco, sugeriu-lhe o nome artístico "Nelson Gonçalves" — prontamente adotado — e ainda o encaminhou ao maestro Gabriel Migliori para um teste radiofônico. Assim, em março de 1939, Nelson Gonçalves começava sua carreira de cantor profissional, atuando com relativo sucesso na Rádio São Paulo e em seguida na Cruzeiro do Sul, Cultura e espetáculos diversos, tudo na capital paulistana, abandonando de vez a condição de operário.

Dois anos depois, munido de uma carta de recomendação de Vicente Caccere, diretor das lojas de discos e eletrodomésticos Cássio Muniz, em São Paulo, e de um acetato no qual gravara duas composições, Nelson procurou no Rio o diretor da Victor, Vitório Lattari, a fim de submeter-se a um teste de gravação. As composições eram de Osvaldo França e Orlando Monello, seus amigos, que haviam conseguido convencer Caccere a fazer a carta. A nota pitoresca é que, sendo taquilálico — ou seja, habituado a falar muito depressa —, Nelson tendia, em momentos de nervosismo, a tropeçar nas palavras. Isso passou para Lattari a impressão de que o candidato a cantor era irremediavelmente gago, portanto, um mentiroso, incapaz de ter gravado aquele acetato. Todavia, um teste realizado com Benedito Lacerda desfez o equívoco, e já no dia 2 de agosto de 1941 Nelson entrava no estúdio para gravar seus quatro fonogramas iniciais: "Se eu pudesse um dia" (valsa de França e Monello), "Sinto-me bem" (samba de Ataulfo Alves), "Formosa mulher" (samba de Constantino Silva e França) e "A mulher de meus sonhos" (samba de Ataulfo e Monello). Os dois primeiros saíram no disco nº 34807 (em outubro de 1941), o terceiro e o quarto no de nº 34821 (em novembro de 1941).

Essas gravações, mais as onze seguintes, não chegaram a alcançar maior sucesso, porém, juntamente com as audições de Nelson na Mayrink Veiga, que o contratara em setembro, serviram para dar conhecimento ao público de que havia na praça um novo cantor, de excelente qualidade, cujas voz e maneira de cantar eram muito parecidas com as de Orlando Silva. Tal semelhança levaria a Victor a designá-lo para gravar o samba "Quem mente perde a razão" (de Zé da Zilda e Edgar Nunes), da mesma linha de "Aos pés da cruz" (de Marino Pinto e Zé da Zilda), um sucesso recente de Orlando, que começava a se desentender com a empresa. Não é exagero afirmar que essa gravação prenunciou o iminente fim do reinado do Cantor das Multidões na gravadora.

Em razão de um natural crescimento de sua popularidade, Nelson Gonçalves alcançou o estrelato em agosto de 1942, quando sua gravação de "Renúncia", um fox de Roberto Martins e Mário Rossi, estourou em todas as rádios e vitrolas do país. O sucesso foi tão grande que o cantor o relançaria em ritmo de samba para o carnaval de 1943. Então, já começando a firmar estilo próprio, que tinha como uma de suas características o grave marcante, límpido, afinado, ele gravaria até o final da década cerca de 150 canções dos mais variados gêneros. Destacam-se nesse repertório os foxes-canção "Noite de lua" (de Antônio Almeida, 1943), "Dos meus braços tu não sairás" (de Roberto Roberti, 1944), que se tornou prefixo de suas audições, e "Voltarás" (de Custódio Mesquita e Evaldo Rui, 1945); os sambas "Ela me beijou" (de Herivelto Martins e Artur Costa, 1944) e "Normalista" (de Benedito Lacerda e David Nasser, 1949), este último um megassucesso; os sambas-canção "Aquela mulher" (de Cícero Nunes, 1945), "Marina" e "Segredo", já citados, cujo êxito dividiu com alguns rivais; as marchinhas carnavalescas "Espanhola" (de Benedito Lacerda e Haroldo Lobo, 1946), "Odalisca" (de Haroldo Lobo e Geraldo Gomes, 1947) e "Princesa de Bagdá" (de Haroldo Lobo e David Nasser, 1948); e a canção "Maria Betânia" (de Capiba, 1945), outro grande sucesso.

Ao mesmo tempo em que desfrutava dos benefícios de uma carreira cada vez mais prestigiada pelo público, o que se refletia na atenção que lhe dispensavam a gravadora (já então adotando a marca RCA Victor) e a Rádio Nacional, para onde se transferira em agosto de 1946, Nelson Gonçalves passou a entregar-se a uma intensa boemia, o que acabou por destruir seu casamento. Foi nesse período que viveu um atribulado romance com uma cantora chamada Betty White (Vera Alves Guimarães), morta na ocasião em consequência de um mal-esclarecido acidente caseiro. Seu corpo teria sido queimado na explosão de um fogareiro de álcool.

No início de 1952, Nelson Gonçalves conheceu Adelino Moreira. Português, criado no Brasil, filho do comendador Serafim Sofia, dono de uma lucrativa ourivesaria, Adelino (Porto, Portugal, 28 de março de 1918-Rio de Janeiro, 6 de maio de 2002) sempre gostou de música, tendo estudado bandola e violão e gravado como cantor sete discos na Continental e dois na Parlophone portuguesa. Entretanto, o que ele queria mesmo era ser compositor, ter suas canções nas paradas de sucesso, cantadas por gente famosa. Para isso conseguiu aproximar-se de seu favorito, Nelson Gonçalves, a quem mostrou uma composição, o samba-canção "Última seresta", que o cantor aprovou e gravou. Intermediou o encontro a cantora e bailarina Lourdinha Bittencourt, que vivia com Nelson desde 1950.

Começou assim, com um sucesso mediano, a longa parceria Nelson-Adelino, de grande proveito para ambos e para a gravadora. De acordo com o exaustivo levantamento da discografia do compositor, realizado pelo pesquisador Paulo César de Andrade, Nelson Gonçalves gravou 169 composições de Adelino Moreira. Considerando-se que várias dessas composições foram mais de uma vez por ele gravadas, pode-se dizer que cerca de 20% de seu repertório em disco são canções de Adelino, um exemplo raro de fidelidade de um intérprete a um autor. Infelizmente, produzidas em quantidades industriais — Adelino tem 362 músicas gravadas —, essas canções nem sempre são de boa qualidade, o que levou o crítico Sílvio Túlio Cardoso a afirmar que nessa parceria havia "muita voz para pouco compositor".

Além da aproximação com Adelino Moreira, Nelson Gonçalves viveu na década de 1950 o apogeu de sua carreira. Foi nesses anos que melhor cantou, mais discos vendeu, mais shows realizou e mais vezes apareceu no rádio, na televisão, no cinema e na imprensa. Praticamente monopolizados por Adelino e pela dupla Herivelto Martins-David Nasser, os maiores sucessos de Nelson no período foram: os sambas-canção "Meu vício é você" (1956), "A volta do boêmio" (1957), "Escultura" (1958), "Deusa do asfalto" (1959) e "Fantoche" (1960), todos de Adelino Moreira, tendo "Escultura" a parceria de Nelson; os tangos "Carlos Gardel" (1954), "Hoje quem paga sou eu" (1955) e "Vermelho 27" (1956); os sambas-canção "A camisola do dia" (1954), "Pensando em ti" (1957) e "Atiraste uma pedra" (1958), de Herivelto e Nasser; e, quebrando o monopólio, o samba "Dolores Sierra" (1956), de Wilson Batista e Jorge de Castro. Três curiosidades: "Vermelho 27" chamava-se na versão original de Nasser "Vermelho 17", mas, como na roleta o número 17 é preto, Herivelto corrigiu o equívoco; Dolores Sierra existiu realmente: uma espanhola que Wilson Batista conheceu na noite de Barcelona; e "A volta do boêmio", seu maior sucesso, com mais de 1 milhão de discos vendidos, uma cifra assombrosa para a época, era uma espécie de continuação de "A última seresta". Na primeira, o boêmio partia, na segunda ele voltava...

Em boa parte da década de 1960, Nelson viveu a pior fase de sua existência, que, em determinados momentos, o tornou personagem da crônica policial, conforme relata seu biógrafo, Marco Aurélio Barroso, no livro *A revolta do boêmio: a vida de Nelson Gonçalves*. Tudo come-

O último dos trovadores, Nelson Gonçalves (1919-1998), aqui com o sambista Roberto Silva (1920-2012) (à direita).

çou por volta de 1958, quando o cantor entregou-se à droga. Isso numa época em que, além do atendimento aos múltiplos compromissos que assumia como artista em grande evidência, tinha que resolver seríssimos problemas de ordem sentimental. Amante inveterado, ele então utilizava-se de todos os meios para afastar de seu caminho Lourdinha Bittencourt, enquanto desfrutava de romances paralelos com Maria Isabel de Souza, uma portuguesa, costureira de punhos e colarinhos, e Nanci Montez, uma cubana, bailarina de televisão. Para agravar a situação, havia ainda quatro crianças adotadas como filhos — Elizabeth, Eduardo, Margareth e Ricardo — que Lourdinha criava.

Em 1964, depois de memoráveis confusões, com a saúde e as finanças arrasadas, Nelson resolveu morar em São Paulo, para livrar-se dos traficantes do Rio. Na verdade, com essa providência apenas trocou de fornecedores, livrando-se dos traficantes cariocas para cair nas garras dos paulistas. Tal situação atingiu o auge no dia 8 de maio de 1966, quando policiais invadiram sua casa no bairro do Brooklin, agredindo-o e levando-o preso para a Casa de Detenção, sob a acusação de tráfico de entorpecentes. Doze dias depois, o cantor saiu da cadeia para a Casa de Saúde Dr. Aché, onde iniciou o tratamento que finalmente o libertou da droga. Vivenciaram essa fase e muito contribuíram para a reabilitação de Nelson a jovem Maria Luísa da Silva Ramos, que assumiria a partir de 1963 a condição de esposa, e os filhos Ricardo e Jaime, sendo este o quinto e penúltimo adotado (a última seria Maria das Graças, a Gugu, adotada em 1973).

Somente interrompida pelo breve espaço de dez meses, entre 1965 e 1966, a discografia de Nelson Gonçalves começou a se modificar a partir dessa época, quando não mais conseguiu lançar novos sucessos. O artista continuava cantando e vendendo bem, mas, para manter o prestígio, passaria a gravar em crescente progressão sucessos de outros intérpretes, um procedimento, aliás, que também adotariam os veteranos Sílvio Caldas e Elizeth Cardoso. Assim, nos quase quarenta LPs e CDs que gravou em seus últimos trinta anos de atividade, ele cantou canções das mais variadas épocas e feitios, como "Rosa" (de Pixinguinha), "Só louco" (de Dorival Caymmi), "As rosas não falam" (de Cartola), "Amada amante" (de Roberto e Erasmo Carlos) e, num esforço para mostrar que era capaz de cantar tudo, "Corcovado" (de Jobim), "O barquinho" (de Menescal e Bôscoli) e "Estácio, holly Estácio" (de Luiz Melodia), composições absolutamente inadequadas à sua voz e ao seu estilo de interpretação. Complementam esse repertório de fim de carreira dezenas de canções do próprio Nelson e do sempre presente Adelino Moreira.

Ao atingir os anos da velhice — quando morou em Niterói, Itaipu, Barra da Tijuca e Gávea —, Nelson Gonçalves sofreu menos atribulações, embora não se possa afirmar que tenha levado uma vida tranquila. Envolvido numa eterna roda viva de shows, realizados nas mais diversas cidades do país, ele continuou sendo o conquistador de sempre, enquanto, finalmente divorciado de Elvira, casava-se, descasava-se e casava-se novamente com Maria Luísa.

Livre da cocaína, que lhe destruiu a mucosa nasal, o que lhe causava infernais dores de cabeça, jamais quis livrar-se do cigarro, por acreditar que se o fizesse perderia seu privilegiado timbre de voz. E foi o cigarro que acabou de arruinar-lhe os pulmões e o sistema circulatório, causando-lhe dois enfartes. Superando o primeiro, ele não resistiu ao segundo, morrendo subitamente na casa da filha Margareth, na Gávea, no dia 18 de abril de 1998.

45.
O CHORO EM MEADOS DO SÉCULO XX

Na década de 1920 o choro atingiu a maioridade, assumindo identidade própria e libertando-se do esquema da polca. Essa libertação é marcada por dois importantes choros — "Lamentos" e "Carinhoso" — lançados no final de 1928 pela Orquestra Típica Pixinguinha-Donga, e que se consagrariam como clássicos de nossa música popular. Nessas composições o autor, Pixinguinha, compôs apenas duas partes, contrariando a forma até então adotada nos choros (A-B-A-C-A), ou seja, a forma rondó, herdada da polca.

Diga-se de passagem que, por esse motivo, "Carinhoso" ficaria inédito durante onze anos, segundo o próprio Pixinguinha em depoimento concedido ao Museu da Imagem e do Som em 1968: "Eu fiz 'Carinhoso' em 1917. Naquele tempo, o pessoal nosso da música não admitia choro assim de duas partes. Então, eu fiz 'Carinhoso' e encostei. Tocar o 'Carinhoso' naquele meio! Eu não tocava... ninguém ia aceitar". O fato mostra como estava arraigada entre os músicos da época a tradição do choro de três partes. Já "Lamentos" — que passou a se chamar "Lamento" ao receber letra de Vinicius de Moraes, em 1962 —, além de ser em duas partes, tem uma introdução, outra novidade em matéria de choro na ocasião.

Mas não se restringiu a "Carinhoso" e "Lamentos" a contribuição de Pixinguinha a essa fase do choro. Como foi dito, o então jovem músico constituiu-se no principal renovador e consolidador do gênero, com essas e outras composições, como "Sofres porque queres", "Um a zero", "Urubatã", "Segura ele", e suas geniais concepções musicais, expostas também em arranjos e solos instrumentais.

Uma boa seleção da obra de Pixinguinha foi gravada por ele e Benedito Lacerda na RCA Victor no período 1945-1950. Nessa série de 34 fonogramas, o sax tenor do mestre executa virtuosísticos contrapontos aos solos do flautista em 26 composições de sua autoria — aí figurando juntamente com diversos choros da juventude, clássicos como "Naquele tempo", "Vou vivendo", "Proezas do Solon", "Ainda me recordo" e "Ingênuo" —, além de oito de outros compositores, como "Atraente" (de Chiquinha Gonzaga), "Tico-tico no fubá" (de Zequinha de Abreu) e "André de sapato novo" (de André Vitor Correia).

Surpreendentemente, o motivo que determinou a realização da série foi mais financeiro do que musical. Endividado, com a bebida prejudicando o seu trabalho, Pixinguinha estava em 1945 em vias de perder, por falta de pagamento, a casa que comprara na rua Belarmino Barreto, no subúrbio de Ramos. Para resolver o problema, surgiu então a ideia da série, proposta por Benedito Lacerda, que tinha prestígio na gravadora. No final, Pixinguinha ganhou um dinheirinho, salvou a casa e voltou a ficar em evidência no meio musical, onde permaneceu em atividade por mais vinte anos. Em troca, teve que ceder a Benedito a parceria de 24 de suas composições integrantes da série, nas quais não tinha parceiros.

Esse projeto também marcou, pode-se dizer, uma retomada do interesse de nossas gravadoras em discos instrumentais de música popular, que estavam em baixa desde a década anterior. Na realidade, apesar de se encontrarem em plena atividade músicos solistas do porte de Luís Americano, Luperce Miranda, Garoto e os próprios Pixinguinha e Benedito Lacerda, a diferença entre gravações de música cantada (83,65% dos discos) e instrumental (13,73%) foi arrasadora no período. Naturalmente, isso determinou uma queda no número de choros gravados, embora tenha sido mantida a qualidade em composições como "É do que há" (de Luís Americano), "Dinorah" e "Doidinho" (de Benedito Lacerda).

Além da série Pixinguinha-Lacerda, os mais importantes resultados da retomada das gravações instrumentais são as discografias de Jacob do Bandolim e Waldir Azevedo, os maiores chorões do período pós-Época de Ouro.

Filho único do farmacêutico Francisco Gomes Bittencourt e de sua mulher Rackel Pick, uma polonesa foragida da Primeira Guerra Mundial, Jacob Pick Bittencourt nasceu em 14 de fevereiro de 1918 no Rio de Janeiro, e foi criado no bairro carioca da Lapa.

Percebendo sua atração pela música, a mãe lhe deu aos 12 anos um violino, que logo seria trocado por um bandolim, instrumento que ele desejava sem saber bem a razão. Aplicado, persistente e dotado de uma vocação para o autodidatismo, Jacob ainda muito jovem podia ser considerado um bom bandolinista, com razoável domínio sobre o cavaquinho e o violão. Isso o animou a formar um pequeno conjunto para acom-

Com seu virtuosismo, Jacob do Bandolim (1918-1969) tem presença marcante na história do choro.

panhá-lo em reuniões musicais e programas radiofônicos, o que o levaria à profissionalização. Esse conjunto chegou algumas vezes a ser chamado para substituir o Regional de Benedito Lacerda, o que atesta sua boa qualidade. Como os ganhos com a música eram escassos, ele se aventurou paralelamente em outras atividades, como as de prático de farmácia, vendedor pracista de sabão, materiais elétricos e de papelaria, agente de seguros e até a de proprietário de um pequeno laboratório. No início dos anos 40, aconselhado pelo compositor Donga, resolveu largar tudo aquilo e prestar concurso para escrevente da Justiça do Rio de Janeiro, sendo aprovado e nomeado. Na ocasião, já estava casado com Adília, com quem teria os filhos Sérgio (futuro jornalista e compositor) e Elena.

Depois de vários anos de rádio e de participações em discos alheios — tocou cavaquinho na gravação inicial de "Ai, que saudades da Amélia", com Ataulfo Alves, e bandolim na de "Marina", com Dorival Caymmi —, Jacob gravou em 1947 o seu primeiro disco solo, um 78 rotações da Continental, que apresentava o choro "Treme-treme", de sua autoria, e a valsa "Glória", de Bonfiglio de Oliveira. Ainda na Continental, gravaria em 1948 e 1949 mais seis fonogramas, os choros "Flamengo" (de Bonfiglio), "Flor amorosa" (de Joaquim Antônio da Silva Calado), "Remeleixo" e "Cabuloso" e as valsas "Salões imperiais" e "Feia", sendo os quatro últimos de sua autoria.

Já em suas composições que integram o repertório de estreia, Jacob do Bandolim mostrava que, além de instrumentista excepcional, criador de uma escola bandolinística intrinsecamente brasileira, era um ótimo compositor. Isso se confirmaria no decorrer de sua carreira, pontilhada de obras-primas, como os choros "Noites cariocas", "Doce de coco", "Vibrações", "Nosso romance", a valsa "Santa morena" e o "Voo da mosca". Inspirado, moderno, original, ele é um dos grandes da história do choro, digno de figurar ao lado de Pixinguinha e Nazareth — por sinal, duas de suas maiores influências.

Insatisfeito com a Continental, Jacob passou-se em maio de 1949 para a RCA Victor, onde gravaria um total de 48 discos de 78 rotações e dez LPs. Nesse repertório, essencialmente chorístico e de alta qualidade, ele mostra cerca de sessenta composições suas e 150 de outros autores. Ao gravar músicas alheias — muitas delas resgatadas do esquecimento pelo pesquisador que ele também foi —, exibia uma extraordinária capacidade de rearranjá-las e adaptá-las ao bandolim, quando haviam sido criadas para outros instrumentos.

Além dos discos citados, Jacob Bittencourt participou dos memoráveis LPs *Pixinguinha 70* e *Elizeth Cardoso, Zimbo Trio e Jacob do Bandolim*, resultantes de espetáculos realizados em 1968, e atuou como solista na gravação de "Retratos, suíte para bandolim, orquestra de corda e conjunto regional", de Radamés Gnattali, lançada pela CBS em 1964, obra a ele dedicada.

Nos primeiros anos de casado, Jacob viveu numa casa de vila no bairro do Engenho Novo. Ali, começou a promover pequenas reuniões musicais em que tocava com amigos. A partir de 1949, quando passou a morar em Jacarepaguá — numa casa de grandes varandas, terreno gramado e cercado de altos muros —, as reuniões cresceram, tornando-se conhecidas como "os saraus do Jacob". Nada lhe dava mais prazer do que esses saraus, que manteve até o fim da vida e nos quais recebia, além de uma legião de amigos, pessoas importantes que visitavam o Rio de Janeiro. Em sua biografia, a autora Ermelinda A. Paz relacionou 64 nomes (tudo era por ele gravado, anotado, fichado) de convidados ilustres, pessoas como Pixinguinha, Radamés Gnattali, Elizeth Cardoso, Dorival Caymmi e o pianista russo Sergei Dorenski, que participaram dos saraus pelo menos uma vez. A nota pitoresca é que o dono da casa impunha regras de conduta aos seus convidados, punindo quem saía da linha. Uma vez, por exemplo, ele suspendeu o jornalista Lúcio Rangel, por urinar no jardim, e em outra, o músico Othon Salleiro, por humilhar um violonista principiante.

Na verdade, Jacob era um sujeito sensível, emotivo, perfeccionista, que tinha uma tendência para exagerar os aborrecimentos do cotidiano, o que por vezes o fazia se comportar de maneira temperamental, intempestiva. Esses exageros, somados ao hábito de fumante inveterado, acabaram contribuindo para agravar-lhe a saúde, que já não era das melhores, levando-o à morte por enfarte do miocárdio (o segundo), aos 51 anos, em 13 de agosto de 1969.

Indiretamente, a saída de Jacob da Continental abriu as portas do sucesso a Waldir Azevedo, que se tornaria seu maior competidor no mercado do disco instrumental. Em busca de um substituto para sua vaga, Braguinha, diretor da gravadora, iria descobri-lo — seguindo indicações de dois Reis, o violonista Dilermando e o compositor e técnico de gravação Norival — no auditório da Rádio Clube, onde ele atuava. O cavaquinista acabara de tocar o "Brasileirinho" quando Braguinha o surpreendeu com a proposta: "Você quer gravar esta música na Continental?... Arranje uma outra para completar o disco e compareça ao estúdio segunda-feira (dois dias depois), às três da tarde, pronto para gravar". Cumprida à risca, a missão de estreia resultou num tremendo sucesso, com a gravação dos choros de sua autoria "Brasileirinho" — logo consagrado pelo público — e "Carioquinha", lançados em junho de 1949 num disco que lhe rendeu mais de 200 mil cruzeiros, uma fortuna na época.

Waldir Azevedo nasceu em 27 de janeiro de 1923, no subúrbio carioca de Piedade, filho de Walter Azevedo, funcionário da Light, e Benedita Azevedo. Após uma infância suburbana, cursava o ginasial no Colégio São Bento, quando a família manifestou o desejo de que se tornasse padre, hipótese fortemente rejeitada pelo futuro músico. Na ocasião, ele começava a se interessar por instrumentos de corda, embora sonhasse com uma carreira de aviador militar.

Então, depois de passar pelo bandolim, o violão e o banjo, o jovem Waldir optou pelo cavaquinho, com o qual tentou a sorte no programa "Calouros OK", da Rádio Guanabara. Tentou, ganhou o primeiro lugar, interpretando o choro "Cambucá", de Pascoal de Barros, e acabou contratado para o regional da emissora, liderado por César Moreno, que também atuava na Mayrink Veiga.

Em 1945, recém-casado com Olinda Barbosa, Waldir complementava seus rendimentos de músico trabalhando na Light quando foi convidado por Dilermando Reis para integrar o novo regional da Rádio Clube, conjunto que logo estaria chefiando. Exercia ele esta função quando a Continental o contratou, impulsionando a sua carreira. "Brasileirinho", o primeiro sucesso, é uma composição diferente da maioria dos choros da época, o que causou impacto. De andamento rápido e melodia aguda, chama a atenção principalmente por sua alegre vivacidade. Composto em 1947, a partir de um tema desenvolvido sobre a corda ré (prima) do cavaquinho, já havia sido muitas vezes executado na rádio antes de chegar ao disco.

Ao "Brasileirinho" seguiu-se outro sucesso estrondoso, o do baião "Delicado", lançado em dezembro de 1950. Originalmente um bolero, a composição teve por sugestão de amigos o ritmo modificado para baião. Subestimado por Waldir, só foi gravado por insistência de Chiquinho do Acordeão, tornando-se líder absoluto das paradas de sucesso durante 1951 e um dos discos mais vendidos da era dos 78 rotações. O curioso é que, em sua simplicidade, nada apresenta de extraordinário, sobressaindo pelo contraste de sua melodia delicada com o ritmo forte que a sustenta.

O terceiro grande sucesso de Waldir Azevedo é o choro "Pedacinhos do céu", que, lançado em maio de 1951, manteve-se em evidência até o ano seguinte. Uma de suas composições mais elaboradas, era a sua preferida, tendo sido feita em homenagem às suas duas filhas, Mirian e Marli, então com 6 e 3 anos de idade. Chegou assim ao auge em 1951 a popularidade do cavaquinista, que passou a ser constantemente requisitado para temporadas no Brasil e em outros países, como a Argentina, onde esteve várias vezes e conquistou entusiasmados admiradores. Embora sem lançar grandes sucessos como em seu início na Continental, Waldir continuava a gravar regularmente quando, em janeiro de 1964, perdeu num desastre de automóvel a filha Mirian. Muito chegada ao pai, Mirian o assessorava no planejamento de seus discos e espetáculos. Em consequência da tragédia, ele entrou em processo de depressão, desinteressando-se da carreira.

A partir de 1971, Waldir e Olinda mudaram-se para Brasília, onde vivia a filha Marli, indo residir numa ampla casa no Lago Sul. Uma tarde, em seu jardim, ele sofreu um acidente que quase ocasionou o fim de sua carreira: num momento de distração, uma máquina de cortar grama decepou-lhe a ponta do dedo anular da mão esquerda. Felizmente, graças à perícia de um médico, o pedaço de dedo foi implantado e, após penosa e demorada recuperação, Waldir voltaria a tocar. O fato serviu de estímulo para que recuperasse o interesse pela música. Então, a partir de 1974, enturmou-se com os chorões brasilienses, tornando-se figura obrigatória nos eventos do clube do choro local. Chegou mesmo a realizar um recital de grande sucesso no Teatro Nacional de Brasília, que marcou sua volta ao palco.

Em novembro de 1979 teve lugar no Teatro Municipal de São Paulo um espetáculo em sua homenagem, no qual comemorou o trigésimo aniversário do "Brasileirinho". Esse espetáculo, em que participaram convidados como Paulinho da Viola, Paulo Moura e Ademilde Fonseca, foi seu último momento de glória no palco. Em 20 de setembro de 1980, ele morreria no Hospital Beneficência Portuguesa, em São Paulo, em consequência da ruptura de um aneurisma abdominal.

Waldir Azevedo gravou quarenta discos de 78 rotações e 21 LPs, a maioria na Continental, e deixou cerca de 160 composições. Além dos megassucessos comentados, é autor de choros como "Vê se gostas", "Camundongo", "Cinema mudo" e da valsa "Chiquita", todos de alta qualidade. Já como músico, conseguiu conquistar o público com um virtuosístico estilo, que deu ao cavaquinho prestígio de instrumento solista, uma façanha jamais alcançada por seus antecessores. Segundo ele mesmo explicou em depoimento ao Museu da Imagem e do Som, em 1967, sua técnica de interpretação tinha como ponto-chave o uso da mão direita solta, o que ensejava o aumento da sonoridade do instrumento. Daí, o som cheio, redondo, volumoso de seu cavaquinho, que ele complementava com um fino acabamento.

Conforme foi dito, completam a lista dos chorões mais importantes do período o flautista Altamiro Carrilho (21 de dezembro de 1924-15 de agosto de 2012) e o clarinetista-saxofonista Abel Ferreira (15 de fevereiro de 1915-13 de abril de 1980), ambos também bons compositores. Fluminense de Santo Antônio de Pádua, Altamiro é, cronologicamente, o quinto nome de uma linhagem que enobrece a história da flauta brasileira, sendo precedido por Joaquim Antônio da Silva Calado, Patápio Silva, Pixinguinha e Benedito Lacerda. Músico profissional desde o início dos anos 40, com atuações em conjuntos regionais, formou sua bandinha em 1955 e mais tarde seu regional, que lhe deram prestígio e popularidade, inclusive proporcionando-lhe excursões internacionais. Com a revalorização do choro na década de 1970, Altamiro tornou-se um dos músicos mais requisitados para shows e gravações. Ele é autor de sucessos, como o maxixe "Rio antigo" (com Augusto Mesquita), o samba "Meu sonho é você" (com Átila Nunes) e os choros "Fogo na roupa" (com Ari Duarte), "Zig-zag" e "Vida apertada". Já o mineiro de Coromandel, Abel Ferreira, foi um craque do clarinete e dos saxes alto, soprano e tenor, figurando no mesmo nível de virtuosismo de seu antecessor Luís Americano. Tendo começado as atividades musicais aos 20 anos em Belo Horizonte, passou em seguida por São Paulo, consagrando-se no Rio a partir de 1943. Atuando em orquestras e conjuntos diversos, desenvolveu longa carreira no rádio e no disco, com temporadas no exterior, tal como o colega Altamiro. Seus maiores sucessos como compositor são os choros "Acariciando" (com Lourival Faissal), "Doce melodia" e "Chorando baixinho", autênticas obras-primas do gênero.

Finalmente, em matéria de choro nos anos 40, deve-se salientar o surpreendente crescimento da popularidade da composição "Tico-tico no fubá", do paulista Zequinha de Abreu. Composto em 1917 e só gravado em 1931 pela Orquestra Colbaz, num disco que atravessou a década sem sair de catálogo, o "Tico-tico" (como ficou conhecido internacionalmente) de repente estourou no *hit parade* americano, numa interpretação da organista Ethel Smith. Então, no curto espaço de cinco anos, foi incluído em cinco filmes de Hollywood — *Alô, amigos* (1943), *A filha do comandante* (1943), *Escola de sereias* (1944), *Kansas City Kitty* (1944) e *Copacabana* (1947) — e recebeu dezenas de gravações, tornando-se uma das músicas brasileiras mais gravadas no Brasil e no exterior.

46. O MELHOR DA ERA DO RÁDIO

O rádio reinou no Brasil como o mais importante veículo de comunicação no período de 1932 — ano da promulgação de uma lei que lhe permitiu a propaganda remunerada — ao início da década de 1960, quando a televisão tomou-lhe o cetro. Naturalmente, por ser um transmissor de sons, coube-lhe como função principal levar música aos seus usuários. Isso propiciou à nossa canção popular um extraordinário crescimento. Antes restrita à editoração de partituras, aos jornais de modinhas e a um acanhado mercado fonográfico, a difusão da música passou então a ser amplamente exercida pelas ondas hertzianas, com a apresentação de cantores e músicos ao vivo ou, sobretudo, por meio de discos.

Ao começar a década de 1930, existiam na cidade do Rio de Janeiro cinco emissoras: as rádios Sociedade, Clube do Brasil, Mayrink Veiga, Educadora e Philips. Por serem localizadas na capital do país, é natural que nelas surgissem, já em 1932, os primeiros programas de sucesso: o "Esplêndido Programa", de Valdo de Abreu, na Rádio Mayrink Veiga, e o "Programa Casé", de Ademar Casé, na Rádio Philips.

Com seu presunçoso título, "O Esplêndido Programa" era um espetáculo de variedades, com ênfase nos números musicais. Além dessa característica, tinha como trunfo a figura de Valdo de Abreu, um apresentador dotado de boa capacidade de comunicação. Mostrava, porém, certas deficiências herdadas dos tempos do amadorismo. Foi assim, procurando evitar tais defeitos, que estreou no dia 14 de março de 1932 o "Programa Casé", competidor que o superou em qualidade e popularidade. Um sonho acalentado pelo até então vendedor de aparelhos de rádio Ademar Casé, esse programa tornou-se uma bem-sucedida realidade, graças à sua audácia e competência. Primeiro a alugar espaço numa emissora brasileira, ele conseguiu com a Rádio Philips o horário de 20 às 24 horas dos domingos. Na estreia, durante as duas horas iniciais, transmitiu música popular e, nas seguintes, música erudita. O elenco de música popular era formado pelos cantores Sílvio Salema, Jaime Vogeler, Luís

Barbosa, João Petra de Barros, a cantora Jesy Barbosa, os pianistas Nonô (Romualdo Peixoto) e Mário de Azevedo, o Conjunto de Benedito Lacerda e uma orquestra de cordas. E compunham o elenco de música erudita o violinista Romeu Ghipsman e o pianista Arnaldo Estrela. Das 20 às 22 horas, o telefone tocou dezenas de vezes, com aplausos e sugestões, enquanto das 22 às 24 horas não tocou uma vez sequer. Por esse motivo a parte erudita foi abandonada a partir do segundo programa.

Seguro de que saberia administrar o lado comercial, Casé achava que para alcançar êxito no empreendimento necessitava, além de um elenco de cantores renomados, de uma eficiente equipe complementar, ligada na medida do possível ao meio musical. Para isso escolheu como principais auxiliares Sílvio Salema, no setor artístico, Antônio Nássara e Cristóvão de Alencar (Armando Reis), então compositores iniciantes, na parte de locução e redação.

Firmando-se em seguida no horário dominical de 12 às 18 horas, o "Programa Casé" passou por diversas emissoras, existindo até 1951. Seus melhores momentos, inegavelmente, aconteceram em meados dos anos 30, quando contou em seu elenco com artistas como Noel Rosa, Marília Batista, Sílvio Caldas, Francisco Alves, Carmen e Aurora Miranda, Lamartine Babo, Almirante (que também participava da produção), enfim, a fina flor do meio musical radiofônico da época. Segundo o grande radialista Paulo Tapajós (em depoimento ao Arquivo da Cidade do Rio de Janeiro, em 1982), "Casé revolucionou o rádio brasileiro, trazendo novas ideias e abrindo novo campo de trabalho, não só para os que atuavam frente aos microfones, mas para todo o pessoal que cuidava da infraestrutura".

Outros programas de sucesso do rádio carioca no início dos anos 30 foram "Horas do Outro Mundo", de Renato Murce, no qual Ary Barroso despontou como radialista, "Horas Luso-Brasileiras", de Pinto Filho, "Nosso Programa", de Eratóstenes Frazão, e o "Programa da Cidade", de Antônio Filho, o Pinóquio.

Ainda nesse período, começaram a ganhar força duas novidades que vinham para ficar: as transmissões de jogos de futebol e os chamados programas de calouros. Iniciadas em 1930 por Amador Santos na Rádio Clube, as transmissões esportivas firmaram-se a partir do momento em que contaram com personalidades do porte de Ary Barroso (na Cruzeiro do Sul carioca) e Gagliano Neto (na Rádio Clube). O prestígio de Gagliano chegaria ao auge em 1938, quando, no primeiro grande momento do rádio esportivo brasileiro, o país parou para ouvi-lo descrever diretamente da França os jogos de nossa seleção na Copa do Mundo. Esses pioneiros teriam como seguidores figuras como Oduvaldo Cozzi, Antônio Cordeiro, Jorge Curi, Luís Mendes e Valdir Amaral, os três últimos de longuíssima carreira, e, no rádio paulista, Nicolau Tuma, Rebelo Júnior, Geraldo José de Almeida e Pedro Luís.

Já os programas de calouros nasceram em São Paulo e tiveram como criador o locutor e radioator Celso Guimarães. Em artigo para a *Revista da Rádio Nacional* (em dezembro de 1950), Celso contou que, no final de 1932, tomou conhecimento na revista americana *Variety* de um programa chamado "Hora do Amador", de Major Bowes, então transmitido semanalmente pela emissora WHN de Nova York. Inspirado nessa matéria, ele planejou e realizou programa idêntico na Rádio Cruzeiro do Sul, onde já atuava. Quanto à palavra "calouros", que batizou para sempre essas apresentações de novatos, deveu-se a uma sugestão do radialista Ariovaldo Pires, que na ocasião também trabalhava na emissora.

Em 1936, atuando na Rádio Cruzeiro do Sul do Rio, Ary Barroso levou aos seus microfones o primeiro bom programa carioca de calouros, o "Calouros em Desfile", que o acompanharia pelo resto da vida. Algum tempo depois, surgiria na Rádio Clube um outro programa inovador, o "Papel Carbono", de Renato Murce. Enquanto "Calouros em Desfile" introduzia as novidades da atribuição de notas aos concorrentes e a gongada que interrompia os maus cantores, "Papel Carbono" representava um avanço de qualidade, com os calouros sendo previamente selecionados, apresentando imitações de artistas consagrados. Outros programas do gênero que alcançaram sucesso foram "Calouros em Apuros", na Transmissora, "Raio K em Busca de Talentos", "Campeonato de Calouros", a "Hora do Pato" e "Aí vem o Pato", os quatro últimos na Rádio Nacional. Em pouco tempo, esse tipo de programa proliferou em todo o Brasil, não havendo emissora que não tivesse o seu.

Apesar de sua principal atração ser a exibição de bons artistas, candidatos ao estrelato — como Ângela Maria, Cauby Peixoto, Dóris Monteiro, Lúcio Alves, Baden Powell e muitos outros —, havia apresentadores que abusivamente exploravam as deficiências de concorrentes simplórios, desprovidos de autocrítica, expondo-os de forma impiedosa ao ridículo.

Paulo Machado de Carvalho, dono da Rádio Record, a maior emissora paulista até 1937, quando passou a dividir a primazia com a Rádio

Tupi, procurava arregimentar seus locutores, chamados "*speakers*" na época, entre alunos dos cursos de oratória da Faculdade de Direito do Largo de São Francisco. O mais famoso desses escolhidos, um verdadeiro artista da palavra falada, foi César Ladeira. Tendo se destacado como "A Voz" de São Paulo na Revolução Constitucionalista de 1932 — primeira ocasião em que a radiofonia brasileira foi utilizada como instrumento de propaganda política —, César transferiu-se para a Mayrink Veiga, ao cessarem as hostilidades. Aí, além de atuar como apresentador de programas e da crônica "Cidade Maravilhosa", de Genolino Amado, desempenhou com brilhantismo as funções de diretor artístico, formando o melhor elenco da cidade, liderado por figuras como Francisco Alves, Pixinguinha e as irmãs Miranda, fator que sustentou a hegemonia da emissora no Rio de Janeiro até o final dos anos 30.

Em meados dessa década, conforme relação publicada na revista *Carioca*, existiam no Brasil 65 emissoras, sendo 64 de ondas médias e apenas uma de ondas curtas (9.500 quilociclos, faixa de 31,58 metros), a Companhia Rádio Internacional do Brasil, que transmitia a "Hora do Brasil". Não por coincidência, as cidades que possuíam maior número de rádios eram Rio de Janeiro (15) e São Paulo (11), as maiores do país.

Entre as estações cariocas relacionadas, a mais nova chamava-se Sociedade Rádio Nacional e acabara de ser inaugurada, no dia 12 de setembro de 1936, com Celso Guimarães anunciando ao microfone: "Alô, alô, Brasil! Aqui fala a Rádio Nacional do Rio de Janeiro". Instalada no 22º andar do edifício de *A Noite*, na Praça Mauá, nº 7, a emissora teve a princípio uma atuação modesta, mantendo-se no ar dez horas por dia, com um elenco cujos principais integrantes eram as cantoras Araci de Almeida, Marília Batista e Silvinha Melo, os cantores Orlando Silva, em começo de carreira, e Nuno Roland, o músico Radamés Gnattali e os locutores Celso Guimarães, Oduvaldo Cozzi e Ismênia dos Santos, que se tornaria sua principal radioatriz.

Em abril de 1938, a Nacional fez uma grande aquisição, contratando Almirante (Henrique Foréis Domingues) para cantar, produzir e apresentar programas. Isso constituiu um passo importante para a história do rádio brasileiro, que até então não tinha programas produzidos, isto é, montados, organizados, que focalizavam, explicavam e desenvolviam temas variados. O primeiro desses programas foi "Curiosidades Musicais", em que Almirante, de forma atraente, sempre procurando aguçar a curiosidade do público, tratava de assuntos ligados à música, como, por exemplo, a história de um gênero musical, de uma peça clássica ou de uma canção importante. O ouvinte divertia-se, aprendendo, conhecendo boa música. Para realizar "Curiosidades Musicais" e outras produções, seu idealizador começou a juntar livros, discos, partituras, recortes de jornais e correspondência de ouvintes, dando início a um formidádel arquivo, o Arquivo Almirante, futura base do acervo do Museu da Imagem e do Som do Rio de Janeiro. Outros programas de sucesso produzidos por Almirante foram "Instantâneos Sonoros do Brasil" (1940), "A História do Rio pela Música" (1942), "A História das Danças" (1944), "Pessoal da Velha Guarda" (1948-1953), "Incrível, Fantástico, Extraordinário" (1947-1948) e "No Tempo de Noel Rosa" (1951).

Seu trabalho deu origem à atividade de produtor radiofônico, função em que se destacaram figuras como Haroldo Barbosa ("Rádio Almanaque Kolynos"), Paulo Roberto ("Gente que Brilha"), Lourival Marques ("A Canção da Lembrança"), Paulo Tapajós ("Quando Canta o Brasil"), José Mauro ("Carta Enigmática Eucalol") e Renato Murce ("Alma do Sertão").

Integrantes de um conglomerado de empresas pertencente ao norte-americano Percival Farquhar, desapropriado pelo governo federal, em decreto de 8 de março de 1940, a Rádio Nacional, o jornal carioca *A Noite*, a Rio Editora e a Companhia Estrada de Ferro São Paulo-Rio Grande, passaram a formar um grupo denominado Empresas Incorporadas ao Patrimônio da União. Assim, já em fase de ascensão, a Nacional se tornaria a maior emissora brasileira de radiodifusão e, o que é mais importante, sem ajuda do dinheiro governamental, só com recursos gerados pelo sucesso de sua programação.

Em 6 de janeiro de 1943, uma semana depois de inaugurar suas transmissões em ondas curtas, que a tornaram ouvida em todo território nacional, nas Américas do Sul, Central e do Norte, na Europa e em partes da África e da Ásia, a Nacional estreou "Um Milhão de Melodias", o programa símbolo de sua fase áurea. Empreendimento musical mais requintado que existiu no rádio brasileiro e que, como foi dito, durou treze anos, "Um Milhão de Melodias" tinha à disposição orquestra própria, dirigida por Radamés Gnattali, e o elenco de cantores da casa, sendo inicialmente produzido por José Mauro e Haroldo Barbosa, e depois por Paulo Tapajós. Segundo Haroldo, que escolhia o repertório, cada audição apresentava sete músicas, sendo quatro brasileiras (duas novas e duas antigas) e três estrangeiras de sucesso internacional. Moderna, eclética, capaz de interpretar qualquer gênero, em arranjos especialmente criados para cada audição, essa orquestra era constituída por piano, cinco saxofones, três trompetes, dois trombones, três flautas, clarinete, oboé, fagote, harpa, acordeão, dois violões, cavaquinho, contrabaixo, bateria, vários percussionistas, além de uma seção de cordas, com violinos, violas, violoncelos, variando sua formação de acordo com o repertório.

Mas, ao mesmo tempo em que se esmerava nos musicais, a Nacional dispensava a maior atenção a três setores da radiofonia que ajudou a consolidar: o programa teatral, com ênfase nas novelas, o humorístico e o jornalístico. Dos três, o que mais dividendos lhe rendeu foi o primeiro. Embora já existisse nos anos 30, o radioteatro brasileiro ganhou uma força extraordinária no início da década de 1940 com a implantação das novelas, ou seja, do folhetim radiofônico, histórias contadas em extensas séries de capítulos, que não raro estendiam-se por vários anos. Essa modalidade de teatro radiofônico começou em julho de 1941, quando a Nacional passou a transmitir três vezes por semana, às 10h30 da manhã, o dramalhão "Em Busca da Felicidade", do cubano Leandro Blanco. Seu sucesso foi tão intenso que fez o gênero expandir-se por todo o rádio brasileiro. Somente a Nacional, já no triênio 1943-1945, transmitiu 116 novelas, num total de 2.985 capítulos, e teve seu departamento ocupando um andar inteiro. No dizer de Mário Lago, "eram duas Nacionais: no 22º ficava a equipe de radioteatro e no 21º a equipe musical". Grande parte do êxito da novela radiofônica deveu-se à figura dinâmica de Vitor Costa, diretor de radioteatro e posteriormente da própria emissora. Vitor empenhava-se pessoalmente junto aos patrocinadores na venda das novelas e, no auge de seu prestígio, passou a receber da Nacional, além dos vencimentos, uma comissão sobre o faturamento de todos os programas que envolviam o elenco teatral.

Também originários dos anos 30, os programas humorísticos viveram a princípio do sucesso pessoal de seus participantes. Assim, ligava-se o rádio para se ouvir as graças dialogadas de Jararaca e Ratinho, Alvarenga e Ranchinho, as anedotas de Jorge Murad e, em São Paulo, as gaiatices de Zé Fidélis (Gino Cortopazzi). Abandonando essa praxe, a Mayrink Veiga lançou em 19 de novembro de 1944 um humorístico diferente, como jamais se ouvira na radiofonia brasileira, a "PRK-30". "Era um rádio dentro do rádio, caricaturando todos os elementos de uma pauta convencional da radiofonia", explicou Paulo Perdigão no livro *No ar: PRK-30*, uma história do programa e de seus criadores. O impressionante é que se devia a total realização da "PRK-30" a dois artistas somente: Lauro Borges (Laurentino Borges Saes) e Castro Barbosa (Joaquim Silvério de Castro Barbosa). Ex-jogador de futebol, locutor e genial humorista, capaz de interpretar com perfeição uma infinidade de tipos, inclusive femininos, Borges manteve a "PRK-30" no ar durante vinte anos, boa parte dos quais na Rádio Nacional, sempre coadjuvado por Castro Barbosa. Foi sem dúvida o melhor humorístico da Era do Rádio, em que também se destacaram programas como "Piadas do Manduca", de Renato Murce, "Tancredo e Trancado", de Giuseppe Ghiaroni, "Edifício Balança Mas Não Cai", de Max Nunes, de extraordinária audiência nos anos 50, e "A Cidade se Diverte", de Haroldo Barbosa, todos da Nacional; e, na Record paulista, "Histórias das Malocas", de Osvaldo Moles, cuja principal atração era o personagem Charutinho, vivido por Adoniran Barbosa.

De origem mais remota, datando dos tempos heroicos em que o professor Roquette Pinto selecionava nos jornais do dia as notícias que ele mesmo transmitia aos ouvintes da Rádio Sociedade, o jornalismo radiofônico brasileiro atingiu sua maioridade na década de 1940, com o desenvolvimento do setor nas principais emissoras do país. Dos noticiários surgidos no período, destacaram-se especialmente o "Repórter Esso" e "O Grande Jornal Falado Tupi". Estreado em 28 de agosto de 1941, nas rádios Nacional e Record, o "Repórter Esso", autodenominado "A Testemunha Ocular da História", condensava em quatro edições diárias, de cinco minutos cada, as mais importantes notícias do Brasil e do mundo, irrompendo ainda a qualquer momento na programação, sempre que acontecia algum fato extraordinário. Estendido a partir de 1942 às rádios Clube de Pernambuco (Recife), Inconfidência (Belo Horizonte) e Farroupilha (Porto Alegre), este noticiário de grande impacto tinha como maior trunfo a credibilidade que despertava nos ouvintes, sustentada principalmente pelo carisma de seu maior apresentador, o gaúcho Heron Domingues. O "Repórter Esso" existiu até 1968, com presença na televisão a partir dos anos 50. Teve também longa existência "O Grande Jornal Falado Tupi", inaugurado na Rádio Tupi de São Paulo em 3 de abril de 1942, que levava aos ouvintes um noticiário de grande abrangência, servindo de modelo a outros jornais que marcaram a radiofonia brasileira. Uma demonstração do grau de desenvolvimento alcançado por esses noticiários é oferecida pela Divisão de Radiojornalismo da Nacional, que de 1951 a 1955 transmitiu 3.235.643 linhas de texto (cada 15 linhas correspondendo a um minuto de transmissão), somando um total de 35.592.073 palavras.

Compreendendo a fase de maior sucesso da Nacional, o período 1946-1957 correspondeu também ao auge de nossa Era do Rádio. Sem demérito para as demais produções, pode-se dizer que os programas de auditório foram os que mais marcaram essa época. Transmitidos ao vivo, com o calor de ruidosas manifestações da plateia, esses programas acabaram por se transformar numa especial modalidade de espetáculo, em que uma sequência de atrações — variando das apresentações de cantores famosos às participações do público em brincadeiras e sorteios — sucedia-se durante horas nos palcos-auditórios das emissoras, sob o comando de um destacado animador.

Popularizados nos anos 40, consagraram-se como os melhores programas de auditório os apresentados por César de Alencar, Paulo Gracindo e Manoel Barcelos, destacando-se o primeiro como o mais duradouro (19 anos). Egresso da Rádio Clube, onde atuava desde 1939, César fora contratado pela Nacional como locutor e radioator em 16 de julho de 1945. Pouco depois, Paulo Gracindo, já então famoso e animador de um programa nas tardes de sábado, trocou a Nacional pela Tupi, cabendo a César substituí-lo. Comunicativo, dotado de grande presença de espírito, ele venceu o desafio e logo passou a liderar o horário no país inteiro, tornando-se seu programa modelo do gênero. Para facilitar a produção, o programa começou utilizando um pequeno elenco fixo, composto por artistas ainda em início de carreira: Ruy Rey, Quatro Ases e Um Curinga, Bob Nelson e, no papel de maior atração, Emilinha Borba. A fim de conter o estrelismo de Emilinha, que se tornava problemática à medida que crescia sua popularidade, César tratou de arranjar-lhe uma rival, a paulista Marlene, então cantora de boate. Ainda pouco conhecida, mas já revelando uma boa dose de empatia com o público, Marlene passou a atuar no começo ou no meio do programa, enquanto Emilinha o encerrava. Na realidade, ao pretender apenas solucionar um problema disciplinar em sua equipe, César de Alencar acabou por descobrir um dos pontos-chave do sucesso dos espetáculos de auditório: a acirrada rivalidade entre cantores e seus fãs clubes, fato logo explorado a fundo pelas emissoras, agências publicitárias e patrocinadores.

No caso Emilinha *versus* Marlene — que a Nacional transferira para o "Programa Manoel Barcelos" —, o estopim que incendiou a rivalidade foi o concurso para a eleição da "Rainha do Rádio", em 1949. Emilinha era a favorita e por certo venceria facilmente se não ocorresse a entrada na disputa da Companhia Antarctica Paulista, em campanha de lançamento de um novo refrigerante, que comprou milhares de votos (o

A estrela dos auditórios radiofônicos, Emilinha Borba (1923-2005), e o cantor-compositor Tito Madi (1929-2018).

total atingiu a cifra de 529.982) e elegeu a sua patrocinada, Marlene. Embora tal procedimento nada tivesse de ilegal, pois o objetivo principal do concurso era angariar, através da venda de votos, dinheiro para a construção do Hospital do Radialista, as fãs de Emilinha, inconformadas com a derrota, sentiram-se roubadas, ludibriadas, passando a considerar a vencedora e suas admiradoras ferrenhas inimigas. Partiram, então, para uma guerrinha, revidada à altura, que se prolongou pelo tempo afora, sobrevivendo à própria Era do Rádio. Além do carisma e dos requisitos de personalidade que as elevaram à condição de ídolos de tanta gente, Emilinha Borba e Marlene sempre apresentaram um competente desempenho artístico, que lhes assegura um lugar na história da música popular brasileira. Outros que desfrutaram da condição de ídolos do rádio nos anos 50, com legiões de admiradores, foram Cauby Peixoto, Ângela Maria, Dalva de Oliveira e, em níveis mais modestos, Ivon Curi, Jorge Goulart, Nora Ney e Francisco Carlos.

Outra campeã dos auditórios, Marlene (1922-2014) muito brilhou nos tempos áureos da Rádio Nacional.

Todavia, os grandes momentos da fase de ouro do nosso rádio não se limitaram às atrações do "Programa César de Alencar" e congêneres. O livro *Rádio Nacional: 20 anos de liderança a serviço do Brasil*, publicado em 1956, dá uma ideia da grandeza do período, tão bem representado pelos feitos da emissora líder. Informa a publicação que, em setembro daquele ano, ocupavam os horários da Nacional dezenove programas musicais (entre eles "Um Milhão de Melodias", "Audições Cauby Peixoto" e "Cancioneiro Royal"), 22 programas de auditório (como "Papel Carbono", "A Felicidade Bate à sua Porta" e "Nas Asas da Canção"), quinze programas que misturavam música, radioteatro, informação (casos de "Coisas do Arco da Velha", "Clube das Donas de Casa" e "Gente que Brilha"), onze programas radioteatrais ("Edifício Balança Mas Não Cai", "Marlene Meu Bem" e "Tancredo e Trancado"), dezesseis novelas e sete programas especializados ("Discos Impossíveis", "Radiolândia Matinal", "No Mundo da Bola").

Para levar ao ar essa gigantesca programação a emissora mantinha sob contrato um elenco de dez maestros-arranjadores, 124 músicos, 52 cantores, 44 cantoras, 33 locutores, 55 radioatores, 39 radioatrizes e dezoito produtores, que era suplementado por um quadro de 240 funcionários administrativos e 59 técnicos em radiofonia. Entre esses contratados figurava boa parte dos artistas mais populares da época, como, por exemplo, Cauby Peixoto, Nelson Gonçalves, Lúcio Alves, Francisco Carlos, Ivon Curi, Jorge Goulart, Nora Ney, Ângela Maria, Dolores Duran e, naturalmente, Emilinha e Marlene. Verdadeiras vitrines sonoras, os programas da Nacional muito contribuíam para o sucesso de sua carreira e das canções que lançavam, várias das quais consagradas antes de serem gravadas. Um levantamento da atuação desse elenco no fértil quinquênio 1951-1955 revela o grau de importância representada pela emissora como divulgadora da música: foram executadas aos seus microfones no período 66.915 composições, número correspondente a mais do dobro das gravadas pela indústria fonográfica brasileira em seus primeiros cinquenta anos de atividade (1902-1952).

Num sábado de junho de 1955, o "Programa César de Alencar" comemorou seu décimo aniversário levando ao ginásio do Maracanãzinho, no Rio de Janeiro, uma plateia de 23.141 pessoas. Recordista de público numa programação radiofônica em recinto fechado, no Brasil, este evento marcou o ápice de nossa Era do Rádio. Com o processo de implantação da televisão em estágio adiantado, transferindo para o novo veículo o grosso das verbas publicitárias e transformando radio-ouvintes em telespectadores, o rádio entrou em declínio, vendo seu reinado extinguir-se no início dos anos 60. Simultaneamente, a música popular brasileira chegava a uma nova fase, com o baião e o samba-canção saindo de moda e a bossa nova entrando em cena.

Quarto tempo
A MODERNIZAÇÃO (1958-)

47.
A BOSSA NOVA

"O rádio podia ser só nós, não é, Luís? Eu, você, o Tom, o Vinicius... sem tanto César de Alencar...", comentou certo dia João Gilberto com seu amigo, o cantor Luís Cláudio, conforme relata Ruy Castro no livro *Chega de saudade: a história e as histórias da bossa nova*. Na ocasião, no final de 1958, João percorria, no que lhe parecia uma infindável peregrinação, emissoras de rádio e televisão do Rio e de São Paulo, obrigado pela Odeon a divulgar seu disco de estreia na empresa. Lançado em agosto, o 78 rpm (nº 14360) apresentava o sambinha "Bim bom" (do próprio João) e o samba (classificado no selo como "samba-canção") "Chega de saudade" (de Antônio Carlos Jobim e Vinicius de Moraes), posteriormente celebrado como marco inicial da bossa nova.[8]

O curioso é que, na opinião de Tom Jobim, "Chega de saudade" não é uma composição bossanovista. Em depoimento ao crítico Tárik de Souza (para o livro *Tons sobre Tom*) ele esclarece: "Inventei uma sucessão de acordes, que é a coisa mais clássica do mundo, e botei ali uma melodia. Mais tarde Vinicius colocou a letra. De certa forma, sentindo a novidade [...] do João Gilberto, [...] talvez Vinicius tenha sido levado a intitular a música 'Chega de saudade'. [...] Esse título é engraçado porque a música tem algo de saudade desde a introdução. Lembra aquelas introduções de conjuntos de violão, cavaquinho, tipo regional. [...] Na segunda parte

[8] Usava-se desde os anos 30 o termo "bossa nova" para designar um jeito novo, engenhoso, diferente, de fazer qualquer coisa. No caso do movimento musical, conta-se que a expressão que o batizou surgiu em um show realizado no início de 1958 no Grupo Universitário Hebraico do Brasil, sediado no bairro carioca do Flamengo. Na ocasião, os jovens músicos e cantores que participaram do espetáculo foram anunciados como "um grupo bossa nova". O jornalista Moysés Fuks, diretor artístico da entidade e responsável pelo anúncio, não seria, porém, o primeiro a utilizar o termo para classificar um grupo musical. O pesquisador musical Sílvio Júlio Ribeiro possui em seu acervo o nº 12 da revista *Clube dos Ritmos*, referente à segunda quinzena de outubro de 1955, que publica um artigo de Ricardo Galeno intitulado "Um conjunto bossa nova", em que se desmancha em elogios ao conjunto de Valdir Calmon.

acontecem todas aquelas modulações clássicas que você encontra na música antiga. Isso cria um absurdo: o 'Chega de saudade' [...] já é uma saudade jogando fora a saudade!". Na verdade, a bossa nova nessa gravação de "Chega de saudade" está quase toda na harmonia, na rítmica e, principalmente, na interpretação de João Gilberto como cantor e violonista. Foi isso que causou impacto, negativo nos fiéis cultores da tradição e positivo nos que ansiavam pela modernidade, entre os quais as futuras celebridades Caetano Veloso, Edu Lobo e Chico Buarque, então adolescentes.

Composição bossa nova mesmo, o samba "Desafinado" (de Antônio Carlos Jobim e Newton Mendonça) só viria no disco seguinte de João Gilberto, o de nº 14426, lançado em fevereiro de 1959 e que trazia na outra face seu beguine "Ho-ba-la-lá". Bem diferente do que se ouvira até então em quase dois séculos de música popular brasileira, esta gravação já mostrava tudo o que a bossa nova oferecia de inovador e revolucionário: a melodia moderna, requintada, sem prejuízo da simplicidade, a harmonia audaciosa, repleta de acordes alterados (ou seja, que utilizavam combinações de notas estranhas à harmonia tradicional), a letra alegre, sintética, despojada, o canto intimista, livre de vibratos e, sobretudo, um extraordinário jogo rítmico entre a voz do cantor, o violão e a bateria, numa polirritmia que ressaltava o balanço da canção. Criador desse jogo, exaltado por Tom Jobim em entrevista publicada por Zuza Homem de Mello no livro *Música popular brasileira*, João Gilberto assumia assim de imediato um lugar de destaque no trio — completado por Jobim e Vinicius de Moraes — que, responsável pelo lançamento da bossa nova, alteraria de forma irreversível o curso de nossa música popular. Tom Jobim fez ainda questão de afirmar em seu *Songbook* (produzido por Almir Chediak para a Lumiar Editora): "Não fosse João Gilberto, a bossa nova jamais teria existido".

Mas, além de nomear um gênero musical, ou melhor, um tipo de samba, a bossa nova é principalmente, como o choro, um estilo, uma maneira de tocar, harmonizar ou cantar qualquer composição. Isso seria demonstrado logo no primeiro LP de João Gilberto, intitulado *Chega de saudade* (nº MOFB 3073), gravado entre 23 de janeiro e 4 de fevereiro de 1959 e lançado pela Odeon dois meses depois. Cinco das doze faixas do disco apresentavam quatro sambas tradicionais — "Rosa morena" (1942), de Dorival Caymmi, "Aos pés da cruz" (1942), de Zé da Zilda e Marino Pinto, "Morena boca de ouro" (1941), de Ary Barroso, e "É luxo só" (1957), de Ary Barroso e Luís Peixoto — e o citado beguine "Ho-ba-la-lá", todos eles devidamente "joãogilbertizados". Tal como no primeiro

LP, essa tendência permaneceria pelo tempo afora, incluindo no repertório do cantor, além de muitos sambas, marchinhas, marchas-rancho, valsas, boleros, foxes e até um baião, chamado "Undiú", de João Gilberto.

Baiano de Juazeiro, onde nasceu em 10 de junho de 1931, filho de um comerciante, clarinetista amador, João Gilberto do Prado Pereira de Oliveira mudou-se para o Rio de Janeiro em 1950, a fim de atuar como crooner dos Garotos da Lua. Na ocasião, Alvinho, um integrante do conjunto, ouvira-o na Rádio Sociedade da Bahia e o convidara para substituir Jonas Silva, o cantor solista que... cantava muito baixo. A propósito, em sua adolescência em Juazeiro, Joãozinho (como era chamado) soltava a voz em bailes e reuniões sociais e vivia sonhando em "ser um Orlando Silva quando crescesse". Com aversão a horários e compromissos, o baiano aguentou-se nos Garotos da Lua por cerca de ano e meio, período em que participou de dois discos do conjunto. Ainda em virtude dessa aversão, foi demitido do cargo de escriturário no gabinete do deputado Rui Santos, um emprego que a família lhe arranjara.

Em meados de 1952, João gravou na Copacabana seu primeiro disco solo, cantando, num estilo que lembrava o ídolo Orlando, os sambas-canção "Quando ela sai" (de Alberto Jesus e Roberto Penteado) e "Meia-luz" (de Hianto de Almeida e João Luís), não obtendo sucesso. Daí até 1958 nenhum progresso aconteceu em sua carreira, nem ele se esforçou para que acontecesse. No biênio 1953-54, por exemplo, uma de suas escassas atividades foi a participação na gravação de "Você esteve com o meu bem", um samba-canção de sua autoria e de Russo do Pandeiro, que marcou a estreia da cantora Marisa (depois Gata Mansa), na ocasião sua namorada. Além dessa gravação, a primeira de uma composição sua, que passou despercebida, sabe-se apenas da atuação de João como cantor de *jingles*, o que lhe rendia magros cachês. Assim, desabonado, o baiano era forçado a recorrer a amigos que o ajudavam, deixando-o morar em seus apartamentos. E foi um desses amigos, o gaúcho Luís Teles, integrante do conjunto Quitandinha Serenaders, que teve em 1955 a ideia de afastá-lo da vida inerte que estava levando no Rio, convidando-o a passar uma temporada em Porto Alegre.

João aceitou, conheceu a noite porto-alegrense, deu muitas canjas, conquistou novos amigos. Porém, sua carreira permaneceu estacionada, assim continuando pelo ano e meio seguinte, quando teve passagens pelo Rio, Diamantina, onde morava uma irmã sua, Juazeiro e Salvador. Uma coisa importante, porém, aconteceu nesse período: João Gilberto submeteu sua personalidade musical a uma radical reformulação. Para isso, segundo Ruy Castro (no citado livro *Chega de saudade*), "passou a tocar violão noite e dia, encerrado num quarto, como se tomado por uma obsessão". Então, nos meses que antecederam sua afortunada volta ao Rio, surgiu um novo João, senhor das qualidades que o habilitaram à fama. Com sua apurada sensibilidade, ele captara tudo o que essencialmente contribuiria para a criação da bossa nova, aí incluindo-se itens como o piano de Johnny Alf, o acordeão (depois o piano) de João Donato e, em nível mais modesto, o canto baixinho de Jonas Silva, que, por sua vez, copiara-o de crooners americanos, como o versátil cego Joe Mooney, também instrumentista.

Mesmo assim, pronto para a glória, ele ainda teve que esperar mais de um ano para acontecer a gravação de "Chega de saudade". Deveu-se a demora, principalmente, à sua ojeriza em trabalhar em boate, na ocasião o caminho mais indicado para levá-lo ao disco. Nesse ínterim, porém, aproveitou o tempo para mostrar a antigos e novos amigos suas mais recentes descobertas, das quais constava, naturalmente, a tal batida de violão, logo batizada como "a batida de João Gilberto". Entre suas novas amizades, que incluíam futuros astros da bossa nova, como Carlos Lyra, Roberto Menescal e Ronaldo Bôscoli, estava Chico Pereira, um fotógrafo que o encorajou a procurar Antônio Carlos Jobim. Na época, um dos principais arranjadores da Odeon, com muito prestígio junto ao diretor artístico, Aloísio de Oliveira, Jobim acabou por abrir as portas da gravadora, e do sucesso, a João Gilberto.

Os três LPs que gravou nessa empresa — *Chega de saudade* (1959), *O amor, o sorriso e a flor* (1960) e *João Gilberto* (1961) — constituem o mais elucidativo documento que já se fez sobre a bossa nova. Tudo de importante que foi dito ou escrito a respeito está ali demonstrado e registrado na interpretação das 36 composições apresentadas: dos clássicos do movimento — "Desafinado", "Samba de uma nota só", "O barquinho" — às canções reelaboradas — "Rosa morena", "O pato", "Bolinha de papel" —, dos tradicionais compositores revisitados — Ary Barroso, Dorival Caymmi, Geraldo Pereira — aos mais renomados bossanovistas — Tom, Vinicius, Newton Mendonça, Carlos Lyra, Ronaldo Bôscoli, Roberto Menescal. Enfim, são três álbuns indispensáveis a quem quiser entender a bossa nova.

Sempre fiel às suas convicções, João Gilberto lançou até o final do século mais doze álbuns — alguns dos quais compartilhados com outros intérpretes —, que, somados aos citados, totalizam cerca de 160 fono-

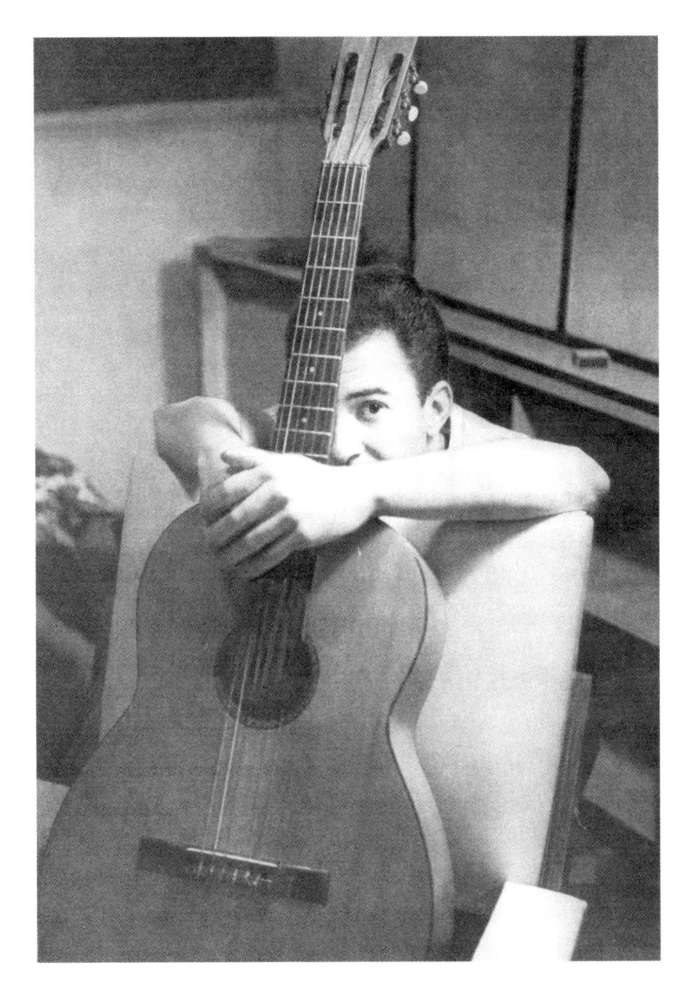

Com sua batida no violão e seu estilo de cantar, João Gilberto (1931-2019) foi fundamental para o surgimento da bossa nova.

gramas. Com a mulher, Astrud, com quem se casara em 1959, e o filho João Marcelo, o cantor passou a morar nos Estados Unidos no final de 1962. Lá iniciou uma bem-sucedida carreira internacional com um disco, gravado em companhia de Stan Getz, Tom Jobim e Astrud, que seria premiado com seis Grammy em 1964. Logo em seguida, divorciado, casou-se com Miúcha (Heloísa Buarque de Holanda), com quem teve, em 1966, Isabel (Bebel), a filha que se tornaria cantora. Depois de seis anos de atuações nos Estados Unidos, na Europa e no Brasil, realizou longa temporada no México, onde até gravou um LP. No período 1972-79, vivido a maior parte nos Estados Unidos, manteve-se em constante atividade, principalmente nesse país, onde fez dois discos (em 1973 e 1977) e no Brasil. Separado de Miúcha, voltou a viver no Rio de Janeiro a partir do início dos anos 80, diminuindo o ritmo de suas atividades. Mesmo assim reafirmaria seu prestígio internacional, ganhando em fevereiro de 2001 um novo Grammy, na categoria de melhor álbum de "World Music", com o disco *João, voz e violão*, gravado no Rio no ano anterior. Faleceu no Rio de Janeiro, RJ, em 6 de julho de 2019.

Marcus Vinitius da Cruz de Mello Moraes nasceu em 19 de outubro de 1913 numa casa da rua Lopes Quintas, na Gávea, Zona Sul do Rio de Janeiro, filho de Clodoaldo Pereira da Silva Moraes e Lydia Cruz de Moraes. Doutor em latim, Clodoaldo pôs nos filhos nomes pomposos, com grafia original da língua em que se especializara: Lygia, Marcus Vinitius, Laetitia e Helius. Mas o futuro poeta, mostrando-se prático, abandonou o "t" latino e desvencilhou-se do "Marcus" e do "Cruz de Mello" para tornar-se simplesmente Vinicius de Moraes.

Tendo infância e adolescência vividas na Gávea, Botafogo, Ilha do Governador e novamente Gávea, Vinicius ingressou na Faculdade de Direito da rua do Catete aos 17 anos, depois de completar o ginasial no Colégio Santo Inácio. Com vocação poética manifestada já nos tempos colegiais, ele realizou sua primeira incursão na música popular no final dos anos 20. Na época, associando-se aos irmãos Paulo, Haroldo e Osvaldo Tapajós, formou um conjunto musical que se apresentava em festinhas familiares, interpretando canções cujas letras eram na maioria de sua autoria. Havia uma razão para a atração do poeta pela música popular. Além da mãe, hábil pianista, e do tio Niboca (Hanibal Cruz), compositor bissexto, autor do samba "Diz que tem", sucesso de Carmen Miranda, tinha do lado paterno uma tradição de seresta e boemia, bem representada pelo tio Henrique de Mello Moraes. Namorador inveterado de atrizes e vedetes, companheiro de noitadas do compositor Bororó, o cantor Henriquinho era ainda, sem prejuízo do lazer, advogado e delegado de polícia.

Mas a parceria com os irmãos Tapajós durou pouco, destacando-se no repertório que compuseram o fox "Loura ou morena" (de Haroldo Tapajós e Vinicius), lançado em 1932. Pelos anos seguintes, integrado ao meio intelectual e desenvolvendo intensa atividade literária, Vinicius de Moraes publicou os livros *O caminho para a distância* (1933), *Forma e exegese* (1935) e *Novos poemas* (1938). Assim, já era poeta renomado — e advogado avesso à profissão — quando, agraciado com uma bolsa do Conselho Britânico, viajou em 1938 para a Inglaterra a fim de estudar a língua e a literatura inglesas na Universidade de Oxford.

Um ano depois, casado por procuração com Beatriz Azevedo de Melo, viu-se obrigado a retornar ao Brasil, em razão da Segunda Guerra Mundial. Daí até 1943, quando ingressou na carreira diplomática, ele viveu principalmente de trabalhos jornalísticos, que incluíam a crítica cinematográfica. Entre 1946, ano em que publicou o livro *Poemas, sonetos e baladas*, e 1950, ocupou o posto de vice-cônsul do Brasil em Los Angeles, localização que muito lhe agradou pela proximidade de Hollywood, o que favorecia sua paixão pelo cinema, permitindo-lhe o convívio com astros, como Orson Welles, com quem fez boa camaradagem.

Em 1953, após três anos servindo no Itamaraty, no Rio, Vinicius de Moraes foi exercer as funções de segundo secretário na embaixada brasileira em Paris. Na temporada parisiense, impelido por um interesse do produtor Sacha Gordine em realizar um filme sobre tema brasileiro, o poeta foi resgatar num fundo de baú uma inédita peça de sua autoria, escrita nos anos 40. Esta peça, intitulada *Orfeu da Conceição*, que transpunha o mito grego para uma favela carioca, haveria de determinar sua segunda e definitiva incursão na música popular. Vinicius tinha o espetáculo pronto e precisava com urgência de um compositor para musicá-lo, pois ganhara patrocínio para sua encenação, que até precederia a realização do filme. Em 1956, então no Rio, ele entregou a tarefa ao jovem Antônio Carlos Jobim, passando a formar com ele a mais importante dupla de compositores, não apenas da bossa nova, mas da própria música popular brasileira na segunda metade do século XX.

Juntos apenas por sete anos e em 46 composições,[9] Tom e Vinicius reformularam a canção brasileira, sintetizando em sua obra todo um processo de modernização, por muitos iniciado nos anos anteriores. Os versos do poeta que se mostrava letrista iriam influenciar fortemente novas gerações, de forma especial a que se destacaria na era dos festivais televisivos. Sem deixar de ser romântico, o poeta dramático suavizou-se e tornou-se menos pessimista, oferecendo até receitas de vida. Iniciada com o êxito de "Se todos fossem iguais a você", da trilha de *Orfeu*, a parceria com Tom foi do começo ao fim pontilhada de sucessos, como os sambas "Chega de saudade", "A felicidade", "Garota de Ipanema", os sambas-canção "Eu sei que vou te amar", "Amor em paz", "Insensatez", e as canções de câmara "Derradeira primavera", "Canta, canta mais", "Can-

[9] Depois de 1962, Tom e Vinicius juntaram-se eventualmente para compor mais três ou quatro canções sem maior importância, com exceção de "Olha Maria", que tem ainda Chico Buarque na parceria.

O baterista Milton Banana, Tom Jobim (encoberto), Vinicius de Moraes (ao lado de Tom), Os Cariocas e João Gilberto no histórico show *Encontro*, realizado na boate carioca Au Bon Gourmet em 1962.

ção do amor demais", composições que têm em comum, além da modernidade e do bom gosto, um sofisticado acabamento.

A inspiração de Vinicius de Moraes, todavia, não se esgotaria no repertório que construiu com Tom Jobim. Cheio de ideias e de vontade de partilhar seus versos com outros melodistas, o poeta ainda comporia nas décadas de 1960 e 1970 cerca de 250 canções com mais de trinta parceiros, vários deles jovens promessas, que ajudaria a consolidar, como Baden Powell, Carlos Lyra, Edu Lobo, Francis Hime e Toquinho (Antônio Pecci Filho). A mais importante dessas parcerias foi a que o juntou ao violonista Baden Powell, na qual ressalta uma série de vigorosas composições, impregnadas de negritude e misticismo — "Canto de Ossanha", "Canto de Xangô", "Berimbau" —, conhecidas como afro-sambas. Conta-se que para compor a maior parte de seu repertório — 39 canções que incluem também música romântica, como "Apelo" e "Samba em prelúdio" — a dupla trabalhou por cerca de noventa dias, estimulada por fartas doses de uísque e encerrada no apartamento do poeta, ou melhor, de sua então mulher Lucinha Proença. Vinicius produziu ainda com seus jovens parceiros sucessos como "Primavera" e "Minha namorada" (com Carlos Lyra), "Arrastão" (com Edu Lobo), "Sem mais adeus" (com Francis Hime), "Regra três" e "Tarde em Itapuã" (com Toquinho).

Desde a encenação de *Orfeu da Conceição*, no Teatro Municipal do Rio de Janeiro, em 1956, Vinicius de Moraes passou a dedicar-se cada vez mais às atividades artísticas. Assim, encerrou brilhantemente a década de 1950, participando do lançamento da bossa nova e comemorando o sucesso do filme *Orfeu do Carnaval* (*Orfeu negro*), por fim realizado, que ganhou a Palma de Ouro no Festival de Cannes e o Oscar de melhor filme estrangeiro em Hollywood, ambos os prêmios em 1959. Diga-se de passagem que o *Orphée noir* rendeu-lhe glórias e prestígio, porém pouco dinheiro, pois a parte do leão ficou com os franceses. Enquanto isso, ele continuaria servindo ao Itamaraty até que, em 1969, em razão de um processo de caça às bruxas, desencadeado pelo AI-5, a ditadura o aposentou compulsoriamente.

Iniciadas em 1962, com um LP gravado em dupla com a atriz Odete Lara e um show na boate Au Bon Gourmet, intitulado *Encontro*, ao lado de Tom Jobim, João Gilberto e o conjunto Os Cariocas, as atividades de Vinicius como cantor, em disco e no palco, intensificaram-se a partir do ano da aposentadoria, quando juntamente com o parceiro Toquinho e cantoras como Maria Creuza e Marília Medalha, apresentou-se em dezenas de espetáculos, no Brasil e no exterior, e gravou inúmeros LPs. Entre seus shows podem ser classificados como mais importantes: *Vinicius e Caymmi no Zum Zum*, com o Quarteto em Cy e o conjunto de Oscar Castro Neves (1964), *Poeta, moça e violão*, com Toquinho e Clara Nunes (1973), *Tom, Vinicius, Toquinho e Miúcha* (1977), além de *Encontro* (1962), o citado show que reuniu pela única vez num palco os três grandes da bossa nova e no qual foram lançadas "Garota de Ipanema" e "Só danço samba". Além do *Orfeu da Conceição*, o poeta escreveu a peça musical *Pobre menina rica*, com Carlos Lyra, em 1963.

Vinicius de Moraes (1913-1980), um dos principais modernizadores da canção brasileira.

"O único poeta brasileiro a viver como poeta", na opinião de Carlos Drummond de Andrade, Vinicius de Moraes foi um irresistível sedutor, incansável em suas conquistas. Prova disso são os nove casamentos, digamos, oficiais, que ele consumou: Beatriz, a Tati (1939), mãe de Susana e Pedro; Regina Pederneiras (1946); Lila Bôscoli (1951), mãe de Georgiana e Luciana; Maria Lúcia (Lucinha) Proença (1958); Nelita de Abreu (1963); Cristina Gurjão (1969), mãe de Maria; Gessi Gesse (1970); Marta Rodriguez (1976) e Gilda de Queiroz Matoso (1978). Vivia ele com Gilda, a musa derradeira, quando morreu em consequência de problemas circulatórios, na manhã de 9 de julho de 1980 em sua casa na rua Frederico Eyer, na Gávea, o bairro onde nascera.

Quem em meados dos anos 50 frequentou o legendário bar Vilarino, no Castelo, Zona Centro do Rio, por certo deve ter notado a presença de um rapaz magro, meio desajeitado, que lá aparecia nos fins de tarde para beber uma cervejinha, sempre sobraçando uma pasta cheia de partituras. Essa rapaz era o músico Antônio Carlos Jobim, que seria convidado por Vinicius de Moraes, ali mesmo no Vilarino, para fazer as canções do *Orfeu da Conceição*. Nessa ocasião, como foi dito, Jobim já atuava profissionalmente há seis anos, tocando piano, compondo e arranjando, tendo algumas dezenas de músicas gravadas, inclusive um sucesso, o samba "Teresa da Praia", e uma apreciada "Sinfonia do Rio de Janeiro", ambas as composições em parceria com Billy Blanco.

Possuidor de nome pomposo, como o parceiro Vinicius, Antônio Carlos Brasileiro de Almeida Jobim nasceu em 25 de janeiro de 1927 na rua Conde de Bonfim, 634, uma das principais do bairro carioca da Tijuca, filho do diplomata e escritor Jorge de Oliveira Jobim e de Nilza Brasileiro de Almeida Jobim. Separado da mulher, Jorge morreu em 1935, tendo Nilza se casado dois anos depois com o funcionário público Celso Frota Pessoa, o pai que Tom e a irmã Helena conheceram. Criado desde pequeno em Copacabana e Ipanema, cursando bons colégios, como o Mallet Soares, o Melo e Souza e o Andrews, tomando sol e muito banho de mar numa praia ainda meio deserta, o futuro compositor revelou sua vocação musical aos 13 anos, quando chegou à sua casa um velho piano. Foi praticando nesse instrumento que ele recebeu as primeiras noções de harmonia e de execução pianística e aprendeu a ler música. O professor era Joachim Koellreuter, um alemão refugiado de guerra, que iniciava então a carreira de mestre de várias gerações de músicos brasileiros.

Influenciado pelo amigo de infância Marcos Konder Neto, Tom Jobim prestou vestibular e entrou em 1946 para a Faculdade Nacional de Arquitetura. Mas, ao contrário de Marcos, que se tornou um ilustre arquiteto, Tom em poucos meses percebeu que seu negócio era a música e abandonou a faculdade. Seu padrasto deu-lhe a maior força, patrocinando-lhe um curso com a professora Lúcia Branco, o que levou nosso candidato a pianista a viver uma fase de intensa dedicação à música erudita. Na ocasião, aconselhado por Lúcia, que pressentiu sua vocação de compositor, o aluno resolveu aprofundar seus conhecimentos musicais, prosseguindo os estudos com os professores Paulo Silva e Tomás Terán, um espanhol amigo de Villa-Lobos.

Estava assim Tom Jobim em 1949, monopolizado pela música e sem qualquer fonte de renda, quando resolveu casar-se com Teresa Otero

Hermanny, sua namorada de adolescência. Nessa circunstância, o padrasto Celso funcionaria mais uma vez como anjo protetor, garantindo-lhe as despesas, que incluíam o aluguel de um apartamento no bairro do Peixoto. Com o nascimento do filho Paulo, em 1950 (o casal teria ainda Elizabeth, em 1957), Tom decidiu trabalhar de qualquer maneira, embora estivesse sofrendo de uma enfermidade, brucelose, que o atormentaria por alguns anos. Como o trabalho que desejava deveria ser musical, a solução foi tocar em casas noturnas, atividade em que permanecia — juntamente com as de compositor e arranjador, como foi visto — quando Vinícius o descobriu.

Tendo a carreira já impulsionada pelo sucesso do *Orfeu* e de canções, como "Foi a noite" (com Newton Mendonça), "Se todos fossem iguais a você" (com Vinicius) e "Por causa de você" (com Dolores Duran), lançadas em 1956 e 1957, Antônio Carlos Jobim tornou-se de repente um nome famoso com o estouro da bossa nova. Um dado que atesta o crescimento de sua popularidade é o número de gravações realizadas (356) de composições suas nos anos de 1959 (189) e 1960 (167). Só "A felicidade" (40) e "Eu sei que vou te amar" (35), as duas mais gravadas no período, somaram 75 gravações.

Um talento extraordinário e uma personalidade formada por influências que iam dos clássicos e dos impressionistas a grandes figuras da música brasileira — especialmente Villa-Lobos — e norte-americana, situam o compositor Tom Jobim alguns pontos acima de seus colegas de geração. Essa superioridade pode ser apreciada na qualidade de suas melodias, finamente elaboradas, muitas das quais seguidoras de caminhos inusitados, e na ousadia de suas harmonizações, cheias de resoluções inesperadas, reveladoras de sua formação erudita. Realmente, Jobim conheceu as harmonias requintadas que usaria em toda a sua carreira diretamente na fonte, ou seja, em obras de impressionistas franceses, como Claude Debussy — outra de suas maiores influências —, enquanto o pessoal da bossa nova as conheceria em segunda mão, através principalmente de músicos do chamado cool jazz.

Ao mesmo tempo em que vivia os melhores momentos da parceria com Vinicius de Moraes, Tom Jobim alcançava também grande sucesso com músicas apenas suas — "Este seu olhar", "Corcovado" — ou feitas com Aloísio de Oliveira — "Dindi", "Inútil paisagem" — e com Newton Mendonça, seu amigo de infância e primeiro parceiro. Pianista, compositor e letrista, como Tom, Newton dividiu com ele a autoria de quinze canções, das quais treze chegaram ao disco. Nesse repertório brilham qua-

Tom Jobim (1927-1994), ao lado de Vinicius de Moraes e João Gilberto, integrou a santíssima trindade da bossa nova.

tro obras-primas — "Foi a noite", "Meditação", "Desafinado" e "Samba de uma nota só" —, sendo as duas últimas as mais bossanovistas das composições jobinianas. Isso leva a crer que outras joias do gênero surgiriam se a dupla não tivesse sido desfeita tão cedo, com a morte de Newton Mendonça, fulminado por um enfarte. Apesar de sua obra diminuta, todavia, ele entra para a história da moderna canção brasileira como um de seus mais talentosos compositores.

Consolidada, a bossa nova deu em novembro de 1962 um passo importante para o seu reconhecimento internacional com a realização de um concerto no Carnegie Hall, em Nova York, que teve a participação de figuras como Tom, João Gilberto, Carlos Lyra e Roberto Menescal, entre outros. A partir de então, os principais personagens do movimento começaram a tomar caminhos diferentes. Aproveitando a ida aos Estados Unidos, vários resolveram tentar a sorte no país, Tom Jobim entre eles. Incentivado pela receptividade alcançada por sua música, ele mandou buscar a mulher, alugou apartamento e lançou-se à luta, apesar do frio e da saudade do Brasil. Conforme testemunho de seu parceiro americano Gene Lees, Tom sentia saudade até das gaivotas de Ipanema. Nessa sua primeira temporada nos States, nosso maestro estreou como intérprete em disco, gravando ao piano o álbum *Antônio Carlos Jobim: The Composer of Desafinado Plays*, participou dos discos *Jazz Samba Encore*, com Stan Getz, Luís Bonfá e Maria Helena Toledo, e o citado *Getz-Gilberto*. Acertou ainda as versões em inglês e edições americanas de diversas composições suas, que nem sempre seriam bem negociadas, só regressando ao Brasil em julho de 1963.

Apresentando ao público norte-americano doze das melhores composições de Antônio Carlos Jobim, o álbum *The Composer of Desafinado Plays* teve enorme importância para a aceitação de sua música e a de seus colegas de bossa nova nos Estados Unidos, daí espalhando-se para o resto do mundo. Facilitou essa aceitação não apenas a qualidade do repertório, mas sua identificação com a grande canção americana — de Gershwin, Porter, Berlin —, bem mais do que com o jazz. Aliás, segundo o próprio Jobim, o jazz contemporâneo é que seria influenciado por sua música.

De 1963 a 1994, a vida de Tom Jobim dividiu-se entre o Brasil e os Estados Unidos. Foram mais de trinta estadas principalmente em Nova York, motivadas por compromissos profissionais, como a realização de shows e discos e a administração dos valores gerados pelas gravações e execuções de suas músicas. Em 1990, por exemplo, já eram sete — "Garota de Ipanema", "Meditação", "Wave", "Corcovado", "Desafinado" "Insensatez" e "Samba de uma nota só" — as canções de sua autoria que haviam ultrapassado a cifra de 1 milhão de execuções nos Estados Unidos ("Garota de Ipanema" tinha 4,2 milhões). Entre estrangeiros, na ocasião, essa quantidade de canções em tal patamar de execuções só era superada pelos Beatles (com doze canções).

Ainda no período 1963-1994, Jobim compôs cento e poucas músicas, que, somadas às que fizera antes, perfazem aproximadamente 230 composições gravadas. Além de continuar fazendo sambas, sambas-canção e peças camerísticas, predominantes no primeiro decênio da carreira (e cujos exemplos já foram mencionados), ele se mostraria na maturidade especialmente dedicado a composições ecológicas, sem desprezar contudo seu lado urbano, expressado em canções bem-humoradas e suavemente românticas. À primeira categoria pertencem "Águas de março", "Chovendo na roseira", "Matita perê" (com Paulo César Pinheiro), "Passarim" e "Borzeguim", entre outras, e à segunda, "Chansong", "Anos dourados" (com Chico Buarque) e as inspiradas em musas como "Ana Luiza", "Bebel", "Lígia" e "Luiza". Embora responsável por música e letra da maior parte desse repertório, Tom compartilhou com Chico Buarque doze composições — entre as quais as obras-primas "Sabiá", "Retrato em branco e preto" e "Eu te amo" — e outras quinze com parceiros eventuais, como Paulo César Pinheiro, Cacaso e o filho Paulo Jobim.

Quase toda obra de Antônio Carlos Jobim está por ele gravada nos 24 álbuns que integram sua discografia, aí incluindo-se os divididos com diversos intérpretes. Dessa relação podem-se destacar discos como *The wonderful world of Antônio Carlos Jobim* (1965), o primeiro que gravou cantando, *Francis Albert Sinatra & Antônio Carlos Jobim* (1967), *Matita perê* (1973), *Elis & Tom* (1974), *Terra Brasilis* (1980) e *Tom Jobim inédito* (1987), além do citado *The Composer of Desafinado Plays.*

No auge da boa vidinha que curtia em suas estadas no Rio, em companhia de amigos como Dico Wanderley, os jornalistas Carlinhos de Oliveira e Tarso de Castro e os atores José Lewgoy, Hugo Carvana e Antônio Pedro, a princípio no Antônio's e na Carreta, depois na churrascaria Plataforma, Tom começou a ter problemas de saúde em 1975. Esses problemas deviam-se, primordialmente, ao uso da bebida e do cigarro, a que se entregara desde os tempos de músico de boate. Na ocasião foi examinado por médicos do hospital Mount Sinai, em Nova York, que constataram sérias deteriorações em seu sistema circulatório, prescrevendo-lhe severo tratamento, além da proibição do fumo e redução drástica do álcool, recomendações que o paciente só cumpriu parcialmente. No caso do fumo, por exemplo, limitou-se a trocar o cigarro pelo charuto.

Por essa época, separado de Teresa, ele conheceu Ana Beatriz Lontra, com quem se casaria em 1978 e teria os filhos João Francisco (em 1980) e Maria Luiza Helena (em 1987). Entrando no último estágio da carreira, Tom Jobim intensificou as apresentações em shows, que antes detestava. A fim de torná-las mais atraentes, reuniu para acompanhá-lo um conjunto denominado Banda Nova, constituído pelo filho Paulo (violão e voz), Danilo Caymmi (flauta e voz), Jaques Morelenbaum (violoncelo), Tião Neto (baixo), Paulo Braga (bateria) e um quinteto (ele adorava grupos vocais), que incluía a esposa Ana, a filha Elizabeth, Paula Morelenbaum, Maúcha Adnet e Simone Caymmi. Com esse conjunto realizou, no período 1984-1994, inúmeros espetáculos no Brasil, Estados Unidos, Canadá, Japão, vários países europeus e gravou quatro álbuns.

A jovem Nara Leão (1942-1989) em frente de uma pilha de LPs, entre eles *Julie Is Her Name*, de Julie London, álbum de 1955 que exerceu grande influência sobre os músicos da bossa nova.

Ao mesmo tempo, desfilou e foi tema do enredo da Mangueira no carnaval de 1992, colaborou num livro sobre a Mata Atlântica e participou — em sua última atuação musical — do disco *Duets 2*, cantando com Frank Sinatra a faixa "Fly Me to the Moon", de Bart Howard.

No começo de 1994, Tom, que acabara de completar 67 anos, teve constatada a existência de um tumor maligno na bexiga. Depois de alguma hesitação, em que chegou a recorrer à ajuda fora da Medicina, consentiu em ser operado (tinha pavor de cirurgias). A operação, em que foi extirpado o câncer, realizou-se no hospital Mount Sinai, em Nova York, no dia 6 de dezembro de 1994, morrendo o compositor na manhã do dia 8, em consequência de um ataque cardíaco, provocado por uma embolia pulmonar.

Outras figuras importantes da bossa nova são os compositores Carlos Lyra (Carlos Eduardo Lyra Barbosa, Rio de Janeiro, RJ, 11 de maio de 1936) — autor de "Se é tarde me perdoa" e "Lobo bobo" (com Ronaldo Bôscoli), "Feio não é bonito" (com Gianfrancesco Guarnieri) e "Quem quiser encontrar o amor" (com Geraldo Vandré), além das canções já citadas —, Roberto Menescal (Roberto Batalha Menescal, Vitória, ES, 25 de outubro de 1937) — autor de "O barquinho", "Vagamente", "Você" e "Rio" (todas com Ronaldo Bôscoli) —; o letrista Ronaldo Bôscoli (Ronaldo Fernando Esquerdo Bôscoli, Rio de Janeiro, RJ, 28 de outubro de 1928-18 de novembro de 1994); os músicos-compositores João Donato (João Donato de Oliveira Neto, Rio Branco, AC, 17 de agosto de 1934), Oscar Castro Neves (Rio de Janeiro, RJ, 15 de maio de 1940-Los Angeles, 27 de setembro de 2013), Baden Powell (Baden Powell de Aquino, Varre e Sai, RJ, 6 de agosto de 1937-Rio de Janeiro, RJ, 26 de setembro de 2000), Johnny Alf (Alfredo José da Silva, Rio de Janeiro, RJ, 15 de setembro de 1929-Santo André, SP, 4 de março de 2010) e Durval Ferreira (Durval Inácio Ferreira, Rio de Janeiro, RJ, 26 de janeiro de 1935-17 de junho de 2007); e as cantoras Alaíde Costa (Alaíde Costa Silveira Mondin Gomide, Rio de Janeiro, RJ, 8 de dezembro de 1935), Sylvia Telles (Rio de Janeiro, RJ, 27 de agosto de 1934-Maricá, RJ, 17 de dezembro de 1966), Leny Andrade (Leny de Andrade Lima, Rio de Janeiro, RJ, 25 de janeiro de 1943) e Nara Leão (Nara Lofego Leão, Vitória, ES, 19 de janeiro de 1942-Rio de Janeiro, RJ, 7 de junho de 1989). Nara, considerada a musa da bossa nova e que reunia assiduamente bossanovistas em sua residência, só começou a gravar profissionalmente em 1962, sempre cultivando um repertório eclético.

Paralelamente ao período de maior evidência da bossa nova, fez sucesso um tipo de composição conhecida como sambalanço — um meio-termo entre a bossa e o tradicional —, cultivada por cantores como Miltinho (Milton Santos de Almeida, 1928-2014), Orlandivo (Orlandivo Honório de Souza, 1937-2017)), também compositor, e músicos-compositores como Ed Lincoln, Djalma Ferreira e o percussionista Jadir de Castro, que criou uma variante do gênero, o chamado samba-fantástico. Pelo sambalanço incursionaram ainda artistas de outras áreas, como os compositores Luís Reis, Luís Antônio, Durval Ferreira, Haroldo Barbosa e a cantora Dóris Monteiro. São sucessos do gênero "Palhaçada" (de Luís Reis e Haroldo Barbosa), "Samba toff" e "Tamanco no samba", os dois últimos de Orlandivo, em parceria, respectivamente, com Roberto Jorge e Helton Menezes.

48.
OS FESTIVAIS TELEVISIVOS

A era da televisão no Brasil começou às 22 horas do dia 18 de setembro de 1950. Na ocasião, num estúdio montado na sede das rádios Tupi e Difusora, no bairro paulistano do Sumaré, a atriz Iara Lins anunciou: "Senhoras e senhores, boa noite. A PRF-3-TV, Emissora Associada de São Paulo, orgulhosamente apresenta neste momento o primeiro programa de televisão da América Latina". Seguiu-se, então, um programa intitulado "TV na Taba", em que o locutor Homero Silva apresentou uma sequência de números variados, que procuravam dar uma ideia do potencial de lazer e cultura que representava a nova mídia. Um desses números, o "Hino da televisão" (de Marcelo Tupinambá e Guilherme de Almeida), proporcionou a Lolita Rodrigues e Vilma Bentivegna a oportunidade de se tornarem as primeiras brasileiras a cantar na TV, primazia que Hebe Camargo perdeu por causa de um inoportuno resfriado.

Em termos mundiais, as transmissões regulares de televisão iniciaram-se nos Estados Unidos em 1941. Os outros países, à exceção da Grã-Bretanha, só teriam condições de instalar suas emissoras a partir de 1950. Foi assim um feito extraordinário a inauguração da TV Tupi paulista, ainda na primeira metade do século XX, e a da TV Tupi carioca, em 20 de janeiro de 1951, colocando muito cedo o Brasil no rol dos países detentores desse meio de comunicação. Deveu-se a façanha ao espírito audacioso de Assis Chateaubriand, então proprietário da maior cadeia brasileira de rádios e jornais. A fim de cobrir as despesas, cerca de 5 milhões de dólares, Chatô conseguiu, sob a forma de contratos futuros, receber adiantado o equivalente a um ano de publicidade de quatro de seus maiores anunciantes. Para que os primeiros programas tivessem espectadores, ele importou duzentos aparelhos receptores, doando boa parte deles a figurões da política e da sociedade.

O processo de implantação da televisão no Brasil foi lento, somente deslanchando no início dos anos 60, quando cresceu o número de emissoras — pouco mais de uma dezena até então — e o preço dos televisores tornou-se mais acessível. Ainda sem contar com boas verbas publicitárias, nossas emissoras pioneiras só tinham condições de oferecer uma programação modesta, praticamente calcada na que se fazia no rádio. E, como no meio radiofônico, um de seus maiores trunfos era a apresentação dos grandes cantores e cantoras da época, em recitais de 15 ou 30 minutos ou em participações em programas de sucesso, como "Noite de Gala" (TV Rio), "Espetáculos Tonelux" (TV Tupi, Rio) e "Grande Gala Sudan" (TV Tupi, São Paulo).[10]

Num período que se estendeu de 1965 a 1972, a televisão brasileira viveu sua fase de maior interação com a música popular, através de programas — como "O Fino da Bossa", "Jovem Guarda" e "Bossaudade", todos produzidos pela TV Record — e uma sequência de memoráveis festivais de canções, realizados na maioria pela TV Globo do Rio e a TV Record de São Paulo. Abriu o ciclo o I Festival Nacional de Música Popular Brasileira, promovido pelas TVs Excelsior do Rio e de São Paulo, em março e abril de 1965. Realmente, essa modalidade de espetáculo musical competitivo, inspirada no famoso Festival de San Remo (Itália), já havia acontecido no Brasil cinco anos antes, com os denominados Festival do Rio ("As Dez Mais Lindas Canções de Amor"), pela TV Rio, I Festa da Música Popular Brasileira, pela TV Record, e Homenagem à Canção Brasileira, pela TV Tupi de São Paulo. Mas, sucesso mesmo, com a consagração popular da composição vencedora — "Arrastão", de Edu Lobo e Vinicius de Moraes — e de sua intérprete — Elis Regina — foi o Festival da Excelsior. Requintada e vibrante, "Arrastão" mescla influências da bossa nova com asperezas da música nordestina.[11]

Sem a repercussão do primeiro, o II Festival Nacional de Música Popular Brasileira foi realizado pela Excelsior no trimestre abril-junho de

[10] Além dos citados, fizeram grande sucesso no periodo programas como "O Grande Teatro Tupi", "O Céu é o Limite", "Esta é a Sua Vida" e "Câmera Um", nas televisões cariocas; e "TV de Vanguarda", "Alô Doçura", "Praça da Alegria" e "Preto no Branco", nas paulistas. Como o videoteipe ainda não chegara ao Brasil, os programas eram sempre apresentados ao vivo. Isso obrigava os participantes dos que eram mostrados no Rio e em São Paulo a se deslocarem semanalmente entre as duas cidades.

[11] I Festival Nacional de Música Popular Brasileira: 1°) "Arrastão" (Edu Lobo e Vinicius de Moraes); 2°) "Valsa do amor que não vem" (Baden Powell e Vinicius); 3°) "Eu só queria ser" (Vera Brasil e Mirian Ribeiro); 4°) "Queixa" (Sidney Miller, Zé Kéti e Paulo Tiago); 5°) "Cada vez mais Rio" (Luís Carlos Vinhas e Ronaldo Bôscoli).

1966. Vencido por "Porta estandarte", de Geraldo Vandré e Fernando Lona, interpretado por Tuca e Airto Moreira, o certame marcou também a estreia em festivais do compositor Caetano Veloso, com a canção "Boa palavra", cantada por Maria Odete e classificada em 5º lugar.[12] Empresas pertencentes ao então poderoso grupo Simonsen, as TVs Excelsior carioca e paulista viveram em 1964-1965 seus momentos de maior brilho, revolucionando a programação com produções de alta qualidade e ostentando a primazia em audiência nas duas principais cidades do país. Com a radicalização da ditadura, o grupo Simonsen, que não contava com a simpatia do regime, entrou em decadência, perdendo seus canais de televisão no início de 1970.

Ainda em 1966, aconteceram mais dois eventos — o II Festival da Música Popular Brasileira, da TV Record, e o I Festival Internacional da Canção Popular, da TV Rio — cujo sucesso consolidou a moda dos festivais televisivos. O Festival da Record ("segundo", porque a tal "Festa da Música Popular" foi considerada o "primeiro"), realizado no período de 29 de setembro a 10 de outubro, foi um dos mais emocionantes, registrando um empate na primeira colocação entre as composições "A banda", de Chico Buarque, e "Disparada", de Geraldo Vandré e Theo de Barros.[13] Na realidade, segundo o historiador Zuza Homem de Mello (no livro *A Era dos Festivais: uma parábola*), "A banda" foi a vencedora, derrotando "Disparada" por sete votos a cinco. Aliás, Zuza seria o depositário do envelope contendo as fichas de votação da comissão julgadora, que lhe foi confiado no final do festival por Paulinho Machado de Carvalho, diretor da emissora, fato que manteve em segredo por muitos anos. A homologação do empate, desprezando o resultado real, aconteceu porque Chico Buarque, antevendo a possível vitória de "A banda", declarou a Paulinho que se fosse proclamado vencedor, rejeitaria o prêmio na hora, por considerá-lo uma injustiça a "Disparada". Então, só restou ao diretor convencer a comissão que a melhor solução era o empate, evitan-

[12] II Festival Nacional de Música Popular Brasileira: 1º) "Porta estandarte" (Geraldo Vandré e Fernando Lona); 2º) "Inaê" (Vera Brasil e Maricene Costa); 3º) "Chora céu" (Luís Roberto e Adilson Godoy); 4º) "Cidade vazia" (Baden Powell e Lula Freire); 5º) "Boa palavra" (Caetano Veloso).

[13] II Festival da Música Popular Brasileira: 1º) "A banda" (Chico Buarque) e "Disparada" (Geraldo Vandré e Theo de Barros); 2º) "De amor ou paz" (Adauto Santos e Luís Carlos Paraná); 3º) "Canção para Maria" (Paulinho da Viola e Capinan); 4º) "Canção de não cantar" (Sérgio Bittencourt); 5º) "Ensaio geral" (Gilberto Gil).

Chico Buarque e Jair Rodrigues (1939-2014) no II Festival da Record, em 1966.

do-se não apenas o escândalo da rejeição, como até uma possibilidade de conflito entre as torcidas das duas favoritas, já que os ânimos estavam muito exaltados. Para que ninguém se achasse prejudicado, manteve-se o valor dos prêmios para os quatro classificados a seguir, passando assim de cinco para seis o número dos premiados. Defendidas no palco, respectivamente, por Nara Leão e Jair Rodrigues, e logo por eles e vários outros lançadas em disco, "A banda" e "Disparada" tornaram-se dois dos maiores sucessos de 1966. Uma lírica marchinha, típica da fase inicial da carreira de Chico Buarque, "A banda" representava uma autêntica contrapartida à telúrica "Disparada", uma extraordinária e incisiva canção de protesto, desenvolvida na forma de uma moda de viola estilizada. O contraste entre as duas composições vinha ao encontro das intenções dos promotores do festival, que o desejavam o mais representativo da diversidade de nossa música popular.

Apenas duas semanas depois do Festival da Record, aconteceria no Maracanãzinho, no Rio, a final do I Festival Internacional da Canção Popular. O I FIC, transmitido pela TV Rio e promovido pela Secretaria de Turismo do Estado da Guanabara, trazia como novidade sua divisão em duas competições: a primeira, nacional, com 36 concorrentes, e a segunda, internacional, com a vencedora da fase brasileira disputando com 26 canções estrangeiras o "Galo de Ouro", troféu criado para o evento. Apesar de assinadas por muitos dos que se consagrariam nos festivais — Edu Lobo, Caetano Veloso, Gilberto Gil, Geraldo Vandré e outros —, além de veteranos ilustres — Hekel Tavares, Luís Peixoto, Vinicius de Moraes, Herivelto Martins, Alcir Pires Vermelho —, nenhuma das canções apresentadas chegou ao sucesso. Nem mesmo as premiadas na fase nacional — "Saveiros", de Dori Caymmi e Nelson Motta, com Nana Caymmi, "O cavaleiro", de Tuca e Vandré, com Tuca, e "Dia das rosas", de Luís Bonfá e Maria Helena Toledo, com Maysa, respectivamente, 1º, 2º e 3º colocadas — despertaram a admiração do público. Sem dúvida, "Saveiros" é uma canção moderna, de melodia e harmonia requintadas, complementada por uma letra adequada ao tema musical. Todavia não possui o brilho, o vigor, a tendência ao apoteótico que então começava a caracterizar um tipo de canção que empolgaria multidões e que passou a ser chamada de "música de festival". Longe de se igualar em emoção ao certame paulista (a final teve um frio desfecho com a vitória da alemã "Frag den Wind", de Helmut Zacharias e C. J. Schauber, ficando "Saveiros" em segundo), o I FIC foi, entretanto, do ponto de vista promocional, um sucesso, trazendo ao Rio numerosos astros da música internacional.

Desfrutando de um prestígio que lhes assegurava status de grandes eventos nos calendários de São Paulo e do Rio de Janeiro, realizaram-se o III Festival de Música Popular Brasileira, da TV Record (de 30 de setembro a 21 de outubro de 1967), e o II Festival Internacional da Canção Popular, agora na TV Globo (de 19 de outubro a 1º de novembro de 1967). Pela qualidade das canções e dos artistas participantes, pelos acontecimentos no palco e na plateia e pelo excepcional interesse despertado, o III Festival da Record marcou o apogeu da Era dos Festivais. Na realidade, nunca antes nem depois coincidiu o fato de quatro dos maiores compositores revelados pelos festivais — Edu Lobo, Gilberto Gil, Chico Buarque e Caetano Veloso — apresentarem num mesmo certame, e portanto competindo entre si, quatro de suas melhores canções. Então, confirmando as previsões, "Ponteio", de Edu Lobo e Capinan (primeiro lugar), "Domingo no parque", de Gilberto Gil (segundo lugar), "Roda viva", de Chico Buarque (terceiro lugar) e "Alegria, alegria", de Caetano Veloso (quarto lugar), ocuparam as principais colocações no mais justo resultado registrado em festivais. Dessa forma, superavam outras boas composições, como "Maria, carnaval e cinzas", de Luís Carlos Paraná (quinto lugar), "O cantador", de Dori Caymmi e Nelson Motta, "A estrada e o violeiro", de Sidney Miller, premiada como a melhor letra, e a surpreendente "Eu e a brisa", de Johnny Alf, que apesar de não chegar às finais, tornou-se grande sucesso popular. Tendo como característica comum forte influência da música nordestina, "Ponteio" e "Domingo no parque" são basicamente um xaxado e um canto de capoeira que Edu e Gil, cada um a seu modo, trataram de forma magistral. Em "Ponteio", adotando uma rítmica mais sincopada e um andamento mais rápido do que o dos xaxados gonzaguianos, Edu acabou por aproximar-se de determinadas peças de Villa-Lobos, em que se encontram tais características. A composição é rematada por uma letra de José Carlos Capinan de sabor sertanejo, com discretas tiradas libertárias, para agrado das plateias politizadas. Já em "Domingo no parque", Gil funde musicalmente o tradicional-nordestino com o pop internacional, misturando berimbau com guitarra elétrica, ao mesmo tempo que, numa letra cinematográfica, narra uma tragédia passional. Ambas as composições tiveram apresentações espetaculares, com Edu e Marília Medalha cantando "Ponteio", acompanhados pelo Quarteto Novo e o Momento Quatro, num belo arranjo coletivo, enquanto Gil e o conjunto os Mutantes interpretavam "Domingo no parque" apoiados por um arranjo de vanguarda de Rogério Duprat. Mais modestas e no entanto também de alta qualidade foram as apresentações de "Roda viva" e "Alegria, alegria". Em "Roda viva", uma canção inspirada na figura de um hipotético cantor popular, esmagado pelas engrenagens do *show business* e que foi ainda tema de uma peça homônima, Chico Buarque dividiu a interpretação com o MPB-4, num primoroso arranjo vocal de Magro (Antônio José Waghabi Filho), integrante do conjunto. Por sua vez, em "Alegria, alegria", uma marchinha que conta num estilo cinematográfico-descritivo uma caminhada metafórica pelas ruas de uma grande cidade, Caetano Veloso canta, acompanhado apenas pelos Beat Boys, um grupo de rock argentino, renunciando a toda e qualquer suntuosidade musical.

Mas o III Festival da Record viveu também momentos desagradáveis. O fato é que, integrante natural do espetáculo, com suas reações funcionando como um dos meios de aferição da qualidade das canções, a plateia acabou por atribuir-se um poder exagerado. Com isso, passou a se julgar no direito de interferir no andamento da competição, impondo candidatos, contestando resultados e até procurando impedir a apresentação de concorrentes de seu desagrado, tudo na base da vaia, do assovio, dos gritos de "chega" e do bater de pés. Tal procedimento, do qual se tivera uma mostra na vaia a "Saveiros", no I FIC, e que no próprio festival da Record já começara a se manifestar na apresentação de alguns candidatos, explodiria numa ruidosa manifestação de protesto quando o finalista Sérgio Ricardo preparava-se no palco para defender "Beto bom de bola". O problema era que a classificação dessa composição — um samba sem maiores atrativos, que criticava a exploração desumana de um jogador de futebol — desagradara a maior parte da plateia, que preferia ver em seu lugar "Capoeirada" (de Erasmo Carlos) ou "A canção do cangaceiro" (de Carlos Castilho e Chico de Assis). Daí a rejeição, o desentendimento, que cresceram quando o cantor tentou dialogar com o público. Desrespeitado, humilhado, impossibilitado de cantar (não conseguia sequer ouvir a orquestra), Sérgio Ricardo perdeu de vez a paciência e, transtornado, arrebentou o violão e o arremessou contra a plateia, ao mesmo tempo em que gritava "Vocês ganharam! Vocês ganharam! Mas isso é o Brasil não desenvolvido... vocês são uns animais...", abandonando o palco em seguida. Depois do incidente, que não atrapalhou o sucesso do festival, antes emprestando-lhe maior publicidade, a apresentação dos candidatos prosseguiu sem mais interrupção até o final.

O Festival da Record ainda não terminara e já começava (em 19 de outubro) o II Festival Internacional da Canção Popular. Repetindo uma característica do primeiro, o II FIC continuou pobre como espetáculo musical e rico como acontecimento turístico-social, atraindo ao Rio de Janeiro mais uma seleta comitiva de personagens da música internacional. Só não foi inferior ao I FIC porque revelou o grande compositor-cantor Milton Nascimento, premiado como melhor intérprete e autor de três das mais expressivas canções apresentadas: "Travessia" (com Fernando

Brant), "Morro velho" e "Maria minha fé". "Travessia" seria por certo, e por todos os méritos, a vencedora se o júri não tivesse optado por "Margarida", a mais aplaudida pelo público. Uma simplória e alegre composição, baseada no refrão de uma antiga cantiga de roda — "Apareceu a Margarida, olê, olê, olá/ e apareceu a Margarida, olê seus cavaleiros..." —, por sua vez originária de uma cantiga de roda francesa, "Seche tus larmes, Marie", a "Margarida", do baiano Gutemberg Guarabira, tinha como trunfo, além da melodia conhecida, a participação da jovem cantora Gracinha Leporace. Integrante do Grupo Manifesto, que apresentava a música, ao lado do autor, Gracinha caiu nas graças do público, tornando-se de repente a musa do festival. Foi assim que "Margarida" — vencedora da fase nacional e terceira colocada na final internacional (em 29 de outubro), ganha pela italiana "Per una donna", de M. di Martino e E. Perreta — viveu seus 15 minutos de glória, mergulhando em seguida no mais completo esquecimento. Ao contrário, "Travessia" (segunda colocada) permaneceu como um clássico da música popular, com dezenas de gravações, inclusive no exterior. Uma bem trabalhada estilização da cantiga rural mineira, valorizada por uma bela letra romântica do estreante Fernando Brant, "Travessia" introduziu a toada nos festivais. Muito sucesso também fez a lírica "Carolina", de Chico Buarque (terceira colocada), um dos últimos sambas-canção a se destacar na história de nossa música.[14]

Três fatos marcaram em 1968 a Era dos Festivais: a criação da Bienal do Samba, o crescimento do FIC e o declínio do Festival da Record. A Bienal do Samba surgiu de uma ideia levada à Record por um prestigioso grupo de jornalistas, no qual se destacavam os cariocas Sérgio Porto, Sérgio Cabral e Lúcio Rangel. O argumento que convenceu a direção da emissora a instituir o certame foi o de que o samba, principal gênero musical brasileiro, entrava sempre em desvantagem nos festivais por ser difícil adaptá-lo às características que predominavam nas composições premiadas. Realizada no período de 11 de maio a 1º de junho, a I Bienal do Samba foi um sucesso em termos musicais, embora não tenha alcançado a repercussão de outros festivais. Restrita a convidados, escolhidos

[14] II Festival Internacional da Canção Popular (fase nacional): 1º) "Margarida" (Gutemberg Guarabira); 2º) "Travessia" (Milton Nascimento e Fernando Brant); 3º) "Carolina" (Chico Buarque); 4º) "Fuga e antifuga" (Edino Krieger e Vinicius de Moraes); 5º) "São os do Norte que vêm" (Capiba e Ariano Suassuna).

por uma comissão que procurou assegurar a presença de grandes figuras da velha guarda, a competição apresentou 36 sambas, assinados por 46 compositores, dos quais 28 eram veteranos e 18, novos. Entre os veteranos compareceram, praticamente, todos os grandes nomes da música tradicional ainda em atividade, como Pixinguinha, Ismael Silva, Ataulfo Alves, Herivelto Martins, João de Barro e Cartola, entre outros. Contudo, o nível das composições apresentadas por esses veteranos limitou-se ao mediano, com somente um samba — "Tive sim", de Cartola — conseguindo figurar entre os premiados, que, indiscutivelmente, foram os melhores: 1º) "Lapinha" (Baden Powell e Paulo César Pinheiro), com Elis Regina; 2º) "Bom tempo" (Chico Buarque), com Chico; 3º) "Pressentimento" (Elton Medeiros e Hermínio Bello de Carvalho), com Marília Medalha; 4º) "Canto chorado" (Billy Blanco), com Jair Rodrigues; 5º) "Tive sim" (Cartola), com Ciro Monteiro; 6º) "Coisas do mundo, minha nega" (Paulinho da Viola), com Jair Rodrigues. A campeã "Lapinha", um afro-samba de Baden inspirado num motivo popular baiano sobre o capoeirista Valdemar de Tal, o "Besouro" ou "Cordão de Ouro", que virou lenda na Bahia, ainda teve o mérito de lançar o extraordinário letrista Paulo César Pinheiro, então com 19 anos.

A abertura do III FIC antecedeu em dois meses à do IV Festival da Record, estendendo-se sua realização de 12 de setembro a 6 de outubro de 1968. À fase nacional, dividida em duas eliminatórias, concorreram 42 composições, sendo 29 do Rio. Realizado num momento de grande tensão, com a ditadura radicalizando a repressão e caminhando para o Ato Institucional nº 5 (AI-5), que lhe concedeu poderes ilimitados, o III FIC caracterizou-se como o mais político dos festivais, com a plateia manifestando o seu repúdio ao regime na torcida por determinadas concorrentes. Em consequência, Tom Jobim e Chico Buarque (que na ocasião estava em Veneza), autores da vencedora "Sabiá", e a dupla Cynara e Cybele, sua intérprete, que nada tinham a ver com a briga, acabaram sendo castigados com a mais retumbante vaia dos festivais. Uma prévia desse incidente já havia acontecido na eliminatória paulista, quando parte da plateia, contrária a Caetano Veloso, que não assumia claramente uma postura de rejeição à ditadura, reagiu violentamente à classificação de sua composição "É proibido proibir". Da agressão, revidada à altura pelo compositor e registrada em disco com o título de "Ambiente de festival", resultou seu afastamento da competição. No caso de "Sabiá", tudo começou quando Geraldo Vandré apresentou "Caminhando" (ou "Pra não dizer que não falei de flores"), a mais radical das canções de protesto, de forte apelo revolucionário, que audaciosamente desafiava os militares. Com tais características, "Caminhando" empolgou a plateia, que passou a exigir sua vitória como único resultado possível.[15] Daí a fragorosa vaia, um constrangimento só minorado uma semana depois, quando "Sabiá" foi aplaudida ao vencer a fase internacional do festival. Do ponto de vista poético-musical, esta composição villalobiana, uma espécie de moderna "Canção do exílio", é bem superior a "Caminhando". Também superior à panfletária canção de Vandré é a toada "Andança" (de Paulinho Tapajós, Danilo Caymmi e Edmundo Souto), cantada por Beth Carvalho e os Golden Boys, terceira colocada.

Realizado no período de 13 de novembro a 9 de dezembro de 1968, o IV Festival da Canção Popular Brasileira mostrou, além do declínio dos festivais da Record, o começo do fim da própria Era dos Festivais. Isso deveu-se a fatores como o número demasiado de festivais, o comportamento agressivo e excessivamente politizado das plateias e, sobretudo, a saturação de determinadas fórmulas, repetidas à exaustão pelos participantes. Então, o IV Festival da Record, embora apresentando composições do porte de "Memórias de Marta Saré" (Edu Lobo e Gianfrancesco Guarnieri), segunda colocada, "Divino, maravilhoso" (Caetano Veloso e Gilberto Gil), terceira colocada, e "Sentinela" (Milton Nascimento e Fernando Brant), não teve uma canção que empolgasse, sendo a campeã, "São São Paulo, meu amor", de Tom Zé e por ele interpretada, esquecida logo depois do evento.[16] Exceções que permaneceriam na memória do povo, só os sambas "Sei lá Mangueira" (Paulinho da Viola e Hermínio Bello de Carvalho) e "Casa de bamba" (Martinho da Vila), concorrentes

[15] III Festival Internacional da Canção Popular (fase nacional): 1º) "Sabiá" (Antônio Carlos Jobim e Chico Buarque); 2º) "Caminhando" (Geraldo Vandré); 3º) "Andança" (Paulinho Tapajós, Danilo Caymmi e Edmundo Souto); 4º) "Passacalha" (Edino Krieger); 5º) "Dia de vitória" (Marcos Valle e Paulo Sérgio Valle).

[16] IV Festival da Música Popular Brasileira (júri especial): 1º) "São São Paulo, meu amor" (Tom Zé); 2º) "Memórias de Marta Saré" (Edu Lobo e Gianfrancesco Guarnieri); 3º) "Divino, maravilhoso" (Caetano Veloso e Gilberto Gil); 4º) "2001" (Tom Zé e Rita Lee); 5º) "Dia de graça" (Sérgio Ricardo). Neste festival foi instituído um complicado sistema paralelo de julgamento, com um júri popular que apresentou o seguinte resultado: 1º) "Bem-vinda" (Chico Buarque); 2º) "Memórias de Marta Saré"; 3º) "A família" (de Ari Toledo e Chico Anísio); 4º) "Bonita" (Milton Acioly e Geraldo Vandré); 5º) "São São Paulo, meu amor".

Cinco nomes da MPB revelados nos anos 60: Milton Nascimento, Joyce, Francis Hime, Wanda Sá e Marcos Valle.

que nem figuraram nas primeiras colocações. Finalmente, este festival foi o último a contar com a maioria das grandes revelações, como Chico, Milton, Edu, Caetano, Gil e Vandré. Vandré, inclusive, seria obrigado na ocasião a fugir do país para livrar-se das garras da ditadura. Ao voltar, anos depois, surpreendentemente renegou a obra, abandonou a vida artística e passou a ser apenas o advogado Geraldo Pedrosa de Araújo Dias.

Aconteceu ainda no ano de 1968 o III Festival Nacional de Música Popular Brasileira, também chamado "O Brasil Canta no Rio de Janeiro", o último promovido pela TV Excelsior, que contou com participantes de oito estados. Eclipsado pelos certames da Globo e da Record, o festival teve em sua final no Maracanãzinho, em 27 de julho, 24 canções, sagrando-se vencedora "Modinha", de Sérgio Bittencourt, filho de Jacob do Bandolim, interpretada pelo cantor Taiguara.[17]

A debandada dos craques abriu espaço para novos compositores, que souberam aproveitar bem a oportunidade. Assim, no IV Festival Internacional da Canção Popular, realizado entre 25 de setembro e 5 de outubro de 1969, várias das mais destacadas concorrentes eram assinadas por jovens promissores, como a vencedora da fase nacional, "Cantiga por Luciana", de Edmundo Souto e Paulinho Tapajós — autores, no ano anterior, com Danilo Caymmi, do sucesso "Andança", como foi visto — e as colocadas em segundo e terceiro lugares, respectivamente, "Juliana", de Antônio Adolfo e Tibério Gaspar, e "Visão geral", de César Costa Filho, Rui Maurity e Ronaldo Monteiro de Souza.[18] Interpretada pela também jovem cantora Evinha (Eva Corrêa José Maria), egressa do Trio Esperança, a suave "Cantiga por Luciana" venceu ainda a fase internacional, dando ao Brasil o bicampeonato do certame. Um espetáculo tranquilo, o IV FIC viveu seu momento de maior vibração no show apresentado pelo cantor Wilson Simonal, presidente do júri internacional, na noite da finalíssima. Na ocasião, o controvertido cantor alcançou o ápice de sua carreira.

Malplanejado, parco de estrelas e de boas composições, o V Festival da Música Popular Brasileira encerrou de forma decepcionante o ciclo de festivais promovido pela TV Record. Percebendo o escasso interesse despertado pela competição, a direção da emissora, já então abatida pela sucessão de incêndios ocorridos em suas dependências, procurou revigorá-la, transformando-a num misto de disputa musical e programa de debates. Para isso levou ao palco do Teatro Record Augusta, o antigo Cine Regência, onde o festival foi realizado no período de 5 de novembro

[17] III Festival Nacional de Música Popular Brasileira: 1º) "Modinha" (Sérgio Bittencourt); 2º) "Ultimatum" (Marcos Valle e Paulo Sérgio Valle); 3º) "Paixão segundo o amor" (Tuca); 4º) "Fala moço" (Alcivando Luz e Wilson Lins); 5º) "Você passa, eu acho graça" (Ataulfo Alves e Carlos Imperial).

[18] IV Festival Internacional da Canção Popular (fase nacional): 1º) "Cantiga por Luciana" (Edmundo Souto e Paulinho Tapajós); 2º) "Juliana" (Antônio Adolfo e Tibério Gaspar); 3º) "Visão geral" (César Costa Filho, Rui Maurity e Ronaldo Monteiro de Souza); 4º) "Razão de paz para não cantar" (Eduardo Lages e Alésio de Barros); 5º) "Minha Marisa" (Fred Falcão e Paulinho Tapajós).

a 6 de dezembro de 1969, além dos concorrentes e dos jurados, dois grupos antagônicos de debatedores, que deveriam atuar como críticos das canções, antes do julgamento do júri oficial. Naturalmente, a intenção era provocar, ainda que de forma artificial, um clima de polêmica e sensacionalismo, como acontecia no programa "Quem Tem Medo da Verdade", o único da emissora que na ocasião rendia-lhe bons níveis de audiência. Mas, como era fácil de prever, o tal esquema não funcionou, servindo apenas para encompridar o espetáculo, que só não foi um fiasco completo porque lançou e classificou em primeiro lugar a composição "Sinal fechado", de Paulinho da Viola. Estranha, vanguardista, diferente de tudo que o autor fizera até então, "Sinal fechado" pode ser considerada como uma das melhores canções de protesto surgidas na época, em que a ênfase é dada à insegurança, ao isolamento das pessoas, à asfixia das comunicações.[19]

Reconhecendo a importância do FIC, capaz de projetar uma imagem saudável do Brasil no exterior, a ditadura militar, fortalecida pelo AI-5, resolveu intervir de forma integral em sua realização. Tal fato, somado à já mencionada queda de interesse por esse tipo de espetáculo, apressou o fim do ciclo dos festivais, que se encerraria em 1972, com o VII FIC. Dos três últimos festivais da Globo, o V Festival Internacional da Canção Popular foi, do ponto de vista musical, o único a mostrar algo marcante. Realizado entre os dias 15 e 20 de outubro de 1970, o certame distinguiu-se pela apresentação de "BR-3" (antiga sigla identificadora da rodovia Rio-Belo Horizonte), uma canção soul de Antônio Adolfo e Tibério Gaspar.[20] Vencedora da fase nacional, a composição teve uma espetacular interpretação de Toni Tornado (Antônio Viana Gomes), um negro alto e corpulento, de cabeleira *black power*, descoberto por Tibério num inferninho em Copacabana, que cantava e dançava no estilo James Brown, grande figura da black music. Outro desempenho de impacto no

[19] V Festival da Música Popular Brasileira: 1º) "Sinal fechado" (Paulinho da Viola); 2º) "Clarice" (Eneida e João Magalhães); 3º) "Comunicação" (Edson Alencar e Hélio Gonçalves Matos); 4º) "Tu vais voltar" (José Ribamar e Romeu Nunes); 5º) "Gostei de ver" (Eduardo Gudin e Marco Antônio da Silva Ramos).

[20] V Festival Internacional da Canção Popular (fase nacional): 1º) "BR-3" (Antônio Adolfo e Tibério Gaspar); 2º) "O amor é o meu país" (Ivan Lins e Ronaldo Monteiro de Souza); 3º) "Encouraçado" (Sueli Costa e Tite de Lemos); 4º) "Um abraço terno em você, viu mãe" (Luiz Gonzaga Júnior); 5º) "Abolição 1860-1980" (Dom Salvador e Arnoldo Medeiros).

festival foi o do também negro Erlon Chaves, maestro-arranjador e candidato a cantor e a *showman*, que acompanhado de um séquito de músicos, coristas e bailarinas (quarenta pessoas), apresentou "Eu também quero mocotó", uma maliciosa composição de Jorge Ben. Reapresentados na noite da final internacional — vencida pela canção argentina "Pedro Nadie", de José Tcherkaski, ficando "BR-3" em terceiro lugar —, os dois performáticos números agradaram a muitos, sendo, porém, detestados por outros tantos, que os consideraram abusivos e desrespeitosos, havendo na rejeição forte dose de preconceito racial. Isso desencadeou a imediata ação do dispositivo repressor governamental contra Erlon (preso durante vários dias), Toni e até os compositores Adolfo e Tibério, causando danos à sua carreira.

Em 16 de setembro de 1971, oito dias antes da abertura do VI FIC, doze compositores ilustres — entre os quais Antônio Carlos Jobim, Chico Buarque e Edu Lobo —, que haviam sido convidados pela Globo e assinavam sete canções tidas como concorrentes, cancelaram sua participação no certame, em protesto aos desmandos do Serviço de Censura. Na verdade, essa renúncia era o ato final de uma conspiração planejada e liderada pelo também compositor Gutemberg Guarabira, que fazia o papel de agente duplo, acumulando as funções de diretor artístico do festival e de militante da Aliança Libertadora Nacional, uma das entidades clandestinas que lutavam contra a ditadura.[21] Absorvido o choque, a Globo resolveu realizar de qualquer maneira o VI FIC (no período previsto de 24 de setembro a 3 de outubro de 1971), para isso tendo que arregimentar às pressas no meio musical uma série de composições inéditas, na maioria de qualidade inferior. Sagraram-se vencedores do esvaziado festival "Kyrie" (primeira na fase nacional e terceira na internacional), uma fraca canção de inspiração sacra, de autoria de Paulinho Soares e Marcelo Silva, muito bem interpretada pelo Trio Ternura,[22] e na final internacional o bolerão mexicano "Y después del amor", de Arturo Castro. Das cinquenta composições apresentadas, sobreviveram e che-

[21] Baseado em depoimento do próprio Gutemberg Guarabira, Zuza Homem de Mello relata detalhadamente esse fato no livro *A Era dos Festivais: uma parábola.*

[22] VI Festival Internacional da Canção Popular (fase nacional): 1º) "Kyrie" (Paulinho Soares e Marcelo Silva); 2º) "Desacato" (Antônio Carlos e Jocafi); 3º) "Dia de verão" (Eumir Deodato); 4º) "Canção pra senhora" (Sérgio Bittencourt); 5º) "João Amém" (Jacobina e Hélio Mateus).

garam ao sucesso "Casa no campo" (de Zé Rodrix e Tavito) e "Desacato", da dupla, então em evidência, Antônio Carlos e Jocafi.

Sem mais despertar o interesse que lotava o ginásio do Maracanãzinho, o VII Festival Internacional da Canção Popular realizou-se no período de 10 de setembro a 1º de outubro de 1972. Diferente dos demais, em que eram premiados cinco ou seis concorrentes, este selecionou na fase nacional apenas duas canções — "Fio Maravilha" (de Jorge Ben) e "Diálogo" (de Baden Powell e Paulo César Pinheiro) —, classificando-as para disputar o Galo de Ouro no dia seguinte com doze estrangeiras. Na final ganhou a americana "Nobody Calls Me a Prophet", do ex-integrante do conjunto de rock Blood, Sweat and Tears, David Clayton Thomas. Parece que ninguém estava muito interessado no resultado, a não ser o diretor da Globo, Walter Clark, que chegou a pressionar o diretor do festival, Solano Ribeiro, para alterá-lo, premiando "Fio Maravilha", pois a emissora tinha interesse em promover sua intérprete, Maria Alcina. Mas Solano rechaçou a marmelada, ameaçando denunciá-la à imprensa, e confirmou o resultado. Para não fugir à regra dos últimos anos, a ditadura continuou tendo destacada atuação, superando-se no item brutalidade. Disso resultou a destituição do júri nacional, presidido por Nara Leão, e um grave incidente em pleno palco, com agressão ao jurado Roberto Freire, que precisou ser internado em um hospital para recuperar-se da pancadaria. Terminou assim de forma lamentável o VII FIC e com ele a Era dos Festivais, o que não chegou a desmerecer a importância que esse período representou para a nossa música. Foram oito anos de intensa exposição na televisão de novas composições, novos cantores e compositores, que promoveram e consolidaram o prestígio da moderna canção brasileira. Tentativas de ressuscitar os grandes festivais foram realizadas em vão nas últimas décadas do século, o que demonstra não mais existir público para esse tipo de espetáculo. Os festivais esgotaram seu tempo, tal como os concursos de misses e outras modas. Realmente, os únicos tipos de programação que permanecem na televisão brasileira pelos anos afora — e deverão talvez permanecer para sempre — com altos níveis de audiência são as novelas, os noticiários e as transmissões de partidas de futebol.

49.
A GERAÇÃO QUE FIXOU A MODERNA CANÇÃO BRASILEIRA

Esgotada a fase de maior evidência da bossa nova, abriram-se as portas do sucesso a um novo e talentoso grupo de compositores, músicos e cantores. Admiradores do movimento, quase todos, e adeptos de seus princípios renovadores, os integrantes dessa geração iriam à sua maneira dar-lhe continuidade, concluindo em poucos anos o processo de fixação da moderna canção brasileira. Para o êxito dessa tarefa contribuiu de forma acentuada a realização dos festivais televisivos, que revelaram e promoveram a maioria desses artistas.

O primeiro dos grandes valores lançados pelos festivais foi o compositor Edu Lobo (Eduardo de Goes Lobo). Filho do radialista, jornalista e compositor Fernando Lobo e de Maria do Carmo Lobo, Edu nasceu no Rio de Janeiro (RJ) em 29 de agosto de 1943. Aprendiz de acordeom desde os 8 anos, o jovem músico trocou este instrumento pelo violão aos 16, justamente quando começou a frequentar reuniões onde se tocava bossa nova. Em seguida, com os colegas de bairro (Copacabana) Marcos Valle e Dori Caymmi, formou um trio (piano e dois violões) que se exibia em espetáculos amadorísticos. Foi por essa época (1962) que, incentivado pelo pai, editou e gravou suas primeiras composições, "Balancinho" e "Amor de ilusão".

Embora as canções de estreia levassem a marca da bossa nova, não era bem este o tipo de música que Edu Lobo pretendia fazer. Numa entrevista a Hugo Sukman (*Jornal do Brasil*, 7 de novembro de 1994), ele declarou: "O que detonou a minha carreira foi a vontade de fazer algo diferente do que se fazia na época. Não dava para concorrer com os principais compositores da bossa nova. Então, como eu sempre passava as férias em Recife (terra de sua família), comecei a compor frevos e outros ritmos brasileiros, mas com a sofisticação harmônica da bossa nova". Tal decisão, cumprida com a colaboração de bons letristas que acreditaram em seu talento, resultou numa série de canções, como "Canção da terra" e "Reza" (com Ruy Guerra), "Zambi" e "Arrastão" (com Vinicius de

Edu Lobo (à direita), na foto com o também compositor Sidney Miller (1945-1980), é um dos astros de nossa música lançados pelos festivais.

Moraes), "Chegança" (com Oduvaldo Vianna Filho), "Upa neguinho" e "Memórias de Marta Saré" (com Gianfrancesco Guarnieri) e "Ponteio" (com Capinan), que, com "Borandá" e "Casa Forte", feitas sem parceiro, marcaram a fase inicial de sua carreira e inauguraram o seu estilo.

Numa carta bem-humorada, publicada no *Songbook* de Edu Lobo (Lumiar Editora, 1994), Tom Jobim o saúda com a frase: "Eu vos saúdo em nome de Heitor Villa-Lobos, teu avô e meu pai". Brincadeira à parte, essa saudação registra os nomes dos músicos que mais influenciaram a formação de Edu, Villa e Jobim, inegavelmente seus ancestrais musicais. Essas influências o ensejaram empregar com maestria modernos e refinados recursos no tratamento de motivos inspirados na rústica música nordestina, uma característica importante de seu trabalho. Disso é exemplo o mencionado "Arrastão", que o tornou conhecido e funcionou como uma espécie de divisor de águas entre a bossa nova e um novo tipo de composição, mais tarde impropriamente rotulada de MPB.

Encerrada a exitosa fase inicial da carreira, com dois primeiros lugares ("Arrastão" e "Ponteio") e um segundo ("Memórias de Marta Saré") nos festivais, três LPs individuais e dois compartilhados, algumas trilhas musicais para peças de teatro, uma temporada na Europa e um show com Nara Leão, Edu achou que deveria aprimorar seus conhecimentos musicais nos Estados Unidos. Assim, em meados de 1969, mudou-se para Los Angeles, onde durante dois anos fez cursos de harmonia, orquestração e teoria musical.

Depois da volta ao Brasil, em 1971, e até 1983, Edu Lobo viveu uma fase de menor sucesso, em que trabalhou principalmente como arranjador. Suas canções, já não tão numerosas, seriam bem mais elaboradas, o que motivou descontentamento em alguns de seus admiradores. Esse foi o caso do jornalista-compositor Nelson Motta, que, em sua coluna no *Globo*, achou exagerados os rebuscamentos das composições, em prejuízo de sua espontaneidade. Edu gravou no período cinco LPs no Brasil, um dos quais em companhia de Tom Jobim, dois nos Estados Unidos, sendo também registradas em discos as músicas que compôs para a peça *Deus lhe pague* e o balé *Jogos de dança*. Resolveu ainda estudar piano, passando a tocar este instrumento em seus discos.

Letrista exigente, porém bissexto, Edu dividiu a maior parte de sua obra com parceiros como Paulo César Pinheiro, Cacaso, Ronaldo Bastos, Aldir Blanc e outros, além dos já mencionados. Em 1983, iniciou mais uma parceria, desta vez com o amigo Chico Buarque, para quem já havia feito as orquestrações da peça *Calabar*. Desta parceria resultariam os mais importantes trabalhos que realizaria nos vinte anos seguintes, ou seja, as composições para os balés *O grande circo místico* (1983) e *Dança da meia lua* (1988), e para as peças *O corsário do rei* (1985), de Augusto Boal, e *Cambaio* (2001), de Adriana e João Falção. São desses trabalhos, por exemplo, as obras-primas "Beatriz" (*O grande circo místico*), "Choro bandido" (*O corsário do rei*) e "Valsa brasileira" (*Dança da meia lua*). Ainda no período, compôs as trilhas sonoras dos filmes *Imagens do inconsciente*, de Leon Hirszman, *O cavalinho azul*, de Eduardo Escorel, *Boca de ouro*, de Walter Avancini, *Guerra de Canudos*, de Sérgio Rezende, e *O xangô de Baker Street*, de Miguel Faria Júnior. Edu foi casado com a violonista-cantora Wanda Sá, com quem teve os filhos Mariana, Bernardo e Isabel.

Cria também dos festivais, Francisco Buarque de Holanda estreou discretamente no primeiro da Excelsior (em 1965), com "Sonho de carnaval", cantado por Geraldo Vandré e, como se viu, explodiu com "A banda" no segundo da Record (em 1966). Nascido no bairro carioca do Catete, em 19 de junho de 1944, ele é o quarto dos sete filhos do historiador Sérgio Buarque de Holanda e de Maria Amélia Alvim Buarque de Holanda. Morando em São Paulo dos 2 aos 9 anos e na Itália dos 9 aos 12, período em que o pai lecionou na Universidade de Roma, começou a viver a realidade brasileira a partir de 1956, quando, adolescente e de volta a São Paulo, encantou-se com a nossa música e o nosso futebol.

Parece existir uma secreta identificação entre as artes de projetar casas e fazer música, pois três de nossos maiores compositores populares — Braguinha (João de Barro), Antônio Carlos Jobim e Chico Buarque — estudaram Arquitetura, abandonando a faculdade sem se formar. Chico ainda frequentava esse curso quando, em 1964, deu os primeiros passos na música, compondo "Tem mais samba" (para o espetáculo *Balanço de Orfeu)*, "Marcha para um dia de sol" (sua primeira composição gravada) e algumas outras que não chegaram ao disco.

A maior parte das canções que integram a fase inicial de sua carreira misturam influências da música tradicional e da bossa nova. Por isso houve quem achasse que sua atuação representava um retorno ao tradicional, assunto que Chico esclareceu em entrevista ao *Pasquim*, em 1970: "Noel Rosa faz parte das coisas que eu ouvia muito e admirava muito. As músicas que eu fiz primeiro tinham muita coisa de Noel. [...] Mas aprendi a tocar violão com a bossa nova. [...] Quando comecei a cantar profissionalmente [...] a gente, mesmo gostando do João Gilberto, gostava de cantar samba. Não fui eu que comecei. Foi samba de Baden, foi letra de Vinicius falando em todo mundo cantar junto, coisa que a bossa nova não dava oportunidade. Então, muito antes de eu fazer as músicas que apareceram, já tinha "Deixa", de Baden e Vinicius. "Formosa" (também dos dois) já era, de certa forma, uma volta ao tradicional. Mas nunca negando a bossa nova [...] que fez eu começar a tocar violão e a praticar música".

Projetando-se como cantor, Chico Buarque gravou quase toda sua produção desse período (1964-1968), marcada por um lirismo nostálgico, ingênuo, descritivo — "A banda", "A noite dos mascarados", "Olê, olá" —, além de outras músicas que se aproximam da poética romântico-dramática de Vinicius de Moraes — "Pois é", "Retrato em branco e preto" (ambas com Tom Jobim). Embora sempre tenha-se destacado mais como letrista, Chico é um competente criador de melodias. Assim, ainda nessa fase (1966), realizaria uma importante tarefa musical, a composição de uma trilha sonora para a peça *Morte e vida severina*, de João Cabral de Melo Neto, seu primeiro trabalho para o teatro.

Vitorioso em festivais, vivendo o auge da popularidade, com sua música tocando em todas as rádios e sua figura brilhando em todos os palcos, Chico começou a ganhar, à sua revelia, a falsa imagem de belo moço de família, talentoso e bem comportado. Então, iniciando um processo de desmitificação dessa imagem, que continuaria na etapa seguinte da carreira, o compositor fez a pessimista canção "Roda viva" e a peça teatral homônima, que seria encenada de forma chocante e provocadora pelo diretor José Celso Martinez Corrêa.

Depois de um agitado 1968 em que, além da repressão violenta à sua peça, foi detido e interrogado no ministério do Exército, Chico Buarque viu-se obrigado a exilar-se na Itália, onde permaneceu de janeiro de 1969 a março de 1970. Na ocasião, acompanhou-o sua mulher, a atriz Marieta Severo, com quem foi casado durante trinta anos e teve as filhas Sílvia, Helena e Luísa.

Nos últimos meses do exílio italiano, em que se manteve às custas de modestos shows e de dois LPs de baixa vendagem, sua situação melhorou com a assinatura de um contrato com a Philips, que o obrigou à imediata feitura de um disco. Este LP, intitulado "Chico Buarque de Holanda — nº 4", lançado em 1970 e cuja parte vocal foi gravada em Roma e a instrumental no Rio, é considerado por ele um disco de transição e de impasse. "Eu não estava com o pé na Itália nem no Brasil... Queria sair do que vinha fazendo, mas não encontrava o rumo", confessaria mais tarde ao biógrafo Humberto Werneck, autor do ensaio "Gol de letras". Todavia, embora não tendo ainda "encontrado o rumo", o artista demonstrou claramente na quarta faixa do disco (a composição "Agora falando sério") que queria de fato "sair do que estava fazendo": "Agora falando sério/ eu queria não cantar/ a cantiga bonita/ que se acredita/ que o mal espanta/ dou um chute no lirismo/ um pega no cachorro/ e um tiro no sabiá/ dou um fora no violino/ faço a mala e corro/ pra não ver banda passar...".

Com essa disposição, e revoltado com a situação em que reencontrara o Brasil, Chico inaugurou em 1970 uma nova etapa de sua carreira com o samba "Apesar de você", lançado em compacto simples. Disfarçada numa metafórica briga de namorados, a letra desta canção era uma desabusada mensagem à ditadura que, por incrível que pareça, passou despercebida pela censura, estourou nas rádios e só foi proibida quando sua vendagem já beirava a cifra de 100 mil discos.

No dizer do crítico Antonio Candido, "uma grande consciência inserida num grande talento", Chico Buarque se firmaria no decorrer dos anos seguintes como um intelectual, autor de diversificada obra musical-literária, especialmente comprometida com questões sociais, nunca, porém, panfletária. Uma boa mostra desse Chico, já amadurecido aos 27 anos, é o LP *Construção*, lançado em 1971. Além da canção homônima, de qualidade rara na música popular e que é uma elegia a um operário morto no exercício da profissão — um dos vários anti-heróis privilegiados em sua obra — e da amarga e irônica "Deus lhe pague", integrantes da vertente social, este disco apresenta a originalíssima "Cotidiano", que introduz em seu repertório outro importante segmento, o do realismo conjugal.

Depois de participar como ator, cantor e autor da trilha sonora do filme de Cacá Diegues *Quando o carnaval chegar* — que lançada em disco, chegou às paradas de sucesso em 1972 com o samba "Partido alto" —, Chico entregou-se à tarefa de escrever, ao lado de Ruy Guerra, a peça musical *Calabar ou O elogio da traição*. Ao focalizarem a tragédia do mulato pernambucano Domingos Fernandes Calabar, que há mais de trezentos anos traíra portugueses e brasileiros, colaborando com os invasores holandeses, os autores questionavam o polêmico tema da traição com finalidade louvável. Na verdade, porém, ao discutirem Calabar, discutiam Carlos Lamarca, o capitão do Exército que se passou para o lado da guerrilha e foi trucidado em 1971. O fato é que, depois de aprovada com cortes, a peça foi repentinamente proibida, às vésperas da estreia, com grande prejuízo para Chico, Rui e o ator-produtor Fernando Torres. Várias canções de *Calabar* — "Cala a boca, Bárbara", "Não existe pecado ao sul do Equador", "Tira as mãos de mim" —, devidamente mutiladas pelos censores, foram gravadas em 1973 no LP *Chico canta*, que deveria chamar-se *Chico canta Calabar*.

Meses depois, quando o furor antibuarquiano da censura atingia o auge, o cantor Chico Buarque — que sempre ganhou mais dinheiro do que o Chico compositor e escritor — resolveu gravar um disco só com músicas alheias. Selecionou então doze composições, a maioria de autoria de craques de nossa música (Noel, Caymmi, Tom, Caetano) e lançou um dos melhores LPs de 1974, com o sugestivo título de *Sinal fechado*, inspirado na canção de Paulinho da Viola, derradeira faixa do disco. Desse repertório chamou a atenção "Acorda amor", um pitoresco sam-

Poeta, compositor, escritor e cantor, Chico Buarque já era aos 27 anos autor amadurecido de diversificada obra musical-literária.

ba em que por três vezes o protagonista aconselha a companheira, em caso de perigo, a "chamar o ladrão" ("Chame, chame/ chame o ladrão, chame o ladrão..."), ao invés da polícia. A composição era assinada pelos desconhecidos Julinho da Adelaide e Leonel Paiva, na verdade o próprio Chico, que assim driblou a censura mais uma vez e muito se divertiu, até a farsa ser desmascarada pelo *Jornal do Brasil* em 1975. Chegou mesmo a conceder, em setembro de 1974, uma longa entrevista ao jornal *Última Hora*, de São Paulo — "O samba duplex e pragmático de Julinho da Adelaide" —, em que, assumindo a figura do personagem, falava de seus feitos, de sua mãe, Adelaide de Oliveira Kunz, e de seu meio-irmão e parceiro Leonel Paiva, filho dela com um alemão. A fim de evitar o aparecimento de novos "Julinhos", a censura passou a exigir cópia dos documentos de identidade dos autores de composições a serem analisadas.

As múltiplas atividades de Chico continuaram com a publicação do livro *Fazenda modelo*, ainda em 1974, a participação em um bem-sucedido show com Maria Bethânia (1975), logo registrado em disco, e a realização da peça musical *Gota d'água* (1975), em parceria com Paulo Pontes. Baseada num projeto de Oduvaldo Vianna Filho, o Vianinha, que morreu sem concretizá-lo, *Gota d'água* é uma adaptação da tragédia *Medeia*, de Eurípedes, transportada da Grécia antiga para um subúrbio do Rio de Janeiro. Medeia, que mata os filhos e se suicida ao ser desprezada pelo amante, é na tragédia carioca Joana, mulher de Jasão, um líder comunitário que a abandona, e a atividade social, para casar-se com uma mulher rica. Toda escrita em versos, *Gota d'água* teve grande sucesso, assim como a canção homônima.

Mais dois trabalhos na área das artes cênicas marcaram a carreira de Chico Buarque no final dos anos 70: a tradução e adaptação de *Os saltimbancos* (1977), musical infantil do italiano Sergio Bardotti, e a feitura do texto e das canções da *Ópera do malandro* (1978), encenada com grande elenco e dirigida por Luís Antônio Martinez Corrêa. Uma homenagem à *Ópera dos mendigos*, de John Gay, e à *Ópera dos três vinténs*, de Bertolt Brecht e Kurt Weill, a peça transpõe para a Lapa carioca dos anos 30 uma movimentada história de personagens marginais, prostitutas, traficantes, empresários corruptos. Sua variada trilha musical oferece canções como "Folhetim", "O meu amor" e "Homenagem ao malandro", pontos altos do repertório buarquiano. As duas primeiras, aliás, são bons exemplos de suas canções femininas. Nenhum letrista brasileiro o supera na arte de criar canções para mulher, o que demonstra um extraordinário conhecimento da alma feminina.

Além dos citados, Chico gravou na década de 1970 os LPs *Caetano e Chico juntos* (1972), *Meus caros amigos* (1976), *Chico Buarque* (1978) e *Vida* (1980), que incluem canções como "O que será", "Cálice" (com Gilberto Gil) e "Bye bye, Brasil" (com Roberto Menescal), tendo a primeira e a terceira sido feitas, respectivamente, para os filmes *Dona Flor e seus dois maridos* (de Bruno Barreto) e *Bye bye Brasil* (de Cacá Diegues).

Como foi dito, Chico iniciou em 1983 uma importante parceria com Edu Lobo, que continuava com a chegada do novo milênio. Paralelamente, gravou nas duas últimas décadas do século XX e início da primeira do XXI nove álbuns fonográficos em estúdio — entre os quais se destacam *Almanaque* (1981), *Francisco* (1987), *Paratodos* (1993), *Uma palavra* (1995) e *As cidades* (1998) —, além de dois ao vivo, e começou uma carreira de romancista com os livros *Estorvo* (1991), *Benjamim* (1995) e *Budapeste* (2003).

Maior revelação do II FIC, como foi visto, Milton Nascimento é um dos seis grandes compositores populares brasileiros nascidos em 1942, juntamente com Caetano Veloso, Gilberto Gil, Paulinho da Viola, Jorge Ben e Tim Maia. Fadado a tornar-se importante figura da música de Minas Gerais, ele logo seria levado do Rio de Janeiro, onde nascera em 26 de outubro, para a cidade mineira de Três Pontas pelos pais adotivos, o bancário e professor de matemática Josino Brito Campos e sua mulher Lícia, professora de música. Ali foi criado, sendo sua vocação musical despertada quando, aos 4 anos, ganhou uma rudimentar sanfoninha. Aprendendo também piano e violão, formou ainda adolescente o conjunto Luar de Prata, do qual participava seu vizinho, o futuro maestro Wagner Tiso. Sempre ao lado de Tiso, ele deu os primeiros passos como músico profissional, formando novo grupo, os W's Boys, que durante três anos percorreu as Gerais, animando bailes. Crooner e contrabaixista do conjunto, Milton tinha como números fortes as canções "Exodus" (Ernest Gold) e "Babalu" (Margarita Lecuona).

Em 1963, Bituca, como é chamado pelos amigos, mudou-se para Belo Horizonte, onde conheceu um grupo de talentosos jovens, adeptos da música, entre os quais se destacariam seus futuros parceiros Márcio Borges e Fernando Brant. Incentivado por esse pessoal, o artista passou então a privilegiar seu lado de compositor, o que o colocou no caminho do sucesso. Este logo chegaria, graças a uma audaciosa providência tomada por seu amigo Agostinho dos Santos, a quem mostrara algumas composições — "Travessia", "Morro velho" e "Maria minha fé". Dizendo-se interessado em gravá-las, o cantor inscreveu-as no FIC, à revelia do compositor, que, quando soube do fato, estava com as três classificadas. Então, só lhe restou defender duas delas (Agostinho defendeu "Maria minha fé"), o que lhe valeu um segundo lugar com "Travessia" e o prêmio de melhor intérprete do festival, como foi dito. De sua chegada a Belo Horizonte até então (outubro de 1967), Milton tocara muito contrabaixo em boates, participara de um disco do Quarteto Sambacana, interpretara a canção "Cidade vazia" (de Baden Powell e Lula Freire) num festival da TV Excelsior, tivera uma composição ("Canção do sal") gravada por Elis Regina e, sobretudo, passara horas, muitas horas, compondo num quarto de pensão em São Paulo, para onde se mudara em 1966.

O reconhecimento imediato de seu valor pelos participantes do festival e especialmente por Eumir Deodato, que fez questão de escrever os arranjos das canções, aconteceu porque Milton Nascimento já era naquele momento, embora jovem e quase desconhecido, um artista pronto

Milton Nascimento em Los Angeles, em 1968.

para o sucesso, capaz de compor e cantar como um competente veterano. E mais: as composições apresentadas já revelavam as características básicas de seu estilo, ou seja, um surpreendente aproveitamento da música regional mineira, tratada com os requintados recursos harmônicos da bossa nova, do jazz e dos Beatles, três grandes influências em seu trabalho. Eram motivos inspirados na simplória tradição das toadas e modinhas, transformados pelo compositor em sofisticado produto musical. Intérprete ideal de sua obra, Milton é também um ótimo cantor, capaz de atingir sem maior esforço o registro de contratenor, o mais agudo da voz masculina, o que duplica sua importância na música popular brasileira.

Em seguida ao sucesso no festival, a carreira do artista ganhou força com a realização de shows e a gravação do primeiro LP, intitulado *Travessia*, que apresentava dez das melhores canções de sua fase inicial. Destaca-se já nesse disco a presença dos letristas Fernando Brant, Márcio Borges e Ronaldo Bastos, seus mais assíduos parceiros em toda a obra. O disco mostra ainda quatro canções assinadas somente por Milton Nascimento, um letrista à altura do compositor, que, todavia, prefere dedicar-se ao trabalho musical. Na época, encaminhado por Eumir ao produtor americano Creed Taylor, ele passaria três meses nos Estados Unidos, onde gravaria o LP *Courage* e se apresentaria em shows com Art Blakey e Chico Hamilton.

Seu primeiro grande sucesso em termos de show chamou-se *Milton Nascimento e o Som Imaginário*, que foi apresentado em 1970 no Rio, Minas e São Paulo, acabando por se tornar um LP. Acompanhava-o o som eletrificado de um conjunto dirigido por Tiso, que faria carreira aproveitando o nome Som Imaginário. O próprio Tiso dividiria com Eumir os arranjos do próximo disco de Milton, *Clube da Esquina*, gravado em 1972 ao lado do compositor e cantor Lô Borges (Salomão Borges Filho), então com 19 anos, irmão de Márcio. O título desse álbum refere-se a uma turma que a princípio se reunia na esquina das ruas Paraisópolis e Divinópolis, em Belo Horizonte, e que depois transformou-se numa espécie de escola musical, liderada por Milton e fortemente influenciada por sua obra. Na maioria, além de comporem com o líder, os integrantes dessa turma eram parceiros entre si. Isso é mostrado no disco em canções como "Nada será com antes" (Milton e Ronaldo Bastos), "San Vicente" (Milton e Fernando Brant), "Os povos" (Milton e Márcio Borges), "Paisagem na janela" (Lô Borges e Brant) e "Estrelas" (Lô e Márcio Borges).

Muito importantes foram as atividades de Milton em 1974, começando com a gravação de *O milagre dos peixes*, obra que lhe exigiu quase dois anos de trabalho. Transformado em show, *O milagre dos peixes* teve sua maior consagração na plateia de 10 mil pessoas que o aplaudiu numa apresentação na Cidade Universitária em São Paulo, no dia 9 de junho de 1974. A esse sucesso seguiu-se uma temporada nos Estados Unidos, onde gravou o LP *Native Dancer* com o saxofonista de jazz Wayne Shorter.

Depois de dois discos essencialmente mineiros, *Minas* e *Gerais*, além da feitura de um balé, *Maria, Maria*, em parceria com Brant e o coreógrafo argentino Oscar Arraiz, Milton Nascimento lançou em 1978 o álbum duplo *Clube da Esquina 2*, que marcou o início de uma fase de latinização de sua carreira, ou seja, de aproximação de temas latino-americanos. Disso resultou o crescimento de sua popularidade em países da América do Sul e do Caribe e seu congraçamento com artistas dessas regiões.

Deixando a Odeon, onde se mantivera por mais de dez anos, o cantor estreou em 1980 na Ariola, com o LP *Sentinela*. Impregnado por um clima místico-bucólico, o disco tem como destaques a canção título (de Milton e Brant), já gravada antes e que retornava cantada em dueto com Nana Caymmi, e a "Canção da América" (novamente de Milton e Brant), um canto à fraternidade. Novamente morando em Minas e feliz por ter se recuperado de uma longa enfermidade, Milton iniciou a década de 1980 com *Caçador de mim*, um disco em que, conforme declarou, assumiu "um novo compromisso com a emoção e os sentimentos". Isso é expressado na faixa título (de Sérgio Magrão e Luís Carlos Sá) e em outras canções, como "Amor amigo", "Vida" e "Nos bailes da vida", todas de Milton e Brant. Além da *Missa dos quilombos* (1982), composta sobre temas do bispo Dom Pedro de Casaldáliga e do poeta Pedro Tierra e gravada ao vivo numa igreja mineira, os pontos altos de sua carreira nos anos que antecederam a redemocratização do país foram as composições "Menestrel das Alagoas" (Milton e Brant) e "Coração de estudante" (Milton e Tiso). Cânticos de mobilização popular, a primeira é uma homenagem à figura do senador Teotônio Vilela, enquanto a segunda destaca-se como o hino de esperança que marcou a campanha pelas eleições diretas para presidente, em 1984.

Contratado pela CBS em 1987, ele passaria o final dos anos 80 e começo dos 90 sem grandes destaques, voltando a brilhar em 1996, quando se apresentou em Nova York com o show *Amigo*, acompanhado por um coral de trinta meninos e pela orquestra filarmônica daquela cidade. Daí viajou para a Europa, onde mostrou o mesmo show nos festivais de Montreux, na Suíça, e de Tubingen, na Alemanha, encerrando a temporada em Londres. Em 1997, superando grave problema de anorexia, que ameaçou sua carreira, Milton Nascimento lançou o disco *Nascimento*, que lhe proporcionou o prêmio Grammy de "Melhor CD de World Music", e excursionou pelo Brasil com o show *Tambores de Minas*. Novos sucessos marcariam os anos de 1999, com o disco-show *Crooner*, em que reviveu seu tempo de atuação em conjuntos interioranos, e de 2000, com o também disco-show *Gil & Milton*, que a WEA patrocinou na esteira dos Grammy conquistados por seus dois contratados. Já no novo século, Milton realizou o importante *Pietá*, disco em que, de quebra, lançou Maria Rita, a filha de Elis Regina e César Camargo Mariano, cantando o sucesso "Tristesse", de sua autoria em parceria com Telo Borges.

Completam a relação dos maiores compositores revelados pelos festivais os baianos Gilberto Gil e Caetano Veloso.[23] Além desses, des-

[23] As obras de Gilberto Gil e Caetano Veloso, bem como as dos letristas Torquato Neto e José Carlos Capinan, são analisadas no capítulo sobre o Tropicalismo.

tacam-se Geraldo Vandré, Antônio Adolfo, Dori Caymmi, Francis Hime, Sidney Miller, Ivan Lins e Luiz Gonzaga Júnior. Vandré (Geraldo Pedrosa de Araújo Dias, João Pessoa, PB, 12 de setembro de 1935), autor de obra prematuramente encerrada, depois de anos de exílio no exterior, é uma das figuras mais relembradas dos festivais, dos quais participou de oito, vencendo três. Deve-se sua fama, principalmente, às canções de protesto e desafio à ditadura, como as incisivas "Disparada" e "Caminhando".

O pianista, compositor, arranjador e professor Antônio Adolfo (Antônio Adolfo Maurity Sabóia, Rio de Janeiro, RJ, 10 de fevereiro de 1947) tem nas canções "Sá Marina", "Juliana" e "Teletema" seus maiores sucessos. Presente em quatro festivais, venceu em 1970 a fase nacional do V FIC, com "BR-3", em parceria com Tibério Gaspar, letrista também das outras canções citadas. Adolfo dedica-se ainda ao ensino da música, promovendo e organizando cursos no Brasil e no exterior, tendo fundado em 1985 uma escola que leva o seu nome.

Filho de Dorival Caymmi e Stella Maris, irmão de Nana e Danilo, Dori Caymmi (Dorival Tostes Caymmi, Rio de Janeiro, RJ, 26 de agosto de 1943), faz jus à musicalidade da família, sobressaindo como compositor, violonista e arranjador. Participante, sempre com Nelson Motta, de seis festivais, com canções como "Cantiga", "O cantador" e "Saveiros", ganhou com esta a fase nacional do I FIC. Embora radicado há vários anos nos Estados Unidos, continua compondo com parceiros brasileiros, entre os quais Paulo César Pinheiro, com quem assina composições como "Velho piano" e "História antiga".

Músico de sólida formação teórica, que sempre distinguiu-se pelo acabamento que dá às suas composições, Francis Hime (Francis Victor Walter Hime, Rio de Janeiro, RJ, 31 de agosto de 1939) entrou para a música popular fazendo canções para festivais (participou de sete), ao mesmo tempo em que desenvolvia as atividades de pianista, arranjador e produtor musical. Seus maiores sucessos, todavia, aconteceram fora das competições, com canções como "Minha" (com Ruy Guerra), "Sem mais adeus" (com Vinicius de Moraes), "Atrás da porta" e "Vai passar" (com Chico Buarque).

O poeta-compositor Sidney Miller (Sidney Álvaro Miller Filho, Rio de Janeiro, RJ, 18 de abril de 1945-16 de julho de 1980) foi uma das grandes promessas reveladas pelos festivais (disputou quatro), cujo sucesso poderia ter sido bem maior se a morte não o tivesse levado tão cedo. Inquieto, tendo experimentado variados gêneros sem se fixar em nenhum, ele deixou como prova de seu talento composições do porte de "O

Ivan Lins em show do MAU (Movimento Artístico Universitário),
no Teatro Copacabana, no Rio de Janeiro, em 1970.

circo", em que desenvolveu sua poesia descritiva sobre melodia inspirada em cantigas infantis, "A estrada e o violeiro", toada filosófica que ganhou o prêmio de melhor letra no memorável festival de 1967 da Record, e as populares "Maria Joana" e "Pede passagem".

Integrantes de um grupo de jovens compositores cariocas, do qual surgiu o MAU (Movimento Artístico Universitário), Ivan Lins e Luiz Gonzaga Júnior estão entre os últimos nomes revelados pelos festivais. Um universitário que preferia o piano ao estudo de Química Industrial, em que se formou, Ivan Guimarães Lins (Rio de Janeiro, RJ, 16 de junho de 1945) chegou ao sucesso em 1970 com "Madalena", ao mesmo tempo que conquistava o 2º lugar na fase nacional do V FIC (terceiro festival em que competia) com "O amor é o meu país", ambas as composições em parceria com Ronaldo Monteiro de Souza. Mas sua carreira só se firmaria a partir de 1975, quando superando grave crise, ocasionada por uma criticada participação numa série de programas de televisão, passou a compor com o letrista Vitor Martins. Pertencem a essa parce-

Luiz Gonzaga Júnior, o Gonzaguinha (1945-1991)
no II Festival Universitário da Música Brasileira, no Rio,
quando venceu com a canção "O trem", em 1969.

ria os sucessos "Somos todos iguais nesta noite", "Desesperar jamais", "Começar de novo" e "Lembra de mim", entre outros.

De origem humilde, tendo sido criado no Morro de São Carlos por um casal amigo do Gonzagão do baião, seu pai adotivo, Luiz Gonzaga do Nascimento Júnior, o Gonzaguinha (Rio de Janeiro, RJ, 22 de setembro de 1945), lançou-se cantor e compositor em 1968, quando cursava Economia. Na ocasião, buscaria o sucesso em dois festivais universitários (venceu o segundo com a música "O trem"), dois FICs e um FMPB. Sua carreira alcançaria o auge no período 1973-1985, em que compôs canções como "Começaria tudo outra vez", "Não dá mais para segurar" ("Explode coração"), "Grito de alerta", "O que é, o que é" e "A felicidade bate à sua porta". Magro, feio, de personalidade forte e franca, ele deu à maioria de suas composições um teor amargo, contundente. Tal pessimismo já se tornara bem mais ameno, quando, no dia 29 de abril de 1991, Gonzaguinha morreu num acidente automobilístico no interior do Paraná.[24]

Menos numeroso do que o naipe dos compositores é o dos letristas revelados pelos festivais, em que sobressaem Fernando Brant (Fernando da Rocha Brant, Caldas, MG, 9 de outubro de 1946-Belo Horizonte, MG, 12 de junho de 2015), o principal parceiro de Milton Nascimento, Aldir Blanc (Aldir Blanc Mendes, Rio de Janeiro, RJ, 2 de agosto de 1946-4 de maio de 2020), colega de Luiz Gonzaga Júnior e Ivan Lins no Movimento Artístico Universitário e autor de numerosos sucessos com João Bosco, os tropicalistas Torquato Neto (Torquato Pereira de Araújo Neto) e José Carlos Capinan, e o prolífico e versátil Paulo César Pinheiro (Rio de Janeiro, RJ, 28 de abril de 1949). Coautor de centenas de canções gravadas, boa parte delas com parceiros ilustres, como Edu Lobo ("Vento bravo"), Tom Jobim ("Matita perê"), João Nogueira ("Espelho"), Dori Caymmi ("Evangelho") e Baden Powell ("É de lei"), Paulo César Pinheiro disputou sete festivais, ganhando três: a primeira Bienal do Samba, com "Lapinha", e a fase nacional do VII FIC, com "Diálogo", ambas com Baden Powell, e o IV Festival Universitário do Rio de Janeiro, com "E lá se vão os meus anéis", parceria de Eduardo Gudin.

Em razão das músicas concorrentes serem na maioria apresentadas pelos próprios autores ou por artistas já consagrados, são poucos os grandes intérpretes revelados pelos festivais. A rigor, foram apenas o cantor Taiguara e as cantoras Beth Carvalho, Nana Caymmi e Elis Regina.[25] Filho e neto de músicos, Taiguara Chalar da Silva (Montevidéu, 9 de outubro de 1945-São Paulo, 14 de fevereiro de 1996) foi uma das figuras mais

[24] Outros compositores e letristas revelados pelos festivais: Alcivando Luz, Artur Verocai, Carlos Coquejo, César Costa Filho, Danilo Caymmi, Edmundo Souto, Eduardo Souto Neto, Egberto Gismonti, Gutemberg Guarabira, Jards Macalé, Joyce (Joyce Silveira Palhano de Jesus), Lula Freire (Luís Fernando de Oliveira Freire), Maurício Tapajós, Nelson Motta, Paulinho Tapajós (Paulo Tapajós Gomes Filho), Ronaldo Monteiro de Souza, Rui Maurity, Sérgio Bittencourt, Theo de Barros (Teófilo Augusto de Barros Neto), Tibério Gaspar, Toquinho (Antônio Pecci Filho), Tuca (Valentina Zagni da Silva) e Vera Brasil.

[25] Outros cantores e cantoras revelados pelos festivais: Toni Tornado, Cláudia (Maria das Graças Rallo), Evinha (Eva Corrêa José Maria), Márcia (Márcia Elizabeth Raimundo Barbosa), Maria Odete e Marília Medalha.

assíduas nos festivais, tendo defendido treze canções (em oito festivais) e conquistado dois primeiros lugares, com "Modinha" (de Sérgio Bittencourt), no terceiro da Excelsior, e com "Helena, Helena, Helena" (de Alberto Land) no primeiro universitário. De voz expressiva e canto veemente, destacou-se de forma especial na interpretação de canções românticas, sendo ainda autor de sucessos, como "Hoje" e "Universo no teu corpo".

Tendo começado a vida artística em espetáculos de bossa nova, participando depois de sete festivais, Beth Carvalho (Elizabeth Leal Santos de Carvalho, Rio de Janeiro, RJ, 5 de maio de 1946-30 de abril de 2019) acabou por se tornar, a partir de 1971, uma das mais importantes cantoras da história do samba. Reveladora de novos sambistas, que ajudam a abastecer seu repertório, é considerada a descobridora do pagode, sendo chamada de madrinha do gênero.

Precedida por uma gravação de "Acalanto", ao lado do pai, um LP solo e outro com a família, a prova de fogo de Nana Caymmi (Dinahir Tostes Caymmi, Rio de Janeiro, 29 de abril de 1941) aconteceu no I FIC, com ela cantando "Saveiros". Apesar da estrondosa vaia — dirigida principalmente à canção, pelos que torciam por outro resultado —, pode-se dizer que a experiência foi positiva, com "Saveiros" vencendo a fase nacional e Nana ganhando o prêmio de melhor intérprete. Essa vaia, porém, mais uma outra recebida em sua segunda e última participação em festivais — o III FMPB com "Bom dia", uma composição sua e de Gilberto Gil —, marcaram o começo de sua carreira, quando sobreviveu graças a atuações no Uruguai e Argentina. Assim, só a partir de 1975 Nana Caymmi teve seus méritos de grande intérprete da canção romântica reconhecidos pelas gravadoras, passando a gravar assiduamente.

Veio do Rio Grande do Sul e chama-se Elis Regina (Elis Regina Carvalho Costa, Porto Alegre, 17 de março de 1945) a maior cantora revelada pelos festivais. Iniciada artisticamente aos 12 anos no programa "Clube do Guri", da Rádio Farroupilha, aos 15 já era considerada a melhor cantora gaúcha. Isso é dito numa reportagem da revista *Radiolândia* (nº 329, de 23 de julho de 1960), que mostra fotografias de Elis, pequenina, vesguinha, ostentando um largo sorriso onde se nota mais gengiva do que dente. Entrevistada, a menina afirmou: "Eu serei professora de História, Geografia e Português". Felizmente, mudou de ideia para se transformar numa admirável artista, a cantora que iria abrir novos caminhos para a interpretação da moderna canção brasileira, com seu estilo extrovertido, exuberante. O estouro da carreira de Elis Regina aconteceu em abril de 1965, quando, cantando "Arrastão", ganhou o primeiro festival da Excelsior. Até então, gravara quatro inexpressivos LPs, cantara em programas de televisão e shows de boates e mudara de gravadora, passando para a Philips. Terminado o festival, seu primeiro passo foi participar em São Paulo do espetáculo *Elis, Jair e o Jongo Trio*, em seguida lançado em disco de grande sucesso, intitulado *Dois na bossa*. Daí resultou sua contratação pela TV Record para a realização da série "O Fino da Bossa". Este programa semanal, mostrado em gravação em diversos estados e que durou de 19 de maio de 1965 a 19 de junho de 1967, foi muito importante, exibindo o que havia de melhor num período de grande ebulição da música popular. Nele, Elis Regina, atuando como cantora e apresentadora e coadjuvada por Jair Rodrigues, teve a oportunidade de desenvolver as múltiplas facetas de seu talento, impondo sua arte e seu carisma e consolidando o prestígio conquistado no festival. Na ocasião, mal saída da adolescência, ela se tornou em definitivo estrela de primeira grandeza da música brasileira, ícone da geração 1960.

Nos dezessete anos transcorridos entre a revelação e a morte prematura, a carreira de Elis foi balizada pela realização de 24 álbuns fonográficos (seis dos quais de espetáculos gravados ao vivo), onze grandes shows — como *Transversal do tempo*, *Saudade do Brasil* e *Falso brilhante*, que teve 257 apresentações — e nove temporadas no exterior, além de cinco participações nos festivais televisivos, com dois primeiros lugares. Uma breve seleção de canções representativas de seu repertório — "Roda" (Gilberto Gil), "Upa neguinho" (Edu Lobo e Gianfrancesco Guarnieri), "Canto de Ossanha" (Baden e Vinicius), "Madalena" (Ivan Lins e Ronaldo Monteiro de Souza), "Nada será como antes" (Milton Nascimento e Ronaldo Bastos), "Águas de março" (Tom Jobim) e "O bêbado e a equilibrista" (João Bosco e Aldir Blanc) — dá uma ideia de sua qualidade e diversidade. Além de gravar o fino do fino da música de seu tempo e, de quebra, alguns clássicos de épocas anteriores, Elis foi clarividente ao lançar compositores como Edu Lobo, Gil, Milton, Ivan Lins, João Bosco e Aldir Blanc.

Mas, nem tudo são flores na biografia da grande diva. De temperamento forte, impulsionado por um excesso de energia, a Pimentinha, como era chamada por Vinicius de Moraes, sofria de uma instabilidade emocional capaz de fazê-la passar, em instantes, de um humor tranquilo a rompantes de assustadora agressividade. Isso e mais algumas atitudes tomadas no decorrer da carreira custaram-lhe a antipatia de muita gente no meio em que viveu.

A cantora Elis Regina (1945-1982) com Ronaldo Bôscoli, então seu marido (à direita) e Miele, em 1968.

Elis Regina foi casada com Ronaldo Bôscoli durante três anos e meio e, por nove anos, com o pianista-arranjador César Camargo Mariano. Do primeiro teve o filho João Marcelo, produtor musical, e do segundo, Maria Rita e Pedro Mariano, que herdaram sua vocação de cantora. Em janeiro de 1982, vivendo com os filhos em São Paulo, escolhia o repertório para o próximo disco, que marcaria sua estreia na Som Livre, quando, na manhã do dia 19, morreu repentinamente, em consequência de uma overdose de álcool e cocaína.

Completa a geração que fixou a moderna canção brasileira um numeroso grupo de artistas consagrados fora dos festivais, embora deles tenham também participado. Começando pelos compositores, incluem-se nesse grupo figuras da bossa nova — como Carlos Lyra, Roberto Menescal, Baden Powell —; jovens renovadores do samba — Paulinho da Viola, Elton Medeiros, Martinho da Vila —; os irmãos Marcos (Marcos Kostenbader Valle, Rio de Janeiro, 14 de setembro de 1943) e Paulo Sérgio Valle (Paulo Sérgio Kostenbader Valle, Rio de Janeiro, 6 de agosto de 1940), autores das obras-primas "Preciso aprender a ser só", "Samba de verão" e "Viola enluarada"; o poeta Hermínio Bello de Carvalho (Rio de Janeiro, 28 de março de 1935), parceiro de Cartola e Carlos Cachaça ("Alvorada"), Elton Medeiros ("Pressentimento") e Paulinho da Viola ("Sei lá Mangueira") e Jorge Ben, Benjor a partir de 1989 (Jorge Duílio Lima Menezes, Rio de Janeiro, 22 de março de 1942).

Com suas típicas composições de estruturas melódico-harmônicas extremamente simples, sustentadas por forte percussão e complementadas por letras também da maior simplicidade, em que ressaltam palavras de função essencialmente rítmica, Jorge Ben é um dos mais originais compositores populares brasileiros da segunda metade do século XX. O curioso é que, sem afastar-se de suas características, ele transitou pelos mais diversos territórios da música popular, sempre marcando presença por onde passou. Irrompendo em cena em 1963, num LP intitulado *Samba esquema novo*, cujos pontos altos eram os sambas-maracatu "Mas, que nada" e "Chove chuva", Ben viveu sua melhor fase nos treze anos seguintes, quando lançou sucessos como "Cadê Teresa", "País tropical", "Que pena", "Charles Anjo 45", "Fio Maravilha", "Xica da Silva" e o internacional "Taj Mahal", tema escandalosamente roubado pelo escocês Rod Stewart. Embora continuasse em atividade, o compositor permaneceu afastado do sucesso por longo período, só voltando a destacar-se com o samba-funk "W/Brasil", lançado em show em 1989 e só gravado por ele dois anos depois. Tal sucesso despertou a atenção de artistas das novas gerações, de variadas tendências — Kid Abelha, Marisa Monte, Forroçacana, Paulinho Moska e Wilson Simoninha, entre outros —, que passaram a gravar suas composições, atestando a atemporalidade da obra.

Reduzido é o contingente de cantores da geração 1960 revelados fora dos festivais, que se restringe às figuras de Pery Ribeiro (Pery de Oliveira Martins, Rio de Janeiro, 27 de outubro de 1937-24 de fevereiro de 2012), filho de Dalva e Herivelto; o sambista Jair Rodrigues (Jair Rodrigues de Oliveira, Igarapava, SP, 6 de fevereiro de 1939-Cotia, SP, 8 de maio de 2014), um campeão de popularidade com seu jeito alegre de cantar; e Wilson Simonal (Wilson Simonal de Castro, Rio de Janeiro, 26 de fevereiro de 1939-São Paulo, 25 de junho de 2000), um *showman* de valor indiscutível, afinadíssimo com o público, mas que teve a carreira arruinada por um episódio que lhe valeu séria condenação judicial. Já na relação das cantoras estão Clara Nunes (Paraopeba, MG, 12 de agosto

Jorge Ben, com seu estilo cheio de *swing*, é um dos mais originais compositores e intérpretes da MPB.

de 1943-Rio de Janeiro, 2 de abril de 1983), primeira brasileira a ultrapassar a cifra de 100 mil cópias na vendagem de um disco; Nara Leão, oriunda da bossa nova, mas que desenvolveu a carreira a partir de 1964; e as baianas Gal Costa e Maria Bethânia.[26] Destacam-se ainda os conjuntos vocais MPB-4 (Rui Alexandre Faria, Aquiles Rique Reis, Milton Lima dos Santos Filho e Antônio José Waghabi Filho, o Magro — 1943-2012)

[26] As carreiras de Gal Costa e Maria Bethânia são analisadas no capítulo sobre o Tropicalismo.

e Quarteto em Cy (formado inicialmente pelas irmãs baianas Cyva, Cybele, Cynara e Cylene de Sá Leite). Modernos, requintados, esses conjuntos receberam forte influência dos Cariocas, nosso mais sofisticado grupo vocal, que, surgido em 1948, atravessou décadas como intérprete exemplar da moderna música brasileira.

Finalmente, destacam-se entre os músicos consagrados nos anos 60 os tecladistas-arranjadores Antônio Adolfo, César Camargo Mariano (Antônio César Camargo Mariano, São Paulo, SP, 19 de setembro de 1943), Eumir Deodato (Eumir Deodato de Almeida, Rio de Janeiro, RJ, 22 de junho de 1943) e Wagner Tiso (Wagner Tiso Veiga, Três Pontas, MG, 12 de dezembro de 1943), já mencionados; a violonista Rosinha de Valença (Maria Rosa Canelas, Valença, RJ, 30 de julho de 1941-Rio de Janeiro, RJ, 10 de junho de 2004), além do astro Baden Powell; os bateristas-percussionistas Airto Moreira (Airton Guimorvan Moreira, Itaiópolis, SC, 5 de agosto de 1941) e Chico Batera (Francisco José Tavares de Souza, Rio de Janeiro, RJ, 8 de abril de 1943); os pianistas Amilton Godoy (Amilton Teixeira de Godoy, Bauru, SP, 1941), Luís Carlos Vinhas (Luís Carlos Parga Vinhas, Rio de Janeiro, RJ, 19 de maio de 1940-22 de agosto de 2001), Luís Eça (Luís Mainzi da Cunha Eça, Rio de Janeiro, RJ, 3 de abril de 1936-22 de maio de 1992) e Sérgio Mendes (Sérgio Santos Mendes, Niterói, RJ, 11 de fevereiro de 1942); o gaitista Maurício Einhorn (Moisés David Einhorn, Rio de Janeiro, RJ, 29 de maio de 1932); e os multi-instrumentistas Hermeto Pascoal (Arapiraca, AL, 22 de junho de 1932), Egberto Gismonti (Egberto Amin Gismonti, Carmo, RJ, 5 de dezembro de 1944) e Heraldo do Monte (Recife, PE, 1º de maio de 1935).

50.
O TROPICALISMO

Já começando a se firmar nos meios musicais carioca e paulistano, com a gravação de um LP compartilhado com a também novata Gal Costa e o desempenho positivo de duas canções ("Boa palavra" e "Bom dia") em festivais, o jovem Caetano Veloso achou que em sua atividade de cantor e compositor devia contrapor algo novo, radical e inusitado a certas tendências que desaprovava na música pós-bossa nova. Essa ideia, que coincidia com o pensamento de Gilberto Gil, foi posta em prática no terceiro festival da Record, em outubro de 1967, com o lançamento das composições "Alegria, alegria" (de Caetano) e "Domingo no parque" (de Gil), que se constituíram no marco inaugural de um movimento poético-musical de vanguarda, universalista-popular, logo chamado de Tropicália ou Tropicalismo.

Significando, no dizer de Caetano, "a retomada da linha evolutiva da tradição da música brasileira", o Tropicalismo misturava influências da música pop internacional, em especial dos Beatles, com a utilização do instrumental eletroeletrônico; de várias vertentes de nossa música, inclusive do brega-popularesco; do cinema de Glauber Rocha; do projeto de arte ambiental de Hélio Oiticica, de onde veio o nome Tropicália; da antropofagia literária de Oswald de Andrade, cuja peça *O rei da vela* acabara de ser ressuscitada por José Celso Martinez Corrêa; e da poesia concreta dos irmãos Campos, Augusto e Haroldo, e de Décio Pignatari, intelectuais que se entusiasmaram com o movimento, dando-lhe suporte teórico. A ideia era que o produto-síntese de todas essas influências revolucionaria a música brasileira, renovando-a e tornando-a mais universal.

Além da explosão de "Alegria, alegria" e "Domingo no parque", é importante para a história do Tropicalismo a gravação em 1968 dos álbuns fonográficos *Caetano Veloso*, o primeiro LP individual de Caetano, *Gilberto Gil*, o segundo de Gil, e *Tropicália ou Panis et circensis*, um disco que reúne Caetano e Gil a outras figuras — Nara Leão, Gal Costa, Tom Zé e os Mutantes — participantes do movimento. Nesses álbuns encontram-se canções das mais representativas do Tropicalismo, como, no primeiro, "Tropicália", "Alegria, alegria", "Superbacana", "Paisagem útil" e "Soy loco por ti América", sendo esta de Gil e Capinan e as demais de Caetano; no segundo, "Marginália II" (de Gil e Torquato Neto) e "Domingo no parque"; e, no terceiro, "Miserere nobis" (de Gil e Capinan), "Panis et circensis" (de Caetano e Gil), "Lindoneia" (de Caetano e Gil), "Parque industrial" (de Tom Zé), "Geleia geral" (de Gil e Torquato Neto) e "Baby" (de Caetano). A emblemática canção "Tropicália", por exemplo, oferece uma visão crítica e sintetizada da realidade brasileira, numa letra-colagem, algo *nonsense*, em que se misturam as mais inesperadas imagens e citações, desenvolvida sobre melodia primária e repetitiva. O surpreendente é que esta letra oswaldiana foi composta numa ocasião em que Caetano ainda não conhecia a obra de Oswald de Andrade. Já "Soy loco por ti América", feita em homenagem ao então recém-falecido Ernesto Che Guevara, é uma dançante rumba, com letra de Capinan, que fala de palmeiras e guerrilhas no mais caprichado portunhol. Essas e outras canções tropicalistas foram muito beneficiadas pelos arranjos dos maestros Rogério Duprat, Júlio Medaglia, Damiano Cozzela e Sandino Hohagen, músicos de vanguarda, conhecedores das novas linguagens eletrônicas e aleatórias, perfeitamente integrados no espírito da Tropicália.

Apresentando seu repertório em diversos espetáculos — dentro e fora da televisão —, os tropicalistas tiveram a oportunidade de revelar outro aspecto do movimento, justamente o mais controvertido, as escandalosas performances visuais. Iniciadas com a presença de Caetano, vestido num camisolão estampado com bananas, cantando e se requebrando no programa "Discoteca do Chacrinha", na TV Globo, as performances subiram de tom num show realizado na gafieira paulistana Som de Cristal, em 23 de agosto de 1968, assistido por 2 mil convidados e depois transmitido em gravação pela mesma emissora. Um dos quadros do espetáculo mostrava uma paródia da *Santa Ceia*, de Leonardo da Vinci, com Gil, de bigode e cavanhaque, cantando "Miserere nobis", sentado ao meio de uma grande mesa, abarrotada de bananas e abacaxis. Durante o ensaio, tal quadro provocou um indignado protesto de Vicente Celestino, convidado especial, programado para cantar "Mandem flores para o Brasil" e que morreria de um enfarte horas antes do show. Mas, o auge dessas performances aconteceu em outubro no pequeno palco da boate Sucata, no Rio de Janeiro. Anunciado como "um espetáculo violento, diferente de tudo o que já foi feito", o desempenho dos tropicalistas na ocasião realmente cumpriu o prometido. Aberto de forma tranquila com os Mutantes, seguidos de Caetano interpretando sua canção "Saudosismo", o show incendiava-se de repente com o compositor detonando uma explosão de gritos, assovios, sons distorcidos de guitarra e de Gil se estendendo em intermináveis improvisos vocais, entremeados de mais gritos e gemidos. Tudo culminava num frenético final, em que, depois de muitas cambalhotas e rebolados, Caetano cantava "É proibido proibir", deitado no chão, enquanto um sujeito enorme, o *hippie* americano John Dandurand, pulava e urrava sons desvairados. Em performances como essa, Caetano e Gil, mais do que criadores, eram criaturas do Tropicalismo. Tal deboche anarquista, também de inspiração oswaldiana, que seria reprovado por boa parte da plateia e da crítica, acabaria por determinar o cancelamento da temporada, após o nono espetáculo, por iniciativa de um promotor público e de um delegado de polícia, ansiosos por agradar à ditadura. No entanto, segundo Caetano (no livro *Verdade tropical*), "o show foi possivelmente a mais bem-sucedida peça do Tropicalismo. Pelo menos a que melhor expunha nossos interesses estéticos e nossa capacidade de realização. [...] O que ele (Gil) e os Mutantes apresentavam nesse show tinha a soltura e a independência daquilo que se impõe como fato novo, valendo por si, sem a ansiedade nem a letargia provincianas. Por isso também representou uma nova entrada violenta no Rio".

O show contribuiu ainda para a criação de um clima gerador do falso boato — os tropicalistas teriam apresentado uma paródia do "Hino nacional", altamente desrespeitosa à nação e às forças armadas —, que os militares aproveitaram como pretexto para prender e forçar o exílio de Caetano e Gil. Com a ida dos dois para a Europa, a Tropicália perdeu o embalo e saiu de cena. Desde o começo rejeitado por vários artistas, o que resultou no estremecimento de amizades bem caras aos seus mentores — como as de Edu Lobo, Dori Caymmi e Chico Buarque —, o Tropicalismo foi um movimento mais discutido do que praticado, talvez pelo fato de ter ficado em evidência apenas por curto período (setembro de 1967 a dezembro de 1968). É inegável, porém, que exerceu alguma influência no trabalho de compositores e cantores como Ney Matogrosso, Eduardo Dusek, Arrigo Barnabé, Carlinhos Brown e Chico Science, entre outros, além de contribuir para a amenização de preconceitos, como o existente contra os instrumentos elétricos.

Nascido em 7 de agosto de 1942 na cidade baiana de Santo Amaro da Purificação, Caetano Emanuel Viana Teles Veloso é o quinto dos seis filhos do casamento de seu Zezinho Veloso, um funcionário dos Correios, com dona Canô. Um menino franzino, sensível, que cedo demonstrou interesse pela pintura e a música — vivia cantando as canções que ouvia no rádio —, Caetano morou em Santo Amaro até 1960, quando mudou-se para Salvador. Nesse período houve um interregno de um ano (1956) passado na casa de uma prima no Rio, em que teve a oportunidade de ver de perto o mundo encantado da Rádio Nacional, que tanto admirava. Aluno da Faculdade de Filosofia da Universidade da Bahia, enturmado com um grupo de jovens com vocação musical — entre os quais o fiel amigo e parceiro de ideias Gilberto Gil —, Caetano Veloso recebeu em meados de 1964 a incumbência de organizar um show que integrava o programa de inauguração do Teatro Vila Velha. Esses shows (Caetano organizou três), serviram de ponto de partida para a carreira artística de seus participantes mais talentosos, que em breve deixaram a Bahia rumo ao Sul.

Os primeiros a migrar foram Maria Bethânia, convidada a substituir Nara Leão na peça *Opinião*, e Caetano, seu irmão, designado por seu Zezinho para acompanhá-la, por ser a cantora considerada na ocasião (janeiro de 1965) muito jovem para viver sozinha no Rio. Então, no decorrer dos quatro anos seguintes, o artista desconhecido transformou-se num ativo popstar, competindo em festivais (participou de cinco), estrelando shows e programas de televisão e protagonizando a aventura do Tropicalismo, como foi relatado.

Na manhã de 27 de dezembro de 1968, Caetano e Gil foram acordados por agentes da Polícia Federal, que, numa ação kafkiana, enfiaram os dois numa caminhonete e os levaram para o Rio de Janeiro (moravam em São Paulo), sem maiores explicações. Começou assim uma nova fase em sua vida, a do encarceramento de dois meses em quartéis do Exército no Rio, a do confinamento de quatro meses em Salvador, com a obrigação da apresentação diária na Polícia Federal, e a do exílio europeu de dois anos e meio (de agosto de 1969 a janeiro de 1972). Ao contrário de Gil, que procurou tirar partido do que lhe oferecia a grande metrópole, a estada em Londres representou para Caetano "um sonho obscuro, um período de fraqueza total", conforme declarou no livro *Verdade tropical*. Morando com a mulher, Dedé Gadelha, com quem se casara em 20 de novembro de 1967, mais o casal Gil e Sandra (irmã de Dedé) e o empresário Guilherme Araújo num sobradinho em Chelsea, e, depois, só com Dedé, em outros endereços, ele procurou passar a maior parte do tempo conversando com o pessoal de casa e os muitos amigos que o visitavam,

Criador do Tropicalismo, Caetano Veloso foi um dos mais ativos introdutores da cultura pop na música brasileira.

incapaz de interessar-se pela cidade. Para seu sustento esse pessoal recebia do Brasil parcos 1,5 mil dólares mensais, o máximo permitido pela lei na época, ou seja, 300 dólares para cada um. Em seu último ano na Inglaterra, Caetano gravou dois LPs — *Caetano Veloso* e *Transa* — para uma empresa local chamada Famous. Tendo seis de suas sete faixas com letras em inglês, destacou-se no primeiro disco a melancólica "London, London", que canta a solidão do exilado, numa melodia bem ao estilo de certas canções dos Beatles. No entanto, entrevistado pelo *Jornal do Brasil* (em 16 de maio de 1991), o compositor confessou: "Nunca consegui gostar de 'London, London'. Gosto só do verso: 'green grass, blue eyes, grey sky, God bless...'". Em compensação, adorou o segundo, em que musicou na faixa "Triste Bahia" versos do poeta baiano do século XVII Gregório de Matos Guerra, o Boca do Inferno.

Marcou a volta definitiva de Caetano Veloso ao Brasil, em 1972, a realização de um show ao lado de Chico Buarque, no Teatro Castro Alves, em Salvador, transformado no LP *Caetano e Chico juntos e ao vivo*, que reconciliou os tropicalistas com a ala política da MPB. A este seguiu-

-se a gravação de *Araçá azul* (1973), um disco supervanguardista que desagradou a muitos e registrou recordes de devolução. Em *Verdade tropical* Caetano dedicou-lhe um capítulo inteiro que termina assim: "A aventura que se iniciou para mim com o Tropicalismo não acabou nunca. Não me causa demasiada estranheza, no entanto, quando ouço dizer que o *Araçá azul* marcou o final de uma etapa". A etapa do Tropicalismo rebelde, sem lei, nem rei, pode-se dizer. Já reconhecido como um dos mais talentosos poetas-compositores brasileiros, audacioso, ambíguo às vezes, com especial vocação para a invenção e a experimentação, Caetano deu prosseguimento à carreira em 1975 com os LPs *Joia* e *Qualquer coisa*. Projetadas para um álbum duplo, essas gravações acabaram saindo em discos separados, tendo o segundo vendido o dobro do primeiro. No ano seguinte, Caetano, Gil, Bethânia e Gal juntaram-se para, com o nome Doces Bárbaros, apresentar-se em excursão nacional, que se tornou disco e filme. O artista completou a década atuando num show com Bethânia, que virou LP, participando do Festival de Arte e Cultura Negra, na Nigéria, onde familiarizou-se com a "*juju music*", e gravando os discos *Bicho* (1977), que trazia "Odara", "Um índio", "Tigresa" e "Leãozinho" (dedicada ao filho Moreno), *Muito* (1979), que apesar de mostrar "Sampa" e "Terra", teve crítica e vendagem negativas, e o bem-sucedido *Cinema transcendental* (1979), que incluiu "Cajuína" e "Menino do Rio".

Caetano abriu a década seguinte com o espetáculo *Outras palavras*, que, gravado, deu-lhe o primeiro disco de ouro (100 mil cópias vendidas). Em seu repertório estão, além da canção homônima, "Rapte-me camaleoa" e "Vera gata", que, respectivamente, homenageiam as atrizes Regina Casé e Vera Zimmerman, suas amigas. Ainda no mesmo ano (1981), participou com Gilberto Gil e Maria Bethânia do disco *Brasil*, de João Gilberto, ídolo dos três. Mais sete álbuns gravaria nos anos 80, dos quais destacam-se *Uns* (1983), seu disco preferido e que lançou a canção homônima, "Você é linda" e "Eclipse oculto", *Velô* (1984) e *Estrangeiro* (1989). Embora ostentando maior vendagem, que lhe proporcionou um disco de platina (250 mil cópias), o show gravado ao vivo *Totalmente demais* (1986) não é dos mais apreciados pelo artista. Também em 1986 aconteceu seu primeiro trabalho como diretor cinematográfico, o polêmico filme *Cinema falado*. Com o término do casamento com Dedé, mãe de seu filho Moreno, ele casou-se em 1985 com Paula Lavigne, com quem teve Zeca e Tom.

Nos dez anos finais do século, Caetano Veloso entremeou as atividades artísticas com a feitura de *Verdade tropical*, uma volumosa autobiografia que também explica suas ideias e experimentos, especialmente o Tropicalismo. Aliás, este é o seu segundo livro, sendo o primeiro *Alegria, alegria* (1977), uma coletânea de ensaios sobre cinema, escritos na juventude, em Salvador. Quanto aos seus principais discos da década, há *Circuladô* (1991), *Livro* (1997) e *Prenda minha* (1998), com canções de sua autoria, mais *Fina estampa* (1994), com repertório hispano-americano, e *Omaggio a Federico e Giulietta*, expressão de sua admiração por Fellini e sua mulher, que junta canções suas a clássicos das músicas populares italiana e brasileira. Em dupla com Gilberto Gil, lançou também *Tropicália 2* (1993), um disco comemorativo dos 25 anos do Tropicalismo. "Uma comemoração enxuta, concentrada, sem a dispersão das grandes homenagens" e que não pretende ser um "repensamento da Tropicália", esclareceu Gil em entrevista ao *Jornal do Brasil*. Transformados em shows, vários desses projetos foram regravados ao vivo e relançados em discos, uma prática que se tornou moda entre os nossos cantores. Ganhador do Prêmio Sharp de Música (1993), homenageado no carnaval de 1994 — juntamente com Gil, Bethânia e Gal — pela Escola de Samba Estação Primeira de Mangueira, com o enredo "Atrás da verde e rosa só não vai quem já morreu", Caetano compôs ainda no período as trilhas sonoras dos filmes *O quatrilho*, *Tieta do Agreste* e *Orfeu*. Já no século XXI, gravou *A foreign sound*, com canções de língua inglesa, e compôs as trilhas para os filmes *Lisbela e o prisioneiro* e *Meu tio matou um cara*, entre outros filmes.

Por pressuporem maiores oportunidades numa cidade pequena, o médico recém-formado José Gil Moreira e sua mulher, a professora primária Claudina Passos Gil Moreira, resolveram morar em Ituaçu, um vilarejo no interior baiano que tinha menos de mil habitantes. Por isso, apenas três semanas depois de nascer em Salvador (em 26 de junho de 1942), o primogênito do casal, Gilberto Passos Gil Moreira, foi levado para o sertão, onde viveria os nove anos seguintes. Já nesse período, o menino revelou um excepcional interesse pela música — dizia que queria ser musiqueiro —, acompanhando os ensaios da bandinha ituaçuense, ouvindo as cantorias de cegos e repentistas na feira e conhecendo os artistas e canções da música popular através do rádio e do serviço de alto-falantes local. Desses artistas, o que maior impressão lhe causou foi Luiz Gonzaga, o que o tornaria um aprendiz de acordeom aos 9 anos de idade. Por essa época, já passara a morar em Salvador, na casa de uma tia, a fim de ingressar no curso secundário, inexistente em Ituaçu.

A adolescência de Gilberto Gil, vivida no bairro de Santo Antônio, próximo do Pelourinho, foi musical e festeira. Ao mesmo tempo em que estudava no Colégio Nossa Senhora da Vitória e na Academia de Acordeon Regina, familiarizou-se com o meio musical e radiofônico, chegando a integrar o conjunto Os Desafinados. A partir dos 19 anos, após trocar o acordeom pelo violão, consequência da admiração por João Gilberto, Gil começou a compor e a cantar em público. Assim, ao chegar a São Paulo, em 1965, formado em Administração de Empresas e escolhido para estagiar na Gessy Lever, ele já trazia no currículo algumas canções (gravara dois discos), e certa experiência de palco adquirida com a turma do Teatro Vila Velha. Assim, acreditando em seu talento, procurou integrar-se ao meio artístico, cantando em bares, participando de peças teatrais (como *Arena canta Bahia*) e programas televisivos (era habituê do "Fino da bossa") e gravando na RCA suas canções "Procissão" e "Roda" (esta com João Augusto), que logo se tornariam sucessos. Deixando a Gessy Lever em meados de 1966, Gilberto Gil se firmaria como compositor-cantor, vivendo a partir desse ano e até o início de 1972 as fases dos festivais (competiu em cinco), do Tropicalismo e da perseguição dos militares que o levou ao exílio, como foi visto.

Tendo se despedido do Brasil com o famoso samba "Aquele abraço", sua mais popular composição, Gil retornou em 1972 com canções como "Expresso 2222", uma espécie de canto *hippie* metaforicamente ligado às drogas, "Back in Bahia", "Oriente" e "O sonho acabou", mescladas com as regionalistas "Canto da ema" (de Aires Viana, João do Vale e Alventino Cavalcânti) e "Chiclete com banana" (de Gordurinha e Almira Castilho), todas elas faixas de seu quinto LP individual. Tanto neste disco como em *Gilberto Gil em concerto*, show que percorreu várias cidades, ficou evidente seu aprimoramento musical, resultante da permanência em Londres, muito bem aproveitada como estágio de aprendizagem e experimentação. Ao mesmo tempo, modificara seu comportamento, dedicando-se a leituras místicas, enfronhando-se em ascéticas filosofias orientais e adotando a dieta macrobiótica.

Depois de atravessar os anos de 1973 e 1974 com dois sucessos como cantor — "Eu só quero um xodó" (de Dominguinhos e Anastácia) e "Maracatu atômico" (de Jorge Mautner e Jacobina) —, shows no Brasil e na Europa, um dos quais gravado em LP, e uma grande canção de protesto — "Cálice", parceria de Chico Buarque —, o artista marcou 1975 com os lançamentos de *Gil & Jorge, Ogum Xangô*, vibrante álbum dividido com Jorge Ben, e *Refazenda*, que lhe abriu novos caminhos e iniciou

Gilberto Gil, autor da obra-prima "Domingo no parque", integrou com Caetano, Gal e Tom Zé a "invasão baiana" no Sudeste, responsável pela difusão do Tropicalismo.

a série do "re". Seus principais discos até o final da década foram *Refavela* (1977), voltado para a cultura e os problemas sociais do negro, *Refestança* (1977), gravação de um espetáculo ao lado de Rita Lee, *Nightingale*, realizado em Los Angeles e destinado ao público estrangeiro, e *Realce* (1979), que continuou no terreno afro-brasileiro-caribenho, com sucessos como "Não chore mais" (sua versão do reggae "No Woman No Cry", de B. Vincent), "Super-homem — a canção" e "Toda menina baiana", além da música título do LP. Aconteceram ainda no período várias turnês, inclusive na Europa e nos Estados Unidos, que a partir de então passaram a fazer parte de seu calendário anual, e as citadas ida ao festival na Nigéria e atuação no show-disco-filme *Doces Bárbaros*. Na etapa catarinense dessa turnê, Gil e o baterista Chiquinho Azevedo foram detidos por porte de maconha, com internamento num hospital em Florianópolis e posterior tratamento ambulatorial no Sanatório de Botafogo, no Rio.

Em janeiro de 1979, Gilberto Gil conheceu Flora Nair Giordano, com quem se casaria e teria os filhos Bem, Isabela e José Gil. Este foi o seu quarto casamento, sendo os demais com Belina Aguiar (1965), mãe de Nara e Marília, com Nana Caymmi (1967) e com Sandra Gadelha (1968), mãe de Pedro, Preta Maria e Maria. Aliás, Pedro Gadelha Gil Moreira, baterista do conjunto do pai, morreu tragicamente aos 19 anos, em consequência de um desastre automobilístico.

Sem perder o vínculo com as raízes brasileiras, especialmente as nordestinas, porém integrando-se cada vez mais ao universo pop internacional, Gilberto Gil lançou na década de 1980 uma dezena de LPs individuais, entre os quais *Luar* (1981), com os sucessos "Palco" e "Se eu quiser falar com Deus", *Um banda um* (1982) e *O eterno deus Mu dança* (1989). Ao mesmo tempo intensificou sua presença nos palcos brasileiros e estrangeiros, agora incluindo os japoneses, compôs trilhas sonoras para os filmes *Quilombo* (1984), *Jubiabá* (1986) e *Um trem para as estrelas* (1987) e ganhou o Prêmio Shell (1990). Educado para ser um profissional liberal, ele teve o destino alterado pela vocação musical que o fez artista. Entretanto, ao chegar à maturidade passou a dar vez ao seu lado doutor, primeiro exercendo (em 1987) a presidência da Fundação Gregório de Matos, uma espécie de Secretaria Municipal de Cultura de Salvador, e em seguida entrando para a política e elegendo-se vereador pela mesma cidade.

Além dos citados *Tropicália 2* e *Gil & Milton*, gravou sete CDs individuais na década de 1990. Entre esses destacam-se *Parabolicamará* (1993), *Gilberto Gil unplugged* (1994), *Quanta ao vivo*, premiado com o Grammy na categoria "World Music" (1999), e *Gilberto Gil e as canções de Eu, tu, eles* (2000), filme para o qual compôs a trilha e que lhe proporcionou seu último sucesso como cantor no século XX, o baião "Esperando na janela" (de Targino Gondim, Manuca Almeida e Raimundinho do Acordeon). Ganhou ainda o Prêmio Sharp (1994) pelo conjunto da obra.

No começo do novo século, teve como principais feitos musicais os discos *São João vivo* (2001) e *Kaya n'gan daya* (2002), em que homenageia duas de suas maiores influências, Luiz Gonzaga, no primeiro, e Bob Marley, no segundo. Integrante do Partido Verde, iniciou em 2003 sua gestão como ministro da Cultura do governo Luiz Inácio Lula da Silva.

O grupo tropicalista é completado pelos letristas Torquato Neto e Capinan, o compositor Tom Zé e a cantora Gal Costa. Piauiense de nascimento (Teresina, 9 de novembro de 1944), estudante em Salvador na adolescência e jornalista no Rio a partir dos 19 anos, Torquato Pereira de Araújo Neto foi, sobretudo, "poeta das elipses desconcertantes, dos inesperados curtos-circuitos, mestre da sintaxe descontínua que caracteriza a modernidade", na definição do também poeta Paulo Leminski. Compulsivo escritor de poemas e reflexões, tornou-se letrista nos últimos anos de vida, tendo sido parceiro de Gilberto Gil ("Louvação", "Marginália II", "Geleia geral"), Caetano Veloso ("Ai de mim Copacabana", "Mamãe, coragem", "Deus vos salve a casa santa") e Edu Lobo ("Pra dizer adeus"), entre outros. Na madrugada de 10 de novembro de 1972, dia seguinte ao seu 28° aniversário, Torquato suicidou-se discretamente, trancando-se no banheiro e aspirando o gás do aquecedor.

Também talentoso é o letrista José Carlos Capinan, baiano de Esplanada (19 de dezembro de 1941), o mais politizado dos tropicalistas. Amigo de Caetano e Gil desde os tempos do Teatro Vila Velha, tornou-se ativo letrista na época dos festivais, sempre ao lado de grandes nomes, quando já vivia em São Paulo trabalhando como publicitário. São seus parceiros Edu Lobo ("Corrida de jangada", "Ponteio"), Gilberto Gil ("Soy loco por ti América", "Miserere nobis"), Caetano Veloso ("Clarice"), Jards Macalé ("Gotham City") e outros mais.

Satírico, irreverente, provocador, um experimentalista incapaz de fazer uma canção de amor, Antônio José Santana Martins, o Tom Zé (Irará, BA, 11 de outubro de 1936), projetou-se no meio estudantil de Salvador no início dos anos 60, época em que cursou a Escola de Música e conheceu Caetano Veloso e sua turma. Com tal temperamento, foi muito natural que, ao dar prosseguimento à carreira em São Paulo, se tornasse um radical tropicalista, assinando composições como "Parque industrial", "Profissão ladrão" e "São São Paulo, meu amor", vencedora do IV Festival da Record, como se viu. Aparecendo durante anos em atividades esporádicas, Tom Zé foi redescoberto em 1989 pelo músico americano David Byrne, que deu vida nova à sua carreira, inclusive no âmbito internacional.

Gal Costa (Maria da Graça Costa Pena Burgos, Salvador, BA, 26 de setembro de 1945), iniciou sua vida artística aos 18 anos, ainda usando o nome de batismo e cantando bossa nova nos citados espetáculos do Vila Velha. Só que cantava tão bem, num estilo próximo ao de João Gilberto, que mereceu do próprio o elogio: "Menina, você canta lindo". Quatro anos depois ela se tornaria a principal figura feminina do Tropicalismo, ostentando vastíssima cabeleira negra e interpretando "Baby" e "Divino, maravilhoso", canções que popularizaram seu nome. A partir desses sucessos, exibindo uma afinação e uma expressividade corporal impecáveis, Gal consagrou-se na década de 1970 como uma das maiores

Gal Costa apareceu cantando no estilo de João Gilberto, explodiu na época do Tropicalismo, e se consagrou nos anos 70 como uma das maiores cantoras de sua geração.

cantoras de sua geração. São desse período, em que foi presença assídua em shows, discos e televisão, sucessos como "London, London" (Caetano), "Modinha para Gabriela" (Dorival Caymmi), "Folhetim" (Chico Buarque), "Pérola negra" (Luiz Melodia), "Que pena" (Jorge Ben) e "Vapor barato" (Macalé e Waly Salomão), além de composições antigas que ela ressuscitou, como "Falsa baiana" (Geraldo Pereira), "Balancê" (João de Barro e Alberto Ribeiro), "Olhos verdes" (Vicente Paiva) e "Antonico" (Ismael Silva). Mantendo o mesmo nível de atividade nas décadas seguintes, ainda levaria às paradas de sucesso canções como "Meu bem, meu mal" e "Dom de iludir" (Caetano Veloso), "Festa do interior" (Moraes Moreira e Abel Silva), "Chuva de prata" (Ed Wilson e Ronaldo Bastos) e "Brasil" (Cazuza, George Israel e Nilo Romero). Em 2005, aos 60 anos, Gal acrescentou à sua extensa discografia mais um CD, *Gal hoje*, desta vez apresentando compositores novos, como Moreno Veloso.

Embora não tendo participado da Tropicália — nem de qualquer outro movimento musical —, Maria Bethânia entra neste capítulo em razão de sua proximidade afetiva com os tropicalistas, como Caetano, Gil e Gal. Também muito próxima de si esteve sempre a música, uma constante em sua vida desde os primeiros dias, quando lhe puseram o nome de uma canção, sugestão do irmão Caetano: Maria Bethânia (Maria Bethânia Viana Teles Veloso, Santo Amaro, BA, 18 de junho de 1946). Menina cantadeira, imitadora das estrelas do rádio de sua infância, Bethânia estreou como cantora profissional no Rio, em 13 de fevereiro de 1965, no espetáculo *Opinião*, como foi dito, substituindo Nara Leão, que a descobrira no Teatro Vila Velha. Estreou e, com o sucesso da rude canção libertária "Carcará" (João do Vale e José Cândido), logo voltaria aos palcos com *Arena canta Bahia*, em São Paulo, e mais dois outros shows em boates cariocas, além da gravação de um compacto e de um LP na RCA, atividades que se repetiriam em sua biografia pelo tempo afora.

Essa predileção pelos shows deve-se à força de seu estilo passional, à sua extraordinária capacidade de intérprete dramática, que a tornaram acima de tudo uma cantora para ser vista, uma artista que se agiganta no palco. O vigor de sua dramaticidade, agressiva por vezes, contrasta, por exemplo, com algumas de suas ilustres antecessoras, passivas, chorosas, resignadas. A jovem Bethânia, precocemente amadurecida, viveu então sua fase de maior êxito no decorrer dos anos 70, cantando composições como "Esse cara" (Caetano Veloso), "Rosa dos ventos" e "Olhos nos olhos" (Chico Buarque), "Começaria tudo outra vez" e "Grito de alerta" (Gonzaguinha) e "Um jeito estúpido de te amar" (Isolda e Milton Carlos). Foi nessa fase que ela se tornou a primeira cantora brasileira a alcançar o número de 1 milhão de cópias vendidas, com o LP *Álibi* (1978), que trazia, entre outras, a canção homônima (de Djavan), "Explode coração" (Gonzaguinha), "O meu amor" (Chico Buarque) e "Sonho meu" (Dona Ivone Lara e Délcio Carvalho), as duas últimas, respectivamente, em dupla com Alcione e Gal.

Com a média de um disco-show anual — em que se destacaram *Dezembros* (1986), *Memória da pele* (1989), *As canções que você fez pra mim* (1993) e *Imitação da vida* (1997) —, trabalhos que incluem canções de sucesso como "Reconvexo" (Caetano), "Tocando em frente" (Almir Sater e Renato Teixeira) e "Fera ferida" (Roberto e Erasmo Carlos), Maria Bethânia manteve seu prestígio de grande diva nas últimas décadas do século. Essa situação perdurou no quinquênio 2001-2005, quando concretizou no disco e no palco produções como *Brasileirinho* (2003) e *Que falta você me faz* (2005), contendo esta uma homenagem ao amigo Vinicius de Moraes.

51.
A JOVEM GUARDA

O termo "*rhythm'n'blues*" foi criado em 1949 pela revista *Billboard* para substituir as palavras "*race records*", que classificavam os discos de música negra (o "*colored catalogue*"), gravados por artistas negros para a população negra norte-americana. Em pouco tempo, todavia, o termo passou também a denominar o *blues* urbano, ou seja, o *blues* composto e cantado pelos moradores dos guetos negros das grandes cidades do Norte dos Estados Unidos. A mistura do rhythm'n'blues com o boogie-woogie e a country music originou o rock and roll, gênero que mudou o rumo da música popular no mundo. Curiosamente, antes de dar nome ao novo ritmo, o termo "rock and roll" era usado como eufemismo para o ato sexual, na gíria dos adeptos do rhythm'n'blues.

A era do rock começou em 1955 com o estrondoso sucesso do cantor-guitarrista Bill Haley (and his Comets), cantando "Rock Around the Clock" (de Max C. Freedman e Jimmy De Knight), seguido de um fenômeno maior, o cantor Elvis Presley. Pouco depois, em outubro do mesmo ano, o rock'n'roll chegava ao Brasil trazido por *Sementes da violência* (*The Blackboard Jungle*), um filme sobre as arruaças de um grupo de estudantes delinquentes, que apresentava na abertura a estridente composição. A moda então vigente da rebeldia sem causa, difundida pelo cinema, somada à curiosidade despertada pelo novo ritmo, asseguraram o sucesso do filme e da música. Assim, sem perda de tempo, a Continental escalou Nora Ney para gravar "Rock Around the Clock" (em 24 de outubro de 1955), com a letra original e o título "Ronda das horas", num disco que seria lançado no mês seguinte. O surpreendente é que na época, como foi dito, Nora era a grande intérprete do samba de fossa, de características opostas aos rebuliços roqueiros. A razão da escolha foi a não aprovação da versão brasileira encomendada, recorrendo a Continental à sua única contratada que sabia cantar em inglês.

Pelos três anos seguintes, as gravadoras brasileiras fizeram inúmeros lançamentos de rocks com cantores identificados com outros gêneros, obtendo pífios resultados. Uma das raras exceções foi a gravação de Betinho de "Enrolando o rock" (do próprio e de Heitor Carrillo), que alcançou algum sucesso em 1957, sendo até regravado por Cauby Peixoto. Mas rock era música para jovens e o cantor-guitarrista Betinho (Alberto Borges de Barros), filho de Josué de Barros, o descobridor de Carmen Miranda, já passava dos 40 anos na ocasião. Finalmente, entre 1959 e 1962, destacaram-se como principais figuras da fase pré-Jovem Guarda do rock brasileiro[27] a cantora Celly Campelo (Célia Benelli Campelo, São Paulo, 18 de junho de 1942-Campinas, SP, 4 de março de 2003) e o cantor Sérgio Murilo (Sérgio Murilo Moreira Rosa, Rio de Janeiro, 2 de agosto de 1941-19 de fevereiro de 1992), aparecendo ainda, num plano mais modesto, o cantor Tony Campelo (Sérgio Benelli Campelo, São Paulo, 24 de fevereiro de 1936), irmão de Celly. Cantavam os três, essencialmente, roquinhos românticos joviais, na maioria em versões assinadas por Fred Jorge, como "Estúpido Cupido" ("Stupid Cupid", de Neil Sedaka e H. Greenfield), "Banho de lua" ("Tintarella di luna", de Fillipi e Migliaccio), "Lacinhos cor de rosa" ("Pink Shoelaces", de M. Grant), "Marcianita" (de Marcone e Alderete), "Broto legal" ("I'm in Love", de H. Earnhart) e "Abandonado" ("Only the Lonely", de R. Orbison e J. Melson), sendo os três primeiros gravados por Celly e os seguintes por Sérgio Murilo.

Sempre sonhando com uma carreira artística, Roberto Carlos Braga (Cachoeiro do Itapemirim, ES, 19 de abril de 1941) já aos 10 anos cantava boleros e sambas-canção na rádio de sua cidade. Aos 16, morando no Rio, descobria o rock'n'roll, apaixonando-se pela novidade e passando a imitar Elvis Presley. Muito contribuiria para essa mudança de repertório sua convivência com uma turma de jovens, que se reunia no Bar Divino, na esquina da rua do Matoso com Haddock Lobo, na Tijuca. Com três desses jovens — Arlênio Lívio, Wellington Oliveira e a futura celebridade Tim Maia —, ele chegou a formar em 1957 um grupo de rock, The Sputniks, de duração efêmera. Então, depois de uma breve passagem pelo conjunto Os Terríveis, de Carlos Imperial, optou definitivamente por uma carreira solo. E foi assim que gravou em setembro de 1959 seu primeiro disco, o legendário 78 rotações da Polydor, interpretando dois sam-

[27] Outros cantores e conjuntos do período pré-Jovem Guarda: Baby Santiago (Fulgêncio Santiago), Carlos Gonzaga, Ronnie Cord (Ronald Cordovil), Wilson Miranda, The Avalons, Bolão e seus Rocketes, The Fellows e Luizinho e seus Dinamites.

binhas bossa nova, que passaram em brancas nuvens — "João e Maria", de Roberto e Imperial, e "Fora de tom", só de Imperial, que possibilitara a gravação. Decorridos um ano e meio de tentativas frustradas de firmar-se como cantor de bossa nova, Roberto Carlos começou a gravar na Columbia, graças a mais uma iniciativa de Imperial, retornando à chamada música jovem a partir de *Louco por você* (1961), seu primeiro LP.

Ao mesmo tempo, outro garoto também nascido em 1941 (5 de junho de 1941), o carioca Erasmo Esteves, vivia um início de carreira artística parecido com o de Roberto: convivência com o pessoal do Bar Divino, participação em um conjunto de rock (The Snakes), com Arlênio e dois elementos da turma tijucana e a aproximação com Carlos Imperial, de quem se tornou afilhado artístico e até secretário. Apenas, não pretendeu ser cantor de bossa nova, como tentou o futuro parceiro.

Aspirantes ao sucesso, já com nome razoavelmente conhecido, Roberto e Erasmo, amigos desde 1958, só descobriram em 1963 que podiam se completar musicalmente, por ser o primeiro bom de melodia e o segundo bom de letra, embora fossem ambos competentes nos dois quesitos. Além do mais, convivendo há quatro anos, com muitas afinidades e principalmente cultivando os mesmos gostos musicais, tinham tudo para se tornar parceiros ideais. O primeiro trabalho de Erasmo gravado por Roberto foi a versão de "Splish Splash" (de Bobby Darin e Jean Murray), lançado com sucesso em um 78 rotações em março de 1963 e meses depois num LP (o segundo do cantor), ao qual deu nome. No mesmo disco estariam ainda as duas composições iniciais da dupla, "É preciso ser assim" e "Parei na contramão", que estourou nas paradas. Então, com a aprovação do onipresente Carlos Imperial, Erasmo Esteves passou a se chamar Erasmo Carlos.

A capa da *Revista do Rock* (nº 19, de fevereiro de 1962) mostrava, devidamente enfaixadas e coroadas, as figuras sorridentes de Celly Campelo e Sérgio Murilo, que acabavam de ser eleitos "Rainha" e "Rei" do rock brasileiro, por suas atuações em 1961. Esta eleição foi uma das últimas demonstrações de popularidade dos dois, que em breve cederiam a liderança da música jovem ao novo rei, Roberto Carlos, e seus coadjuvantes, o parceiro e amigo de fé Erasmo Carlos e a cantora Wanderléa (Wanderléa Salim, Governador Valadares, MG, 5 de junho de 1946), que se tornaria o maior ícone feminino da Jovem Guarda.

A partir de meados de 1964, acelerou-se o ritmo da ascensão para a glória de Roberto Carlos, impulsionada por sucessos como "É proibido fumar" (de Roberto e Erasmo Carlos), "Um leão está solto nas ruas" (de Rossini Pinto) e "O calhambeque" ("Road Hog", de Gwen e Loudermilk, versão de Erasmo), os três de 1964, "História de um homem mau" ("Ol' Man Mose", de Louis Armstrong e Z. T. Randolph, versão de Roberto Rei), "Não quero ver você triste" (de Roberto e Erasmo), "A garota do baile" (idem) e afinal o LP *Jovem Guarda*, com o megassucesso "Quero que vá tudo pro inferno" (de Roberto e Erasmo) e "Mexerico da Candinha" (idem), que coroou o ano de 1965, consolidando o prestígio do programa homônimo e dando nome ao próprio movimento que se iniciava.

O programa "Jovem Guarda" nasceu da conjunção de três fatores: a necessidade da TV Record de preencher suas tardes de domingo, esvaziadas em agosto de 1965 pela proibição das transmissões ao vivo das partidas de futebol; a decisão do publicitário Carlito Maia, sócio da agência Magaldi, Maia & Prosperi (MM&P), de criar e explorar ídolos populares de consumo; e a disponibilidade na praça de um jovem cantor, talentoso e ambicioso, com a carreira em ascensão. Assumindo todo o ônus do projeto, a MM&P contratou então Roberto, Erasmo e Wanderléa — os cantores-apresentadores do programa —, comprou o horário da televisão e montou um forte esquema publicitário, cunhando e registrando termos e expressões que se tornaram propriedade da agência. Com o sucesso do empreendimento, esses termos seriam alugados para servir de marca aos mais diversos produtos comerciais.

Assim, foi ao ar ao vivo, às quatro e meia da tarde do domingo 22 de agosto de 1965, o primeiro programa "Jovem Guarda", ainda em caráter experimental, acontecendo a estreia oficial duas semanas depois. Realizado no Teatro Record, na rua da Consolação, apinhado de adolescentes, em seus melhores dias, o "Jovem Guarda" apresentava, além do trio fixo, com Roberto Carlos como atração principal, figuras da música jovem, como Os Incríveis, Tony Campelo, Rosemary, Ronnie Cord, The Jet Black's e Prini Lorez, que participaram do espetáculo de estreia. Dava vez ainda a novos valores, como a cantora-compositora Martinha, projetando-os para o sucesso.

O ano de 1966 marcou o apogeu da Jovem Guarda, não apenas do programa, mas do movimento, ou melhor, do chamado iê-iê-iê, o ritmo que o caracterizou. O iê-iê-iê era um subgênero inspirado no rock dos Beatles, temperado por uma mistura com certas formas da canção brasileira — inclusive a bossa nova, da qual adotou o coloquialismo — e que cultivava letras de um romantismo ingênuo, com salpicos de rebeldia. Determinou o apogeu da Jovem Guarda em 1966 o fato de coincidir naquele

Ao lado de Jô Soares, os três astros do programa "Jovem Guarda", Erasmo Carlos, Wanderléa e Roberto Carlos, em 1966.

ano o auge da carreira da maioria de seus grandes astros e estrelas, de Roberto Carlos a Ronnie Von, de Wanderléa a Rosemary, de Renato e seus Blue Caps aos Incríveis, passando por Wanderley Cardoso, Jerry Adriani e Os Vips, entre outros. Roberto Carlos, por exemplo, arrasou no começo do ano com sucessos que transbordaram de 1965, como "Quero que vá tudo pro inferno" e "Mexerico da Candinha", no meio com "Esqueça" ("Forget Him", de M. Anthony, versão de Roberta Corte Real) e "Papo firme" (de Renato Corrêa e Donaldson Gonçalves), lançados num compacto simples em junho, e no fim com "Eu te darei o céu" (de Roberto e Erasmo Carlos), "Namoradinha de um amigo meu" (só de Roberto), "Querem acabar comigo" (idem), "Nossa canção" (de Luís Ayrão) e "Negro gato" (de Getúlio Côrtes), lançados num LP em dezembro, e de quebra com "A volta" (de Roberto e Erasmo), gravada pelos Vips.[28]

Embora menos pródigo do que 1966, 1967 foi ainda um ano pujante para o iê-iê-iê, mantendo a Jovem Guarda nas alturas. Entre seus sucessos, destacaram-se "Vem quente que eu estou fervendo" (de Eduardo Araújo e Carlos Imperial), com Erasmo Carlos, "A praça" (de Carlos Imperial), com Ronnie Von, "Quando" (de Roberto Carlos), "Como é grande o meu amor por você" (idem) e "Eu só vou gostar de quem gosta de mim" (de Rossini Pinto), com Roberto Carlos.[29] As três últimas integravam o LP *Roberto Carlos em ritmo de aventura*, lançado em dezembro e que antecipava parte da trilha musical do filme homônimo, estreado em fevereiro de 1968. Essa primeira incursão de Roberto no cinema — houve mais duas, *Roberto Carlos e o diamante cor de rosa* (1969) e *A 300 quilômetros por hora* (1970) —, inspirada em filmes dos Beatles, mostrava-o envolvido nas mais mirabolantes aventuras, pilotando carrões, helicópteros e até um foguete, para livrar-se de uma malta de bandidos comandada pelo eterno vilão José Lewgoy. E o pior é que o Rei teve que enfrentar tudo isso sozinho, sem contar com o fiel escudeiro Erasmo Carlos, por estarem os dois brigados na ocasião (ficaram quase um ano sem compor juntos), em razão de intrigas de bastidores.

Em janeiro de 1968, às vésperas de sua participação no Festival de San Remo, que venceria cantando "Canzone per te" (de Sergio Endrigo), Roberto Carlos deixou o "Jovem Guarda", que passou a ser comandado por Erasmo e Wanderléa. O programa, que já começara a perder audiência no final de 1967, ainda agonizou por alguns meses, morrendo em junho, e com ele o movimento. Na verdade, não foi a retirada de Roberto

[28] Outros sucessos da Jovem Guarda em 1966: "Você me acende" ("You Turned Me On", de I. Whitcomb, versão de Erasmo Carlos) e "O pica-pau" (de Renato Barros), com Erasmo Carlos; "Pare o casamento" ("Stop the Wedding", de Resnick e Young, versão de Luis Keller), com Wanderléa; "Pobre menina" ("Hang on Sloopy", de B. Russel, W. Farrell, versão de Gileno), com Leno e Lilian, "Ninguém poderá julgar-me" (de Panzeri, Pace, Beretta e Del Prete, versão de Nazareno de Brito), com Jerry Adriani; "Meu bem" ("Girl", de Lennon e McCartney, versão de Ronnie Von), com Ronnie Von; e "Coruja" (de Deny e Dino), com Deny e Dino.

[29] Outros sucessos da Jovem Guarda em 1967: "Eu sou terrível" (de Roberto Carlos e Erasmo Carlos), com Roberto Carlos; "O caderninho" (de Olmir Stocker), com Erasmo Carlos; "Prova de fogo" (de Erasmo Carlos), com Wanderléa; "O bom rapaz" (de Geraldo Nunes), com Wanderley Cardoso; "Coração de papel" (de Sérgio Reis), com Sérgio Reis; "Eu te amo mesmo assim" (de Martinha), com Martinha; e "Tijolinho" (de Wagner Benatti), com Bobby Di Carlo.

que acabou com a onda do iê-iê-iê e sim a falência do gênero, por esgotamento da fórmula. Então, pressentindo o fato, o cantor tratou de reformular sua carreira, incrementando-a no exterior, ao mesmo tempo em que começava a trocar o rock pela balada romântica. A reformulação abrangeu ainda sua vida particular, passando Roberto a admitir seu romance com Cleonice Rossi Martinelli, que conhecera em 1965. Como a moça era desquitada, os dois acabaram se casando em Santa Cruz de la Sierra, na Bolívia, em 10 de maio de 1968. Quebrava assim o artista um tabu então em voga, que fazia jovens cantores esconderem do público sua vida sentimental, achando que a revelação prejudicaria a popularidade. Mas, voltando à decadência da Jovem Guarda, o movimento ainda emplacou alguns sucessos em 1968, como "Eu daria a minha vida" (de Martinha), lançado por Roberto Carlos num compacto em fevereiro, e "A pobreza" (de Renato Barros), com Leno, já sem a companhia de Lilian.

Destacaram-se ainda na Jovem Guarda os cantores-compositores Demétrius (Demétrio Zahra Neto, São Paulo, SP, 28 de março de 1942-11 de março de 2019), Eduardo Araújo (Eduardo Oliveira de Araújo, Juaima, MG, 23 de julho de 1945), Jerry Adriani (Jair Alves de Souza, São Paulo, SP, 29 de novembro de 1947-Rio de Janeiro, RJ, 23 de abril de 2017), Ronnie Von (Ronaldo Nogueira, Niterói, RJ, 17 de julho de 1944) e Wanderley Cardoso (Wanderley Conti Cardoso, São Paulo, SP, 10 de março de 1945); a cantora-compositora Martinha (Marta Vieira Figueiredo Cunha, Belo Horizonte, MG, 30 de junho de 1949) e a cantora Rosemary (Rosemeire Pereira Gonçalves, Rio de Janeiro, RJ, 9 de dezembro de 1945); as duplas Os Vips (Ronald Luís Antonucci, São Paulo, SP, 17 de agosto de 1941, e Márcio Augusto Antonucci, São Paulo, SP, 23 de novembro de 1945-Angra dos Reis, RJ, 20 de janeiro de 2014) e Leno e Lilian (Gileno Osório Wanderley de Azevedo, Natal, RN, 1949, e Sílvia Lilian Barrie Knapp, Rio de Janeiro, RJ, 1948); e os conjuntos Renato e seus Blue Caps (grupo liderado pelo cantor-compositor-guitarrista Renato Barros, egresso do período pré-Jovem Guarda e que teve várias formações), Os Incríveis (grupo que foi originalmente chamado de The Clevers), os Golden Boys (grupo formado pelos irmãos Roberto, Ronaldo e Renato Corrêa José Maria e seu primo Valdir Assunção) e o Trio Esperança (formado por Mário, Evinha e Regina Corrêa José Maria, irmãos dos Golden Boys).[30] Merece registro especial a figura do compositor,

[30] Outros participantes da Jovem Guarda: os cantores (na maioria também com-

Roberto Carlos seguiu, após a época da Jovem Guarda, uma carreira de enorme sucesso como cantor e compositor de canções românticas.

ator, jornalista, apresentador de rádio e televisão e, sobretudo, agitador cultural Carlos Imperial (Carlos Eduardo Corte Imperial, Cachoeiro do Itapemirim, ES, 24 de novembro de 1935-Rio de Janeiro, RJ, 4 de novembro de 1992). Presente no meio artístico carioca a partir de meados dos anos 50, onde exerceu as mais diversas funções, Imperial assumiu a liderança da turma que queria fazer carreira no rock, no momento em que este começou a se popularizar no Brasil. Foi assim que descobriu e lançou Roberto Carlos, Erasmo Carlos, Wilson Simonal, Rosemary, Eduardo Araújo e, mais adiante, Vanusa. Enquanto isso, obtinha sucesso como

positores) Ari Sanches, Bobby Di Carlo, Dori Edson, Ed Wilson, George Freedman, José Ricardo, Luís Carlos Clay, Márcio Greyck, Prini Lorez (Galli Júnior), Reginaldo Rossi e Sérgio Reis; as cantoras Cleide Alves, Giane, Katia Cilene, Meire Pavão, Nalva Aguiar, Silvinha (Sílvia Maria Vieira Peixoto), Vanusa (Vanusa Santos Flores) e Waldirene (Anabel Fraracchio); os compositores Getúlio Côrtes, Helena dos Santos e Rossini Pinto; a dupla Deny e Dino (Délcio Scarpelli e José Rodrigues da Silva); e os conjuntos Os Brasas, The Brazilian Bitles, The Fevers, The Jet Black's, The Jordans e The Youngsters.

autor ou coautor de canções, como "Vem quente que eu estou fervendo" e "A praça", já mencionadas e, fora do iê-iê-iê, "Você passa e eu acho graça" (com Ataulfo Alves) e "Mamãe passou açúcar em mim". Quando a Jovem Guarda começou a definhar, Imperial lançou, juntamente com o compositor-cantor Nonato Buzar, a Pilantragem — uma adaptação do estilo do cantor pop Chris Montez à música brasileira —, que chegou a alcançar bastante sucesso por algum tempo.

De todos os participantes da Jovem Guarda, Roberto e Erasmo Carlos foram os únicos a manter a carreira em alta depois do término do movimento, com uma razoável frequência de sucessos. Deveu-se esse êxito à boa receptividade do público ao novo Roberto Carlos, cantor e compositor romântico, o que aliás não chegou a surpreender, pois na Jovem Guarda ele já demonstrava uma evidente vocação de baladista, cabendo mais a Erasmo o lado roqueiro da dupla. Desobrigados de incluir em suas letras gatinhas manhosas, carrões desembestados ou arrebatamentos juvenis, do tipo "e que tudo mais vá pro inferno", Roberto e Erasmo passaram a dirigir sua produção a um público adulto de classe média. De teor predominantemente romântico, essa produção também variou em segmentos especiais, como o místico ("Jesus Cristo", "A montanha"), o ecológico ("O progresso", "As baleias") e o dedicado a certos tipos femininos, digamos, não muito favorecidos pela natureza ("Coisa bonita", uma homenagem às gordinhas, "Mulher pequena"), que sempre chegaram ao sucesso. Mas foram as canções de amor ("Amada amante", "Amante à moda antiga", "Detalhes"), por vezes desbragadamente amorosas ("Oh! Meu imenso amor") ou sensuais ("Café da manhã", "O côncavo e o convexo") que mais favoreceram o prestígio da dupla.

52. A RENOVAÇÃO DO SAMBA

Uma madrugada, em meados dos anos 50, o jornalista Sérgio Porto surpreendeu-se ao dar de cara com Cartola num botequim em Ipanema. O motivo da surpresa é que na ocasião o compositor estava sumido do meio artístico, não se sabendo sequer se continuava vivo. Cartola (Angenor de Oliveira, Rio de Janeiro, RJ, 11 de outubro de 1908-30 de novembro de 1980), morador do morro da Mangueira desde os 11 anos de idade, foi em 1928 um dos fundadores da Escola de Samba Estação Primeira de Mangueira, da qual se tornaria o principal compositor. Assim, por toda a década de 1930 e boa parte da de 1940, ele marcou presença na vida musical carioca, compondo, participando dos desfiles da Mangueira, atuando em programas de rádio e tendo doze sambas gravados por cantores consagrados, como Francisco Alves ("Divina dama"), Carmen Miranda ("Tenho um novo amor") e Sílvio Caldas ("Na floresta"). Aliás, só teve doze porque, ao contrário da maioria de seus colegas, jamais correu atrás do sucesso. Quem quisesse gravar suas músicas tinha que procurá-lo lá no morro. Em 1949, depois de ficar quase um ano inativo por causa de uma meningite malcurada e de sofrer a perda de Deolinda, sua mulher, fulminada por um ataque cardíaco, Cartola abandonou o que lhe era mais caro — a Mangueira e a música — e foi morar no Caju com Donária, um amor infeliz que o arrastou a colossais bebedeiras. "Entre um porre e outro ele dormia", contaria mais tarde Zica (Euzébia Silva do Nascimento), o anjo que o tirou desse atoleiro, atraindo-o de volta à Mangueira, e com quem ele viveu o resto da vida. Graças aos esforços de Zica, Cartola foi sucessivamente, no período 1952-1956, contínuo no *Diário Carioca*, responsável por uma barraca de mantimentos da Cofap,[31] servente e guarda em duas repartições públicas e, por fim, não se fixando em nenhum desses empregos, lavador de carros

[31] Cofap era a Comissão Federal de Abastecimento e Preços, criada pelo governo Vargas em 1951.

na Garagem Oceânica, função que exercia na época em que Sérgio o encontrou. Esse encontro, tantas vezes citado em livros e depoimentos, é importante porque, com o destaque que o jornalista lhe deu, acabou por constituir o passo inicial do retorno de Cartola à vida artística e à posição de mentor de uma geração de sambistas que então se revelava.

No começo dos anos 60, a Associação das Escolas de Samba do Rio (EAS) ocupava o segundo andar de um sobrado na rua dos Andradas, centro da cidade, cedido por Mário Saladini, diretor de turismo da prefeitura, proprietária do imóvel. A concessão incluía a acomodação de Cartola e Zica no primeiro andar, cabendo ao compositor a tarefa de zelador do prédio, obrigação que ele jamais cumpriu. Nesse endereço o casal recebia assiduamente as visitas de velhos e novos amigos, vários deles também compositores — como Nelson Cavaquinho, Zé Kéti, Elton Medeiros, Nelson Sargento —, que lá compareciam para falar de samba, cantar, tocar, beber e saborear os quitutes da dona da casa, uma cozinheira de mão cheia. Aliás, ela ganhava um bom dinheirinho servindo refeições a esse pessoal e aos frequentadores da EAS, além de vender dezenas de marmitas por dia a motoristas e trocadores de ônibus, que faziam ponto na praça Mauá. Uma noite, impressionado com o sucesso dessas reuniões, Eugênio Agostini, um jovem empresário amigo de Nuno Veloso, parceiro de Cartola, teve a ideia de montar um estabelecimento, misto de restaurante e botequim, onde se pudesse, como no casarão da rua dos Andradas, comer e beber ao som do melhor samba do Rio, cantado por seus próprios criadores. Essa ideia, que teve a adesão imediata de Zica e Cartola, logo se concretizou com a instalação em setembro de 1963 do Zicartola, no segundo andar do prédio nº 53 da rua da Carioca, também no centro da cidade. Geria esta casa de samba a firma Refeição Caseira Ltda., que tinha como sócios Eugênio, Renato e Fábio Agostini e Euzébia Silva do Nascimento.

O Zicartola (nome inventado por Cartola) começou abrindo só para o almoço. Logo, porém, também para o jantar, funcionando nos horários de meio-dia às três e de sete às onze da noite ou mais, nos dias de show. Foram esses shows que fizeram a glória da casa, inscrevendo seu nome na própria história do samba. Realizados duas vezes por semana, eles tinham como criadores e apresentadores Albino Pinheiro (o das quartas-feiras) e Hermínio Bello de Carvalho (o das sextas), muito devendo o seu sucesso à competência e dedicação desses agitadores culturais. Os shows do Hermínio, por exemplo, eram divididos em três partes: na primeira, um conjunto formado por Paulinho da Viola, Manuelzinho da Flauta, Jorge dos Cabritos, Caçula e os gêmeos violonistas Valter e Valdir acompanhava os cantores considerados da casa — Nelson Cavaquinho, Zé Kéti, João do Vale, Geraldo das Neves, Leléu, Zagaia e Padeirinho; na segunda apresentava-se o astro Cartola. Só que este às vezes tinha de ser acordado por Zica, lá no seu quartinho, e, sonolento, nem sempre correspondia à expectativa da plateia; finalmente, na terceira parte, acontecia uma homenagem ao convidado da noite, que, além de cantar, recebia o diploma da Ordem da Cartola Dourada e tinha seu retrato inaugurado nas paredes do salão. A tal "Cartola Dourada" era uma invenção de Hermínio, que assim conseguiu enriquecer os espetáculos com a participação de grandes figuras da música popular, como Linda Batista, Ciro Monteiro, Elizeth Cardoso, Tom Jobim e Dorival Caymmi. Há uma fotografia que mostra Tom e Caymmi entre copos, garrafas e animados frequentadores do estabelecimento.

Transformado pelo pessoal da Zona Sul no ponto da moda, que passou a atrair multidões, pessoas até que jamais tinham se interessado por cultura popular, o Zicartola tornou-se de repente o centro de um movimento de renovação e fortalecimento do samba, na época ofuscado pelo sucesso da bossa nova. Disso resultaram importantes consequências, como a consagração de Cartola, o reconhecimento do talento de Nelson Cavaquinho e o lançamento para a fama dos compositores-cantores Paulinho da Viola e Elton Medeiros. Produtos ainda do clima de alta efervescência cultural-social que contagiava os *habitués* do Zicartola, foram as peças *Opinião* e *Rosa de ouro*. Obra do trio Oduvaldo Vianna Filho (Vianinha), Paulo Pontes e Armando Costa, elementos ligados ao CPC (Centro Popular de Cultura), dirigida por Augusto Boal e protagonizada por Zé Kéti, João do Vale e Nara Leão, depois Maria Bethânia, *Opinião* foi o primeiro espetáculo de resistência à ditadura e um marco no teatro musical brasileiro. Já *Rosa de ouro*, do incansável Hermínio, foi um belo show sambístico, que juntou a antiga rainha do teatro de revistas, Araçy Cortes, à então recém-descoberta Clementina de Jesus.

Em sua existência de pouco mais de dois anos, o Zicartola pode ser considerado um sucesso artístico e um fracasso comercial. Isso pelo menos para seus personagens principais, Cartola e Zica, que, sem a menor condição de participarem da administração do negócio — Cartola só entendia de samba e Zica de cozinha —, ficaram o tempo todo à mercê de seus sócios. Assim, quando em 26 de maio de 1965 Alcides de Souza — para quem os Agostini tinham vendido suas cotas — retirou-se da

Cartola, sua mulher Zica (à esquerda) e o compositor Elton Medeiros (com o cigarro) no bar, restaurante e casa de shows Zicartola.

sociedade, entregando o estabelecimento ao casal, o patrimônio estava reduzido a zero. Só restou então a Cartola e Zica passar a casa a preço insignificante para Jackson do Pandeiro e contrair um empréstimo bancário a fim de saldar os encargos sociais dos empregados — um cozinheiro, um ajudante e quatro copeiras, mulatas da Mangueira que trabalhavam envergando uniformes verde e rosa. "Mas foi uma época boa, muito boa. Não ganhamos dinheiro, mas ganhamos amigos que nos acompanham até hoje", consolou-se Zica em um depoimento a Marília T. Barbosa da Silva e Arthur L. de Oliveira Filho, autores do livro *Cartola: os tempos idos*.

Retomada a atividade artística, começou a fase rica da carreira de Cartola, que teve como primeiro sucesso "O sol nascerá". Composto em parceria com Elton Medeiros, nos tempos da moradia na rua dos Andradas, este samba tornou-se conhecido ao ser gravado por Nara Leão em seu LP de estreia (1964), que incluía também "Diz que fui por aí" (de

Zé Kéti e Hortênsio Rocha), outra pérola recolhida pela cantora no Zicartola. A essa fase, que se estendeu pelas décadas de 1960 e 1970, abrangendo a maior parte da obra com cerca de setenta composições gravadas, pertencem ainda notáveis sucessos, como "Tempos idos" (com Carlos Cachaça, 1968), "Alvorada" (ou "Alvorada no morro", com Carlos Cachaça e Hermínio Bello de Carvalho, 1968), "Peito vazio" (com Elton Medeiros, 1976) e, sem parceiros, "Tive sim" (1968), "Acontece" (1972), "O mundo é um moinho" (1976), "As rosas não falam" (1976) e "Autonomia" (1977). Um instintivo, dotado de extraordinário talento poético-musical, o velho sambista chegou com esse repertório ao auge da carreira. Tendo participado da legendária sessão de gravações realizada no navio *Uruguai* em 1940, pela equipe do maestro Leopold Stokowski, além de registrar quatro fonogramas editados em discos coletivos nos anos 60, Cartola chegou enfim ao seu primeiro LP individual em 1974, uma iniciativa da gravadora Marcus Pereira. A este seguiram-se mais três, o que lhe proporcionou a oportunidade de gravar boa parte de sua obra. Paralelamente à feitura dos discos, participou de shows, programas de televisão e turnês artísticas, sempre muito prestigiado por seus admiradores. Para ter um pouco mais de sossego, deixou em 1978 a modesta casa que construíra na rua Visconde de Niterói, junto à Mangueira, indo morar em outra maior, que comprara em Jacarepaguá, onde terminou seus dias.

Nelson Cavaquinho foi sempre uma presença apreciada nos botequins do Rio, especialmente os do Centro no final dos anos 50, onde brindava os frequentadores com memoráveis recitais gratuitos. O bardo chegava, acomodava-se à mesa de um conhecido qualquer, aprumava o violão e com sua voz rouca desfiava vastas porções de seu repertório, em performances regadas a estimulantes doses de conhaque. Na época, Nelson (Nelson Antônio da Silva, Rio de Janeiro, RJ, 29 de outubro de 1911-18 de fevereiro de 1986) beirava os 50 anos, dos quais trinta dedicados à música e à boemia, mais à segunda do que à primeira. Desde a adolescência tocador de cavaquinho em rodas de choro — daí o apelido —, ele passou-se para o samba e o violão ao conhecer a turma da Mangueira por volta de 1933, ocasião em que descobriu a vocação de compositor. A chegada de sua música ao disco comercial, porém, só aconteceria em 1943, quando Ciro Monteiro gravou "Apresenta-me àquela mulher", um samba em parceria com Augusto Garcez e C. de Oliveira. Daí, até os tempos do Zicartola, em que se tornou um dos cantores da casa, como foi dito, Nelson Cavaquinho permaneceu ignorado pelo público, apesar de ter atingido no período a marca de 36 composições gravadas. Nessas três dúzias de gravações houve até dois expressivos sucessos — "Rugas" e "Palhaço" —, que na mente dos ouvintes ficaram ligadas apenas aos seus intérpretes, respectivamente, Ciro Monteiro e Dalva de Oliveira. De certa forma concorreu para esse anonimato a diluição de seu nome (figurava nos discos como Nelson Silva) colado a pencas de parceiros, cuja maioria em nada contribuiu para a feitura das canções. Afinal, com os shows do Zicartola, Nelson alcançou a glória temporã, entrando para o rol dos grandes sambistas e tendo o mercado aberto às suas composições. Destacaram-se nessa fase áurea sucessos como "Luz negra" (com Amâncio Cardoso, 1964), "Folhas secas" (com Guilherme de Brito, 1973), "Quando eu me chamar saudade" (idem, 1973), "Notícia" (com Nourival Bahia e Alcides Caminha), "Pranto do poeta" (com Guilherme de Brito) e o famoso "A flor e o espinho" (com Guilherme de Brito e Alcides Caminha), sendo os três últimos da década anterior, mas só consagrados nos anos 60.

Um seguidor de Lupicínio, só que mais angustiado e obsessivamente preocupado com a morte — daí o entrosamento perfeito com o parceiro Guilherme de Brito, portador da mesma obsessão —, Nelson Cavaquinho distinguiu-se também como intérprete de sua obra, com seu canto rude e sua batida agalopada, que obtinha beliscando as cordas do violão com o polegar e o indicador. E, por falar em galope, o artista quando jovem foi por vários anos cavalariano da Polícia Militar, acontecendo-lhe no período o lendário episódio do cavalo que, por ele esquecido à porta de uma birosca, voltou sozinho para o quartel. Sem prejuízo da boemia, Nelson teve três casamentos e quatro filhos.

As maiores revelações do Zicartola foram os compositores-cantores Paulinho da Viola e Elton Medeiros, elementos destacados da geração que renovou o samba, modernizando-o sem alterar suas características fundamentais. Paulinho (Paulo César Batista de Faria, Rio de Janeiro, RJ, 12 de novembro de 1942) juntou em sua formação musical duas fortes influências: a dos músicos de choro que se reuniam para tocar com seu pai, o violonista César Faria, chorão consagrado, e a dos sambistas da União de Jacarepaguá, escola que frequentou assiduamente na adolescência, quando visitava uma tia naquele bairro. Assim, aos 21 anos, ao ser apresentado por Hermínio Bello de Carvalho à turma do Cartola, já tocava cavaquinho e violão e começava a compor seus primeiros sambas.

Incentivado por Zé Kéti e Hermínio, o passo seguinte foi cantar em público, superando sua timidez. Por essa época, convidado pelo amigo Oscar Bigode, diretor da bateria da Portela, integrou-se à ala de compositores da agremiação, tornando-se portelense de coração. Em 1964, adotando o nome de Paulinho da Viola (inventado por Zé Kéti e Sérgio Cabral), o artista trocou a função de bancário, que exercia na ocasião, pela de cantor-compositor-instrumentista, tríplice atividade que teve imediata iniciação no Zicartola. Resultante de sua convivência com sambistas da casa, nasceu então o conjunto Os Quatro Crioulos, que logo se tornaram cinco, e em que atuava ao lado de Elton, Nelson Sargento, Anescarzinho do Salgueiro e Jair do Cavaquinho. Este conjunto, um dos destaques dos shows *Rosa de ouro* (1 e 2), gravaria cinco LPs, dois dos quais referentes aos citados espetáculos.

Já credenciado pela autoria de sambas, como "Minhas madrugadas" (com Candeia), "Catorze anos" e "Coisas do mundo, minha nega", Paulinho da Viola começou a viver a melhor fase de sua carreira em 1968, quando gravou seu primeiro LP solo na Odeon. Nessa fase, que se estendeu até o final da década de 1970, além de firmar-se como cantor — um sambista de voz macia, intimista —, compôs sucessos como "Sei lá Mangueira" (com Hermínio, 1968), "Sinal fechado" (vencedor do quinto festival da Record, 1969), "Foi um rio que passou em minha vida" (1970), "Dança da solidão" (1972), "Pecado capital" (1976) e "Coração leviano" (1978). Pelo lado chorão, fez ainda os inspirados "Choro negro" (com Fernando Costa, 1973) e "Romanceando" (1976), entre outros. Embora mantendo razoável presença nos palcos, com a realização de shows no país e no exterior, Paulinho pouco frequentou estúdios de gravação depois de 1980, restringindo sua discografia a oito álbuns nos 25 anos seguintes. *Bebadosamba*, o CD de esmerada produção que marcou sua carreira em 1996, mostrou, no entanto, que ele continuava o grande artista de sempre. Isso apesar das sérias atribulações que o haviam afligido recentemente, ou seja, a destruição por um temporal de parte de sua casa no bairro do Itanhangá e a polêmica sobre os cachês de um show coletivo, realizado na praia de Copacabana, que causou danos a algumas de suas mais caras amizades.

Décimo filho do funcionário do Arsenal de Marinha Luís Antônio de Medeiros e de sua mulher, Carolina, Elton Medeiros (Elto Antônio de Medeiros) é carioca da Glória (22 de julho de 1930), criado em Brás de Pina. Vivendo num ambiente festivo, pois o pai, ranchista, sempre gostou de música e carnaval, Elton ainda criança formou com um irmão e vizinhos um animado bloco infantil. Manifestava-se assim bem cedo sua predisposição para criar agremiações carnavalescas, que continuou depois com a participação na fundação de três escolas de samba. Já a vocação musical foi despertada na adolescência, quando, aluno da Escola Técnica João Alfredo, estudou música para tocar saxhorne na Orquestra Juvenil de Estudantes. Também da adolescência são suas experiências iniciais como compositor, uns sambinhas que fez para o União do Amor, bloco a que pertenceu na época. Em 1953, após alguns anos na Tupi de Brás de Pina, uma escola organizada por ele e outros elementos do bairro, Elton transferiu-se para a Aprendizes de Lucas. Bem colocada no desfile de 1954, vencido pela Mangueira, a Aprendizes mostrou na ocasião o samba-enredo "Exaltação a São Paulo". Esta composição, feita em parceria com Joacir Santana e Sebastião Pinheiro, foi a sua primeira vitória musical. Isso porque, conquistando a admiração de Jorge Goulart, foi por ele cantada no programa "Um Milhão de Melodias", com arranjo de Radamés Gnattali para orquestra e caixa de fósforo. Exímio ritmista, Elton utilizou pela vida afora a caixa de fósforo como instrumento de percussão, daí o surpreendente arranjo. A partir de então, entrosando-se no meio sambístico, ele se aproximaria de colegas de outras escolas, como a ala de compositores da Portela, que teve a oportunidade de apadrinhar, e de grandes figuras como Zé Kéti, Nelson Cavaquinho e Cartola.

A participação de Elton no Zicartola teve importância decisiva para a consolidação de sua carreira. Além de fazer parcerias com o dono da casa e vários de seus frequentadores, foi lá que ele se projetou como cantor e integrante de conjuntos, atividades que o levaram aos shows e discos, como se viu. Aconteceu ainda nos anos 60 seu mais pródigo período como compositor. Pertencem a essa fase alguns de seus maiores sucessos, como "Mascarada" (com Zé Kéti, 1964), "Folhas no ar" (1965) e "Pressentimento" (1968), ambos com Hermínio Bello de Carvalho, "Maioria sem nenhum" (com Mauro Duarte, 1966) e "Rosa de ouro" (com Paulinho da Viola e Hermínio, 1965), mais o citado megassucesso "O sol nascerá" (com Cartola). No prosseguimento da carreira, até o início do novo século ele ampliaria seu círculo de parceiros — sempre preferiu ser mais melodista do que letrista —, mantendo o alto padrão da obra, embora diminuindo o número de lançamentos. Destacam-se no período "Peito vazio" (com Cartola, 1976), "Mais feliz" (com Carlinhos Vergueiro e Paulo César Feital, 1995), "Coração feliz" (com Regina Werneck, 1996)

Hermínio Bello de Carvalho, aqui com o parceiro Pixinguinha, foi um dos principais responsáveis pela revalorização do samba a partir dos anos 50.

e o instrumental "Tema para Tom" (1996). Ganhador do Prêmio Shell de Música em 2001, participante de inúmeros shows e eventos musicais, inclusive no exterior, Elton Medeiros tem em sua discografia cinco álbuns solos e mais de vinte compartilhados com outros artistas, entre os quais o importante *Os quatro grandes do samba* (1977), com Candeia, Nelson Cavaquinho e Guilherme de Brito. Faleceu no Rio de Janeiro, RJ, em 4 de setembro de 2019.

Parceiro e amigo de Pixinguinha, Cartola, Chico Buarque e outros ases, o poeta, compositor e produtor cultural Hermínio Bello de Carvalho possui uma vasta folha de serviços prestados à cultura nacional, que inclui, além de uma memorável série de projetos bem-sucedidos, a descoberta de Clementina de Jesus. "Conheci Clementina no dia 15 de agosto de 1963, ela festeira, assídua das comemorações domingueiras de Nossa Senhora da Glória. Iluminada em suas rendas brancas, a partideira cantava, como sempre cantou, de alegria, por necessidade de comunicação. Naquele momento senti que acabava de acontecer algo importante em minha vida. Perdida de vista, só fui revê-la na festa de inauguração da casa de samba de meus afilhados Cartola e Zica. E a partir daí não mais nos perdemos", informa o descobridor na contracapa do primeiro

LP solo da cantora, em 1966. Neta de escravos pelo lado materno e de pretos forros pelo paterno, Clementina de Jesus (Clementina Laura de Jesus dos Santos Silva ou apenas Clementina de Jesus da Silva, Marquês de Valença, RJ, 7 de fevereiro de 1901-Rio de Janeiro, RJ, 19 de julho de 1987) teve formação católica, fortemente temperada pela ancestralidade africana. Assim, criou-se ouvindo a mãe, Amélia de Jesus dos Santos, cantando jongos, corimas, partidos-altos, misturados com hinos religiosos. Aos 8 ou 9 anos, Clementina mudou-se com a família para o subúrbio carioca de Jacarepaguá, onde o pai, Paulo Batista dos Santos, pedreiro, carpinteiro e, nas horas vagas, violeiro, esperava encontrar boas oportunidades de trabalho. Ali, pouco depois, já sabendo cantar e dançar, a menina tornou-se pastorinha do grupo de Seu João Cartolino, um vizinho festeiro que lhe pôs o apelido de Quelé. Enviuvando, Amélia, que passara a ser conhecida como Amélia Rezadeira, foi morar com a filha na casa de um parente na Boca do Mato, mudando-se em seguida para o morro da Matriz. A partir dessa época, sempre frequentando redutos sambísticos e carnavalescos, a alegre partideira tornou-se também uma cantora de samba. Para ter uma ideia das atividades de Quelé nesses redutos, basta relembrar sua presença constante ao longo de muitos carnavais nos desfiles de entidades como Portela, Mangueira, Índios do Acaú, Tuiuti, Unidos do Riachuelo, Unidos do Engenho Novo e até mesmo em blocos de sujos, cordões e zé-pereiras. Foi, aliás, na Mangueira que ela conheceu o ferroviário (depois estivador) Albino Pé Grande (Albino Correia da Silva), com quem se uniu em 1940 e com quem teve a filha Olga. Bem antes, vivera um romance malsucedido com Olavo Manuel dos Santos, pai de Laís, sua outra filha.

Já sexagenária, Clementina continuava levando uma modestíssima vida, sustentada pelos parcos rendimentos de empregada doméstica, sem a menor consciência de seu potencial artístico, quando Hermínio cruzou o seu caminho. Então, o poeta submeteu-a a rigorosos ensaios com o violonista César Faria e no dia 7 de dezembro de 1964 lançou-a num espetáculo dividido com o violonista Turíbio Santos, no Teatro Jovem, em Botafogo.[32] Enquanto Turíbio tocou na primeira parte peças de Villa-Lobos, Gaspar Sanz e Fernando Sor, Clementina cantou na segunda as fol-

[32] Este foi o primeiro espetáculo da série Menestrel, um movimento de vanguarda criado por Hermínio Bello de Carvalho, que procurava integrar a música popular à música erudita. A série prosseguiu reunindo em seus concertos Aracy Cortes e Jacob do Bandolim, o duo Oscar Cáceres/Turíbio Santos a Paulo Tapajós, e Araci de Almeida a Cáceres, entre outros.

Paulinho da Viola, Jair do Cavaquinho e Anescarzinho do Salgueiro acompanham a grande Clementina de Jesus, em 1965.

clóricas "Boi não berra", "Bate-canela", "Benguelê" e mais oito números representativos de seu repertório, acompanhada pelo violão de César e a percussão de Paulinho da Viola e Elton Medeiros. Com seu canto vigoroso, rascante, inusitadamente grave, suas cantigas primitivas, impregnadas de negritude, algumas em dialetos africanos, Clementina de Jesus é a prova cabal da presença da África em nossa música popular. No dizer do historiador Ary Vasconcelos, "ela tem para a música popular brasileira uma importância que presume corresponder, na Antropologia, a do achado de um elo perdido". Daí o reconhecimento imediato de sua arte pelo público e a crítica, reconhecimento logo consolidado por seu segundo êxito, o show *Rosa de ouro*. Estreado em 18 de março de 1965, no mesmo Teatro Jovem, este novo espetáculo de Hermínio permaneceu cinco meses em cartaz no Rio e quarenta dias em São Paulo. Estrelado por Clementina e Aracy Cortes, como foi dito, coadjuvadas pelo conjunto Os Quatro Crioulos, *Rosa de ouro* viveu momentos de intensa emoção, como os das apresentações do samba homônimo, pelo conjunto, a marcha-rancho "Senhora Rainha" (um tema de Villa-Lobos com letra de Hermínio), por Aracy, e, mais uma vez, a corima "Benguelê" e o lundu "Bate-canela", por Clementina, números que levavam a plateia ao delírio. Repetindo o elenco, encenou-se *Rosa de ouro nº 2*, em 1967, sendo ambos os espetáculos lançados em LPs. Embalada por esse começo, a velha senhora desenvolveu então uma vitoriosa carreira que se prolongou ao final de 1985, ou seja, cantou profissionalmente dos 63 aos 84 anos. Nesse período atuou em dezenas de shows — como *Mudando de conversa* (1968), *Samba quente* (1971), *Noite da cultura negra* (1977) — e eventos (Festival de Artes Negras, em Dacar, 1966), além de gravar quatro discos individuais e quatro compartilhados. Isso apesar de ter sofrido sérios problemas circulatórios a partir de 1973.

Destacaram-se ainda na geração que promoveu a renovação do samba os compositores-cantores Anescarzinho do Salgueiro (Anescar Pereira Filho, Rio de Janeiro, RJ, 4 de junho de 1929-22 de fevereiro de 2000), Jair do Cavaquinho (Jair de Araújo Costa, Rio de Janeiro, RJ, 26 de abril de 1922-6 de abril de 2006), Nelson Sargento (Nelson Matos, Rio de Janeiro, RJ, 25 de julho de 1924-27 de maio de 2021), Candeia (Antônio Candeia Filho, Rio de Janeiro, RJ, 17 de agosto de 1935-16 de novembro de 1978) e Martinho da Vila (Martinho José Ferreira, Duas Barras, RJ, 12 de fevereiro de 1938). Anescarzinho do Salgueiro foi essencialmente um provedor de sambas-enredo para sua escola, sempre em parceria com Noel Rosa de Oliveira ("Descobrimento do Brasil", "Zumbi dos Palmares", "Chica da Silva"). Jair do Cavaquinho, que antes foi Jair do Tamborim, criado na Portela, tem como composições mais conhecidas "Vou partir" (com Nelson Cavaquinho) e "Pecadora" (com Joãozinho). Já Nelson Sargento, ativo sambista e pintor primitivista, é o autor de sucessos como "Nas asas da canção" (com Dona Ivone Lara), "Agoniza mas não morre" e "Falso amor sincero". É considerado por muitos "a memória viva da Mangueira". Um dos mais talentosos sambistas de sua geração, Candeia sobressaiu ainda como ferrenho defensor da cultura negra. Por isso, inconformado com os rumos tomados pelas escolas de samba, abandonou a sua Portela, fundando em 1975, com um punhado de amigos, o Grêmio Recreativo de Arte Negra e Samba Quilombo, do qual foi o primeiro presidente. Morto prematuramente, deixou vários LPs e sucessos, como "Minhas madrugadas" (com Paulinho da Viola), "Amor não é brinquedo" (com Martinho da Vila), "Anjo moreno", "Filosofia do samba" e "Preciso me encontrar". Surgido no final da década de 1960, Martinho da Vila notabilizou-se como estilizador do partido-alto e reformulador do samba-enredo, ao qual imprimiu maior dinâmica. Agraciado com o Prêmio Sharp em 1991, tem como grandes sucessos "Pra que dinheiro", "Casa de bamba", "Pequeno burguês", "Distritmia", "Você não passa de uma mulher" e sambas-enredo como "Iaiá do Cais Dourado" (com Rodolfo de Souza), "Sonho de um sonho" (com Rodolfo e Graúna) e "Pra tudo se acabar na quarta-feira". Também um batalhador pela cultura negra, é entre os sambistas de sua geração o que mais gravou, tendo lançado 37 álbuns fonográficos individuais, até 2005. Completam a relação dos que mais contribuíram para a renovação do samba a cantora Elza Soares e o mencionado compositor-cantor Zé Kéti. Filha de um operário e de uma lavadeira, Elza (Elza Conceição, Rio de Janeiro, RJ, 23 de junho de 1937) criou-se no morro, onde casou e foi mãe aos 13 anos e aprendeu a cantar samba para valer. Em 1959, depois de passagens por uma orquestra de baile e pela companhia de dança de Mercedes Batista, foi descoberta por Aloísio de Oliveira, que a levou para gravar na Odeon. Atuando nessa empresa pelos seguintes quinze anos, ela viveu a fase de ouro de sua carreira, quando, com sua personalíssima voz rouca e um senso rítmico de inigualável precisão, consagrou-se como uma das mais originais e competentes cantoras de samba de todos os tempos. Memoráveis são suas inúmeras recriações de clássicos, como "Se acaso você chegasse" (Lupicínio Rodrigues e Felisberto Martins), "Beija-me" (Roberto Martins e Mário Rossi) e "Mulata assanhada" (Ataulfo Alves), que entram para a história do gênero. Já Zé Kéti (José Flores de Jesus, Rio de Janeiro, 16 de setembro de 1921-14 de novembro de 1999), vindo dos anos 50, como foi visto, quando seu samba "A voz do morro" apareceu no filme *Rio 40 graus* e serviu de prefixo ao programa de TV "Noite de Gala", destacou-se na década seguinte por suas atuações em shows, gravações e ativa presença na vida do Zicartola, além da autoria de sucessos como "Diz que fui por aí", "Opinião" e "Acender as velas", entre outros.[33] Faleceu no Rio de Janeiro, RJ, em 20 de janeiro de 2022.

No decorrer da década de 1960, as escolas de samba conquistaram a hegemonia do carnaval carioca, fazendo de seus desfiles sua maior atração. Isso aconteceu com a transformação desses desfiles em espetáculos de grande apelo popular, com suas fantasias e alegorias profusamente coloridas, espetáculos que logo passariam a ser assistidos por milhões de

[33] Iniciantes nos anos 60, destacaram-se nas décadas seguintes os compositores-cantores de samba Mauro Duarte (1930-1989), Monarco (Hildemar Muniz, 1933-2021), Nei Lopes (Nei Brás Lopes, 1942), Noca da Portela (Osvaldo Alves Pereira, 1932), Walter Alfaiate (Walter Nunes de Abreu, 1930-2010), Wilson Moreira (Wilson Moreira Serra, 1936-2018) e Dona Ivone Lara (Ivone Lara da Costa, 1922-2018).

pessoas através da televisão. Tal hegemonia também se estendeu à área musical — todos os artistas focalizados neste capítulo pertencem ou pertenceram a escolas de samba —, com os sambas-enredo substituindo os sambas e marchinhas tradicionais, a partir de 1971.

A princípio, na época da Praça Onze, cada escola cantava três sambas no desfile (podiam ser dois): o primeiro na entrada, para "esquentar", o segundo e principal, na passagem diante da comissão julgadora, e o terceiro, na saída, para manter a unidade. Embora não tivessem obrigação de focalizar o enredo, aos poucos firmou-se essa prática,[34] que se consolidaria no final dos anos 40. Então, em 1952, quando se fundiram a Federação e a União das Escolas de Samba, formando a Associação das Escolas de Samba, o regulamento dos desfiles passou a exigir que as composições tivessem uma adequação aos enredos, oficializando assim essa nova modalidade de samba.

Os sambas-enredo podem ser descritivos ou interpretativos. Os descritivos, como sugere o termo, têm um feitio explicativo, procurando mostrar o enredo em detalhes, por vezes de forma exagerada, o que resulta em prejuízo à qualidade poética. Os interpretativos limitam-se a expor a essência do enredo, sem entrar em detalhes. Dos primeiros é exemplo "Sessenta e um anos de República" (de Silas de Oliveira e Mano Décio da Viola, Império Serrano, 1950) e dos segundos, "Os sertões" (Edeor de Paula, Em Cima da Hora, 1976).

Maior compositor de samba-enredo, Silas de Oliveira (Silas de Oliveira Assunção, Rio de Janeiro, RJ, 4 de outubro de 1916-20 de maio de 1972) foi também seu sistematizador. Tendo começado na escola Prazer da Serrinha, para a qual fez os sambas "Conferência de São Francisco" (1946) e "Os bandeirantes" (1948), ambos com Mano Décio da Viola, passou-se em seguida para o Império Serrano, onde no período 1951-1972 compôs o melhor de sua obra, os sambas-enredo cujos padrões seriam adotados pelo gênero. São destaques em seu repertório composições como "O caçador de esmeraldas" (com Mano Décio, 1956), "Aquarela brasileira" (1964), "Os cinco bailes da história do Rio" (com Dona Ivone Lara e Bacalhau, 1965), "Heróis da liberdade" (com Mano Décio e Manoel Ferreira, 1969) e o citado "Sessenta e um anos de República". Na

[34] Exemplos pioneiros dessa prática são os sambas da Unidos da Tijuca em 1933, o "Homenagem", aos poetas Castro Alves, Olavo Bilac e Gonçalves Dias (de Carlos Cachaça), cantado pela Mangueira em 1934, e o "Natureza bela" (de Henrique Mesquita), novamente da Unidos da Tijuca, em 1936, o único dos três a ser gravado na era dos discos de 78 rotações (por Gilberto Alves em 1941).

verdade, Silas tinha talento para compor seus sambas sozinho, sendo as parcerias, muitas vezes, mera concessão.

Outros bons compositores do gênero são os já mencionados Anescarzinho do Salgueiro e Martinho da Vila; o inovador Zuzuca (Adil de Paula), que, explorando um refrão curto ("Ô-lê-lê, ô-lá-lá/ pega no ganzê, pega no ganzá"), e por isso criticado por puristas, caiu no gosto do povo com "Festa para um rei negro" (Salgueiro, 1971); e o Didi (pseudônimo do advogado e procurador federal Gustavo Adolfo de Carvalho Baeta Neves), da União da Ilha do Governador, que distinguiu-se como um dos mais férteis e inspirados autores de sambas-enredo — como "O amanhã" (assinado por João Sérgio, 1978), "O que será?" (com Aroldo Melodia, 1979) e "É hoje" (com Mestrinho, 1982) —, alcançando grande sucesso, inclusive fora do carnaval.

Além dos citados, podem figurar numa seleção de grandes sambas-enredo, até o final do século XX, composições como "Exaltação a Tiradentes" (de Mano Décio da Viola, Penteado e Estanislau Silva, Império Serrano, 1949), "O grande presidente" (de Padeirinho, Mangueira, 1953), "O mundo encantado de Monteiro Lobato" (de Darci, Hélio Turco, Jurandir, Dico e Batista, Mangueira, 1967), "Bahia de todos os deuses" (de Bala e Manoel, Salgueiro, 1969), "Ilu Ayê" (de Norival Reis e Cabana, Portela, 1972), "A festa do divino" (de Nezinho, Tatu e Campo, Mocidade Independente, 1974), "Macunaíma" (de David Correia e Norival Reis, Portela, 1978), "Bum bum paticumbum prugurundum" (de Beto Sem Braço e Aloísio Machado, Império Serrano, 1982), "Yes, nós temos Braguinha" (de Jurandir, Hélio Turco, Comprido, Arroz e Jajá, Mangueira, 1984), "Kizomba, festa de uma raça" (de Rodolfo, Jonas e Luís Carlos da Vila, Vila Isabel, 1988) e "Liberdade, liberdade, abre as asas sobre nós" (de Niltinho Tristeza, Preto Joia, Vicentino e Jurandir, Imperatriz Leopoldinense, 1989).

Naturalmente, é de importância fundamental para o sucesso de um samba-enredo, além de sua qualidade poética e musical, o desempenho de quem o interpreta. Possuidores dos requisitos exigidos para essa tarefa — voz possante, boa afinação e, sobretudo, fôlego inesgotável , consagraram-se, com a popularização do gênero, puxadores de sambas como Jamelão (Mangueira) — que detesta o termo puxador —, Neguinho da Beija-Flor (Luís Antônio Feliciano Marcondes), Dominguinhos do Estácio, Rico Medeiros (Salgueiro), Aroldo Melodia, Paulinho Mocidade e David Correia, entre outros. Esses cantores gozam em suas escolas de prestígio por vezes até superior ao dos melhores compositores.

53.
DEPOIS DOS FESTIVAIS

Boa parte da efervescência musical dos anos 60 passou à década seguinte, com a consolidação da carreira dos revelados no período e a chegada de novos valores. Assim, ao lado de craques — Chico Buarque, Milton Nascimento, Caetano, Gil, Gonzaguinha, Ivan Lins —, tiveram influência marcante na música popular da nova década artistas como Alceu Valença, Djavan, João Bosco, Fagner, Tim Maia e outros, que entraram para a história como a "geração do sufoco", por terem surgido no momento de maior repressão da ditadura.

Uma das características mais evidentes dos anos 70 foi a expansão dos regionalismos musicais, em nível nunca antes registrado. Pioneiros representantes desse fenômeno foram os Novos Baianos, conjunto vocal-instrumental que chegou ao sucesso justamente quando se apagavam as luzes dos festivais. Sua história começou em 1967 na pensão de dona Maritá, em Salvador, onde Galvão (Luís Dias Galvão, Juazeiro, BA, 1937) procurou Moraes Moreira (Antônio Carlos Moreira Pires, Ituaçu, BA, 8 de julho de 1947-Rio de Janeiro, RJ, 13 de abril de 2020), para que este musicasse algumas de suas letras. Sugerido por Tom Zé, o encontro resultou num completo entrosamento do compositor com o letrista, formando os dois, além da parceria musical, o núcleo criador dos Novos Baianos. Isso porque logo juntaram-se à dupla Paulinho Boca de Cantor (Paulo Roberto Figueiredo de Oliveira, Santa Inês, BA, 28 de junho de 1946) e a garota Bernadete (Bernadete Dinorah de Carvalho, Niterói, RJ, 18 de julho de 1952), neta de baianos, que adotaria o nome de Baby Consuelo, e mais tarde Baby do Brasil. Este quarteto realizou em 1968 seu espetáculo de estreia, *O desembarque dos bichos depois do dilúvio universal*, deslocando-se a seguir para São Paulo, a fim de defender no quinto festival da Record a composição "De Vera" (de Moraes e Galvão) e em 1970, já com o título de Novos Baianos, gravar *É ferro na boneca*, seu primeiro LP.

Obedecendo orientação do ídolo e conterrâneo João Gilberto, os Novos Baianos enfronharam-se então no samba e no choro e, mesclan-

Moraes Moreira, Luiz Galvão e Paulinho Boca de Cantor, em 1969.

do esses ritmos com o pop-rock que praticavam, estouraram nas paradas de 1972 com o LP *Acabou chorare*. Neste disco — cujos maiores sucessos foram "Preta pretinha" (Moraes e Galvão), "Besta é tu" (Pepeu, Moraes e Galvão) e o antigo samba-exaltação "Brasil pandeiro" (Assis Valente) — o conjunto apresentou sua melhor formação: Moraes (vocal e violão), Paulinho Boca de Cantor (vocal e pandeiro), Baby Consuelo (vocal e percussão), Pepeu (Pedro Aníbal de Oliveira, Salvador, 1952 — guitarra, violão, bandolim e claviola), Jorginho (Jorge Eduardo de Oliveira Gomes — guitarra, cavaquinho, bateria e bongô), Dadi (Eduardo Magalhães de Carvalho — baixo e violão), Baixinho (José Roberto Martins Macedo — bateria e bumbo) e Bolacha (Carlos Alberto Oliveira — bongô e percussão). Com essa formação os Novos Baianos viveram sua grande fase (1972-1975), que rendeu quatro discos. Mais do que um conjunto musical, eles constituíram no período uma comunidade naturalista, morando todos juntos, com suas mulheres e filhos, num sítio (O Cantinho do Vovô) no subúrbio carioca de Jacarepaguá.

Embora tenha gravado mais três LPs, o grupo começou a dispersar-se em 1975 (extinguiu-se em 1979), com Pepeu, sua mulher na época,

Baby Consuelo, Paulinho Boca de Cantor e Moraes Moreira seguindo carreiras solo, enquanto o baixista Dadi passava a liderar o conjunto instrumental A Cor do Som. Dos cinco, o mais bem-sucedido foi Moraes, que se firmou como compositor-cantor, tornando-se um dos principais responsáveis pelo crescimento do moderno carnaval de rua baiano, ao fixar com suas alegres composições um tipo de música utilizado pelo legendário Trio Elétrico, de Dodô e Osmar. Além das mencionadas canções com Galvão, ele é o autor de sucessos como "Pombo correio" (com Dodô e Osmar), "Festa do interior" (com Abel Silva) e "Lá vem o Brasil descendo a ladeira" (com Pepeu).

Também baianos projetados nos anos 70 são o bandolinista Armandinho (Armando Macedo, Salvador, BA, 1953), filho de Osmar, do Trio Elétrico; o trovador-compositor Elomar Figueira de Melo (Vitória da Conquista, BA, 1937), que revela influências medievais em suas cantigas sertanejas; a dupla de compositores-cantores Antônio Carlos (Antônio Carlos Marques Pinto, Salvador, BA, 1945) e Jocafi (José Carlos Figueiredo, Salvador, BA, 1944); e as cantoras Maria Creuza (Maria Creuza Silva Lima, Esplanada, BA, 1944) e Simone (Simone Bittencourt de Oliveira, Salvador, BA, 25 de dezembro de 1949).

Outros estados do Nordeste ofereceram também importante contribuição para a música dos anos 70. Assim, de Pernambuco vieram Alceu Valença, Geraldo Azevedo, Naná Vasconcelos e o Quinteto Violado; da Paraíba, Zé Ramalho, Elba Ramalho e Vital Farias; de Alagoas, Djavan; enquanto do Ceará chegava um maior contingente: Fagner, Belchior, Ednardo, Rodger, Tetty, Cirino, Fausto Nilo, Petrúcio Maia e, mais tarde, a cantora Amelinha.

Nascido em São Bento do Una, PE, em 1º de julho de 1946, e criado em Recife, Alceu Paiva Valença entrou para a música aos 22 anos, cantando, compondo e participando de shows e festivais. Artista altamente influenciado pelas tradições cênicas e musicais de seu estado, consagrou-se realizando a fusão dessas manifestações com o pop-rock. São seus os sucessos "Tropicana" e "Pelas ruas que andei" (com Vicente Barreto), "Como dois animais" e "Coração bobo", entre outros. Amigo de Alceu, com quem fez dupla e dividiu seu LP de estreia, o compositor, cantor e violonista virtuose Geraldo Azevedo de Amorim (Petrolina, PE, 11 de janeiro de 1945) preferiu uma linha mais lírica, ao mesmo tempo nordestina e universal. Disso são exemplos suas canções "Dia branco" (com Renato Rocha), "Barcarola do São Francisco" (com Carlos Fernando) e

"Canção da despedida" (com Geraldo Vandré). Colega de Geraldo Azevedo no Quarteto Livre, Naná Vasconcelos (Juvenal de Holanda Vasconcelos, Recife, PE, 2 de agosto de 1944-9 de março de 2016) é um percussionista-compositor de brilhante carreira, tendo atuado por vários anos nos Estados Unidos e em países europeus. Completa o escrete pernambucano o Quinteto Violado, conjunto vocal-intrumental que tem como formação principal Toinho (Antônio Alves — vocal, baixo acústico e direção musical), Marcelo (Marcelo Melo — vocal, violão e viola), Fernando (Fernando Filizola — viola), Sando (Alexandre Johnson dos Santos — flauta) e Luciano (Luciano Lima Pimentel — percussão). Dedicado inteiramente ao repertório nordestino, o Quinteto Violado ostentava no final do século uma discografia de trinta álbuns no Brasil e seis no exterior, dez turnês internacionais e várias premiações Shell e Sharp.

Ligado aos vizinhos pernambucanos — Alceu e Geraldo participaram de seu disco de estreia —, o compositor-cantor Zé Ramalho (José Ramalho Neto, Brejo da Cruz, PB, 3 de outubro de 1949) é mais um dos cultores da canção nordestina eletrificada e incorporada à área pop. Só que, delirante e apocalíptico, Ramalho dá a algumas de suas principais composições — "Admirável gado novo", "Eternas ondas", "A terceira lâmina" — um certo tom surrealista, que ninguém melhor do que ele sabe realçar, com sua voz rude e cavernosa. Já sua prima Elba Ramalho (Elba Maria Nunes Ramalho, Conceição do Piancó, PB, 17 de agosto de 1951) é a grande estrela da canção nordestina nas décadas finais do século. Cantora e atriz, de postura ousada e hiperativa, ela reinou nas paradas dos anos 80, interpretando com seu canto agreste sucessos como "Bate coração" (de Cecéu), "Banho de cheiro" (de Carlos Fernando) e "De volta pro aconchego" (de Dominguinhos e Nando Cordel), mostrando ainda o seu lado urbano na canção "O meu amor" (de Chico Buarque), em memorável dueto com Marieta Severo. Autor de uma das joias do repertório de Elba, "Ai que saudade de ocê", o compositor Vital Farias (Taperoá, PB, 23 de janeiro de 1943) é também um ótimo violonista e menestrel de muitas outras cantigas ("Veja", "Canção em dois tempos", "Do jeito natural").

Credenciado pela formação em Alagoas de um conjunto denominado Luz-Som-Dimensão, conhecido como LSD, que imitava os Beatles, Djavan (Djavan Caetano Viana, Maceió, 27 de janeiro de 1949) estreou no Rio em 1973, cantando na boate Number One. Dois anos depois, começaria a se tornar conhecido, classificando em 2º lugar no festival Abertura, da Globo, a canção "Fato consumado". Daí, até o início da década de 1980, formou seu multifacetado estilo, de melodias elaboradas e letras sintéticas, que reúne influências do jazz, do rock e da moderna música brasileira. Representativas de seu trabalho são as composições "Açaí", "Álibi", "Oceano", "Samurai", "A ilha" e a precursora "Flor de lis". Dono de ampla e refinada discografia, Djavan é considerado pelo crítico musical Tárik de Souza "o último moicano da era de fastígio da MPB".

Do chamado Pessoal do Ceará, destacaram-se Fagner, Belchior e Ednardo. Meio árabe por parte do pai e índio por parte do avô materno, Raimundo Fagner Cândido Lopes (Orós, CE, 13 de outubro de 1950) é um artista versátil, irriquieto, ao mesmo tempo regional e universal, que diversifica suas atividades em realizações, como musicar versos de poetas consagrados, enfronhar-se no conhecimento da música flamenca e promover músicos e cantores de sua região. Autor de sucessos como "Mucuripe" (com Belchior), "Cavalo-ferro" (com Ricardo Bezerra) e "Esquecimento" (com Brandão), foi com seu canto rascante e arrebatado que mais se projetou, interpretando composições como "Noturno" ("Ai, coração alado..."), de Graco e Caio Silva, e "Um homem também chora" ("Guerreiro menino"), de Luiz Gonzaga Júnior. Parceiro de Fagner em "Mucuripe", como foi dito, Belchior (Antônio Carlos Gomes Belchior Fontenele Fernandes, Sobral, CE, 26 de outubro de 1946-Santa Cruz do Sul, RS, 30 de abril de 2017) viveu o auge da carreira em 1976, com o LP *Alucinação*. Assumindo o papel de bardo descrente da sociedade, ele lançou neste disco veementes canções que questionavam o conformismo de sua geração ("Como nossos pais", "Velha roupa colorida"), a alienação política ("Alucinação") e a latinidade desiludida ("Apenas um rapaz latino-americano"). De carreira mais modesta é o experimentador Ednardo (José Ednardo Soares Costa Souza, Fortaleza, CE, 17 de abril de 1945), que tem como grande sucesso "Pavão misterioso", uma composição inspirada numa imaginosa história de cordel, que cantada por ele foi tema musical da novela televisiva, surrealista, "Saramandaia".

Outros estados, fora do eixo Rio-São Paulo, que também marcaram presença na música dos anos 70 foram Minas Gerais, Rio Grande do Sul, Pará e Mato Grosso do Sul. Formado essencialmente por componentes do chamado Clube da Esquina — Fernando Brant, Ronaldo Bastos (um "mineiro" nascido em Niterói, RJ, em 1948), Márcio Borges (Márcio Hilton Fragoso Borges, Belo Horizonte, 1946) e Lô Borges (Salomão Borges Filho, Belo Horizonte, 1952), já apresentados, mais Toninho Horta

(Antônio Maurício Horta de Melo, Belo Horizonte, 1948), Beto Guedes (Alberto de Castro Guedes, Montes Claros, MG, 1951), Nelson Ângelo (Nelson Ângelo Cavalcânti Martins, Belo Horizonte, 1949), Flávio Venturini (Flávio Hugo Venturini, Belo Horizonte, 1949), Tavito (Luís Otávio de Melo Carvalho, Belo Horizonte, 1948) e Tavinho Moura —, o numeroso contingente mineiro é fortemente ligado e influenciado pela figura de seu ídolo Milton Nascimento, o que não impede seus integrantes de se destacarem em importantes trabalhos autônomos. Assim, por exemplo, o violonista-compositor Toninho Horta, autor da obra-prima "Beijo partido", desenvolveu brilhante estilo próprio em carreira no país e no exterior, enquanto Flávio Venturini levou seu rock ao sucesso com os conjuntos O Terço e 14 Bis.

A música popular gaúcha fez-se representar na onda expansionista regionalista, mesclada ao pop-rock da época pelos irmãos Kleiton e Kledir. Ex-integrantes do grupo Almôndegas e atuando em dupla a partir do final dos anos 70, os compositores, cantores e multi-instrumentistas Kleiton Alves Ramil (Pelotas, RS, 1951) e Kledir Alves Ramil (Pelotas, RS, 1952) faturaram vários sucessos como "Fonte da saudade", "Tô que tô" e "Nem pensar". Do extremo oposto do país, a cantora Fafá de Belém (Maria de Fátima Palha Figueiredo, Belém, 10 de agosto de 1956) revelou com sua graça exuberante os encantos da música amazônica, do pioneiro Valdemar Henrique aos renovadores Paulo André e Rui Barata. Finalmente, do Mato Grosso do Sul veio Tetê Espíndola (Teresinha Maria Miranda Espíndola, Campo Grande, 11 de março de 1954), a cantora-compositora de timbre superagudo que, no dizer do poeta Augusto de Campos, "tem pássaros na garganta". Lançada em disco pela Polygram em 1978, Tetê tornou-se a intérprete preferida de Arrigo Barnabé, passando a dedicar-se a experimentalismos vanguardistas.

Com a retirada de cena da Jovem Guarda e a desintegração dos Mutantes, o rock brasileiro viveu na década de 1970 uma fase de pouco brilho, em que só reluziram as estrelas de Raul Seixas, de Rita Lee, de Erasmo Carlos e do trio Secos & Molhados. Roqueiro inveterado desde a adolescência, quando, levado pela idolatria a Elvis Presley, formou seu primeiro conjunto, Raul Seixas (Raul dos Santos Seixas, Salvador, BA, 28 de junho de 1945-São Paulo, SP, 21 de agosto de 1989) é o mais importante precursor do chamado BRock, que deslancharia nos anos 80. De personalidade extravagante, fantasiosa, ao mesmo tempo mística e contestadora, que cultuava o ocultismo e a ficção científica, Raulzito (como era conhecido na Bahia) desfrutou de grande popularidade nos anos de 1973 a 1978, quando lançou sucessos como "Gita" e "Eu nasci há dez mil anos atrás" (com a futura celebridade Paulo Coelho), "Maluco beleza" (com Cláudio Roberto), título que se tornou seu apelido, "Mosca na sopa", "Metamorfose ambulante" e "Ouro de tolo".

Neta pelo lado paterno de norte-americanos, estabelecidos em Santa Bárbara do Oeste, SP, como plantadores de melancia, e de italianos, pelo lado materno, Rita Lee Jones (São Paulo, 31 de dezembro de 1947) é a maior expressão feminina do pop-rock brasileiro. No meio musical desde os 18 anos, quando apresentou-se com três amigas como as Teen Age Singers, ela logo se passou para um sexteto misto, que, reduzido a trio, veio a ser os Mutantes. De 1966 a 1972, o grupo — formado por Rita e os irmãos Arnaldo e Sérgio Dias Baptista — projetou-se gravando discos, participando de festivais, integrando-se ao Tropicalismo e antecipando o que deveria ser o BRock. *Mutantes e seus cometas no país dos Baurets*, LP lançado em maio de 1972, foi o último de Rita com o conjunto. Destacada integrante e coautora de seus dois maiores sucessos — "Ando meio desligado" (com Arnaldo e Sérgio) e "Balada do louco" (com Arnaldo) —, ela deixou então o trio para iniciar uma carreira independente, ao mesmo tempo em que desfazia seu casamento com Arnaldo Baptista, depois de anos de atritos e reconciliações. Em 1978, já com cinco LPs gravados (sem os Mutantes) e os sucessos "Refestança" (com Gilberto Gil), "Arrombou a festa" (com Paulo Coelho) e "Ovelha negra", Rita Lee iniciou a melhor etapa de sua carreira, ao se tornar parceira do músico-compositor Roberto de Carvalho, com quem se casou. Marcam essa fase sucessos como "Mania de você", "Chega mais", "Lança perfume", "Banho de espuma" e "Cor de rosa choque" (com Roberto), além de "Baila comigo" (sozinha), todos eles de melodias fáceis, animadas, dançantes e letras maliciosas, bem-humoradas, por vezes sarcásticas, que levaram ao auge a popularidade da cantora e da compositora. Embora sem jamais deixar de gravar — ganhou em 1996 o Prêmio Shell pelo conjunto da obra e, na virada do século, o Grammy latino de melhor disco de rock com o CD *3001* — Rita Lee diversificou bastante suas atividades a partir dos anos 90, escrevendo livros infantis, comandando programas de rádio e televisão e participando de filmes e telenovelas.

Formado pelo cantor Ney Matogrosso (Ney de Souza Pereira, Bela Vista, MT, 1º de agosto de 1941) e os cantores-compositores Gerson Conrad (São Paulo, 1952) e João Ricardo (João Ricardo Carneiro Teixeira Pinto, Ponte do Lima, Portugal, 1949), o grupo Secos & Molhados

Os mutantes Arnaldo Baptista, Rita Lee e Sérgio Dias, em 1969.

passou de forma vertiginosa pela música brasileira no ano de 1973. Então, das performances explosivas que marcaram seu êxito efêmero, ficou apenas a voz incomum de Ney Matogrosso, que, cantando um refinado repertório, desenvolveu prestigiosa carreira.[35]

Segundo alguns historiadores, a chamada soul music nasceu no final dos anos 40, sendo derivada da música gospel e do blues, datando de

[35] Outros nomes do pop-rock brasileiro nos anos 70: Almôndegas, The Bubbles (depois A Bolha), Casa das Máquinas, Frenéticas, Joelho de Porco, Lúcia Turnbull, Made in Brazil, Sá, Rodrix e Guarabira, Som Nosso de Cada Dia, O Terço, Veludo Elétrico (depois Veludo), Vímana e, na área romântica, Fábio Júnior e Guilherme Arantes, além, naturalmente, de Roberto e Erasmo Carlos.

1953 seu primeiro sucesso, a canção "Crying in the Chapel" (de Arthur Glenn), gravada pelo grupo The Orioles. Já o soul brasileiro só se faria ouvir dezessete anos depois, quando seu expoente máximo, o cantor-compositor Tim Maia apresentou-se no LP *Em pleno verão*, de Elis Regina, cantando com ela "These Are the Songs", de sua autoria. Décimo oitavo de dezenove irmãos, Tim (Sebastião Rodrigues Maia, Rio de Janeiro, 28 de setembro de 1942-Niterói, RJ, 15 de março de 1998) passou a infância entregando marmitas da pensão de sua família e ouvindo música no rádio. Em 1959, quando já participara de dois conjuntinhos de rock — um dos quais os mencionados Sputniks —, o candidato à fama partiu para uma temerária aventura nos Estados Unidos. Assim, durante cinco anos, nosso herói sobreviveu em Nova York faxinando, lavando pratos, dando duro como balconista e, nas horas vagas, fumando maconha, transgressão que lhe custou seis meses de cadeia e uma deportação de volta à pátria... Mas essa temporada foi proveitosa para sua familiarização *in loco* com a música negra norte-americana, por ele talentosamente adaptada a variados ritmos brasileiros, o que lhe ensejou uma destacada carreira de *soulman*. Concorreram ainda para o êxito de Tim Maia seu vozeirão enrouquecido, absolutamente adequado ao canto soul e, do ponto de vista visual, sua corpulenta figura de 130 quilos. São seus sucessos como cantor-compositor "Azul da cor do mar", "Você", "Réu confesso", "Do Leme ao Pontal" e, só como cantor, "Gostava tanto de você" (de Edson Trindade), "Primavera" (de Cassiano e Sílvio Rochael) e "A festa dos Santos Reis" (de Márcio Leonardo), entre outros.

Ainda na corrente soul brasileira, destacam-se Luiz Melodia (Luiz Carlos dos Santos, Rio de Janeiro, RJ, 1951-2017), Cassiano (Genival Cassiano dos Santos, Campina Grande, PB, 1953-Rio de Janeiro, RJ, 2021), o baiano Hyldon (Hyldon de Souza Silva, 1951), o citado Toni Tornado (Antônio Viana Gomes, Mirante do Paranapanema, SP, 1930) e mais adiante Sandra de Sá (Rio de Janeiro, RJ, 1955), além de Ivan Lins, no início da carreira. São sucessos desse pessoal "Pérola negra", "Estácio, holly Estácio" e "Juventude transviada" (de Luiz Melodia); "Primavera" (de Cassiano e Rochael); "A lua e eu" (de Cassiano e Paulo Zdanowski); "Na rua, na chuva e na fazenda" e "As dores do mundo" (de Hyldon); e "Demônio colorido" (de Sandra de Sá).

O prestígio do samba nos anos 70 muito deve à atuação das cantoras Alcione, Clara Nunes e Beth Carvalho — as duas últimas vindas da década anterior —, pertencendo ao seu repertório boa parte dos suces-

Tim Maia (1942-1998), o rei do soul brasileiro.

sos do gênero no período. Alcione (Alcione Nazareth, São Luís, MA, 27 de novembro de 1947), por exemplo, brilhou com "Não deixe o samba morrer" (de Edson e Aloísio), "Gostoso veneno" (de Wilson Moreira e Nei Lopes); Clara com "Tristeza pé no chão" (de Mamão), "Canto de areia" (de Romildo e Toninho), "O mar serenou" (de Candeia); e Beth com "Saco de feijão" (de Francisco Santana) e "Vou festejar" (de Jorge Aragão, Dida e Neoci) e muitos outros.

Grande destaque mereceram também os compositores-cantores João Nogueira, Monarco, Dona Ivone Lara, Nei Lopes e Wilson Moreira. Portelense de primeira, filho de um renomado chorão, João Batista Nogueira Júnior (Rio de Janeiro, RJ, 12 de novembro de 1941-5 de junho de 2000) foi um inspirado compositor — "Nó na madeira" (com Eugênio Monteiro), "Mineira" (com Paulo César Pinheiro), "O homem de um braço só" — e, com seu canto coloquial, ritmicamente preciso, um fiel seguidor da escola que tem Ciro Monteiro como modelo. Daí a identificação de João com figuras como Noel Rosa e Wilson Batista, que rendeu interpretações memoráveis. Outro portelense de raça, o também cavaquinista e percussionista Monarco (Hildemar Muniz, Rio de Janeiro, RJ, 17 de agosto de 1933-11 de dezembro de 2021) sempre compôs sem a preocupação de ser moderno, aproximando-se seu samba da obra de seus velhos ídolos, sem prejuízo da originalidade. Formada na tradição do jongo e do partido-alto, Dona Ivone Lara (Ivone Lara da Costa, Rio de Janeiro, RJ, 13 de abril de 1922-16 de abril de 2018) realizou a façanha de impor-se com sua arte no meio machista, que é o dos compositores de escola de samba, no seu caso o Império Serrano. E não se limitou ao samba-enredo, projetando-se como autora e intérprete de obras-primas como "Sonho meu" e "Acreditar" (com Delcio Carvalho). Advogado, publicitário, ensaísta e, sobretudo, compositor-cantor, Nei Brás Lopes (Rio de Janeiro, RJ, 9 de maio de 1942) alia essas funções à de estudioso da cultura afro-brasileira. Assim, ao mesmo tempo em que escreve livros, supre seu repertório e os de outros cantores com sambas como "Goiabada cascão", "Gostoso veneno" e "Senhora liberdade". Coautor destas três composições e parceiro preferido de Nei, com quem forma uma das mais importantes duplas da história do samba, Wilson Moreira Serra (Rio de Janeiro, RJ, 12 de dezembro de 1936-6 de setembro de 2018) é um compositor com vasta vivência em escolas de samba.[36]

Descendente dos antigos sambas de malandragem, surgiu no final dos anos 70, o sambandido de Dicró (Carlos Roberto de Oliveira, Mesquita, RJ, 14 de fevereiro de 1946-Magé, RJ, 26 de abril de 2012) e Bezerra da Silva (José Bezerra da Silva, Recife, PE, 9 de março de 1927-Rio de Janeiro, RJ, 17 de janeiro de 2005), partideiros que chegaram a realizar um espetáculo-encontro denominado *Os três malandros in concert*, ao lado do malandro maior Moreira da Silva, como foi dito. Dividindo-se entre o humor escrachado (Dicró, principalmente), a malandragem e a crítica social (Bezerra), esse tipo de samba projetou-se com músicas como "Barra pesada" (também conhecida como "Melô da Baixada"), de Dicró e José Paulo, "O barrigudo", de Dicró e Elias do Parque, "Eu sou favela", de Noca da Portela e Sérgio Mosca, "Malandragem, dá um tempo", de Adelsonilton, Popular P e Moacir Bombeiro, e "Bicho feroz", de Tonho, Magrinha e Claudinho Inspiração, sucessos de Dicró, os dois primeiros, e os demais de Bezerra da Silva, que se definia como "o partideiro indigesto do samba".

[36] Outros nomes da área sambística nos anos 70: o cantor Roberto Ribeiro (1940-1996), a cantora Cristina (Maria Cristina Holanda Ferreira) e a cantora-compositora Leci Brandão.

Madrinha do pagode, a cantora Beth Carvalho (1946-2019) revelou vários compositores do gênero.

Sucesso ainda na pródiga década de 1970, foi uma contrafação comercial do samba, chamada "sambão-joia" pelo ensaísta Gilberto Vasconcelos. De melodias cheias de lugares-comuns, esse subgênero vendeu bem, levando às paradas composições como "Porta aberta", de Luís Ayrão (Rio de Janeiro, RJ, 1942), "Retalhos de cetim", de Benito Di Paula (Uday Veloso, Nova Friburgo, RJ, 1941), "Moro onde não mora ninguém", de Canário e Agepê (Antônio Gilson Porfírio, Rio de Janeiro, RJ, 1942-1995) e "Nega do Obaluayê", de Wando (Wanderley Alves dos Reis, Cajuri, MG, 1945-Nova Lima, MG, 8 de fevereiro de 2012), que em seguida migrou para o brega-romântico.

João Bosco (João Bosco de Freitas Mucci, Ponte Nova, MG, 13 de julho de 1946) é um eclético, capaz de compor com desembaraço em ritmos diversos, como a marcha-rancho, o tango, o bolero e principalmente o samba, tudo com sua inconfundível marca pessoal. Um feliz acaso contribuiu para o rápido êxito de sua carreira, quando ele, ainda estudante de Engenharia, conheceu em 1970, indicado por um amigo comum, o poeta Aldir Blanc (Aldir Mendes Blanc, Rio de Janeiro, RJ, 2 de setembro de 1946-4 de maio de 2020), então cursando Medicina, que lhe pareceu o letrista ideal para suas composições, acertando em cheio. Realmente, embora ambos tenham bons trabalhos com outros parceiros, é compondo juntos que melhor rendem, formando uma das grandes duplas de compositores da música brasileira, responsável por memorável sequência de sucessos nos anos 70: os sambas "Bala com bala", "De frente pro crime", "Kid Cavaquinho", "O mestre-sala dos mares", "Incompatibilidade de gênios" e "O bêbado e a equilibrista"; os boleros "Dois pra lá, dois pra cá" e "Falso brilhante"; e a marcha "Rancho da goiabada". Na diversidade dos temas explorados nesse repertório, em que muitas vezes foi usada uma linguagem metafórica para driblar a censura, Aldir soube sempre encontrar as palavras exatas para as ideias sugeridas pela música de João, daí o entrosamento dos dois, cujas canções até parecem criadas por uma só pessoa. Percebendo o valor da dupla, Elis Regina saiu na frente, lançando "Bala com bala" já em 1972.

Estimulado pela realização de eventos, como os festivais da Rede Bandeirantes de Televisão, o choro renovou-se a partir de meados da década de 1970, revelando uma geração que possibilitou o aparecimento de vários conjuntos importantes. Surgiram assim no Rio o Galo Preto, Os Carioquinhas, o Nó em Pingo d'Água, o trio Vibrações e outros mais. Desses, merece registro especial Os Carioquinhas, grupo criado em 1976 e formado por Rafael Rabelo (violão de sete cordas), Maurício Carrilho (violão), Luciana Rabelo (cavaquinho), Celsinho Silva (pandeiro), Célio Alves da Cruz (clarinete), Paulo Magalhães Alves (bandolim) e Mário Florêncio Nunes (percussão). Embora de existência breve, tendo gravado apenas um LP, Os Carioquinhas impressionaram pela qualidade de seus músicos. Foi deste grupo que saíram Rafael Rabelo (Rafael Batista Rabelo, Petrópolis, RJ, 31 de outubro de 1962-Rio de Janeiro, RJ, 27 de abril de 1995), sua irmã Luciana (Luciana Maria Rabelo Pinheiro, Petrópolis, RJ, 1961) e Maurício Carrilho (Maurício Lana Carrilho, Rio de Janeiro, RJ, 26 de abril de 1957) para se projetar como excelentes instrumentistas, sendo Rafael a maior revelação de sua geração.

Em 1978, o bandolinista Joel Nascimento (Rio de Janeiro, RJ, 13 de outubro de 1937), um dos principais sucessores de Jacob, pediu a Radamés Gnattali uma versão da suíte "Retratos", somente para conjunto de choro.[37] Proposta aceita, Joel chamou para acompanhá-lo quatro elementos dos Carioquinhas — Rafael, Maurício, Luciana e Celsinho (Celso José da Silva, Rio de Janeiro, RJ, 3 de abril de 1957) —, mais o violonista Luís Otávio Braga (Belém, PA, 28 de março de 1953). Então, em razão de sua requintada concepção musical, que lhe fora transmitida por Radamés, o conjunto ganhou de Hermínio Bello de Carvalho (produtor da maioria de seus discos e shows) o nome de Camerata Carioca. Na verdade, a convivência do grupo com Radamés foi muito proveitosa para a lapidação dos jovens talentos e satisfação do mestre, um setentão que mantinha acesa a chama de experimentador. Nos anos em que atuou (1979 a 1986), a Camerata lançou cinco LPs, três dos quais com gravações de shows, contando com a participação, além dos músicos citados, do cavaquinista Henrique Leal Cazes (Rio de Janeiro, RJ, 2 de fevereiro de 1959), o percussionista Beto Cazes (Humberto Leal Cazes, Rio de Janeiro, RJ, 13 de março de 1955), o saxofonista-flautista Dazinho (Edgar Gonçalves) e os violonistas João Pedro Borges e Joaquim Santos (Joaquim Antônio Santos Neto).

São destaques também nesse movimento renovador os bandolinistas Déo Rian (Déo Cesário Botelho, Rio de Janeiro, RJ, 26 de fevereiro de 1944), Pedro Amorim (Rio de Janeiro, RJ, 20 de julho de 1958) e Afonso Machado, o trombonista Zé da Velha (João Alberto Rodrigues Maia, Rio de Janeiro, RJ, 1942), que formaria mais adiante dupla com o trompetista Silvério Pontes (Laje do Muriaé, RJ, 1970) e, fora do Rio, os bandolinistas Evandro (Josevandro Pires de Carvalho, João Pessoa, PB, 1932--São Paulo, SP, 1994) e Isaías (Isaías Bueno de Almeida, São Paulo, SP, 1937) e seu irmão, o violonista Israel Bueno de Almeida, em São Paulo, o bandolinista Reco (Henrique Lima Santos Filho, Salvador, BA, 1954), do Clube do Choro de Brasília, o violonista Henrique Annes (Recife, PE, 1946) e o bandolinista Ivanildo Maciel da Silveira (Sanharó, AL, 1932), em Pernambuco. Ainda em atividade nos anos 70, conviveram com esse pessoal veteranos craques como Altamiro Carrilho, Abel Ferreira, Canhoto da Paraíba (Francisco Soares de Araújo), Copinha, Luperce Mi-

[37] "Retratos", suíte para bandolim solista, conjunto de choro e orquestra de cordas: 1º movimento — Ernesto Nazareth, valsa; 2º movimento — Pixinguinha, choro; 3º movimento — Anacleto de Medeiros, schottisch; 4º movimento — Chiquinha Gonzaga, corta-jaca. Dedicada a Jacob do Bandolim, a suíte "Retratos" foi composta por Radamés Gnattali em 1956-1957, sendo gravada em LP (CBS 60099) em 1964, ocasião em que teve no Museu de Belas Artes sua primeira audição.

randa, Orlando Silveira, Paulo Moura, Rossini Ferreira, Waldir Azevedo, César Faria, Jonas Pereira da Silva e os irmãos Dino Sete Cordas e Jorginho do Pandeiro, pertencendo os quatro últimos ao famoso conjunto Época de Ouro.

No final dos anos 50, à época do surgimento da bossa nova, cresceu a popularidade de um tipo de composição poética e musicalmente pobre, marcada por um sentimentalismo exagerado, que acabaria conhecida como canção brega. Utilizando o ritmo do bolero, iniciaram essa moda os cantores Anísio Silva (Caculê, BA, 1920-Rio de Janeiro, RJ, 1989), Altemar Dutra (Aimorés, MG, 1940-Nova York, EUA, 1983) e Orlando Dias (José Adauto Michiles, Recife, PE, 1923-Rio de Janeiro, RJ, 2001), todos eles da Odeon, que assim passava a ombrear-se com a rival RCA, cujo astro Nelson Gonçalves não saía das paradas, cantando músicas de um inesgotável Adelino Moreira. Nessa disputa, constituíram um precioso trunfo para Anísio e Altemar os compositores Evaldo Gouveia e Jair Amorim, que trocaram o samba-canção pelo bolero para tornar-se os grandes provedores de seu repertório.

Beneficiada nos anos 70 pelo crescimento da indústria fonográfica, a canção brega ampliou seus limites, incorporando novos ritmos e ficou mais *kitsch*, antecipando tendências que iriam imperar nas décadas seguintes. Distinguiram-se como autênticos ícones do gênero os cantores-compositores Nelson Ned (Nelson Ned D'Ávila Pinto, Ubá, MG, 1947-São Paulo, SP, 2014), Waldick Soriano (Eurípedes Waldick Soriano, Caetité, BA, 1933-2008), Odair José (Odair José de Araújo, Morrinhos, GO, 1948), Agnaldo Timóteo (Caratinga, MG, 1936-Rio de Janeiro, RJ, 2021) e Cláudia Barroso (Pirapetinga, MG, 1932-Fortaleza, CE, 2015). Bons vendedores de discos, eles foram responsáveis por sucessos como "Não tenho culpa de ser triste" (Nelson Ned), "Eu não sou cachorro não" (Waldick), "Vou tirar você desse lugar" (Odair), "Perdido na noite" (Agnaldo) e "Quem mandou você errar" (Cláudia).[38]

Marcou o final da década de 1970 uma inflação de cantoras, com o aparecimento quase simultâneo de Zizi Possi, Ângela Ro Ro, Marina, Joanna e Fátima Guedes, sendo as quatro últimas também compositoras.

[38] Outros cultores da canção brega: Amado Batista, Evaldo Braga, Fernando Mendes, Gilliard, Gretchen, Lindomar Castilho, Peninha, Reginaldo Rossi, Sidney Magal e a dupla Dom e Ravel.

Após tornar-se conhecida com "Pedaço de mim" (de Chico Buarque), Zizi (Maria Izildinha Possi, São Paulo, SP, 1956), chegou às paradas com a simplória "Asa morena" (de Zé Caradipia), sofisticando seu repertório na continuação da carreira. Transitando pela noite carioca, a blueseira *underground* Ângela Ro Ro (Ângela Maria Diniz Gonçalves, Rio de Janeiro, RJ, 1949) consagrou-se com canções como "Amor, meu grande amor" (sua e de Ana Terra). Autora e intérprete de "Fullgás" e "Charme do mundo" (em parceria com o irmão Antonio Cicero) e de vários outros sucessos, Marina (Marina Correia Lima, Rio de Janeiro, RJ, 1955) desenvolveu um estilo que aproxima a canção romântica do rock, bem adequado à sua voz pequena e sensual. Por sua vez, Joanna (Maria de Fátima Gomes Nogueira, Rio de Janeiro, RJ, 1956) preferiu seguir em suas baladas — "Descaminhos", "Estrela guia" (parceria de Sarah Benchimol) — uma linha romântica que mostra nítida influência de Roberto Carlos. Por fim, Fátima Guedes (Rio de Janeiro, RJ, 1958), embora mais compositora do que cantora, é uma destacada intérprete de seus sucessos ("Cheiro de mato", "Arco-íris", "Lápis de cor").

Essas novatas vinham juntar-se a um grupo de cerca de trinta cantoras, que reunia veteranas divas (Elizeth, Ângela Maria), estrelas do tempo dos festivais (Gal, Bethânia, Elis), sambistas consagradas (Clara, Alcione, Beth Carvalho), popstars (Rita Lee) e revelações mais recentes (Simone, Fafá, Elba), todas em plena atividade no palco, no disco e na televisão. Com esse rico elenco feminino, a situação de nossa música popular em 1980 contrastava com a realidade machista dos anos 30, em que havia dois cantores para cada cantora.

54.
O BROCK, O NEOSSERTANEJO, O PAGODE E OUTRAS NOVIDADES

Foi o sucesso estrondoso de "Você não soube me amar" (de Evandro Mesquita, Ricardo Barreto, Zeca Mendigo e Guto), interpretado pela banda Blitz, que abriu as portas da mídia ao BRock, o rock brasileiro dos anos 80, um movimento que iria marcar fortemente a década. A Blitz começou meio por acaso em fevereiro de 1981, quando o cantor-guitarrista Evandro Mesquita (Rio de Janeiro, RJ, 1952) formou às pressas um grupo para tocar num barzinho recém-inaugurado no bairro carioca de São Conrado. O estouro de "Você não soube me amar" aconteceu ao tempo em que a banda — com três de seus componentes originais, Evandro, o guitarrista Barreto (Ricardo del Priore Barreto, Rio de Janeiro, RJ, 1953) e o baterista-cantor Lobão (João Luís Woerdenbag Filho, Rio de Janeiro, RJ, 1957), mais o tecladista William Forghiere (São Paulo, SP, 1957), o baixista Antônio Pedro Fortuna (Niterói, RJ, 1950) e as vocalistas-dançarinas Márcia Bulcão (Márcia Bulcão de Morais, Rio de Janeiro, RJ, 1963) e Fernanda Abreu (Fernanda Sampaio de Lacerda Abreu, Rio de Janeiro, RJ, 1961) —, então atuando no Circo Voador, gravou-a em seu disco de estreia em meados de 1982. Feita para a peça *A incrível história de Nemias Demutcha*, "Você não soube me amar" é uma composição de letra coloquial e irreverente, mais falada do que cantada, e melodia alegre de qualidade acima da média, tudo muito apropriado ao jeito performático do conjunto. Com um repertório — "A dois passos do paraíso" (de Evandro Mesquita e Ricardo Barreto), "Betty frígida" (de Patrícia Travassos, Antônio Pedro, Evandro Mesquita e Ricardo Barreto) — sempre fiel ao êxito inicial, a Blitz durou três LPs e muitos shows, dissolvendo-se em 1986, para ressurgir anos depois por pouco tempo, tendo alguns de seus integrantes, como Evandro, Fernanda e Lobão, se projetado em carreiras solo.

Aliás, o baterista-compositor-cantor Lobão juntamente com o guitarrista-compositor-cantor Lulu Santos (Luís Maurício Pragana dos Santos, Rio de Janeiro, RJ, 1953) e o cantor-compositor-flautista Ritchie

(Richard David Court, Beckenham, Inglaterra, 1952), egressos do setentista grupo progressivo Vímana, foram figuras importantes para a concretização do BRock, do qual se tornaram artistas dos mais prestigiados. São deles, por exemplo, sucessos como "Cena de cinema" (de Lobão, Marina e Bernardo Vilhena) e "Me chama" (só de Lobão), o bolero pop "Como uma onda" (de Lulu Santos e Nelson Motta), "Tempos modernos" e "Adivinha o que" (só de Lulu) e "Menina veneno", "Casanova" e "Voo de coração" (de Ritchie e Bernardo Vilhena).[39]

Instalado na praia do Arpoador em janeiro de 1982, o Circo Voador foi uma experiência original, que acolheu os mais variados tipos de manifestações artísticas. Durante três meses nessa localização e a partir de 23 de outubro na Lapa carioca, o Circo apresentou ídolos da MPB — Chico Buarque, Caetano Veloso —, iniciantes bandas de rock — Barão Vermelho, Brylho, a mencionada Blitz —, além de grupos teatrais — Banduendes, Manhas & Manias, Tá na Rua — descendentes da trupe Asdrúbal Trouxe o Trombone, da qual também viera o ator Perfeito Fortuna, um dos donos da casa. À mesma época (março de 1982), inaugurava-se em Niterói a roqueira Rádio Fluminense FM, que de imediato se tornou uma ativa parceira do Circo Voador, ajudando-o a formar um público para o emergente BRock. Foi assim, através das ondas da rádio, que muita gente conheceu a música dos novos grupos que participavam das atividades do Circo, como o projeto "Rock Voador", no qual tocaram 258 bandas. Contribuíram ainda para uma rápida ascensão do BRock o apoio de alguns órgãos de comunicação do eixo Rio-São Paulo, como *O Globo*, o *Jornal do Brasil*, a revista *Som Três* e a Rádio Excelsior FM, expandindo-se então o movimento para outros centros, como Brasília, Porto Alegre e Belo Horizonte.

Além da Blitz, destacam-se na numerosa relação dos grupos que constituíram o rock brasileiro dos anos 80 oito bandas que sintetizam, pode-se dizer, o que de melhor foi feito no gênero: Barão Vermelho, Paralamas do Sucesso, Kid Abelha, Titãs, Ultraje a Rigor, RPM, Legião Urbana e Engenheiros do Hawaii.[40] Formado para tocar na Feira da Pro-

[39] Outros nomes de destaque da fase inicial do BRock: Celso Blues Boy, Eduardo Dusek, Léo Jaime, João Penca & Seus Miquinhos Amestrados, Júlio Barroso e seu grupo Gang 90 & As Absurdettes, Herva Doce, Sempre Livre, além da citada Marina Lima.

[40] Outras bandas de sucesso do BRock: Absyntho, Afrodite Se Quiser, Biquíni Cavadão, Brylho, Camisa de Vênus, Capital Inicial, Egotrip, Heróis da Resistência, Inimigos do Rei, Inocentes, Ira!, Magazine, Metrô, Nenhum de Nós, Picassos Falsos, Plebe Rude.

Cazuza (1958-1990) em show do Barão Vermelho no Circo Voador, em 1982.

vidência, no Rio, em novembro de 1981, o Barão Vermelho (nome de um personagem de história em quadrinhos) começou com cinco garotos de classe média que adoravam rock'n'roll: Maurício Carvalho de Barros (Rio de Janeiro, RJ, 1964), tecladista; Guto Goffi (Flávio Augusto Goffi Marquesini, Rio de Janeiro, RJ, 1962), baterista; Roberto Frejat (Rio de Janeiro, RJ, 1962), guitarrista; Dé (André Palmeira Cunha, Rio de Janeiro, RJ, 1965), baixista; e Cazuza (Agenor Miranda de Araújo Neto, Rio de Janeiro, RJ, 1958-1990), vocalista. O mais velho dos cinco (com 23 anos à época da estreia), Cazuza, filho de João Araújo, diretor de gravadora, logo se destacou como inspirado letrista, astro da banda e figura das mais talentosas do BRock. Era também o único que, além de roqueiro, curtia outras formas de música, especialmente os gêneros românticos brasileiros, de forte presença em sua formação. Daí a revelação de uma nova face de sua poesia em composições como a balada "Codinome Beija-Flor" (com Ezequiel Neves e Reinaldo Arias), a bossanovista "Faz parte do meu show" (com Caldeira) e o sambão "Brasil" (com George Israel e Nilo Romero), um brado de repúdio à falta de ética reinante na vida do país. Pertencem essas canções à fase derradeira de sua vida, quando assumiu carreira solo e morreu vitimado pela aids. De grande sucesso com Cazuza — com músicas como "Todo amor que houver nessa vida", "Pro dia nascer feliz" e "Bete Balanço", todas da dupla Frejat-Cazuza —, o Barão Vermelho sobreviveu à sua saída (em 1985) e continuava tocando alto na virada do século, quando ainda conservava três elementos (Frejat, Guto e Dé) da formação original.

Amigos desde o tempo em que moraram em Brasília, Herbert Vianna (João Pessoa, PB, 1961), filho de militar, e Bi Ribeiro (Felipe Ribeiro, Rio de Janeiro, RJ, 1961), filho de diplomata, resolveram formar um grupo de rock ao se reencontrarem no Rio de Janeiro no final dos anos 70. Assim, com Herbert na guitarra, Bi no contrabaixo e, na bateria, Vital Dias, um colega de ambos no Bahiense, um cursinho pré-vestibular, o trio ensaiou por muitos fins de semana, até tomar jeito de um conjunto. Em agosto de 1984, após temporadas vitoriosas no Western Club e no Circo Voador, os Paralamas do Sucesso chegaram ao estrelato com "Óculos" (de Herbert Vianna), o megassucesso de seu segundo LP. Na ocasião, o grupo já se consolidara, com João Barone (Rio de Janeiro, RJ, 1962) no lugar de Vital e Herbert acumulando as funções de vocalista e guitarrista. Nas paradas, com sucessos como "Lanterna dos Afogados" (de Herbert), "O beco" e "Alagados" (de Herbert, Bi e Barone), os Paralamas completaram em alta a década de 1980, prosseguindo pelos anos seguintes, sempre miscigenando gêneros e conquistando espaços, inclusive no exterior. Nem um trágico desastre de ultraleve, em 2001, que deixou Herbert em cadeira de rodas e matou sua mulher, Lucy, foi capaz de tirá-lo da atividade de principal figura do trio.

Inicialmente um sexteto, tendo como núcleo três alunos da PUC — o tecladista George Israel (George Alberto Heilborn Israel, Rio de Janeiro, RJ, 1960), o baixista Leoni (Carlos Leoni Rodrigues Siqueira Júnior, Rio de Janeiro, RJ, 1961) e a vocalista Paula Toller (Paula Toller Amora, Rio de Janeiro, RJ, 1962) —, o Kid Abelha & Os Abóboras Selvagens (depois só Kid Abelha) chegou ao sucesso em 1983, pela costumeira via Circo Voador-Rádio Fluminense FM-gravadora WEA, com a despretensiosa "Pintura íntima" (de Leoni e Paula Toller). No ano seguinte, ostentando sua melhor formação com a inclusão do guitarrista Bruno Fortunato (Rio de Janeiro, RJ, 1956), mais um aluno da PUC, o grupo consolidou seu prestígio ao vender quase 150 mil cópias do LP *Seu espião*, que apresentava os sucessos "Como eu quero" (de Leoni e Paula) e "Fixação" (de Leoni, Paula e Beni), mais a já conhecida "Pintura íntima".

Embora sofrendo a partir de 1986 o desfalque de Leoni, seu melhor compositor, esta banda tipicamente carioca manteria a popularidade pelo tempo afora, tendo lançado em 2005 seu 14º disco de carreira.

Os Titãs (originalmente Titãs do Iê-Iê-Iê), já haviam despertado a atenção pelo sucesso de "Sonífera ilha" (de Branco Melo, Marcelo Fromer, Toni Bellotto, Ciro Pessoa e Carlos Barmak, 1984) e "Televisão" (de Fromer, Bellotto e Arnaldo Antunes, 1985) e pela ocorrência em 1985 do episódio da prisão e condenação de dois de seus integrantes — Antunes e Bellotto —, por porte de heroína, quando em 1986 ganharam a consagração da crítica com *Cabeça dinossauro*, seu terceiro LP. Com este elogiadíssimo disco — que arrasa instituições em petardos sintéticos, como "Igreja" (de Nando Reis), "Família" (de Antunes e Bellotto), "Porrada" (de Antunes e Sérgio Britto) —, os Titãs firmaram-se como uma das grandes bandas do rock brasileiro, condição comprovada pelo LP seguinte, *Jesus não tem dentes no país dos banguelas*. No começo, primando pela diversidade de estilos e, ao atingir o auge, pelo feitio concretista-vanguardista de sua poética — devido especialmente a Antunes —, o conjunto, na opinião do crítico Tárik de Souza, "deu um toque de maturidade e consistência ao BRock, sem perder a leveza adolescente". Da formação básica dos anos 80 — os vocalistas Arnaldo Antunes (Arnaldo Antunes Filho, São Paulo, SP, 1960), Paulo Miklos (Paulo Roberto de Souza Miklos, São Paulo, SP, 1959) e Branco Melo (Joaquim Cláudio dos Reis de Melo Branco, São Paulo, SP, 1962); o tecladista-vocalista Sérgio Britto (Sérgio de Britto Álvares Afonso, Rio de Janeiro, RJ, 1959); os guitarristas Toni Bellotto (Antônio Carlos Liberatti Bellotto, São Paulo, SP, 1960) e Marcelo Fromer (São Paulo, SP, 1961-2001); o baixista-vocalista Nando Reis (José Fernando Gomes dos Reis, São Paulo, SP, 1963); e o baterista Charles Gavin (São Paulo, SP, 1960) —, os Titãs reduziram-se a um quinteto no novo século (Branco, Gavin, Miklos, Britto e Bellotto) em razão da morte de Fromer, atropelado por uma moto, e da opção de Arnaldo e Nando pela carreira solo.

"Inútil", do Ultraje a Rigor, uma composição de crítica mordaz e irreverente à realidade brasileira — "A gente não sabemos escolher presidente/ [...]/ inútil, a gente somos inútil..." — lançada em seu compacto de estreia, acabou entrando para o anedotário político, à época da campanha das Diretas Já, e se tornando o sucesso que deu visibilidade ao grupo. Sempre produzindo música dançante, de letras bem-humoradas, essa banda paulista chegou ativa ao novo milênio, embora o melhor de seu repertório restrinja-se ao início da carreira — "Inútil", "Rebelde sem causa", "Eu me amo", todas de Roger. Integram sua formação básica o cantor-compositor-guitarrista e criador do grupo Roger Rocha Miranda (São Paulo, SP, 1956), o baterista Leospa (Leonardo Galasso, São Paulo, SP, 1955), o guitarrista Carlinhos (Carlos Castelo Branco, São Paulo, SP, 1965) e o baixista Maurício (Maurício Fernando Rodrigues, Porto Alegre, RS, 1961).

Outra importante banda paulista, a RPM (abreviatura de "revoluções por minuto"), liderada pelo cantor e ex-crítico musical Paulo Ricardo Medeiros, o PRM, estourou para a fama em 1985. Aconteceu o estouro em dois tempos: primeiro com um compacto que lançava "Louras geladas" e "Revoluções por minuto" (ambas de Paulo Ricardo e Luís Schiavon) e em seguida num LP, intitulado *Revoluções por minuto*, que, além de repetir as músicas do compacto, apresentava sucessos como "Rádio pirata" e "Olhar 43" (da mesma dupla) e que vendeu 600 mil cópias. No ano seguinte, com novo LP, chamado *Rádio pirata — Ao vivo*, que era a gravação do show homônimo, o RPM superou-se, vendendo 2,2 milhões de discos, um recorde em termos de Brasil. Muito contribuiu para essa fenomenal vendagem uma megaexcursão do show pelo país (270 espetáculos), com plateia estimada em 2 milhões de pessoas. Só que essa repentina e fabulosa ascensão do RPM, com Paulo Ricardo transformado numa espécie de xodó nacional, acabou por subir à cabeça do pessoal, atuando como fator de desagregação do grupo. Daí o surgimento de contínuos desentendimentos artísticos e financeiros entre PRM e o tecladista Schiavon, principal responsável pela qualidade do som da banda, e de ambos com os músicos que a completavam, o baterista Paulo P.A. e o guitarrista Fernando Deluqui. Para piorar a situação, incluía-se nos hábitos da turma o uso constante de drogas. Assim, em agosto de 1987, uma nota assinada por Paulo Ricardo e Luís Schiavon comunicava à CBS o fim do RPM. Inconformada com a perda de tão lucrativos astros (que tinham em vigor contrato de cinco anos), a gravadora conseguiu com muito custo que eles ainda gravassem um LP, *Os quatro coiotes*, sem maior brilho, seguindo a partir daí cada um o seu caminho — Paulo Ricardo, aliás, tornou-se um cantor romântico de sucesso. Nos dias 26 e 27 de março de 2002, Paulo Ricardo de Oliveira Nery de Medeiros (Rio de Janeiro, RJ, 1962), Luís Antônio Schiavon Pereira (São Paulo, SP, 1958), Fernando Deluqui (São Paulo, SP, 1962) e Paulo Antônio Figueiredo Pagni (São Paulo, SP, 1958), gravaram ao vivo para a Universal no teatro Procópio Ferreira, em São Paulo, um CD com os sucessos do RPM.

A Legião Urbana e os Engenheiros do Hawaii são exemplos de bandas bem-sucedidas nascidas fora do eixo Rio-São Paulo. Descendente de um grupo punk, o Aborto Elétrico, a brasiliense Legião Urbana teve como criador e figura principal o cantor-compositor-guitarrista-baixista Renato Russo (Renato Manfredini Júnior, Rio de Janeiro, RJ, 1960-1996), coadjuvado pelo guitarrista Dado Villa-Lobos (Eduardo Dutra Villa-Lobos, Bruxelas, Bélgica, 1965), o baterista Marcelo Bonfá (Marcelo Augusto Bonfá, Itapira, SP, 1965) e o baixista Renato Rocha, o Negrete (Rio de Janeiro, RJ, 1965). Um ícone do rock brasileiro, morto pela aids aos 36 anos, Renato Russo compôs os maiores sucessos do Legião Urbana, entre os quais "Será" (com Dado e Bonfá), "Tédio", "Geração coca-cola", "Eduardo e Mônica" e "Faroeste caboclo" (sem parceiros). Sendo de 1997 o lançamento de seu último disco de carreira, o grupo ganhou no novo século a edição de dois CDs, que apresentam gravações de shows realizados nos anos 90, o que atesta a permanência de seu prestígio. Já os Engenheiros do Hawaii começaram em 1985 em Porto Alegre com os estudantes de Arquitetura Gessinger (voz e guitarra), Maltz (bateria) e Pitz (baixo), mesclando rock com influências da música folclórica gaúcha. A partir de 1987, o trio sofreria inúmeras alterações, porém mantendo sempre em seu comando o fundador Humberto Gessinger (Porto Alegre, RS, 1962), que trocaria a guitarra pelo baixo. Em mais de vinte anos de carreira, os Engenheiros do Hawaii emplacaram sucessos como "Toda a forma de poder", "Terra de gigantes", "A revolta dos dândis I" e "Além dos outdoors", todos com letra e música de Gessinger.

O momento culminante do BRock aconteceu no início de 1985 (de 11 a 20 de janeiro), quando se realizou no subúrbio carioca de Jacarepaguá (Zona Oeste da cidade) o Rock in Rio. Este evento, criado pelo empresário Roberto Medina, que exibiu 90 horas de espetáculos com catorze atrações internacionais (entre as quais Iron Maiden, Queen, Yes, Rod Stewart, James Taylor) e quinze nacionais (Barão Vermelho, Blitz, Paralamas do Sucesso, Lulu Santos, Rita Lee e até artistas de outras áreas), consolidou o prestígio do rock brasileiro, além de entrar para o rol dos grandes acontecimentos musicais mundiais. Uma prova de seu êxito são as cifras impressionantes que alcançou: 1,35 milhão de espectadores, que consumiram, entre outras coisas, 1,6 milhão de litros de bebidas e 900 mil sanduíches.

Mesmo sofrendo forte influência paraguaia e mexicana, a música sertaneja brasileira entrou na segunda metade do século XX tendo ainda a velha moda de viola como gênero básico. Deveu-se a continuação dessa tradição, principalmente, à atuação de figuras como o violeiro Tião Carreiro, os compositores Teddy Vieira e Lourival dos Santos e a cantora Inezita Barroso. Um bigodudo carismático, de temperamento difícil, Tião Carreiro (José Dias Neves, Monte Azul, MG, 1934-São Paulo, SP, 1993) é na opinião de muitos o maior tocador de viola de nossa música. De longa carreira, iniciada na adolescência, teve como principal parceiro Antônio Henrique de Lima, o Pardinho, com quem gravou obras-primas como "Rio de lágrimas" (de sua autoria, com Piraci e Lourival dos Santos). Tião Carreiro foi ainda o intérprete favorito de Teddy Vieira (Teddy Vieira de Azevedo, Itapetininga, SP, 1922-1965), destacado autor de mais de uma centena de composições, morto aos 43 anos em desastre automobilístico. São de Teddy sucessos como "João de barro" (com Muíbo Cury), "Arreio de prata" (com Roque de Almeida e Mário Bernardino) e os popularíssimos "Menino da porteira" (com Luisinho) e "Rei do gado" (sem parceiros). Desde menino um apaixonado pela canção sertaneja, o legendário Lourival dos Santos (Guaratinguetá, SP, 1917-Guarulhos, SP, 1997) acabou por se tornar também um compositor muito importante. Já bem integrado no meio musical, com canções gravadas por artistas como Torres e Florêncio, Palmeira e Biá e as Irmãs Galvão, Lourival viveu os melhores momentos de sua carreira a partir do final dos anos 50, quando passou a compor para e com Tião Carreiro. Pertencem a essa fase sucessos como "Em tempo de avanço", "A viola e o violeiro" e "Pulo do gato", todos com Tião. Paulistana de família tradicional, a cantora, instrumentista, folclorista e atriz Inezita Barroso (Inês Madalena Aranha de Lima, 4 de março de 1925-8 de março de 2015) foi a mais importante figura feminina de nossa música sertaneja. Em diversificada atividade profissional desde 1950 — que inclui, além do canto, a apresentação de programas de rádio e televisão e a participação em filmes —, Inezita gravou em LPs, CDs e discos de 78 rotações tudo o que há de melhor no repertório caipira. Sobressai ainda como intransigente defensora da tradição musical da roça. A propósito, é também importante para a preservação da canção sertaneja a imensa discografia de Tonico (João Salvador Perez, São Manoel, SP, 1919-São Paulo, SP, 1994) e Tinoco (José Perez, Botucatu, SP, 1920-São Paulo, SP, 2012), a mais célebre e duradoura dupla caipira, como foi dito, que gravou centenas de fonogramas em cinquenta anos de carreira.[41]

[41] Outros nomes importantes da música sertaneja tradicional na segunda metade

Com a chegada da bossa nova, seguida do sucesso dos festivais e da Jovem Guarda, ficou a música sertaneja nos anos 60 praticamente restrita ao público interiorano, restando à sua difusão apenas os horários alternativos das emissoras radiofônicas. Foi por essa época que a dupla Tibagi (Oscar Rosa) e Miltinho (Hilton Rodrigues dos Santos) deu os primeiros passos para torná-la mais comercial, aproximando-a da chamada música jovem, em arranjos que incluíam guitarras elétricas e orquestra. Segundo o especialista no assunto Brás Biaggio Baccarin, em entrevista à historiadora Rosa Nepomuceno, "Tibagi e Miltinho tinham estilo próprio e criaram uma escola da qual saíram Belmonte e Amaraí, Léo Canhoto e Robertinho e até mesmo Chitãozinho e Xororó". Assim, ao começar a década de 1970, os citados Léo Canhoto (Leonildo Sachi) e Robertinho (José Simão Alves) já haviam avançado bastante nessa aproximação, com um repertório impregnado de elementos do rock e da folk music, entremeado de efeitos sonoros copiados de filmes de bangue-bangue. Ao mesmo tempo, estreavam um novo visual, misturando roupas de boiadeiro com as de roqueiro: camisas de cores berrantes, abertas no peito, botas, medalhões e óculos escuros. Completavam o visual vastas cabeleiras derramadas sobre os ombros.

No final da década, consolidou-se a divisão da música sertaneja entre modernizadores e tradicionalistas, ganhando força os primeiros na conquista do grande público, com o sucesso de Léo Canhoto e Robertinho, do ex-Jovem Guarda Sérgio Reis, transformado em caipira chique, e de Milionário (Romeu Januário de Matos) e Zé Rico (José Alves dos Santos), cujo LP *Estrada da vida* vendeu 200 mil cópias e inspirou o filme homônimo (de Nelson Pereira dos Santos), estrelado pela dupla. Tudo isso para decepção de artistas como Inezita, Tonico e Tinoco, Vieira e Vieirinha, que, apesar de tudo, sobreviveram em sua carreira, sempre fiéis à tradição. Não pertence, porém, a nenhum desses personagens e sim a uma modesta dupla paranaense, os irmãos José Lima Sobrinho, o Chitãozinho (Astorga, PR, 5 de maio de 1954) e Durval de Lima, o Xororó (Astorga, PR, 30 de setembro de 1957), a façanha de detonar a explosão da música neossertaneja ou pop-sertaneja, como preferem alguns. Fãs de Jacó e Jacozinho, de Roberto Carlos e dos Beatles, os Irmãos Lima, como

do século XX: Almir Sater, Carreirinho (Adauto Ezequiel), Ely Camargo, Helena Meireles, Luizinho (Luiz Raimundo), Renato Andrade, Renato Teixeira, Rolando Boldrin, Roberto Corrêa e as duplas Cascatinha e Inhana, Irmãs Galvão, Jacó e Jacozinho, Pedro Bento e Zé da Estrada, Pena Branca e Xavantinho, Sulino e Marroeiro, Zé Mulato e Cassiano e Zico e Zeca.

Chitãozinho e Xororó: a dupla responsável pela explosão do pop-sertanejo percorreu um longo caminho antes do sucesso.

eram chamados, foram rebatizados de Chitãozinho e Xororó[42] pelo radialista Geraldo Meireles, que os descobrira, já em São Paulo, no programa de calouros de Sílvio Santos. Logo os dois, apadrinhados e orientados por Meireles — que até lhes arranjou uma bolsa numa escola de música —, iniciaram uma carreira profissional, apresentando-se em shows, programas de rádio e televisão e gravando em 1970 seu primeiro LP. Neste disco, intitulado *Galopeira*, Chitãozinho (com 16 anos) e Xororó (com 13) cantaram com suas vozes infantis música tradicional, acompanhados por um conjuntinho, sem a menor chance de utilização de guitarras e outros luxos que gostariam de ter. Até o final dos anos 70, a dupla se man-

[42] O nome Chitãozinho e Xororó foi inspirado na toada "Chintanzinho e Xororó" (de Serrinha e Athos Campos), lançada em disco por Serrinha e Caboclinho em janeiro de 1947. A canção refere-se romanticamente ao pio das aves inhambuxintã e chororó. Segundo o dicionário *Novo Aurélio*, a inhambuxintã (*Crypturellus Tataupa*) tem cabeça e pescoço cinzento-escuros, bico vermelho e dorso bruno-castanho, enquanto o chororó (*Mackenzienae Eachii*) tem plumagem negra com manchas brancas arredondadas e cauda larga e longa.

teve modestamente, excursionando pelo interior, com uma caravana chefiada pelo padrinho, e lançando sem repercussão mais alguns LPs, que apresentavam toadas, guarânias e roquinhos ingênuos. Então, Chitãozinho e Xororó conheceram José Homero Bétio, que passou a produzir seus discos e os levou em 1982 a protagonizar o citado estouro do pop-sertanejo com a canção "Fio de cabelo" (de Darci Rossi e Marciano). Faixa de *Somos apaixonados*, oitavo LP da dupla, essa guarânia é bem representativa de um tipo de composição explorada pelos neossertanejos, que se caracteriza por um romantismo sensual — "um pedacinho dela/ [...]/ aquele fio de cabelo comprido/ já esteve grudado em nosso suor..." —, muito aproximado de determinadas canções de Roberto e Erasmo Carlos. O sucesso proporcionou a Chitãozinho e Xororó o sonzão moderno que tanto desejavam, com o suporte de requintados coros e orquestras, restando-lhes do estilo tradicional somente o canto em terças. A fórmula vitoriosa enriqueceu-se à medida que o tempo avançou, com a adoção de novos equipamentos de luz e som e o estabelecimento de uma estrutura que proporcionaria à dupla a transformação de seus shows em megaespetáculos e a manutenção de uma alta vendagem de discos. Essa condição de superastros alcançada pelos dois continuaria a vigorar na virada do milênio.[43]

O sucesso do pop-sertanejo provocou o surgimento de dezenas de candidatos à fama, dos quais vingaram as duplas João Paulo e Daniel, Leandro e Leonardo e Zezé di Camargo e Luciano, além de cantoras como Roberta Miranda e Sula Miranda, em nível bem mais modesto. João Paulo (José Henrique dos Reis, Brotas, SP, 1960-1997) e Daniel (José Daniel Camilo, Brotas, SP, 1968) estrearam em disco em 1985, embora já cantassem juntos há algum tempo. Admirado por Inezita Barroso, que gostaria de ouvi-lo cantando no estilo tradicional, Daniel e o parceiro preferiram seguir a linha moderna, chegando às paradas com canções como "Dia de visita" (de Moacir Franco) e "Estou apaixonado" (versão de Carlos Colla de "Estoy enamorado", de Estefano e Donato). Após a morte de João Paulo num desastre de carro, Daniel assumiu com sucesso uma carreira solo, a partir de 1997. A mesma sina tiveram Leandro (José Luís da Costa, Goianápolis, GO, 1961-São Paulo, SP, 1998) e Leonardo (Emival Eterno Costa, Goianápolis, GO, 1963), com a morte de Leandro, vitimado por um câncer, e o êxito de Leonardo cantando sozi-

[43] Casado com Noely, filha dos violeiros Zé do Rancho e Mariazinha, Xororó é pai dos cantores Sandy e Júnior (Sandy Leah Lima e Durval de Lima Júnior).

nho. Estourando com o sucesso de "Entre tapas e beijos" (de Nilton Lamas e Antônio Bueno), lançado em seu terceiro LP, em 1989, que vendeu 1 milhão de cópias, os irmãos Leandro e Leonardo alcançaram assim o nível de popularidade de Chitãozinho e Xororó, façanha que confirmaram no disco seguinte com "Pensa em mim" (de Douglas Maio, Zé Ribeiro e Mário Soares), vendedor de 2,5 milhões de exemplares. Mais rápida ainda foi a ascensão de outros dois irmãos goianos, Zezé di Camargo (Mirosmar José de Camargo, Pirenópolis, GO, 1963) e Luciano (Welson David de Camargo, Pirenópolis, GO, 1973), que estouraram logo no primeiro LP, com a música "É o amor" (de Zezé di Camargo), que em 1991 vendeu 1,5 milhão de cópias e mais 1,1 milhão nos anos seguintes, fazendo jus a um disco de diamante. Tal sucesso seria consolidado no decorrer da década com canções como "Saudade bandida" (de Zezé) e "Pare" (de César Augusto e Piska). O curioso é que Zezé tinha tentado a sorte antes, sem resultado, cantando sozinho e em dupla (Zezé e Zazá) com outro irmão (Imeval), que também morreu num desastre. No começo do século XXI, Daniel, Leonardo, Zezé di Camargo e Luciano continuavam firmes em suas carreiras, os dois primeiros desempenhando o papel de cantor-galã, semelhante ao que faziam na Jovem Guarda Wanderley Cardoso e Jerry Adriani.

Originária do sânscrito e significando "templo destinado por alguns países asiáticos ao culto de seus deuses", a palavra "pagode" já era empregada pelos portugueses no século XVI para designar também diversão do povo. Nos anos 50 o termo ressurgiu no Brasil, denominando reuniões festivas em que havia música e dança. Duas décadas depois, com a expansão das rodas de partideiros nos subúrbios cariocas, pagode passou a dar nome a um tipo de samba praticado nessas reuniões, que admite banjo, tantã e repique de mão, e guarda ligeira semelhança com o partido-alto.

A mais importante dessas rodas acontecia na quadra do bloco Cacique de Ramos, liderada pelo presidente da agremiação, Ubirajara Félix do Nascimento, o Bira Presidente, que com Ubirany (seu irmão), Neoci e Jorge Aragão, formaria a partir de 1980 o núcleo do emblemático grupo Fundo de Quintal. Foi com esse pessoal, na quadra da rua Uranus, que Beth Carvalho descobriu o pagode e o apresentou ao grande público em seu LP *De pé no chão*, cuja faixa "Vou festejar" (de Jorge Aragão, Dida e Neoci) tornou-se o maior sucesso do carnaval de 1979. A presença de músicas de pagodeiros no repertório de Beth e a boa acolhida dos discos do Fundo de Quintal animariam a RGE a lançar em 1985 um LP chamado *Raça brasileira*, reunindo cantores como Zeca Pagodinho, Jovelina Pérola Negra, Pedrinho da Flor e Mauro Diniz, que desencadeou a onda do pagode.

Desses cantores, destacaram-se em carreiras solo Zeca e Jovelina, que com Almir Guineto e Arlindo Cruz se tornaram figuras de grande expressão do gênero. Desde a adolescência assíduo frequentador das rodas de partideiros, Zeca Pagodinho (Jessé Gomes da Silva Filho, Rio de Janeiro, RJ, 4 de fevereiro de 1958) é um sujeito talhado para cantar e compor samba, tarefas que sempre desempenhou com o maior prazer. Adepto de um esquema que divide seu repertório em três segmentos — as composições em que é coautor, as novas de autoria alheia e as antigas —, ele emplacou nos primeiros dez anos de carreira sucessos como "SPC", "Cidade do pé junto" e "Pisa como eu pisei", de sua autoria em parceria com Arlindo Cruz (o primeiro), Beto Sem Braço (o segundo) e Beto Sem Braço e Aloísio Machado (o terceiro), "Saudade louca" (de Arlindo Cruz, Franco e Acyr Marques) e "Um dos poetas do samba" (de Mário Sérgio, Caprí e Wilson Moreira). Esgotado o *boom* do pagode, Zeca iniciou em 1995 uma nova fase de sua carreira, trocando de gravadora e firmando-se como um excelente cantor de samba, legítimo continuador da linhagem de Ciro Monteiro e Roberto Silva. Produzido por Rildo Hora, que requintou e diversificou o acabamento de seus discos, ele passou a vender muito mais, entrando nas paradas com sambas como "Se eu sorrir tu não podes chorar" e "Eu vou botar teu nome na macumba", ambos de sua autoria, respectivamente, com Martinho da Vila e Dudu Nobre, "Verdade" (de Nelson Rufino e Carlinhos Santana), "Vai vadiar" (de Monarco e Ratinho) e o megassucesso "Deixa a vida me levar" (de Serginho Meriti e Eri do Cais). No final de 2006, ele chegaria ao 19º disco de carreira, o *Acústico MTV — Gafieira* (aliás, o seu segundo Acústico MTV), em que canta Cartola, Geraldo Pereira, Roberto Martins, além de alguns de seus habituais provedores de repertório, acompanhado por uma numerosa orquestra (32 músicos), tudo sob a direção do maestro Rildo.

A chamada Dama do Pagode, Jovelina Pérola Negra (Jovelina Faria Belfort, Rio de Janeiro, RJ, 1944-1995), revelada aos 41 anos, foi uma espécie de sucessora de Clementina de Jesus. Com sua voz rude, marcou presença no disco com músicas como "Feirinha da Pavuna" (de sua autoria) e "Sangue bom" (de Beto Corrêa e Lúcio Curvelo). Distinguindo-se mais como compositor, Almir Guineto (Almir de Souza Serra, Rio de

Além de reinar no pagode, Zeca Pagodinho é um legítimo continuador da linhagem sambística de Ciro Monteiro e Roberto Silva.

Janeiro, RJ, 1946-2017) tem dezenas de sambas com pagodeiros, como "Lama das ruas" (com Zeca Pagodinho), "Brilho no olhar" (com Celso Leão e Daniel Brasileiro) e "Coisinha do pai" (com Jorge Aragão e Luís Carlos), consagrado por Beth Carvalho. Cantando música alheia, Almir Guineto brilhou com "Insensato destino" (de Acyr Marques, Maurício Lins e Chiquinho), entre outros sucessos. O mesmo pode-se dizer de Arlindo Cruz, fértil compositor, com muita música gravada e vários discos lançados como participante do grupo Fundo de Quintal ou cantando em dupla com o parceiro Sombrinha.

O pagode projetou ainda artistas como o cantor-compositor-instrumentista Jorge Aragão (Jorge Aragão da Cruz, Rio de Janeiro, RJ, 1949), de longa e vitoriosa carreira; o arranjador-compositor-cantor Mauro Diniz, filho de Monarco; os compositores (na maioria também cantores) Sombrinha (Montgomery Ferreira Nunes), Sereno do Cacique (José Sereno de Oliveira), Serginho Meriti, Acyr Marques, Franco e, da nova geração, Dudu Nobre (João Eduardo de Sales Nobre). Beneficiou também sambistas já conhecidos, como Beto Sem Braço, Luís Carlos da Vila, Martinho da Vila, Monarco, Nei Lopes, Nelson Rufino, Noca da Portela e Wilson Moreira, autores de muitas composições gravadas por pagodeiros.

Nos anos 90 surgiu uma variante do gênero, o chamado pagode de butique, de ternos bem-talhados e outros luxos, criado por determinados grupos, paulistas na maioria, praticantes de um samba-pop assemelhado ao sambão joia. Apropriando-se do termo pagode, essa contrafação foi acolhida e explorada com sucesso pelas gravadoras, investindo em grupos como Só Pra Contrariar, Raça Negra e Exaltasamba, entre outros.

A música afro-pop baiana, chamada pela mídia de axé-music, é o encontro da música dos blocos de trio com a música dos blocos afro, ou seja, em linhas gerais, a mistura do frevo-baiano com o samba-reggae. Coube a iniciativa de aproximação dos estilos ao pessoal ligado aos blocos de trio, especialmente os cantores Luís Caldas (Vitória da Conquista, BA, 1962) e Sarajane. Esses dois, considerados por muitos como o pai e a mãe da axé-music, foram os primeiros a lançar composições tidas como embrião do gênero, entre as quais "Fricote" (de Luís Caldas e Paulinho Camafeu), mais conhecida como "Nega do cabelo duro". Gravada por Sarajane e em seguida por Luís, em 1985, "Fricote" fez tanto sucesso que acabou denominando o ritmo que a caracteriza. Dois anos depois, consolidou-se o prestígio da axé-music com o sucesso do samba-reggae "Faraó Divindade do Egito", conhecido como "Faraó" (de Luciano Gomes dos Santos), que projetou a boa cantora Margareth Menezes (Salvador, BA, 1962). Margareth foi a primeira artista do afro-pop baiano a ter oportunidade de exibir-se no exterior, apadrinhada pelo roqueiro David Byrne, produtor de world music. Destacaram-se na fase inicial da axé-music, além dos citados, as bandas Mel (depois Bamdamel), Asa de Águia, Cheiro de Amor, Chiclete com Banana e Reflexu's, o compositor-cantor Gerônimo, um dos primeiros a misturar música caribenha com ritmos do candomblé, o percussionista Neguinho do Samba (Antônio Luís Alves de Souza) e os grandes blocos afro, como o Ilê Ayiê, o Olodum e o Ara Ketu, principais fontes de inspiração da parte rítmica do gênero. A força da música desses artistas, boa parte da qual gravada na Bahia, criou um novo polo fonográfico, fora do eixo Rio-São Paulo, capaz de abastecer uma expressiva faixa do mercado local.

Três cantoras — Daniela Mercury, Ivete Sangalo e a mencionada Margareth Menezes — saíram do carnaval baiano para se projetar nacio-

Daniela Mercury, uma das grandes rainhas do carnaval baiano.

nalmente como as grandes divas da axé-music na última década do século. Daniela (Daniela Mercury de Almeida Póvoas, Salvador, BA, 28 de julho de 1965) celebrizou-se de repente em 1992 com a música "O canto da cidade" (sua e de Tote Gira), título de seu segundo LP. Esse estrondoso sucesso foi confirmado em janeiro do ano seguinte, quando ela reuniu mais de 100 mil pessoas num show no Vale do Anhangabaú, em São Paulo. Cantando e dançando samba-reggae e MPB em geral com extrema vitalidade, Daniela continuaria em forma na virada do milênio, sempre fiel ao seu dendê-style. Sofreria, porém, a partir de 1995, a arrasadora concorrência de Ivete Sangalo, uma seríssima rival na disputa da coroa de rainha da axé-music. Nascida em 27 de maio de 1972 em Juazeiro (BA), Ivete começou a atuar profissionalmente vinte anos depois na

Banda Eva, do bloco homônimo, que em razão de sua presença logo se tornou uma campeã de vendagem de discos. Assumindo a partir de 1999 a carreira solo, na qual continuou adotando a mesma linha de seu repertório inicial ("um repertório de cantora de trio", como ela mesma define), Ivete Sangalo alcançou o auge da popularidade no início do novo século, emplacando sucessos como "Festa" (de Anderson Cunha), seu maior êxito, "Sorte grande" (de Lourenço), mais conhecida como "Poeira", "Canibal" (de sua autoria) e a canção romântica "Se eu não te amasse tanto assim" (de Herbert Vianna e Paulo Sérgio Valle).

Outro astro da música afro-pop baiana é o percussionista, compositor e cantor Carlinhos Brown (Antônio Carlos dos Santos Freitas, Salvador, BA, 23 de novembro de 1962), um dos inventores do samba-reggae, criador e líder da célebre banda-bloco Timbalada, que ostenta mais de uma centena de cantores e instrumentistas, uma atração do carnaval de Salvador. Muito requisitado, Carlinhos já acompanhou em shows e discos artistas como João Gilberto, Caetano Veloso, João Bosco e Djavan, entre outros. Participante de festivais e excursões nos Estados Unidos e vários países europeus, passou a gravar como cantor em 1996, com o disco *Alfagamabetizado*. Em 2002, lançou juntamente com Marisa Monte e Arnaldo Antunes o CD *Tribalistas*, que apresenta treze composições de autoria dos três, entre as quais "Já sei namorar", que, com "Meia lua inteira" e "Rumba de Santa Clara" (as duas sem parceiros) são seus maiores sucessos como compositor.

O dicionário *Novo Aurélio* informa que a palavra ioruba "axé" significa "poder vital, a força, a energia de cada ser e de cada coisa". Já a expressão "axé-music" foi criada pelo jornalista Hagamenon Brito, que, entrevistado por Goli Guerreiro (autora do livro *A trama dos tambores: a música afro-pop de Salvador*), esclareceu: "os roqueiros baianos chamavam esse tipo de música de axé e se referiam aos músicos como 'axeiros', uma coisa pejorativa mesmo. Eu resolvi chamar de axé-music e a imprensa toda começou a usar". Então, o termo "pegou" em todo o país.

Numa entrevista ao *Jornal do Brasil*, em janeiro de 1987, Arrigo Barnabé declarou: "sou um ítalo-caipira, que às vezes tem momentos de genialidade. [...] De 1972 a 1980, compus umas catorze músicas e criei um sistema de composição que é uma mistura de música popular e música erudita moderna. Peguei muito a influência da Escola de Viena, o que ainda não havia sido feito no Brasil. Nazareth se inspirou em Chopin. Tom Jobim, nos impressionistas e em Stravinsky, via Villa-Lobos. Eu peguei o período seguinte ao do Tom". Nascido em Londrina (PR) em 14 de setembro de 1951, Arrigo é o principal personagem de um movimento musical de vanguarda (ele não gosta do termo), surgido em sua cidade natal em 1973 — com o show *Na boca do bode* — e continuado em São Paulo nos anos 80, quando viveu seu período de maior evidência. Na tal mistura do popular com o erudito, a que se refere, Arrigo imprimiu ao seu trabalho um radical experimentalismo, marcado por influências de figuras como Caetano Veloso, os irmãos Campos, Berio, Boulez e Stockhausen. Entre suas obras estão várias trilhas sonoras de filmes, quartetos de cordas, peças de jazz sinfônico e a ópera *Clara Crocodilo*.

Parceiro de palco e de ideias de Arrigo, desde os tempos de Londrina, Itamar Assunção (Francisco José Itamar de Assunção, Tietê, SP, 13 de setembro de 1949-São Paulo, SP, 12 de junho de 2003) foi também um vanguardista radical e experimentador. Embora tachada de hermética, sua obra encontraria boa receptividade nas cantoras populares dos anos 90 Cássia Eller e Zélia Duncan. Marcaram presença ainda nesse movimento os grupos Rumo, de Luís Tatit, Premeditando o Breque e Língua de Trapo e as cantoras Vânia Bastos, Eliete Negreiros e Ná Ozzetti, além da mencionada Tetê Espíndola. O melhor do repertório vanguardista está registrado em discos, como *Clara Crocodilo* e *Tubarões voadores* (de Arrigo Barnabé), *Beleléu leléu e eu*, *Bicho de 7 cabeças* (vols. I, II e III) e *Pretobras* (de Itamar Assunção), *Rumo aos antigos* (do Grupo Rumo), *A voz do Premê* (do Premeditando o Breque) e *Vinte e um anos de estrada* (do Língua de Trapo).

55.
UM PANORAMA DA MÚSICA POPULAR BRASILEIRA NA VIRADA DO MILÊNIO

A black music chegou ao Brasil no início dos anos 70, marcando os trabalhos de artistas como Tim Maia, Toni Tornado, Gerson King Combo (Gerson Rodrigues Côrtes), o soul-sambista Carlos Dafé, o Grupo Abolição de Dom Salvador (Salvador da Silva Filho) e, um pouco adiante, a Banda Black Rio, do saxofonista Oberdan Magalhães, um ex-integrante do Abolição. Ao mesmo tempo, surgia e espalhava-se pelos subúrbios do Rio um determinado tipo de baile, muito do agrado da juventude pobre da cidade, composta na maioria por negros e mestiços. O embrião desse empreendimento, pode-se dizer, foi criado por Anfilófilo de Oliveira Filho, o Dom Filó, a pedido da diretoria do Renascença, clube da comunidade negra carioca, com o propósito de animar o lazer dominical de seus sócios. Então, Dom Filó, membro destacado do Movimento Black, transformou o baile — uma festa sambística — numa festa de música negra americana, novidade muito bem recebida pela garotada que predominava entre os frequentadores.

Na medida em que esse esquema proliferou, estendendo sua prática aos mais diversos pontos do Rio de Janeiro, como os bairros do Méier, Cascadura, Marechal Hermes, Bangu, Zona da Leopoldina e até localidades da Baixada Fluminense, proliferou também o surgimento de novos "Filós", ou seja, de figuras como Big Boy (Newton Duarte), Messiê Limá (Raimundo Lima de Almeida), Mr. Funky Santos (Oséas Moura dos Santos), Ademir Lemos (o Homem-Baile) e o Paulão da Black Power, organizadores e animadores das festas e precursores dos futuros MCs e DJs do funk brasileiro.[44]

Eclipsada na segunda metade dos anos 70 pela *discothèque*, um controvertido modismo musical internacional, que passou a dominar nossos

[44] MC (*master of ceremony*) é o indivíduo que desempenha a função de animador do baile funk, agitando o ambiente, cantando, gracejando, mexendo com os dançarinos, enquanto o DJ (*disc-jockey*) é o operador do som, dono das carrapetas, criador das mixagens e principal integrante da equipe responsável pela música do baile.

bailes suburbanos, a música black começou a reconquistar espaço no período 1979-1984 com a disco-funk, um estilo que misturava funk com *discothèque*. Revigorou ainda esses bailes a chegada do rap (*rhythm and poetry*), um tipo de composição em que a letra é declamada sobre forte base rítmica, e de uma dança chamada break, inspirada em passos de James Brown, superastro da black music, o "*Soul Brother Number One*". Tais inovações eram produtos do hip-hop, um movimento surgido nos bairros negros de Nova York no início dos anos 70, que incluía também o *grafitti*, pichação artística (nem sempre) de muros e fachadas de prédios.

Então nossos DJs foram levados a aprender as técnicas de mixagem de som desenvolvidas pelos americanos, o que lhes possibilitou a feitura de longas e ininterruptas trilhas sonoras dançantes e logo, com o aprimoramento da aparelhagem (os samplers), a confecção de composições com a colagem de trechos de outras composições. Entre esses DJs se destacaria Fernando Luís Matos da Mata, o Marlboro (Rio de Janeiro, RJ, 1963), que se tornou uma das mais importantes figuras de nosso funk, o primeiro a programar numa bateria eletrônica a batida brasileira do gênero.

Em 1982, o americano Afrika Bambaataa (nascido Kevin Donovan), um dos maiorais do hip-hop, revolucionou a black music ao reunir na composição "Planet Rock" a batida densa e repetitiva dos alemães do Kraftwerk, o rap de rua e a música de James Brown. Na verdade, Bambaataa, fascinado por histórias de extraterrestres, criara uma espécie de funk espacial, batizado de electro, que representava um passo à frente na evolução da música eletrônica. Rapidamente familiarizados com o electro, os DJs cariocas acabaram, em meados dos anos 80, introduzindo-o nos bailes suburbanos. Então, com o funk — nome aqui recebido por essa novidade — substituindo o soul, inaugurou-se no Brasil o reinado desse gênero, que marcaria os últimos anos do século XX e os primeiros do XXI, inclusive com implicações extramusicais. Além do "Planet Rock", muito influenciou a criação de nosso batidão o Miami bass, estilo inventado por Tony Butler, um criativo produtor da Flórida. É possível que tenha motivado essa preferência a existência de certa afinidade entre o Miami bass, com suas frequências graves, e o som do surdo das escolas de samba.

Já no final dos anos 80, segundo o antropólogo e pesquisador musical Hermano Vianna, irmão do roqueiro Herbert Vianna e autor do livro *O mundo funk carioca*, realizavam-se no Rio "cerca de 700 bailes (funk) por fim de semana, pelo menos uma centena deles com público superior a 2 mil pessoas". Contando com esse público, o DJ Marlboro produziu em 1989 o LP *Funk Brasil*, com uma seleção de sucessos tocados nos bailes. Como o disco, apesar de malhado pela crítica, vendeu 250 mil cópias, o DJ animou-se a lançar nos anos seguintes os *Funk Brasil* nº 2, 3, 4 e 5, gravações que ajudaram a carreira de figuras como Abdulah, Cashmere, Guto & Cia. e os MCs Paulão e Fat, do Funk Clube, entre outros. Ao mesmo tempo em que Marlboro lançava o *Funk Brasil*, tendo como maior sucesso o "Melô da mulher feia" (versão erótica da composição americana "Do Wah Diddy"), outro DJ, o Grandmaster Raphael (Ângelo Antônio Rafael), lançava o LP *Superquente*, em que se destacaria a "Melô da Funabem". Esses sucessos apresentavam as duas vertentes que predominariam em nosso funk, a erótica ("Melô da mulher feia") e a chamada proibidão ("Melô da Funabem"), que fazia a apologia da violência e da criminalidade. Foram músicas como essas que iniciaram o processo de abrasileiramento do gênero.

Restritos ainda ao meio carioca na primeira metade da década de 1990 — quando se destacaram composições como o "Rap do pirão" (MC D'Eddy), "Feira de Acari" (MC Batata), "Rap da Daniela" (MC Mascote) —, o funk emplacou seus primeiros sucessos nacionais em 1995: "Rap da felicidade" (de Cidinho e Doca), uma composição em louvor do gênero, "Rap das armas" (de Júnior e Leonardo) e "Rap do Borel" (de William e Duda). No ano seguinte, a televisão — até então indiferente ao movimento — muito contribuiu para que alguns artistas de bailes funk alcançassem afinal a categoria de astros pop. Esses artistas foram a dupla Claudinho & Buchecha (respectivamente, Cláudio Rodrigues de Matos e Claucirlei Juvêncio de Souza) e o cantor Latino (Roberto de Souza Rocha), que chegaram às paradas com as românticas "Conquista", "Carrossel de emoções" e "Barco do amor", os primeiros, e "Me leva", "Só você" e "Marcas de amor", o segundo, músicas representativas do estilo classificado como funky melody. Mas, paralelamente ao sucesso do pop melódico, cresceu nos bailes a prática da violência, dos enfrentamentos (com vítimas fatais) de jovens galeras, identificadas com facções criminosas, o que resultou em intervenção policial, com proibições várias, fechamento de clubes e repressão às atividades de algumas equipes de som, promotoras dos eventos.

Voltado cada vez mais para o interior das favelas e com o prestígio lá no fundo do poço, o funk carioca ressurgiu surpreendentemente no ano de 2001, com o estouro de "Cerol na mão", uma maliciosa e sensual composição, marcada pela novidade de um breque que reproduzia o rugido de um tigre. Criada por Marcão Cordeiro Alves, o Tigrão — um ex-participante de um conjunto de pagode, que morreu de enfarte em 2003 —, "Cerol na mão" era apresentada pelo Bonde do Tigrão,[45] um grupo do bairro Cidade de Deus (Zona Oeste do Rio), formado pelos funkeiros Leandrinho, Gustavinho, Waguinho e Tiaguinho, este filho de Marcão.

Na esteira do sucesso desse grupo, surgiu uma vasta série de composições bem-humoradas e de forte apelo erótico — como "Tapinha" (da MC Beth), "Barraco" (da MC Tati Quebra-Barraco), "Vai Serginho" e "Eguinha Pocotó" (do MC Serginho), "Ô simpático" e "Mercenária" (de Mr. Catra), "I feel vinho" (do Bonde do Vinho) e "Vem Cristiane" (de Tan e Cula) —, havendo ainda muitos funks do tipo proibidão, tirados de circulação pela polícia. Dos responsáveis por esses sucessos, ganharam notoriedade, tornando-se as principais figuras do funk carioca no início do novo século a MC Tati Quebra-Barraco (Tatiana dos Santos Lourenço, Rio de Janeiro, RJ, 1979) e o MC Mr. Catra (Wagner Domingues da Costa, Rio de Janeiro, RJ, 1968-São Paulo, SP, 2018). Os dois, juntamente com o DJ Marlboro, teriam a grande e pioneira oportunidade de se exibirem em turnês na Europa.

No começo de 2006, alcançou muito sucesso a canção-pop "Ela só pensa em me beijar" ("Se ela dança, eu danço,..."), projetando seu autor e intérprete, o MC Leozinho (Leonardo Freitas). Essa composição é uma mostra do rumo tomado pelos funks aqui produzidos que, já bem distanciados do modelo Miami bass, passaram a adotar determinadas características melódicas e rítmicas da música brasileira, além de porem em prática uma série de inovações nas técnicas de edição eletrônica. Autor do livro *Batidão: uma história do funk*, o jornalista Sílvio Essinger comentou num ensaio publicado no *site* www.jornalmusical.com.br, em agosto de 2006: "Depois de uma década de mutações, aquela música se podia dizer legitimamente carioca".

Além de contar com um extraordinário grupo de prestigiados veteranos, que continuavam em atividade, como foi visto,[46] a década de 1990 revelou um bom número de cantores, músicos e compositores que mantiveram o alto padrão de nossa música popular. Dos artistas consagra-

[45] No funk, "Bonde" é um grupo formado por um ou mais MCs e um punhado de dançarinos.

[46] Alguns desses veteranos, como o compositor-violonista Guinga (Carlos Althier de Souza Lemos Escobar) e os compositores-cantores José Miguel Wisnik, Moacir Luz e Celso Viáfora, em atividade artística há vários anos, só se projetariam nos anos 90.

dos no período, o maior contingente é o das cantoras-compositoras, comparável em valor e quantidade ao do *boom* feminino dos anos 70. Pertencem à nova safra Marisa Monte, Cássia Eller, Zélia Duncan, Adriana Calcanhotto, Ana Carolina e as mencionadas Daniela Mercury e Ivete Sangalo. Talentosa, tecnicamente bem-preparada, com uma expressiva voz de mezzo-soprano e forte presença cênica, Marisa Monte (Marisa Monte de Azevedo, Rio de Janeiro, RJ, 1º de julho de 1967) sobressai como a mais brilhante dessas divas. Além de integrada à sua geração, inclusive compondo música pop, ela cultiva um eclético e refinado repertório nacional-internacional. Morta no auge da carreira, a original e carismática Cássia Eller (Cássia Rejane Eller, Rio de Janeiro, RJ, 10 de dezembro de 1962-29 de dezembro de 2001) foi na virada do milênio nossa melhor intérprete do pop-rock, categoria em que ganhou postumamente o Prêmio Tim. Já na área pop-romântica os destaques são de Zélia Duncan (Zélia Cristina Duncan Gonçalves Moreira, Niterói, RJ, 28 de outubro de 1964) e Adriana Calcanhotto (Porto Alegre, RS, 3 de outubro de 1965). Também boas compositoras, versáteis, participantes, as duas têm bem-sucedidas incursões em outros gêneros. Por fim, a caçula do grupo, Ana Carolina (Ana Carolina de Souza, Juiz de Fora, MG, 9 de setembro de 1974), uma autêntica popstar, impôs-se com seu canto ousado, agressivo, como uma de nossas cantoras de maior popularidade na abertura do novo século.

Mais modesto é o grupo dos cantores-compositores de maior destaque: Ed Motta, Lenine, Jorge Vercilo. Admirador na adolescência dos metaleiros ingleses, Ed Motta (Eduardo Motta, Rio de Janeiro, RJ, 17 de agosto de 1971), sempre destacou-se em suas composições, combinando o soul, o funk e o rock com elementos da música brasileira, tal como seu tio Tim Maia. Mais tarde, sofisticou-se na criação de temas elaborados (como "Um dom para Salvador"). Adepto também das fusões, o pernambucano Lenine (Osvaldo Lenine Macedo Pimentel, Recife, PE, 2 de fevereiro de 1959) obtém resultados originais, na mistura do pop eletrônico com a música tradicional de sua região. O mais popular dos três, Jorge Vercilo (Jorge Luís Santana Vercilo, Rio de Janeiro, RJ, 11 de outubro de 1968) faz muito sucesso explorando um baladismo pop que revela alguma influência de Djavan e Guilherme Arantes. O pop está, assim, presente na música de todo esse pessoal.[47]

[47] Outros artistas que se destacaram na música popular brasileira nos anos 90: as cantoras Leila Pinheiro, Fernanda Abreu, Ithamara Koorax, Mônica Salmaso e Selma

A MPB continua se renovando nas vozes de Paulinho da Viola, Mart'nália, Marisa Monte e Marcelo D2.

Bem superior ao verificado em décadas anteriores é a quantidade de descendentes de celebridades de nossa música popular, que no final do século assumiram carreiras artísticas. Eis a relação dos herdeiros e de seus pais: o músico, cantor e compositor Moreno Veloso (Caetano Veloso), o violonista Marcel e o pianista Philippe Baden Powell (Baden Powell), o pianista Daniel Jobim (filho de Paulo Jobim e neto de Tom Jobim), os cantores (vários também compositores) Maria Rita e Pedro Mariano (Elis Regina e César Camargo Mariano), Jair Oliveira e Luciana Melo (Jair Rodrigues), Wilson Simoninha e Max de Castro (Wilson Simonal), Sandy e Júnior (Xororó), Carol Sabóia (Antônio Adolfo), Mart'nália (Martinho da Vila), Luciana Souza (Teresa Souza e Valter Santos),

Reis; os cantores-compositores Chico César (Francisco César Gonçalves), Moska (Paulo Corrêa de Araújo), Zeca Baleiro (José Ribamar Coelho dos Santos), Seu Jorge (Jorge Mário da Silva), Sérgio Santos e Marcelo D2; os músicos Andréa Ernst Dias (flauta), Carlos Malta, Paulo Sérgio Santos e Nailor Proveta (multissopros), Leandro Braga e Benjamin Taubkin (piano), Vittor Santos (trombone), Yamandu Costa (violão) e Zé Nogueira (saxofone); e os grupos Pedro Luís e a Parede, Aquarela Carioca, Cidade Negra, Jota Quest, O Rappa e Racionais MC's.

Preta Gil (Gilberto Gil), Wanessa Camargo (Zezé di Camargo), Luiza Possi (Zizi Possi) e Bebel Gilberto (Miúcha e João Gilberto). Além da internacional Bebel (Isabel Gilberto de Oliveira) e dos populares Sandy (Sandy Leah Lima) e Júnior (Durval de Lima Júnior), destacam-se no grupo a boa sambista Mart'nália (Mart'nália Mendonça Ferreira) e as refinadas cantoras Carol Sabóia (Carolina Job Sabóia) e Maria Rita (Maria Rita Mariano).

Na área sambística revelaram-se, entre outros, as cantoras Nilze Carvalho (também bandolinista) e Teresa Cristina, mais o Grupo Semente e os cantores Alfredo Del-Penho, Marcos Sacramento, Pedro Paulo Malta e Pedro Miranda, elementos destacados no movimento de renascimento da Lapa boêmia, enquanto no choro as novidades foram o bandolim virtuosístico de Hamilton de Holanda, o Trio Madeira Brasil, o conjunto Água de Moringa e O Trio — Maurício Carrilho (violão), Pedro Amorim (bandolim) e Paulo Sérgio Santos (clarinete) —, vencedor de dois prêmios Sharp. Para satisfação dos adeptos do gênero, aconteceu ainda o surgimento no Rio da Escola Portátil de Música. Criada em 2000 por Luciana Rabelo, Maurício Carrilho, Celsinho Silva, Pedro Amorim e Álvaro Carrilho, com o nome de Oficina de Choro, e reunindo inicialmente cerca de cinquenta alunos, a escola desenvolveria um programa de capacitação e profissionalização de músicos, através da linguagem do choro, chegando a 2006 com 670 alunos e 23 professores.

Com diversas de suas antigas bandas ainda em atividade, como foi dito, renovou-se nos anos 90 o rock brasileiro com grupos como o Planet Hemp, Pato Fu, Skank, Charlie Brown Jr., Raimundos e Los Hermanos. É deste o sucesso "Anna Júlia" (assinado por seu vocalista-guitarrista Marcelo Camelo), que, depois de estourar nacionalmente, teve uma versão gravada pelo roqueiro inglês Jim Capaldi, com a participação do ex-Beatle George Harrison.

Finalmente, embora sem tanta repercussão na mídia, foi importante o movimento Mangue Beat, um estilo musical criado em Pernambuco no começo dos anos 90 pelo cantor-compositor Chico Science (Francisco de Assis França, Recife, PE, 1966-1997). Uma mescla de ritmos tradicionais pernambucanos, como o coco e, especialmente, o maracatu, com elementos do soul e do hip-hop, o Mangue Beat foi mostrado com sucesso nos Estados Unidos e na Europa por Chico Science (morto prematuramente num acidente automobilístico) e seu grupo Nação Zumbi. Pernambucanos também e contemporâneos do Nação Zumbi são os grupos Mundo Livre S.A., Mestre Ambrósio e Cascabulho.

Os discos mais vendidos no Brasil em 2006 foram "Minha bênção", do padre Marcelo Rossi (867 mil cópias), "Jovem brazilidade" (*sic*), do saxofonista Caio Mesquita (269 mil cópias) e "Nuestro amor", do Rebelde, grupo pop mexicano (247 mil cópias). Um milhão e 383 mil cópias são assim a soma da vendagem dos três, um número bem inferior à média anual registrada pelo mercado brasileiro nas últimas décadas do século XX, quando alguns campeões ultrapassaram a marca de 2 milhões. A pirataria, mais uma certa tendência demonstrada pelo público — que no início do novo século diminuiu o interesse pelo disco —, são as principais causadoras do declínio, além do compartilhamento gratuito de músicas entre os usuários da Internet. Passageira ou não, essa crise está sendo sucedida por uma nova fase em que, a exemplo do que já acontece no exterior, o interessado pode comprar música através da rede, baixando no computador os fonogramas oferecidos pelas gravadoras, tornando a comercialização do disco uma opção obsoleta. No nosso caso, porém, a realidade é que apenas uma minoria da população possui computador, reduzindo, talvez por algum tempo ainda, as possibilidades de êxito dessa inovação.

BIBLIOGRAFIA

ALENCAR, Edigar. *O carnaval carioca através da música*. 3ª ed. Rio de Janeiro: Francisco Alves, 1985.

ALEXANDRE, Augusto. *Moreira da Silva: o último dos malandros*. Rio de Janeiro: Record, 1996.

ALMIRANTE (Henrique Foréis Domingues). *No tempo de Noel Rosa*. 2ª ed. Rio de Janeiro: Francisco Alves, 1977.

ALVARENGA, Oneyda. *Música popular brasileira*. Porto Alegre: Globo, 1950.

ANDRADE, Mário de. *Aspectos da música brasileira*. São Paulo: Martins, 1965.

ARAÚJO, Lauro Gomes de. *Roberto Martins: uma legenda na música popular*. Sorocaba: Fundação Ubaldino do Amaral, 1995.

ARAÚJO, Mozart de. *A modinha e o lundu no século XVIII*. São Paulo: Ricordi Brasileira, 1963.

AUGUSTO, Sérgio. *Este mundo é um pandeiro: a chanchada de Getúlio a JK*. São Paulo: Companhia das Letras, 2001.

BARBOSA, Valdinha; DEVOS, Anne Marie. *Radamés Gnattali: o eterno experimentador*. Rio de Janeiro: Funarte, 1985.

BARROSO, Marco Aurélio. *A revolta do boêmio: a vida de Nelson Gonçalves*. Rio de Janeiro: Editora do Autor, 2001.

BORBA, Tomás; GRAÇA, Fernando Lopes. *Dicionário de música*. Lisboa: Cosmos, 1958.

CABRAL, Sérgio. *Pixinguinha: vida e obra*. Rio de Janeiro: Lumiar, 1997.

__________. *No tempo de Ari Barroso*. Rio de Janeiro: Lumiar, 1993.

__________. *As escolas de samba do Rio de Janeiro*. Rio de Janeiro: Lumiar, 1996.

__________. *No tempo de Almirante: uma história do rádio e da MPB*. Rio de Janeiro: Francisco Alves, 1990.

__________. *Antônio Carlos Jobim: uma biografia*. Rio de Janeiro: Lumiar, 1997.

CALADO, Carlos. *Tropicália: a história de uma revolução musical*. São Paulo: Editora 34, 1997.

__________. *A divina comédia dos Mutantes*. São Paulo: Editora 34, 1995.

CAMPOS, Augusto de. *Balanço da bossa e outras bossas*. São Paulo: Perspectiva, 1974.

CARDOSO JÚNIOR, Abel. *Carmen Miranda: a cantora do Brasil*. Rio de Janeiro: Editora do Autor, 1978.

__________. *Francisco Alves: as mil canções do Rei da Voz*. Curitiba: Revivendo, 1998.

CARVALHO, Castelar de; ARAÚJO, Antônio Martins de. *Noel Rosa: língua e estilo*. Rio de Janeiro: Thex, 1999.

CARVALHO, Hermínio Bello de. *Sessão passatempo*. Rio de Janeiro: Relume Dumará, 1995.

CASCUDO, Luís da Câmara. *Dicionário do folclore brasileiro*. 7ª ed. Belo Horizonte: Itatiaia, 1993.

CASTELLO, José. *Vinicius de Moraes: o poeta da paixão*. São Paulo: Companhia das Letras, 1994.

CASTRO, Ruy. *Chega de saudade: a história e as histórias da bossa nova*. São Paulo: Companhia das Letras, 1990.

_________. "Caprichos do destino". In: *Orlando Silva: o cantor das multidões* (caixa com 3 CDs). São Paulo: BMG Ariola, 1995.

_________. *Carmen: uma biografia*. São Paulo: Companhia das Letras, 2005.

CAZES, Henrique. *Choro: do quintal ao Municipal*. São Paulo: Editora 34, 1998.

DANTAS SILVA, Leonardo. *Carnaval do Recife*. Recife: Fundação de Cultura Cidade do Recife, 2000.

DAPIEVE, Arthur. *BRock: o rock brasileiro dos anos 80*. São Paulo: Editora 34, 1995.

DIAS, Odette Ernest. *Mathieu André Reichert: um flautista belga na corte do Rio de Janeiro*. Brasília: Editora Universidade de Brasília, s/d.

DINIZ, Edinha. *Chiquinha Gonzaga: uma história de vida*. Rio de Janeiro: Codecri, 1984.

DREYFUS, Dominique. *Vida de viajante: a saga de Luiz Gonzaga*. São Paulo: Editora 34, 1996.

DUARTE, Ruy. *História social do frevo*. Rio de Janeiro: Editora Leitura, s/d.

ECHEVERRIA, Regina. *Furacão Elis*. Rio de Janeiro: Nórdica, 1985.

ESSINGER, Sílvio. *Batidão: uma história do funk*. Rio de Janeiro: Record, 2005.

FAOUR, Rodrigo. *Bastidores: Cauby Peixoto, 50 anos da voz e do mito*. Rio de Janeiro: Record, 2001.

FERRETE, João Luiz. *Capitão Furtado: viola caipira ou sertaneja*. Rio de Janeiro: Funarte, 1987.

FRÓES, Marcelo. *Jovem Guarda: em ritmo de aventura*. São Paulo: Editora 34, 2000.

GALVÃO, Luiz. *Anos 70: novos e baianos*. São Paulo: Editora 34, 1997.

GARCIA, Walter. *Bim bom: a contradição sem conflitos de João Gilberto*. São Paulo: Paz e Terra, 1999.

GIRON, Luís Antônio. *Mario Reis: o fino do samba*. São Paulo: Editora 34, 2001.

GOMES, Bruno Ferreira. *Wilson Batista e sua época*. Rio de Janeiro: Funarte, 1985.

GUERRA-PEIXE, César. *Maracatus do Recife*. Recife: Fundação de Cultura Cidade do Recife, 1980.

GUERREIRO, Goli. *A trama dos tambores: a música afro-pop de Salvador*. São Paulo: Editora 34, 2000.

ITIBERÊ, Brasílio. "Ernesto Nazareth na música brasileira". In: *Boletim Latino-Americano de Música*, VI/1, 1946.

JOBIM, Helena. *Antônio Carlos Jobim: um homem iluminado*. Rio de Janeiro: Nova Fronteira, 1996.

JOTA EFEGÊ (João Ferreira Gomes). *Maxixe: a dança excomungada*. Rio de Janeiro: Conquista, 1974.

_________. *Ameno Resedá: o rancho que foi escola*. Rio de Janeiro: Funarte, 1980.

KIEFER, Bruno. *A modinha e o lundu*. Porto Alegre: Movimento, 1978.

LEAL, José de Souza; BARBOSA, Artur Luiz. *João Pernambuco: a arte de um povo*. Rio de Janeiro: Funarte, 1982.

LOPES, Nei. *O negro no Rio de Janeiro e sua tradição musical*. Rio de Janeiro: Pallas, 1992.

_________. "Uma breve história do samba". In: encarte à coleção discográfica *Apoteose ao samba*. Rio de Janeiro: EMI, 1997.

MAGALHÃES JÚNIOR, R. *Artur Azevedo e sua época*. Rio de Janeiro: Saraiva, 1953.

MÁXIMO, João. *Paulinho da Viola*. Rio de Janeiro: Relume Dumará, 2002.

MÁXIMO, João; DIDIER, Carlos. *Noel Rosa: uma biografia*. Brasília: Linha Gráfica, 1990.

MELLO, (José Eduardo) Zuza Homem de. *Música popular brasileira*. São Paulo: Edusp, 1976.

_________. *João Gilberto*. São Paulo: Publifolha, 2001.

_________. *A Era dos Festivais: uma parábola*. São Paulo: Editora 34, 2003.

MENDONÇA, Ana Rita. *Carmen Miranda foi a Washington*. Rio de Janeiro: Record, 1999.

MOURA, Fernando; VICENTE, Antônio. *Jackson do Pandeiro: o rei do ritmo*. São Paulo: Editora 34, 2001.

NEPOMUCENO, Rosa. *Música caipira: da roça ao rodeio*. São Paulo: Editora 34, 1999.

OLIVEIRA, Valdemar de. *Frevo, capoeira e passo*. Recife: Cia. Editora de Pernambuco, 1971.

OROVIO, Helio. *El bolero latino*. Havana: Editorial Letras Cubanas, 1995.

PAIVA, Salvyano Cavalcanti de. *Viva o rebolado*. Rio de Janeiro: Nova Fronteira, 1991.

PARANHOS, Adalberto. "Vozes dissonantes sob um regime de ordem unida", *Art Cultura*, nº 4, vol. 4. Uberlândia: Editora da Universidade Federal de Uberlândia, 2002.

PAZ, Ermelinda A. *Jacob do Bandolim*. Rio de Janeiro: Funarte, 1997.

PINTO, Aloysio de Alencar. "Os pianeiros". In: encarte de *Os pianeiros*, álbum fonográfico. Brasília: Fenab, 1986.

PUGIALLI, Ricardo. *No embalo da Jovem Guarda*. Rio de Janeiro: Ampersand, 1999.

RAGO, Antônio. *A longa caminhada de um violão*. São Paulo: Iracema, 1986.

RANGEL, Lúcio. *Sambistas e chorões: aspectos e figuras da música popular brasileira*. São Paulo: Francisco Alves, 1962.

RUIZ, Roberto. *Aracy Cortes: linda flor*. Rio de Janeiro: Funarte, 1984.

SANCHES, Pedro Alexandre. *Tropicalismo: decadência bonita do samba*. São Paulo: Boitempo, 2000.

SANDRONI, Carlos. *Feitiço decente: transformações do samba no Rio de Janeiro (1917-1933)*. Rio de Janeiro: Zahar/Editora UFRJ, 2001.

SAROLDI, Luiz Carlos; MOREIRA, Sônia Virgínia. *Rádio Nacional: o Brasil em sintonia*. 3ª ed. Rio de Janeiro: Zahar, 2005.

SILVA, Fernando de Barros e. *Chico Buarque*. São Paulo: Publifolha, 2004.

SILVA, Francisco Duarte. "Vida e morte do Deixa Falar, o bloco que deixou escola", *Jornal do Brasil*. Rio de Janeiro, 12/2/1979.

SILVA, Francisco Duarte; GOMES, Dulcinéia Nunes. *Assis Valente: a jovialidade trágica de José de Assis Valente*. Rio de Janeiro: Funarte, 1988.

SILVA, Francisco Duarte, *et al*. *Um certo Geraldo Pereira*. Rio de Janeiro: Funarte, 1983.

SILVA, Marília T. Barboza da; OLIVEIRA FILHO, Arthur L. de. *Pixinguinha: filho de Ogum bexiguento*. Rio de Janeiro: Gryphus, 1998.

_________. *Cartola: os tempos idos*. Rio de Janeiro: Funarte, 1983.

_________. *Silas de Oliveira: do jongo ao samba-enredo*. Rio de Janeiro: Funarte, 1982.

SILVEIRA, Joel. *Tempo de contar*. Rio de Janeiro: Record, 1985.

SIQUEIRA, Baptista. *Ernesto Nazareth na música brasileira*. Rio de Janeiro: Editora do Autor, 1966.

_________. *Três vultos históricos da música brasileira*. Rio de Janeiro: Editora do Autor, 1969.

_________. *Ficção & música*. Rio de Janeiro: Folha Carioca, 1980.

SOARES, Maria Thereza Mello. *São Ismael do Estácio: o sambista que foi rei*. Rio de Janeiro: Funarte, 1985.

SOUZA, Maria das Graças Nogueira de, *et al*. *Patápio: músico erudito ou popular*. Rio de Janeiro: Funarte, 1983.

SOUZA, Tárik de. *Tem mais samba: das raízes à eletrônica*. São Paulo: Editora 34, 2003.

SOUZA, Tárik de; CEZIMBRA, Márcia; CALLADO, Tessy. *Tons sobre Tom*. Rio de Janeiro: Revan, 1995.

SOUZA, Tárik de; KAZ, Leonel; ALBIN, Ricardo Cravo; MÁXIMO, João; HORTA, Luís Paulo. *Brasil: rito e ritmo*. Rio de Janeiro: Aprazível, 2003.

TELLES, José. *Do frevo ao manguebeat*. São Paulo: Editora 34, 2000.

TINHORÃO, José Ramos. *Pequena história da música popular: da modinha à lambada*. São Paulo: Art, 1991.

_________. *História social da música popular brasileira*. São Paulo: Editora 34, 1998.

_________. *Música popular: teatro e cinema*. Petrópolis: Vozes, 1972.

_________. *Música popular: do gramofone ao rádio e TV*. São Paulo: Ática, 1981.

_________. *Domingos Caldas Barbosa: o poeta da viola, da modinha e do lundu (1740-1800)*. São Paulo: Editora 34, 2004.

VALENÇA, Suetônio Soares. *Tra-la-lá*. 2ª ed. Rio de Janeiro: Velha Lapa, 1989.

VASCONCELOS, Ary. *Raízes da música popular brasileira*. Rio de Janeiro: Rio Fundo, 1991.

_________. *Panorama da música popular brasileira na Belle Époque*. Rio de Janeiro: Livraria Santana, 1978.

_________. *Panorama da música popular brasileira*. 2 vols. São Paulo: Martins, 1964.

VELOSO, Caetano. *Verdade tropical*. São Paulo: Companhia das Letras, 1997.

VIEIRA, Jonas. *Orlando Silva: o cantor das multidões*. Rio de Janeiro: Funarte, 1986.

_________. *César de Alencar: a voz que abalou o rádio*. Rio de Janeiro: Valda, 1993.

VIEIRA, Jonas; NORBERTO, Natalício. *Herivelto Martins: uma escola de samba*. Rio de Janeiro: Ensaio Editora, 1992.

VIANNA, Hermano. *O mundo funk carioca*. Rio de Janeiro: Zahar, 1988.

VIANNA, Luiz Fernando. *Zeca Pagodinho*. Rio de Janeiro: Relume Dumará, 2003.

WERNECK, Humberto. "Gol de letras". In: *Chico Buarque: letra e música*. São Paulo: Companhia das Letras, 1989.

ZAPPA, Regina. *Chico Buarque*. Rio de Janeiro: Relume Dumará, 1999.

Enciclopédia da música brasileira: erudita, folclórica, popular. 2ª ed. São Paulo: Art, 1998.

Dicionário Houaiss ilustrado: música popular brasileira. Criação e supervisão geral de Ricardo Cravo Albin. Rio de Janeiro: Piracatu, 2006.

AGRADECIMENTOS

Este livro não seria possível sem a generosa colaboração de vários amigos que me ajudaram a escrevê-lo. Registro assim meus agradecimentos a Tárik de Souza, que teve a paciência de ler os originais, colaborando com importantes sugestões para a organização e melhoria da obra, além de colocar à minha disposição seu alentado acervo de música popular; Carlos Alberto Mattos, que contribuiu com valiosos conselhos para o enriquecimento do texto; José Reis de Lacerda, que dominou a rebeldia do meu computador, mantendo-o em atividade nas diversas ocasiões em que ele ameaçou parar; além de ter fotografado a maior parte da iconografia utilizada no livro; Rodrigo Faour, que forneceu preciosas dicas e dirimiu dúvidas, especialmente sobre a MPB da virada do milênio; e, finalmente, a Abel Cardoso Júnior (*in memoriam*), Aloysio de Alencar Pinto (*in memoriam*), Antônio Adolfo, Elton Medeiros, Henrique Cazes, Hermínio Bello de Carvalho, Jorginho do Pandeiro (Jorge José da Silva), Lauro Gomes de Araújo, Luiz Carlos Saroldi, Mário Alves de Oliveira, Nirez (Miguel Ângelo de Azevedo), Roberto Gnattali, Roberto Paiva, Sílvio Júlio Ribeiro e Zuza Homem de Mello pela inestimável ajuda. Muito obrigado a todos.

ÍNDICE ONOMÁSTICO

14 Bis, 425
Abbott, Bud, 150
Abdulah, 456
Aborto Elétrico, 442
Abreu, Fernanda, 436, 458
Abreu, José Maria de, 130, 144, 169, 194, 202-3, 205-6, 209, 216, 259, 289-90, 296, 301
Abreu, Nelita de, 338
Abreu, Pepita, 90
Abreu, Plínio Paes Leme de, 194
Abreu, Valdo de, 99, 178, 316
Abreu, Zequinha de (José Gomes de Abreu), 111, 219, 309, 315
Absyntho, 437
Abussanam, Felipe, 206
Acioly, Milton, 355
Adelaide, Feliciana, 35
Adelaide, Julinho da, 367
Adelsonilton, 430
Adnet, Maúcha, 343
Adolfo, Antônio, 9, 120, 357-9, 373, 382, 459
Adriani, Jerry (Jair Alves de Souza), 400-2, 447
Afrodite Se Quiser, 437
Agepê (Antônio Gilson Porfírio), 431
Agostini, Eugênio, 406-7
Agostini, Fábio, 406-7
Agostini, Renato, 406-7
Água de Moringa, 460
Aguiar, Belina, 391
Aguiar, Nalva, 403
Aimberê, J., 212
Aimée, 55
Aimoré (José Alves da Silva), 111
Aimoré, Jandira (Albertina Nunes Pereira) (Jandira da Rocha Viana), 86
Aires, Jorge, 200
Al Dubin, 150, 210
Alabá, Maria, 79
Alcântara, Pedro de, 67
Alcina, Maria, 360
Alcione (Alcione Nazareth), 395, 428-9, 435
Alderete, 397
Alencar, César de, 299, 323, 325-6, 329
Alencar, Cristóvão de (Armando Reis), 80, 144, 168-9, 203, 212-3, 215, 223, 226, 270, 317
Alencar, Edigar de, 70, 463
Alencar, Edson, 358
Alencar, Manoel Aires de, 282
Alf, Johnny (Alfredo José da Silva), 274, 296, 300, 332, 345, 351
Alfaiate, Walter (Walter Nunes de Abreu), 417
Almeida, Antônio, 133-4, 164, 169, 178, 181-2, 204, 224, 231, 260, 284, 304
Almeida, Araci de, 141, 144, 158, 171, 178, 182-4, 188, 222, 251, 270, 278, 288, 319, 414
Almeida, Cícero de, 116
Almeida, Geraldo José de, 318
Almeida, Guilherme de, 346
Almeida, Harry Vasco de, 260
Almeida, Henrique de, 164-5, 184, 269
Almeida, Hianto de, 331
Almeida, Irineu de (Irineu Batina), 37, 67, 81-2
Almeida, Israel Bueno de, 433
Almeida, João Ferreira de, 47
Almeida, Joel de, 109
Almeida, Laurindo de, 172, 289
Almeida, Manuca, 392
Almeida, Mauro de, 70, 116
Almeida, Onildo de, 285
Almeida, Roque de, 443
Almirante (Henrique Foréis Domingues), 60, 66, 99, 109, 125, 131-2, 135, 141, 143, 149,

157, 167, 173, 184, 190, 220-2, 224, 244-6, 258, 317, 319-20
Almôndegas, 425, 427
Alvarenga e Ranchinho, 239, 240, 321
Álvares, Mário, 243
Alvarez, Fernando, 224
Alves, Ataulfo, 127, 164, 167-8, 174, 179-80, 188, 192, 202-3, 213, 216-7, 224, 226-7, 268, 270, 292, 303, 311, 354, 357, 404, 417
Alves, Carmélia, 273, 281
Alves, Castro, 52-3, 418
Alves, Cleide, 403
Alves, Francisco (Chico Viola), 76, 91, 93, 99-100, 110-4, 116, 121-126, 140, 142, 156, 163, 170, 173-4, 177, 190, 192-3, 197, 202-4, 206-12, 215, 221-2, 231, 251, 270, 278, 288-90, 292, 295, 301, 317, 319, 405
Alves, Gilberto, 170, 204, 240, 278, 418
Alves, Haroldo, 207
Alves, José, 194
Alves, Laércio, 80
Alves, Lúcio, 263, 274-5, 281, 290-1, 296-7, 318, 326
Alves, Nelson, 83-6, 111, 194
Alves, Paulo Magalhães, 432
Alves, Rubens, 256
Alvinho (Álvaro de Miranda Ribeiro), 131, 258, 331
Amado, Genolino, 319
Amado, Jorge, 232-3, 266
Amália, Teodora (Dora), 40
Amaral, Augusto, 194
Amaral, Jacinto Ribeiro do, 42-3
Amaral, Milton, 206
Amaral, Odete, 171, 175, 179
Amaral, Valdir, 218
Amaro, Maria, 223
Ambrosina, 53
Ameche, Don, 152
Amelinha (Amelia Claudia Garcia Colares), 422
Americano, Luís, 110, 189, 194, 196, 257, 309, 315
Américo, Hanestaldo, 276
Amorim, Jair, 205, 289, 294, 296, 434
Amorim, Otília, 90-92
Amorim, Pedro, 433, 460
Anastácia (Lucinete Ferreira), 390
Anchieta, José de, 236
Andiara, 294
Andrade, Carlos Drummond de, 338
Andrade, Gomes Freire de (Conde de Bobadela), 14
Andrade, Goulart de, 92
Andrade, Leny, 345
Andrade, Mário de, 18, 36, 68, 199
Andrade, Norma de, 227
Andrade, Oswald de, 266, 383-4
Andrade, Paulo César de, 305
Andrade, Renato, 444
André, Edmundo, 62
André, Paulo, 425
Anescarzinho do Salgueiro (Anescar Pereira Filho), 411, 415-6, 419
Ângelo, Nelson, 425
Anísio, Chico (Francisco), 80, 355
Anjos do Inferno, 170
Anjos, Augusto dos, 185, 224, 231, 259-61
Annes, Henrique, 433
Anthony, M., 400
Antônio Carlos e Jocafi, 359-60, 422
Antônio, Luís (Antônio de Pádua Vieira da Costa), 274, 276, 289, 298, 345
Antônio, Marcos (ver Marcos Portugal)
Antonucci, Ronald Luís, 402
Antonucci, Márcio Augusto, 402
Antunes, Arnaldo, 440, 452
Aquarela Carioca, 459
Ara Ketu, 450
Aragão, Jonas, 194
Aragão, Jorge, 429, 447, 449
Arantes, Guilherme, 427, 458
Arantes, Ivone, 156
Araújo, Ademir, 253
Araújo, Clélia, 51
Araújo, Eduardo, 401-3
Araújo, Guilherme, 386
Araújo, Jaime, 200
Araújo, João, 438
Araújo, José (ver Zé Bodega)
Araújo, Juarez, 275
Araújo, Manezinho (Manoel Pereira de Araújo), 178, 226, 246
Araújo, Manoel (Mané-Mané), 175
Araújo, Manoel, 200
Araújo, Marçal, 287
Araújo, Mário Travassos de, 115, 178-9
Araújo, Mozart de, 13, 16, 23, 25, 65, 76, 244
Araújo, Plínio, 200

Araújo, Severino, 200-1, 277
Arias, Reinaldo, 438
Armandinho (Armando Macedo), 422
Armandinho (Armando Neves), 258
Armstrong, Louis, 399
Arnaud, Joseph, 24, 54
Arraiz, Oscar, 371
Arroz, 419
Arruda, Genésio, 218, 219, 283
Arruda, Sebastião, 235
Arvellos, Januário da Silva (pai), 51
Arvellos, Januário da Silva (filho), 52
Asa de Águia, 450
Assis, Chico de, 352
Assis, Machado de, 52, 55
Assunção, Itamar, 453
Assunção, Lino de, 55
Assunção, Luís, 262
Assunção, Valdir, 402
Astolfi, Ivo, 259
Augusto, César, 447
Augusto, Germano, 127, 179, 186, 212
Augusto, João, 390
Augusto, Sérgio, 226
Avalons, The, 397
Avancini, Walter, 363
Ayrão, Luís, 400, 431
Azevedo, Alinor, 225
Azevedo, Aluísio, 56-7
Azevedo, Artur, 52, 54-7, 88
Azevedo, Benedita, 312
Azevedo, Chiquinho, 391
Azevedo, Geraldo, 422-3
Azevedo, Leonel, 169, 202-3, 212-3
Azevedo, Mário de, 317
Azevedo, Waldir, 154, 257, 275-6, 281, 309, 312-4, 434
Azevedo, Walter, 312
Azulay, Jom Tob, 13
Babaú, 183
Babo, Lamartine, 80, 93-4, 107, 114-5, 126-4, 136, 140, 148-9, 156, 174, 192-3, 202-4, 209, 219- 22, 227, 288, 317
Babo, Leopoldo de Azeredo, 127
Baby do Brasil (ver Baby Consuelo)
Bacalhau, 418
Baccarin, Brás Biaggio, 444
Bach, Johann Sebastian, 185, 233
Bacuri, 37
Bahia, Maria Vitorina de Lacerda, 52
Bahia, Nourival, 410
Bahia, Xisto, 51-2
Bahiano (Manoel Pedro dos Santos), 58, 60-2, 70-1, 89-90, 235
Baiaco (Osvaldo Vasques), 108, 119, 124-6, 186
Baiana, João da (João Machado Guedes), 82, 111, 194, 196
Baixinho (José Roberto Martins Macedo), 421
Bala, 419
Baleiro, Zeca (José Ribamar Coelho dos Santos), 459
Bambaataa, Afrika (Kevin Donovan), 455
Bamdamel, 450
Banana, Milton (Antônio de Souza), 276, 336
Banda Black Rio, 454
Banda da Casa Edison, 70
Banda do Corpo de Bombeiros, 47, 49, 58
Banda Eva, 452
Banda Mel (ver Bamdamel)
Banda Nova, 343
Bandeira, Luís, 273, 281
Bandeira, Manuel, 76, 233
Bando Cearense, 261
Bando da Lua, 100, 109, 150-1, 170, 220, 222, 224, 259, 261-2, 266
Bando de Tangarás, 107, 109, 131-2, 135, 139-40, 170, 173, 246, 258
Bando Liceal, 264
Baptista, Arnaldo Dias, 426-7
Barão Vermelho, 437-9, 442
Barata, Rui, 425
Barbosa, Abelardo (ver Chacrinha)
Barbosa, Adoniran (João Rubinato), 276, 301, 322
Barbosa, Antônio, 260
Barbosa, Antônio de Caldas, 13-17
Barbosa, Cacilda Campos Borges, 242
Barbosa, Castro, 109, 126, 193, 208, 219, 224, 321-2
Barbosa, Damião, 19
Barbosa, Domingos Caldas, 9, 13
Barbosa, Haroldo, 263, 274, 281, 289, 296-8, 320, 322, 345
Barbosa, Henrique, 178
Barbosa, Januário da Cunha, 13
Barbosa, Jesy, 109, 317
Barbosa, José, 260
Barbosa, Luís dos Santos, 109, 149, 156, 164, 178-81, 185, 222, 316-7

Barbosa, Orestes, 108, 140, 182, 189-91, 202-3, 215, 223, 294
Barbosa, Olinda, 313
Barbosa, Paulo, 127, 178, 202, 216, 220, 224, 227
Barbosa, Rui, 45, 83, 190
Barbosa, Soares, 37
Barbosa, Valdinha, 197
Barcelos, Alcebíades Maia, 108, 114, 119-21, 123-5, 127, 138, 140, 156, 173-4, 194, 213, 255, 260, 262
Barcelos, J., 212
Barcelos, Manoel, 323
Barcelos, Rubem, 119, 124
Bardotti, Sergio, 368
Barmak, Carlos, 440
Barnabé, Arrigo, 385, 425, 452-3
Barone, João, 239
Barral, Duquesa de, 251
Barreto, Bruno, 368
Barreto, Galdino, 37
Barreto, Manoel Muratori, 83
Barreto, Ricardo, 436
Barreto, Vicente, 422
Barro, João de (ver Braguinha)
Barros, Alésio de, 357
Barros, João Petra de, 109, 178, 181, 188, 203, 317
Barros, Josué de, 85-86, 100, 111, 147-8, 258, 397
Barros, Lulu de (Luiz de Barros), 218
Barros, Maria José de Oliveira, 180
Barros, Maurício Carvalho de, 438
Barros, Pascoal de, 313
Barros, Priscila, 293
Barros, Raul de, 172
Barros, Renato, 401-2
Barros, Sebastião de (ver K-Ximbinho)
Barros, Theo de (Teófilo Augusto de Barros Neto), 348, 376
Barroso Júnior, Sabino Alves, 161
Barroso, Ary, 9, 107, 114, 115, 127-30, 136-7, 141, 148-9, 155-61, 169, 173-4, 177-9, 183, 192-4, 203-4, 208-9, 211-2, 215, 220-1, 223, 229, 233, 259-60, 262, 269-70, 278, 288-9, 292, 294, 301, 317-8, 330, 332
Barroso, Carlos, 262
Barroso, Cláudia, 434
Barroso, Inezita (Inês Madalena Aranha de Lima), 443, 444, 446
Barroso, João Evangelista, 161
Barroso, Júlio, 437
Barroso, Marco Aurélio, 305
Barroso, Maria José Santos, 130
Bastos, Gabriel, 130
Bastos, Nilton, 108, 113-4, 116, 118-9, 120-2, 124-5, 173-4
Bastos, Ronaldo, 363, 370-1, 378, 394, 424
Bastos, Souza, 51, 57
Bastos, Vânia, 453
Batata, MC, 456
Batera, Chico (Francisco José Tavares de Souza), 382
Batista da Mangueira, 419
Batista, Amado, 434
Batista, André, 261
Batista, Dircinha (Dirce Grandino de Oliveira), 158, 160, 171, 218, 220, 222, 224, 225, 266-7, 270, 278, 295
Batista, José, 180
Batista, Linda (Florinda Grandino de Oliveira), 160, 171, 195, 224, 226, 266, 295, 407
Batista, Marília, 144, 170, 317, 319
Batista, Wilson, 143, 162, 164-6, 168-9, 171, 174-6, 179-82, 184, 186, 188, 190, 213, 215, 224, 260, 268, 270, 305, 429
Batutas, Os, 84-86
Bazin, François, 28
Beat Boys, 352
Beatles, The, 342, 370, 383, 387, 399, 401, 423, 444
Beethoven, Ludwig Van, 185
Belchior (Antônio Carlos Gomes Belchior Fontenele Fernandes), 422, 424
Belém, Fafá de (Maria de Fátima Palha Figueiredo), 425, 435
Bellotto, Toni (Antônio Carlos Liberatti Bellotto), 440
Belmonte e Amaraí, 444
Bem-te-vi, 243
Ben, Jorge (Jorge Duílio Lima Menezes) (Jorge Benjor), 359-60, 369, 380-1, 390, 394
Benatti, Ado, 240
Benatti, Wagner, 401
Benchimol, Sarah, 435
Beni (Carlos Beni Borja), 439
Bens, Agenor, 64

Bentivegna, Vilma, 346
Beretta, Luciano, 401
Berger, Rodolphe, 40, 67
Berio, Luciano, 453
Berlin, Irving, 342
Bernardino, Mário, 443
Bernardino, Moacir, 178
Beth, MC, 457
Bethânia, Maria, 10, 367, 381, 386, 388-9, 394-5, 407, 435
Betinho (Alberto Borges de Barros), 397
Bétio, José Homero, 446
Beto Sem Braço, 419, 448, 450
Bezerra, Diogenes, 287
Bezerra, Ricardo, 424
Bianchi, Gina, 218
Bico Doce (ver Raul Torres)
Bide (ver Alcebíades Maia Barcelos)
Bieri, Vera, 196
Big Boy (Newton Duarte), 454
Bigode, Oscar, 411
Bilac, Olavo, 38, 418
Bilhar, Sátiro, 243
Bill, Tom, 218
Binatti, Lia, 92
Biquini Cavadão, 437
Bittencourt, Carlos, 88, 90, 92
Bittencourt, Carlos Machado de (Marechal Bittencourt), 61
Bittencourt e Menezes, 90-1, 94
Bittencourt, Francisco Gomes, 309
Bittencourt, Lana (Irlan Figueiredo Passos), 274
Bittencourt, Lourdinha, 164, 223, 226, 305-6
Bittencourt, Luís, 287, 290
Bittencourt, Moacir, 260
Bittencourt, Nicandro, 190
Bittencourt, René, 203, 213, 294
Bittencourt, Sérgio, 348, 357, 359, 376-7
Black Power, Paulão da, 454
Blakey, Art, 371
Blanc, Aldir, 363, 376, 378, 432
Blanco, Billy (William Blanco de Abrunhosa Trindade), 270, 274, 298, 339, 354
Blanco, Leandro, 321
Blecaute, 227, 239
Blitz, 436, 437, 442
Bloco do Bimbo, 258
Bloco dos Parafusos, 82
Blood, Sweat and Tears, 360
Boal, Augusto, 363, 407
Boca de Cantor, Paulinho (Paulo Roberto Figueiredo de Oliveira), 420-22
Boca do Inferno (ver Gregório de Matos)
Bocage, Manoel Maria du, 14
Boccanera, Sílio, 112
Bocot, Antônio dos Santos, 24, 47
Bodega, Zé (José de Araújo Oliveira), 200-1, 275
Bola Sete (Djalma Andrade), 275
Bolacha (Carlos Alberto Oliveira), 421
Bolão e seus Rocketes, 397
Boldrin, Rolando, 444
Bolha, A, 427
Bombeiro, Moacir, 430
Bonde do Tigrão, 457
Bonde do Vinho, 457
Bonfá, Luís, 274, 297-8, 342, 350
Bonfá, Marcelo, 442
Borba, Emilinha, 172, 224, 226, 277, 281, 323-4, 326
Borba, Tomás, 242
Borges, Arlindo, 264
Borges, João Pedro, 433
Borges, Lauro (Laurentino Borges Saes), 224, 321-2
Borges, Lô (Salomão Borges Filho), 371, 424
Borges, Márcio, 369-71, 424
Borges, Oto, 260
Borges, Roberto, 254
Borges, Telo, 372
Bororó (Alberto de Castro Simoens da Silva), 169, 192, 212, 215-6, 334
Bosco, João, 287, 376, 378, 420, 431, 452
Boscoli, Geysa, 204, 213
Boscoli, Héber de, 130, 227
Boscoli, Lila, 338
Bôscoli, Ronaldo, 307, 332, 345, 347, 379
Botelho, Cândido, 158
Boucquet, Lucien, 27
Boulez, Pierre, 453
Bountman, Simon, 196, 200, 221-2
Bowes, Major, 318
Bracet, Augusto, 22
Braga, Carmen Beirão Ferreira, 131
Braga, Evaldo, 434
Braga, Francisco, 17, 67
Braga, João, 194
Braga, Leandro, 459
Braga, Luís Otávio, 200, 433
Braga, Paulo, 343

Braguinha (Carlos Alberto Ferreira Braga), 80, 107-9, 115-6, 126-7, 131-6, 138, 145, 148, 168, 173, 178, 181-2, 192, 199, 202, 203, 209, 212, 215-6, 220-2, 224, 258-9, 267, 269-70, 276, 289, 296, 312, 354, 364, 394
Branco, Gildo, 251
Branco, Lúcia, 339
Brancura (Sílvio Fernandes), 108, 119, 125
Brandão, 424
Brandão, Dr. Heleno da Costa, 139
Brandão, José, 89
Brandão, Leci, 430
Brandão, Nestor, 94
Brant, Fernando, 352-3, 355, 369-72, 376, 424
Brasas, Os, 403
Brasil, Felipe, 260
Brasil, Vera, 347-8, 376
Brasileiro, Daniel, 449
Brazilian Bitles, The, 403
Brean, Denis (Augusto Duarte Ribeiro), 179, 274, 289
Brecht, Bertolt, 368
Breda, Alfredo, 90, 92
Bressane, Dulce, 232
Brieba, Henriqueta, 92
Britinho (João Adelino Leal Brito), 172
Brito, Francisco de Paula, 20, 50
Brito, Guilherme de, 410, 413
Brito, Hagamenon, 452
Brito, Henrique, 131, 255, 258
Brito, Jaime, 178
Brito, Nazareno de, 292-3, 401
Britto, Sérgio, 440
Bronzeado (Romualdo Miranda), 245
Brown, Carlinhos (Antônio Carlos dos Santos Freitas), 385, 452
Brown, Eduardo, 270
Brown, James, 358, 455
Brown, Mário, 142
Brylho, 437
Buarque, Chico (Francisco Buarque de Holanda), 10, 116, 175, 181, 248, 289, 294, 330, 335, 343, 348-9, 351, 353-6, 359, 363-8, 373, 385, 387, 390, 394-5, 413, 420, 423, 435, 437
Bubbles, The, 427
Buco do Pandeiro, 287
Budd, Artur Castro, 62
Bueno, Antônio, 447
Bulcão, Márcia, 436
Bulhões, J. Carvalho, 89
Burke, J., 210
Burle, José Carlos, 225-7
Burle, Paulo, 225
Butler, Tony, 455
Buzar, Nonato, 404
Byington Júnior, Alberto (Albert Jackson Byington Junior), 223, 234
Byrne, David, 393, 450
Cabana, 419
Cabeceira, Manoel da, 243
Cabral, Alberto, 262
Cabral, Aldo, 202, 209, 213, 215-6, 256, 269-70, 289
Cabral, Jerônimo, 240
Cabral, Sadi, 203-4, 215
Cabral, Sérgio, 119-20, 125, 160, 353, 411
Cabritos, Jorge dos, 407
Cacaso, 343, 363
Caccere, Vicente, 303
Cáceres, Oscar, 414
Cachaça, Carlos, 125, 175, 380, 409, 418
Cacique, Sereno do (José Sereno de Oliveira), 449
Cadete (Manoel Evêncio da Costa Moreira), 58, 60-1, 65, 235
Caetano, Pedro, 127, 169, 179, 202, 210, 213, 217, 262, 265
Caiaffa, Vincenzo, 218
Caimi, Enrico, 229
Cais, Eri do, 448
Calabar, Domingos Fernandes, 366
Calado, Joaquim Antônio da Silva, 30, 34-7, 43, 47, 63, 67, 311, 315
Calcanhotto, Adriana, 458
Caldas, Antônio, 202
Caldas, Klecius, 274, 276, 281, 289, 298
Caldas, Luís, 450
Caldas, Murilo, 164
Caldas, Sílvio, 100, 108, 156, 158-9, 162, 164, 177-9, 181, 185, 188, 190-1, 202-4, 206-7, 211-2, 214-6, 223, 226, 270, 278, 288, 295, 302, 307, 317, 405
Calheiros, Augusto, 109, 206, 245-6
Calmon, Valdir, 275, 329
Camafeu, Paulinho, 450
Camargo, Alzirinha, 218, 222
Camargo, Ely, 444
Camargo, Hebe, 239, 346
Camargo, Wanessa, 460
Camargo, Zezé di (Mirosmar José de Camargo), 446-7, 460

Camelo, Marcelo, 460
Camerata Carioca, 200, 433
Camilo, Artur, 64
Camilo, Aurélio, 200
Caminha, Alcides, 410
Camisa de Vênus, 437
Campelo, Celly (Célia Benelli Campelo), 397-8
Campelo, Tony (Sérgio Benelli Campelo), 397, 399
Campos, Athos, 445
Campos, Augusto de, 284, 383, 425, 453
Campos, Haroldo de, 383, 453
Campos, Horácio, 208
Campos, Josino Brito, 369
Campos, Lídia, 94
Campos, Milton, 260
Canário, 431
Canaro, F., 210
Candeia (Antônio Candeia Filho), 411, 413, 416, 429
Candeias Júnior, Joaquim Antônio (ver Jota Júnior)
Cândida, Aurelina (ver Sinhá)
Candido, Antonio, 366
Cândido, José, 395
Canhoto (Waldiro Tramontano), 172, 255-8
Canhoto, Léo (Leonildo Sachi), 444
Canô (Dona Canô), 386
Cantalice, Guilherme, 37
Cantolino, Astréa Ribeiro, 132
Canuto (Deocleciano da Silva Paranhos), 135, 140, 173
Capaldi, Jim, 460
Capellaro, Vitorio, 239
Capiba (Lourenço da Fonseca Barbosa), 251, 253, 304, 353
Capinan (José Carlos Capinan), 285, 348, 351, 362, 372, 376, 384, 392-3
Capital Inicial, 437
Caprí, 448
Caradipia, Zé, 435
Caramujo, 256
Caramuru (Belchior da Silveira), 62
Cardim, João Pedro Gomes, 55-6
Cardim, Lúcio, 289
Cardoso Júnior, Abel, 208
Cardoso, Amâncio, 410
Cardoso, Elizeth, 181, 274, 277, 293-5, 307, 312, 407
Cardoso, Esmerino, 194
Cardoso, Francisco Magalhães, 53
Cardoso, Sílvio Túlio, 305
Cardoso, Wanderley, 400-2, 447
Careca, Machado, 56-7
Careno, 179
Carioca (Ivan Paulo da Silva), 191, 199, 276
Cariocas, Os, 264, 274, 290, 298, 336-7, 382
Carioquinhas, Os, 432-3
Carlinhos (Carlos Castelo Branco), 441
Carlos, Erasmo (Erasmo Esteves), 205, 307, 352, 395, 398-401, 403-4, 425, 427, 446
Carlos, Francisco (Francisco Rodrigues Filho), 160, 274, 293, 324, 326
Carlos, J., 129
Carlos, Milton, 395
Carlos, Roberto, 205, 307, 395, 397-404, 427, 435, 444, 446
Carneiro, Pereira, 225
Carnera, 250
Carolina, Ana, 458
Carreirinho (Adauto Ezequiel), 444
Carreiro, Tião (José Dias Neves), 443
Carrilho, Altamiro, 256-7, 274, 276, 314-5, 433
Carrilho, Álvaro, 460
Carrilho, Maurício, 200, 432-3, 460
Carrillo, Heitor, 397
Cartola (Angenor de Oliveira), 108, 140, 173, 175, 307, 354, 380, 405-10, 412-3, 448
Carvalhinho, 262
Carvalho Júnior, João Batista de, 43
Carvalho, Afonso de, 91
Carvalho, Alfredo de, 94
Carvalho, Beth (Elizabeth Leal Santos de Carvalho), 355, 376-7, 428-9, 431, 447, 449
Carvalho, Délcio, 395, 430
Carvalho, Delgado de, 62
Carvalho, Eleazar de, 194
Carvalho, Fernando, 57
Carvalho, Francisco, 57
Carvalho, Helena Pinto de, 219
Carvalho, Hermínio Bello de, 162, 244, 294, 354-5, 380, 406-7, 409-15, 433
Carvalho, J. B. de, 162
Carvalho, Joubert de, 95, 108, 147, 202-4, 208
Carvalho, Julieta de, 192
Carvalho, Nilze, 460
Carvalho, Nivaldo, 222

Carvalho, Paulinho Machado de, 348
Carvalho, Paulo Machado de, 318
Carvalho, Roberto de, 426
Carvalho, Sônia, 303
Carvalho, Vantuil de, 94, 194
Carvana, Hugo, 343
Casa das Máquinas, 427
Casaldáliga, Dom Pedro de, 372
Cascabulho, 460
Cascata, J. (Álvaro Nunes), 169, 178, 202-3, 212-3, 215
Cascatinha e Inhana, 444
Cascudo, Luís da Câmara, 280
Casé, Ademar, 99, 316-7
Casé, Regina, 388
Case, Theodore, 101
Cashmere, DJ, 456
Cassiano (Genival Cassiano dos Santos), 428
Castelo Neto, Sivan, 169, 203
Castera, Suzana de, 55
Castilho, Almira, 286, 390
Castilho, Carlos, 352
Castilho, Lindomar, 434
Castilhos, Jerônimo, 94, 128
Castro, Ari Kerner Veiga de, 268
Castro, Arturo, 359
Castro, Jadir de, 287, 345
Castro, Jorge de, 165, 175, 305
Castro, Max de, 459
Castro, Ruy, 214, 329, 332
Castro, Tarso de, 343
Catingueira, Inácio, 243
Catton, Felipe, 26
Catullus, Gaius Valerius, 65
Catumbi, Heitor, 148
Cavalcânti, Alventino, 286, 390
Cavalcânti, Armando, 274, 276, 281, 289, 298
Cavalcanti, Di, 185
Cavalcânti, Rosil, 286-7
Cavalcânti, Violeta, 171
Cavalcânti, Zaíra, 95
Cavalieri, Gina, 219
Cavalli, Giuseppe, 36
Cavallini, Ernesto, 36
Caymmi, Danilo, 231, 334, 355, 357, 373, 376
Caymmi, Dori (Dorival Tostes Caymmi), 231, 350-1, 361, 373, 376, 385
Caymmi, Dorival, 9, 149, 170, 192, 210, 224, 229-33, 259-60, 267, 277, 289, 296, 301, 307, 311-2, 330, 332, 366, 373, 394, 407
Caymmi, Nana (Dinahir Tostes Caymmi), 231-2, 350, 371, 373, 376-7, 392
Caymmi, Simone, 343
Caymmi, Stella, 232
Cazes, Beto (Humberto Leal Cazes), 82, 200, 433
Cazes, Henrique, 200, 433
Cazuza (Agenor Miranda de Araújo Neto), 394, 438-9
Cazuzinha (José de Souza Aragão), 52-3
Cearense, Catulo da Paixão, 30, 49, 53, 62, 65-8, 83, 243-4
Cecéu, 423
Ceci (Juraci Correia de Morais), 141, 143-5
Celestino, Vicente, 62, 93-5, 111-2, 177, 202-3, 206, 208, 278, 384
Célio, Francisco, 203, 216
Celso Blues Boy, 437
Cernicchiaro, Vincenzo, 18
César, Chico (Francisco César Gonçalves), 459
César, Fernando, 274
Chacrinha, 184, 384
Chagas, Nilo, 163, 263
Chagas, Paulo Pinheiro, 128
Champion, Gower, 150
Chaplin, Charles, 134
Charlie Brown Jr., 460
Chateaubriand, Assis (Chatô), 346
Chaves, Erlon, 359
Chaves, Henrique, 222
Chaves, Manoel Pimenta, 19, 23
Chediak, Almir, 330
Cheiro de Amor, 450
Chicão (Francisco Guimarães Coimbra), 263
Chiclete com Banana, 450
China (Otávio da Rocha Viana), 74, 82-86, 257
Chiquinho do Acordeão (Romeu Seibel), 199, 275, 313
Chitãozinho e Xororó, 444-447, 459
Chocolate (Dorival Silva), 274, 292-4
Chopin, Frédéric, 26, 35, 40, 452
Choro Carioca, 82
Cidade Negra, 459
Cidinho e Doca, 456
Cilene, Katia, 403
Cipó (Orlando Costa), 275-6

Cipoal (Cipriano Silva), 245
Cirino, 422
Cirino, Sebastião, 33, 92
Clarinha (Clara Corrêa Neto), 145
Clark, Bobby, 150
Clark, Walter, 360
Cláudia (Maria das Graças Rallo), 376
Claudinho & Buchecha, 456
Cláudio, Luís, 274, 298, 329
Clay, Luís Carlos, 403
Clementino, José, 285
Clementino, Lourival, 200
Clevers, The, 402
Clube da Esquina, 424
Clube do Choro, 433
Cobrinha, 240
Cobrinha (Adelmar Adour), 245
Coburn, Richard, 204
Coelho, Elisa, 109, 156, 220, 288
Coelho, Furtado, 51
Coelho, Paulo, 426
Colla, Carlos, 446
Collazo, Bobby, 290
Combo, Gerson King (Gerson Rodrigues Côrtes), 454
Companhia João de Deus-Martins Chaves, 207
Companhia Negra de Revistas, 86
Comprido (Hélio Turco), 419
Conceição, Flora Maria da, 286
Conceição, Manoel da, 275
Conceição, Raimunda Maria da, 81
Conde, Amilcar de, 263
Conrad, Gerson, 426
Consuelo, 63
Consuelo, Baby (Bernadete Dinorah de Carvalho), 420-2
Contursi, J., 210
Copinha (Nicolino Cópia), 172, 277, 433
Coquejo, Carlos, 376
Cor do Som, A, 422
Cord, Ronnie (Ronald Cordovil), 397, 399
Cordeiro, Antônio, 318
Cordeiro, Cruz, 87
Cordel, Nando, 423
Cordovil, Hervê, 143, 148, 169, 212, 217, 222, 259, 281, 285
Corrêa, Beto, 448
Corrêa, José Celso Martinez, 365, 383
Corrêa, Luís Antônio Martinez, 368
Corrêa, Renato, 400
Corrêa, Roberto, 237, 444
Correia, André Vitor, 309
Correia, Apolo, 219, 246
Correia, David, 419
Correia, José Bruno, 53
Correia, Orlando, 274
Cortes, Aracy, 76, 91-5, 111, 129, 147, 156-7, 162, 164, 288, 407, 414-5
Côrtes, Getúlio, 400, 403
Costa Filho, César, 134, 357, 376
Costa, Alaíde, 345
Costa, Armando, 407
Costa, Artur, 163, 304
Costa, Carmen, 171
Costa, Fernando, 411
Costa, Gal (Maria da Graça Costa Pena Burgos), 381, 383, 388-9, 391-5, 435
Costa, Jaime, 221-3, 226
Costa, Maricene, 348
Costa, Pereira da, 280
Costa, Porfírio, 200
Costa, Rui, 224, 227
Costa, Sueli, 358
Costa, Venancinho, 53
Costa, Vitor, 227, 321
Costa, Yamandu, 459
Costello, Lou, 150
Coutinho, Romano, 90
Couto, Armando, 222
Cozzela, Damiano, 384
Cozzi, Oduvaldo, 211, 318-9
Cremieux, 40, 67
Crespo, Carlos, 290
Crespo, Gonçalves, 53
Creuza, Maria, 337, 422
Cristina (Maria Cristina Holanda Ferreira), 430
Cristina, Teresa, 460
Cristóbal, Julio, 90, 93, 95
Cristofori, Bartolomeu, 21
Crosby, Bing, 295
Cruz, Arlindo, 448-9
Cruz, Célio Alves da, 432
Cruz, Claudionor, 127, 168, 172, 202, 213, 217, 224, 257
Cruz, Dias da, 180
Cruz, Hanibal (Niboca), 149, 334
Cunha, Anderson, 452
Cunha, João, 51
Cunha, João Luís de Almeida (Cunha dos Passarinhos), 50, 53
Cunha, José Maria Pinto da, 146
Cunha, Maria Emília Miranda da, 146
Cunha, Mário, 152
Cunha, Nelson, 210
Cunha, Ribeiro, 186
Curi, Ivon, 274, 281, 289, 324, 326
Curi, Jorge, 318
Curinga (André Batista Vieira), 261-2

Curvelo, Lúcio, 448
Cury, Muíbo, 443
Cybele, 354, 382
Cylene, 382
Cynara, 354, 382
Cyva, 382
D2, Marcelo, 459
D'Água, Romano da Mãe, 243
D'Almeida, Filinto, 56
D'Ávila, Gilberto, 200
D'Azzali, Jácomo, 57
D'Eddy, MC, 456
Dadi (Eduardo Magalhães de Carvalho), 421-2
Dafé, Carlos, 454
Dandurand, John, 385
Daniel (José Daniel Camilo), 446-7
Danilo, Conde, 60
Dantas, Zé (José de Souza Dantas Filho), 273, 281
Darin, Bobby, 398
Dazinho (Edgar Gonçalves), 433
Dé (André Palmeira Cunha), 438-9
De Chocolat, 86, 92
De Forest, Lee, 98, 101
De Knight, Jimmy, 396
De Vecchi e Farina, 26
Debussy, Claude, 233, 340
Decourt, Geraldo, 222
Del Loro, 200
Del Prete, Michele, 401
Del-Penho, Alfredo, 460
Delgado, Pepa, 63, 89
Deluqui, Fernando, 441
Demétrius (Demétrio Zahra Neto), 402
Demônios da Garoa, 276
Denegri, Antônia, 92
Deny e Dino, 401, 403
Déo (Ferjalla Rizkalla), 158, 160, 170, 203, 213, 226, 278
Deodato, Eumir, 359, 369, 382
Desafinados, Os, 390
Desaiques, Lilia, 55
Desormes, L. C., 25, 56
Devos, Anne Marie, 197
Di Carlo, Bobby, 401, 403
Di Paula, Benito (Uday Veloso), 431
Dias, Aloísio, 175
Dias, Andréa Ernest, 82, 459
Dias, Cícero José, 194
Dias, Geraldo Pedrosa de Araújo (ver Geraldo Vandré)
Dias, Gonçalves, 418
Dias, Odette Ernest, 36
Dias, Orlando (José Adauto Michiles), 434
Dias, Sérgio, 426-7
Dias, Vital, 439
Dickson, William, 101
Dicró (Carlos Roberto de Oliveira), 186, 430
Dida, 429, 447
Didier, Carlos, 137, 139-40
Diegues, Cacá (Carlos Diegues), 366, 368
Dines, Alberto, 13
Diniz, Edinha, 42, 46
Diniz, Mauro, 448-9
Dino Sete Cordas (ver Mestre Dino)
Disney, Walt, 159-60
Djavan (Djavan Caetano Viana), 395, 420, 422-4, 452, 458
Doces Bárbaros, 388
Dodô e Osmar, 251, 422
Dom e Ravel, 434
Domingues, Heron, 322
Dominguez, Alberto, 210, 290
Dominguinhos (José Domingos de Morais), 285, 390, 423
Dominguinhos do Estácio, 419
Dona Maritá, 420
Donato, João, 274, 296, 332, 345
Donga (Ernesto dos Santos), 70-1, 73-4, 82-7, 92-3, 111, 116, 194, 243-4, 308, 310
Dooltinger, Maurício, 23
Dorenski, Sergei, 312
Dorison, Desidério, 28
Dorison, José Francisco, 19
Dornelas, Homero, 135
Downey, Wallace, 100, 132, 157, 218, 220-4, 229, 234, 238
Dreyfus, Dominique, 279, 282
Duarte, Alice, 175
Duarte, Ari, 315
Duarte, Bandeira, 223
Duarte, Francisco (Chiquinho), 199
Duarte, Mauro, 412, 417
Duda, 250
Dumar, João, 261
Duncan, Zélia, 453, 458
Dunga (Valdemar de Abreu), 163, 169, 294
Dupla Preto e Branco, 162-3, 225
Duprat, Rogério, 351, 384
Duque (Antônio Lopes do Amorim Diniz), 32, 83-4, 91-2, 99, 246
Duran, Dolores (Adiléia Silva da Rocha), 274, 298-300, 326, 340
Durante, Jimmy, 153-4
Dusek, Eduardo, 385, 437
Dutra, Alfredo, 67
Dutra, Altemar, 434
Dutra, Farnésio (ver Dick Farney)
Earnhart, H., 397

Éboli, Osvaldo (ver Vadeco)
Eça, Luís, 382
Edison, Thomas, 101
Edmundo, Luís, 31
Ednardo (José Ednardo Soares Costa Souza), 422, 424
Edson, Dori, 403
Edwards, Margareth, 218
Efegê, Jota (João Ferreira Gomes), 31, 80
Efrem, João G., 53
Egotrip, 437
Einhorn, Maurício (Moisés David Einhorn), 382
Elias do Parque, 430
Elísio (Mestre Elísio), 194
Elísio, Felinto, 14
Elizeu, Antônio, 42
Eller, Cássia, 453, 458
Elpídio, Fats (Elpídio Pessoa), 172
Elvira, 302-3, 307
Endrigo, Sergio, 401
Eneida, 358
Engenheiros do Hawaii, 437, 442
Época de Ouro, 258, 343
Espíndola, Dalva, 92
Espíndola, Tetê (Teresinha Maria Miranda Espíndola), 425, 453
Espírito Santo, A. M. do, 92
Essinger, Sílvio, 457
Estefano e Donato, 446
Esteves, Eulícia, 267
Estrela, Arnaldo, 317
Eurípedes, 368
Evandro (Josevandro Pires de Carvalho), 433
Evans, Leslie, 196-7
Eversong, Leny, 278
Evinha (Eva Corrêa José Maria), 357, 376, 402
Exaltasamba, 450
Expósito, H., 210
Fabián, Don, 210, 290
Fábregas, Salvador, 53
Fachinetti, Joseph, 19
Fagner, Raimundo, 420, 422, 424
Faissal, Lourival, 315
Falcão, Fred, 357
Falcão, João, 363
Faraj, Jorge, 169-70, 188, 191, 203, 215, 268, 289
Faria Júnior, Miguel, 363
Faria, Antônio (Buldogue da Praia), 120
Faria, César, 258, 410, 414, 434
Faria, E. Duque Estrada, 89
Faria, Rui Alexandre, 381
Farias, Arnaldo, 225
Farias, Carlos Alberto Rocha, 152
Farias, Luís Carlos dos Santos (Lulu, o Cavaquinho), 64
Farias, Vital, 422-3
Farney, Dick (Farnésio Dutra e Silva), 199, 231, 274, 289-91, 295-7
Farquhar, Percival, 320
Farrell, W., 401
Farrés, Oswaldo, 210, 290
Fat, MC, 456
Fauré, 233
Fausta, Itália, 94
Faye, Alice, 146, 152
Fazenda, Vieira, 24
Federico, D., 210
Feital, Paulo César, 412
Felipe e Carolina Catton, 26
Fellini, Federico, 389
Fellows, The, 397
Fenelon (Fenelon Moreira de Albuquerque), 252
Fenelon, Moacir, 218, 225-7
Feniano (Sizenando Santos), 84
Fernandes, Carlos Henrique, 190
Fernandes, Esmeraldo, 230
Fernandes, Jorge, 109
Fernandez, Esther, 290
Fernandinho, 213
Fernando (Fernando Filizola), 423
Fernando, Carlos, 251, 422-2
Ferreira, Abel, 172, 276-7, 314-5, 433
Ferreira, Aloísio, 260
Ferreira, Ascenço, 253
Ferreira, Bibi, 223
Ferreira, Cordélia, 221
Ferreira, Djalma, 172, 345
Ferreira, Durval, 345
Ferreira, Edgar, 286-7
Ferreira, Edmundo Otávio, 47, 67
Ferreira, Evaldo, 222
Ferreira, Hilário Jovino (Lalu de Ouro), 70, 79
Ferreira, Ítala, 226
Ferreira, João Cândido (ver De Chocolat)
Ferreira, Levino, 250
Ferreira, Manoel, 140, 418
Ferreira, Nelson, 216, 250-2
Ferreira, Procópio, 218
Ferreira, Rossini, 434
Ferrete, João Luís, 236
Fevers, The, 403
Fidélis, Zé (Gino Cortopazzi), 321
Figner, Frederico, 58-61
Figueira da Silva, Viriato, 30, 37, 65, 67, 81
Figueiredo, Celso, 202

Figueiredo, J., 92
Figueiredo, Sebastião, 179
Filho, André, 108, 116, 140, 148, 220
Filho, Antônio (Pinóquio), 317
Filho, Arthur L. de Oliveira, 408
Filho, Ernâni, 300
Filho, Fernando Martinez, 289
Filho, José do Patrocínio, 76, 91
Filho, Melo Moraes, 51-2
Filho, Milton Lima dos Santos, 381
Filho, Oduvaldo Vianna (Vianinha), 362, 368, 407
Filho, Pereira, 172, 212, 257
Filho, Pinto, 92, 95, 221, 317
Fillipi, 397
Filó, Dom (Anfilófilo de Oliveira Filho), 454
Finizola, Janduhy, 285
Flauta, Manuelzinho da, 407
Fleming, John Ambrose, 98
Florence, Jaime (ver Meira)
Flores, Nelly, 94
Florinda, Miss, 218
Flynn, Errol, 150
Fon-Fon (Otaviano Romero), 172, 201
Fonseca, Açucena, 218
Fonseca, Ademilde, 171, 276-7, 314
Fonseca, Carlos Alberto Pinto, 253
Fonseca, Hermes da, 45, 68, 89
Fonseca, Luísa, 94
Fonseca, Zezé (Maria José Gonzalez), 213
Fonseca, Zilah, 227
Fontainha, Guilherme, 196
Fontenele, Jorge, 222
Fontes, Hermes, 78
Fontes, Lourival, 266, 269
Forghiere, William
Forlain, Ari, 261
Formenti, Gastão, 109, 206, 211
Formiga (José Luís Pinto), 275-6
Forroçacana, 380
Fortuna, Antônio Pedro, 436
Fortuna, José, 241
Fortuna, Perfeito, 436
Fortunato, Bruno, 439
Fossati, Romeu, 199
Fox, William, 101
Fragoso, Ari (Gato Félix), 222
França Filho, Ernesto, 53
França, Osvaldo, 303
Franco, 448-9
Franco, Maria de Lourdes de Souza, 214
Franco, Moacir, 446
Frazão, Ari, 179
Frazão, Eratóstenes, 108, 115, 127, 169, 181, 188, 215-6, 221, 261, 317
Frazão, João, 245
Freedman, George, 403
Freedman, Max C., 396
Freire, Cláudio, 200
Freire, Lula (Luís Fernando de Oliveira Freire), 348, 369, 376
Freire, Luna, 200
Freire, Pinheiro, 47
Freire, Roberto, 360
Freitas, José Francisco de, 33, 77-79, 92-3, 113, 204
Freitas, Quintiliano da Cunha, 18
Frejat, Roberto, 438-9
Frenéticas, 427
Freycinet, Louis, 17
Frias, Carlos, 229
Fromer, Marcelo, 440
Fuína, Antônio, 260
Fuks, Moysés, 329
Fundo de Quintal, 447-9
Funk Clube, 456
Furinha (Dermeval Neto), 200
Furtado, Capitão, 238-9
Gadé (Osvaldo Chaves), 108, 179, 188
Gadelha, Dedé, 386, 388
Gadelha, Sandra, 386, 392
Gaita, Edu da (Eduardo Nadruz), 172
Galati, Jorge, 238
Galdino, Pedro, 37
Galeno, Ricardo, 289, 329
Galhardo, Carlos (Catello Carlos Guagliardi), 170, 188-9, 202-4, 206, 216-7, 224, 251, 270, 278, 295, 302
Galo Preto, 432
Galvão (Luís Dias Galvão), 420-2
Galvão, Nino, 250
Gandelman, Henrique, 289
Gang 90 & As Absurdettes, 437
Gaó (Odmar do Amaral Gurgel), 100, 109, 201, 219
Garcez, Augusto, 165, 175, 179, 409
Garcia, Isaura, 171, 181, 263, 277, 295
Garcia, José Maurício Nunes, 19
Gargalhada, Antenor (Antenor Santíssimo de Araújo), 140, 173

Garoto (Aníbal Augusto Sardinha), 110-1, 277, 289, 308
Garotos da Lua, 331
Garrido, Alda, 239
Garrido, Eduardo, 29
Garrido, Pedro Francisco, 248
Gaspar, J., 127, 186
Gaspar, Tibério, 357-8, 373, 376
Gavin, Charles, 440
Gay, John, 368
Gaya, Lindolfo, 116, 210, 276
Gayoso, Armando, 246
Gear, Luella, 150
Gentil, Romeu, 264
George V, 32
Gerald, Desmond, 56
Geraldos, Os, 72
Gerardi, Alcides, 274
Gerônimo, 450
Gershwin, George, 342
Gesse, Gessi, 338
Gessinger, Humberto, 442
Getz, Stan, 333, 342
Ghiaroni, Giuseppe, 322
Ghipsman, Romeu, 194, 196, 199, 317
Giane, 403
Giannini, Gioacchino, 28
Gil, Gilberto, 10, 284, 287, 348, 350-1, 355-6, 368-9, 372, 377-8, 383-6, 388-393, 395, 420, 426, 460
Gil, Preta, 392, 460
Gil, Rubem, 92
Gilbert, L. W., 210
Gilbert, Ray, 154, 160
Gilberto, Astrud, 333
Gilberto, Bebel (Isabel Gilberto), 460
Gilberto, João, 10, 158, 176, 262, 329-3, 336-7, 341, 364, 388, 390, 393-4, 420, 452, 460
Gilham, Art, 99
Gilliard, 434
Gil-Montero, Martha, 154
Gilson, 256-7
Giordano, Flora Nair, 391
Gira, Tote, 451
Giron, Luís Antônio, 117
Gismonti, Egberto, 376, 382
Glenn, Arthur, 428
Gluckman, Arnold, 201
Gnattali, Aida, 198
Gnattali, Alexandre, 199
Gnattali, Radamés, 41, 109, 111, 141, 193-4, 196-9, 239, 295-6, 311-2, 319-20, 412, 432-3
Godinho, A., 178
Godinho, Francelino Ferreira, 194
Godoy, Adilson, 382
Godoy, Amilton, 348
Godoy, Antônio, 235
Goffi, Guto (Flávio Augusto Goffi Marquesini), 438
Gogliano, Osvaldo (ver Vadico)
Goiano, José Joaquim, 19, 24, 50
Gold, Ernest, 369
Golden Boys, 355, 402
Gomes, Aurélio, 124-5, 186
Gomes, Bruno, 186
Gomes, Carlos, 24, 49, 53, 57, 187, 222
Gomes, Dulcinéia Nunes, 175
Gomes, Ferreira, 186
Gomes, Geraldo, 304
Gomes, José, 285
Gonçalez, Henrique, 186
Gonçalves, Alcides, 289
Gonçalves, Dercy, 246
Gonçalves, Donaldson, 400
Gonçalves, Nelson (Antônio Gonçalves Sobral), 163, 170, 204-5, 231, 277, 289, 292, 295, 302-7, 326, 434
Gonçalves, Paulo de Oliveira, 222
Gondim, Targino, 392
Gonzaga, Ademar, 219-23
Gonzaga, Alice, 223
Gonzaga, Carlos, 397
Gonzaga, Chiquinha (Francisca Edwiges Neves Gonzaga), 9, 24, 33, 35, 37-8, 42-7, 53, 56-7, 88-9, 309, 433
Gonzaga, José Basileu Neves, 42
Gonzaga, Luiz (Gonzagão), 26, 172, 226, 253, 256, 262, 273, 277, 279-86, 375, 389, 392
Gonzaga, Tomáz Antônio, 19
Gonzaga, Zé, 281
Gonzaga, Zezé, 274, 293
Gonzaguinha (Luiz Gonzaga Júnior), 285, 358, 373-6, 395, 420, 424
Gonzalez, Maria José (ver Zezé Fonseca)
Gordine, Sacha, 335
Gordurinha (Waldeck Artur de Macedo), 287, 390
Gorgulho (Jaci Pereira), 255-6
Goulart, Jorge (Jorge Neves Bastos), 274, 293, 297, 324, 326, 412
Gouveia, Bandeira, 88
Gouveia, Evaldo, 89, 434
Grable, Betty, 152

Graça, Fernando Lopes, 242
Graças, Maria das (Gugu), 307
Graciano, Clóvis, 185
Gracindo, Paulo, 232, 323
Graco, 424
Gradim (Lauro dos Santos), 140, 173
Grant, M., 397
Grau, Martinez, 239
Gravenstein, André, 36
Gravenstein, Ludwig, 36
Greenfield, H., 397
Grego, Almanir, 182
Greneker, Claude P., 149
Gretchen (Maria Odete Brito de Miranda), 434
Greyck, Márcio, 403
Grieco, Agripino, 68
Griz, Mário, 251
Grupo Abolição, 454
Grupo de Caxangá, 83, 244-5
Grupo do Canhoto, 254
Grupo Manifesto, 353
Grupo Semente, 460
Grupo X, 262
Guajurema, Cirino da, 243
Gualberto, João, 43
Guarabira, Gutemberg, 353, 359, 376
Guarnieri, Gianfrancesco, 345, 355, 362, 378
Gudin, Eduardo, 358, 376
Guedes, Beto (Alberto de Castro Guedes), 425
Guedes, Fátima, 434-5
Guerra Peixe, César, 189, 252-3
Guerra, Ruy, 361, 366, 373
Guerreiro, Goli, 452
Guevara, Ernesto Che, 384
Guilherme (Guilherme de Araújo), 386
Guilherme, Osvaldo, 289
Guimarães, Celso, 239, 318-9
Guimarães, Djalma, 200
Guimarães, Hebe, 226
Guimarães, Rogério (Canhoto), 100, 111, 254, 257
Guineto, Almir (Almir de Souza Serra), 448-9
Guinga (Carlos Althier de Souza Lemos Escobar), 457
Guinle, Arnaldo, 83, 84, 244
Guinle, Carlos, 231, 289, 296
Gurjão, Cristina, 338
Gusman, D., 31
Gusmão, Sila, 210
Gustavo, Miguel, 186
Guto & Cia, 456
Gwen e Loudermilk, 399
Haley, Bill, 396
Hamilton, Chico, 371
Harrison, George, 460
Helena, Heloísa, 222
Helena, Maria Luiza, 343
Heller, Jacinto, 51
Henie, Sonja, 149
Henrique, Durval (Ioiô), 229
Henrique, Valdemar, 223, 425
Henry, Georges, 300
Hermanny, Teresa Otero, 339-40
Hermanos, Los, 460
Heróis da Resistência, 437
Hertz, Heinrich Rudolf, 97-8
Herva Doce, 437
Hime, Francis, 336-7, 356, 373
Hirszman, Leon, 363
Hohagen, Sandino, 384
Holanda, Hamilton de, 460
Holanda, Maria Amélia Alvim Buarque de, 364
Holanda, Nestor de, 262
Holanda, Sérgio Buarque de, 364
Homem, Torres, 202
Hora, Rildo, 448
Horta, Toninho (Antônio Maurício Horta de Melo), 424-5
Howard, Bart, 344
Hyldon (Hyldon de Souza Silva), 428
Iglesias, Luís, 149, 208
Ilê Ayiê, 450
Imperial, Carlos, 357, 397-8, 401, 403-4
Incríveis, Os, 399, 402
Inimigos do Rei, 437
Inocentes, 437
Inspiração, Claudinho, 430
Ira, 437
Irmãos Lima, 444
Irmãos Quintiliano, 91, 94
Irmãos Tapajós, 192, 204, 219
Irmãos Valença, 126, 193, 216, 253
Irmãs Castro, 240
Irmãs Galvão, 443
Irmãs Pagãs, 222-3
Iron Maiden, 442
Isaac Frankel, 83
Isaías (Isaías Bueno de Almeida), 433
Isolda, 395
Israel, George, 394, 438-9
Itiberê, Brasílio, 30
Ivo, Zeca, 212
Jackson do Pandeiro (José Gomes Filho), 273, 281, 285-7, 408
Jacob do Bandolim (Jacob Pick Bittencourt), 172, 258, 276, 294, 309-12, 357, 414, 432-3

Jacobina, Nelson, 359, 390
Jacomino, Américo (Canhoto), 64, 100
Jaime, Léo, 437
Jair do Cavaquinho (Jair de Araújo Costa) (Jair do Tamborim), 411, 415-6
Jajá, 419
Jamelão (José Bispo Clementino dos Santos), 274, 293, 419
Jandi, Simão, 283
Jannings, Emil, 102
Jararaca (José Luís Rodrigues Calazans), 110, 127, 219, 244-5
Jararaca e Ratinho, 218, 246, 321
Jardim, Eugênio, 47
Jercolis, Jardel, 92, 94, 239
Jesus, Alberto, 331
Jesus, Ana Batista de (ver Santana)
Jesus, Antônia de, 13
Jesus, Clementina de, 407, 413-15, 448
Jet Black's, The, 399, 403
Joanna (Maria de Fátima Gomes Nogueira), 434-5
João Paulo e Daniel, 446
João Penca & Seus Miquinhos Amestrados, 437
João VI, Dom, 17
Joãozinho, 416
Jobim, Daniel, 459
Jobim, Elizabeth, 343
Jobim, Jorge de Oliveira, 339
Jobim, Nilza Brasileiro de Almeida, 339
Jobim, Paulo, 343, 459
Jobim, Tom (Antônio Carlos Jobim), 10, 115, 139, 205, 273-4, 294, 300, 307, 329-30, 332-3, 335-7, 339-44, 354-5, 359, 362-4, 366, 376, 378, 407, 452-3, 459
Joel e Gaúcho, 109, 188, 222, 227, 268, 270
Joelho de Porco, 427
Johnson, John, 250
Joia, Preto, 419
Jonald (Osvaldo Marques de Oliveira), 232
Jongo Trio, 378
Jonjoca (João de Freitas Ferreira), 109
Jonjoca e Castro Barbosa, 219
Jordans, The, 403
Jorge, Fred, 397
Jorge, Roberto, 345
Jorginho (Jorge Eduardo de Oliveira Gomes), 421
Jorginho do Pandeiro (Jorge José da Silva), 256, 258, 262, 275, 434
José, Carlos, 293
José, Odair, 434
Jota Quest, 459
Joyce (Joyce Silveira Palhano de Jesus), 356, 376
Julinha (Júlia Bernardes), 141, 145
Junco, Pedro, 290
Júnior e Leonardo, 456
Júnior, Anacleto Rosas, 240-1
Júnior, Barbosa, 178, 221-2
Júnior, Batista, 218
Júnior, Braga, 51
Júnior, Ciro Monteiro, 179
Júnior, Cunha, 240
Júnior, Fábio, 427
Júnior, Freire, 33, 77-9, 91-4, 208, 302
Júnior, Herivelto, 164
Júnior, José Maria da Silva Paranhos (Barão de Rio Branco), 27, 55
Júnior, Jota (Joaquim Antônio Candeias Júnior), 134, 274, 276
Junior, Leovigildo, 246
Júnior, Luís Severiano Ribeiro, 228
Júnior, Rebelo, 318
Júnior, Restier, 227
Jurandir, 419
Keller, Luis, 401
Kelly, João Roberto, 80, 276
Kern, Jerome, 158
Kéti, Zé (José Flores de Jesus), 80, 276, 347, 406-7, 409, 411-12, 417
Kid Abelha, 380, 437, 439
Kleiton e Kledir, 425
Koellreuter, Joachim, 339
Kohler, Ernesto, 64
Kolman, I., 200-1
Konder Neto, Marcos, 339
Koorax, Ithamara, 458
Kraftwerk, 455
Krieger, Edino, 353, 355
Kubitschek, Juscelino, 270
Kunz, Adelaide de Oliveira, 367
K-Ximbinho (Sebastião de Barros), 172, 200-1
Lacerda, Benedito, 63, 100, 109, 127, 148, 162-3, 168, 181, 202-3, 209, 213, 215, 220-2, 224, 254-7, 269-70, 289, 303-4, 308-10, 315, 317
Lacerda, Carlos, 161

Ladeira, César, 148, 209, 221, 265, 319
Laforge, Pierre, 23
Lafourcale, Zélia, 25
Lage, João Batista Fernandes, 46
Lages, Eduardo, 257
Lago, Antônio, 93
Lago, Mário, 127, 144, 168-9, 174, 178, 188, 192, 202-5, 210, 213, 217, 224, 226, 256, 266, 278, 289, 292, 321
Lamarca, Carlos, 366
Lamas, Nilton, 447
Lambert, Lucien, 38
Lamounier, Gastão, 202, 216
Land, Alberto, 377
Lara, Agustin, 210, 290
Lara, Dona Ivone, 295, 416-8, 429-30
Lara, Odete, 337
Lara, Zezé, 218
Laranjeira, Elza, 274
Laranjeira, Quincas, 65, 81, 243
Larone, 25
Latino (Roberto de Souza Rocha), 456
Lattari, Vitório, 303
Laureano, 239-40
Laureano e Soares, 240
Lavigne, Paula, 388
Lázaro e Machado, 240
Lazzoli, Alberto, 199
Leal, Cândida, 90
Leal, João Francisco, 18-9
Leandrinho, 457
Leandro e Leonardo, 446-7
Leão, Celso, 449
Leão, Nara, 344-5, 349, 360, 363, 381, 383, 386, 395, 407-8
Lecuona, Ernesto, 290
Lecuona, Margarita, 369
Lee, Rita, 355, 391, 425-7, 435, 442
Lees, Gene, 342
Legião Urbana, 437, 442
Leitão, César Borges, 81
Leléu, 407
Leme, Reinaldo Dias, 181, 297
Leminski, Paulo, 393
Lemos, Ademir (Homem-Baile), 454
Lemos, Fafá (Rafael Lemos Júnior), 275
Lemos, Tite de, 358
Lenine (Osvaldo Lenine Macedo Pimentel), 458
Lennon, John, 401
Lenny, Jack, 224
Leno (Gileno Osório Wanderley de Azevedo), 401-2
Leno e Lilian, 401-2
Lentine, Carlos, 256
Léo Canhoto e Robertinho, 444
Leocádio, José, 200-1
Leonardo (Emival Eterno Costa), 446-7
Leonardo, Márcio, 428
Leone, Zezé, 78
Leoni (Carlos Leoni Rodrigues Siqueira Júnior), 439-40
Leospa (Leonardo Galasso), 441
Leozinho, MC (Leonardo Freitas), 457
Leporace, Gracinha, 353
Les Zuts, 32
Lewgoy, José, 227, 343, 401
Lewis, Sam, 72
Libânia, 302
Lima, Antônio Henrique de (ver Pardinho)
Lima, Danúbio Barbosa, 264
Lima, Felipe de, 56
Lima, Helena de, 274, 298
Lima, Hugo, 231
Lima, José Alves de (Zezé), 83-6
Lima, Manoel de, 245
Lima, Marina, 434-5, 437
Limá, Messiê (Raimundo Lima de Almeida), 454
Lima, Miguel, 284
Lima, Plínio de, 52
Lima, Rosa Maria de, 42
Lima, Sebastião, 269
Lincoln, Ed (Eduardo Lincoln Barbosa Sabóia), 275, 345
Lindberg, Yuco, 227
Língua de Trapo, 453
Lino, João, 246
Lino, Maria, 32, 57, 88, 91
Lins, Iara, 346
Lins, Ivan Guimarães, 358, 373-4, 376, 378, 420, 428
Lins, Maurício, 449
Lins, Wilson, 357
Lira, Marisa, 155
Lisboa, Ascendino, 238
Lisboa, Sérgio, 250
Liszt, Franz, 222
Lívio, Arlênio, 397
Lívio, Tito, 53
Lobão (João Luís Woerdenbag Filho), 436-7
Lobo, Edu (Eduardo de Goes Lobo), 330, 336-7, 347, 350-1, 355-6, 359, 361-3, 368, 376, 378, 385, 393
Lobo, Fernando, 115, 181, 231, 261, 274, 297-8, 361
Lobo, Francisco Rodrigues, 15

Lobo, Haroldo, 127, 164, 167-8, 174, 181-2, 184, 188, 217, 226, 270, 276, 304
Lobo, Maria do Carmo, 361
Lona, Fernando, 348
Lontra, Ana Beatriz, 343
Lopes, Juvenal, 124, 255
Lopes, Nei, 69, 417, 429-30, 450
Lopes, Oscar, 91
Lopes, Otolindo, 287
Lopes, Sebastião, 251, 253
Lorez, Prini (Galli Júnior), 399, 403
Louis, Antonin, 25
Lourdes, Maria de, 40
Lourenço, 452
Lourenço e Olegário, 240
Lourival, Junquilho, 244
Lourival, Uriel, 212, 215
Louro (Lourival Inácio de Carvalho), 64
Louzada, Armando, 223
LSD, 423
Luar de Prata, 369
Lubitsch, Ernst, 102
Luciano (Luciano Lima Pimentel), 423
Luciano (Welson David de Camargo), 447
Luís Carlos da Vila, 419, 450
Luís, Pedro, 318
Luizinho, 235
Luizinho (Luiz Raimundo), 444
Luizinho e Joanico, 240
Luizinho e seus Dinamites, 397
Luna, Roberto (Valdemar Farias), 274, 293
Luz, Alcivando, 357, 376
Luz, Moacir, 457
Luz-Som-Dimensão (ver LSD)
Lyra, Carlos, 332, 336-7, 341, 344, 379
Macalé, Jards, 186, 376, 393-4
Macedo, B. Xavier de, 92
Macedo, Genival, 286-7
Macedo, Stefana de, 109, 219, 280
Macedo, Watson, 228
Machado, Afonso, 433
Machado, Aloísio, 419, 448
Machado, Carlos, 130-1
Machado, Pinheiro, 88, 243
Maciel, Edmundo, 275
Maciel, Edson, 275
Maciste da Mangueira, 125
Made in Brazil, 427
Madeira, Eduardo, 38
Madi, Tito (Chauki Maddi), 274, 299-300, 324
Madureira, Antônio José, 253
Magal, Sidney, 434
Magalhães, Geraldo, 62
Magalhães, João, 358
Magalhães, Oberdan, 454
Magalhães, Paulo de, 94
Magalhães, Valentim, 56
Magazine, 437
Magrão, Sérgio, 372
Magrinha, 430
Magro (Antônio José Waghabi Filho), 351, 381
Mahle, Ernesto, 253
Maia, Abigail, 63, 90
Maia, Carlito, 399
Maia, Durval, 166
Maia, Edmundo, 219
Maia, Lauro, 180, 262, 273, 279, 281
Maia, Petrúcio, 422
Maia, Tim (Sebastião Rodrigues Maia), 369, 397, 420, 428-, 454, 458
Maio, Douglas, 447
Malaquias, 64
Malheiros, Dulce, 239
Malta, Carlos, 459
Malta, Pedro Paulo, 460
Maltz, Carlos, 442
Mamão, 429
Manarezzi, Anna, 57
Mandapolão, 243
Mandi (Manoel Rodrigues Lourenço), 240
Manga, Carlos, 228
Mangione, Vicente, 220
Mano Décio da Viola, 418-9
Manoel, Joaquim, 16-8
Marambá (José Mariano Barbosa), 251
Marçal, Armando, 108, 114, 123-4, 127, 138, 156, 174, 213, 260, 262
Marçal, Armando (Marçalzinho), 124
Marçal, Mestre (Nilton Delfino Marçal), 124, 275
Marcelo (Marcelo Melo), 423
Marchevsky, Jaime, 196
Márcia (Márcia Elizabeth Raimundo Barbosa), 376
Marciano, 446
Marcílio, José, 203, 213, 289
Marcolino, José, 285
Marcone, 397
Marconi, Guglielmo, 98
Maria I, D., 14
Maria, Ângela (Abelim Maria da Cunha), 274, 292-3, 318, 324, 326, 435

Maria, Antônio, 274, 286, 297-8, 301
Maria, Mário Corrêa José, 402
Maria, Regina Corrêa José, 402
Maria, Renato Corrêa José, 402
Maria, Roberto Corrêa José, 402
Maria, Ronaldo Corrêa José, 402
Mariah (Maria Clara de Araújo), 115
Mariano e Caçula, 235, 240
Mariano, César Camargo, 272, 279, 382
Mariano, Olegário, 94-95, 111, 156, 204, 208
Mariano, Pedro, 279, 459
Marie, Rose, 55
Marinês (Inês Caetano de Oliveira), 273, 281
Marinho, Getúlio, 70, 174, 186, 222
Mário Cavaquinho (Mário Álvares da Conceição), 37
Maris, Stella (Adelaide Tostes), 231, 233, 273
Marisa Gata Mansa (Marisa Vértulo Brandão), 274, 298, 331
Marlboro, DJ, 455-7
Marlene (Victória Bonaiutti), 274, 281, 323-6
Marley, Bob, 392
Marques Júnior, Arlindo, 115, 127, 165, 169, 213, 260
Marques, Acyr, 448-9
Marques, Brás, 287
Marques, Lourival, 320
Marques, Raul, 178
Mart'nália (Mart'nália Mendonça Ferreira), 459-60
Marten, Léo, 219
Martinaux, 25
Martinelli, Cleonice Rossi, 402
Martinez, Carlos A., 222
Martinha (Marta Vieira Figueiredo Cunha), 399, 401-2
Martinho da Vila (Martinho José Ferreira), 355, 379, 416, 419, 448, 450, 459
Martino, M. di, 353
Martins, Antônio de Souza, 55
Martins, Artur Augusto Vilar, 59
Martins, Felisberto, 179, 417
Martins, Herivelto, 127, 162-4, 166, 190, 209-10, 225, 229, 262-3, 266, 277, 288-9, 291-2, 298, 304-5, 350, 354, 380
Martins, João, 194
Martins, Júlia, 63, 89-90
Martins, Lindaura (Linda), 141-5
Martins, Lourdes Torelli, 164
Martins, Neide, 224
Martins, Osvaldo, 292
Martins, Roberto, 127, 165, 167-8, 179, 182, 188-91, 204-5, 209, 213, 217, 224, 227, 260-1, 270, 289, 292, 304, 417, 448
Martins, Tito, 88
Martins, Vitor, 374
Marxer, Dr., 153
Mascote, MC, 456
Mata, Fernando Luís Matos da (ver DJ Marlboro)
Mata, João da, 70
Mateus, Hélio, 359
Matogrosso, Ney (Ney de Souza Pereira), 385, 426-7
Matos, Cláudio Rodrigues de (Claudinho), 456
Matos, Gregório de, 13, 387
Matos, Hélio Gonçalves, 358
Matos, Pereira, 80
Matoso, Francisco, 116, 130, 202-3, 209, 259
Matoso, Gilda de Queiroz, 338
Maura, Regina, 219
Maurício (Maurício Fernando Rodrigues), 441
Maurício, José, 18
Maurity, Rui, 357, 376
Mauro, Humberto, 219, 223
Mauro, José, 320
Mautner, Jorge, 390
Max, Margarida, 91-2, 94
Máximo, João, 137, 139-40
Maxwell, James Clerk, 97
Mayer, Rodolfo, 223
Maysa (Maysa Figueira Monjardim), 274, 299-301, 350
Mazinho, 259
Mazziotti, João Paulo, 18
McCartney, Paul, 401
McHugh, Jimmy, 150
Medaglia, Júlio, 384
Medalha, Marília, 337, 351, 354, 376
Medeiros, Alfredo, 246
Medeiros, Anacleto de, 24, 37-8, 47-9, 65, 67, 433

Medeiros, Arnoldo, 358
Medeiros, Elton (Elto Antônio de Medeiros), 242, 354, 379-80, 406-13, 415
Medeiros, Evenor de Pontes, 262
Medeiros, Genaldo, 200
Medeiros, Geraldo, 200-1, 276
Medeiros, Isabel de, 47
Medeiros, José de Pontes, 262
Medeiros, Luís Antônio de, 411
Medeiros, Orlando, 263
Medeiros, Paulo, 203, 215
Medeiros, Permínio de Pontes, 261
Medeiros, Rico, 419
Medeiros, Roberto, 260
Medina, Roberto, 442
Meira, 111, 256-7, 294
Meireles, Geraldo, 445
Meireles, Helena, 443, 445
Melhor, Marquês de Castelo, 14
Mello, Zuza Homem de, 211, 330, 348, 359
Melo, Antônio Teixeira de, 55
Melo, Beatriz Azevedo de, 335
Melo, Branco (Joaquim Cláudio dos Reis de Melo Branco), 440
Melo, Elomar Figueira de, 422
Melo, José Rodrigues da Graça, 139
Melo, Luciana, 459
Melo, Mário, 249
Melo, Olímpio de, 114
Melo, Sátiro de, 182
Melo, Silvinha, 319
Melodia, Aroldo, 419
Melodia, Luiz (Luiz Carlos dos Santos), 307, 394, 428
Melson, Joe, 397
Mendes, Fernando, 434
Mendes, Luís, 318
Mendes, Otávio Gabus, 203, 213
Mendes, Sérgio, 382
Mendigo, Zeca, 436
Mendonça, C., 114
Mendonça, José Márcio, 114, 116
Mendonça, Newton, 274, 300, 330, 332, 340-1
Menendez, Nilo, 290
Menescal, Roberto, 307, 332, 341, 345, 368, 379
Menezes, Cardoso de, 89-92
Menezes, Carolina Cardoso de, 109, 204
Menezes, Helton, 345
Menezes, José, 199, 250, 274, 290
Menezes, Margareth, 450
Menezes, Monsueto, 276
Menra, J., 128
Menzel, Frederico, 262
Mercury, Daniela, 450-1, 458
Meriti, Serginho, 448-9
Mesquita, Augusto, 260, 294, 315
Mesquita, Caio, 461
Mesquita, Custódio, 108, 127, 138, 174, 182, 184, 188, 190, 195, 201-5, 209, 213, 215-7, 220, 223, 226, 288-9, 301, 304
Mesquita, Evandro, 436
Mesquita, Henrique, 418
Mesquita, Henrique Alves de, 20, 24, 28-30, 43, 47, 51, 53, 57
Mesquitinha, 91, 94-5, 220-1
Messias, Zé, 235
Mestre Ambrósio, 460
Mestre Dino (Horondino José da Silva), 172, 256-8, 404
Mestrinho, 419
Metrô, 437
Michiles, J., 251
Miele, Luís Carlos, 379
Migliaccio, 397
Migliori, Gabriel, 303
Mignon, Rose, 55
Mignone, Francisco, 253
Miklos, Paulo, 440
Milanez, Abdon, 57
Milano, Nicolino, 57, 88
Milfont, Gilberto (João Milfont Rodrigues), 274, 293, 296
Milionário e Zé Rico, 444
Mill's Brothers, 259
Miller, Sidney, 347, 351, 362, 373
Milonguita (Antônio Gomes), 215
Miltinho (Milton Santos de Almeida), 262-3, 345
Mina, João, 119, 144
Miranda, Aurora, 146, 170, 204, 220, 222, 224, 317
Miranda, Bibi, 276
Miranda, Carmen, 9, 56, 100, 108, 114-5, 146-154, 156-7, 162, 167, 169-70, 178, 181-2, 189, 194, 219-22, 224, 229, 259, 317, 331, 397, 405
Miranda, João, 245
Miranda, Luperce, 111, 194, 196, 246, 257, 309, 433
Miranda, Pedro, 460
Miranda, Roberta, 446

Miranda, Romualdo, 245-6
Miranda, Sula, 446
Miranda, Wilson, 397
Mirian, 313
Miúcha (Heloísa Buarque de Holanda), 333, 460
Moacir, 294
Mocidade, Paulinho, 419
Moles, Osvaldo, 332
Momento Quatro, 351
Monarco (Hildemar Muniz), 417, 429, 430, 448-50
Monello, Orlando, 303
Monte, Heraldo do, 382
Monte, Marisa, 380, 452, 458-9
Monteiro, Ari, 169, 179
Monteiro, Ciro (Formigão), 158, 170, 175, 178-81, 191, 265, 268, 270, 276, 294, 354, 407, 409-10, 429, 448-9
Monteiro, Dóris, 274, 298, 318, 345
Monteiro, Eugênio, 429
Monteiro, Ildefonso, 179
Monteiro, José, 84
Monteiro, Manoel, 220
Monteiro, Maria do Carmo Pinto, 146
Monteiro, Rafaela, 25
Monteiro & Edelweiss, 226
Montez, Chris, 404
Montez, Nanci, 306
Mooney, Joe, 332
Moraes, Clodoaldo Pereira da Silva, 190, 334
Moraes, Henrique de Mello, 334
Moraes, Lydia Cruz de, 334
Moraes, Vinícius de (Marcus Vinitius da Cruz de Mello Moraes), 51, 115, 180-1, 185, 190, 192, 204, 294, 298, 300-1, 308, 329-30, 332, 334-41, 347, 350, 353, 361-2, 364, 373, 378, 395
Morais, Carlos, 195
Morais, Felinto, 245
Morais, José Luís de (Caninha), 71, 73, 83, 195
Morais, Raul, 252
Morais, Raul C. de, 246
Moreira, Adelino, 274, 289, 292, 304-5, 307, 434
Moreira, Airto (Airton Guimorvan Moreira), 348, 382
Moreira, Buci, 125, 174
Moreira, Claudina Passos Gil, 389
Moreira, José Gil, 389
Moreira, Luís, 89
Moreira, Moraes (Antônio Carlos Moreira Pires), 251, 394, 420-2
Moreira, Pauladina de Assis, 185
Moreira, Pedro Gadelha Gil, 392
Moreira, Wilson, 417, 429-30, 448, 450
Morelenbaum, Jaques, 343
Morelenbaum, Paula, 343
Moreno, César, 313
Moreno, Elza, 219
Mores, M., 210
Morize, Henrique, 97
Mosca, Sérgio, 430
Moska, Paulinho (Paulo Corrêa de Araújo), 380, 459
Mossurunga, Bento, 89-90
Mota, Nilo Xavier da, 264
Motorneiro, Edu, 123
Motta, Ed (Eduardo Motta), 458
Motta, Nelson, 350-1, 363, 373, 376, 437
Moura, Antônio Luís de, 28, 47
Moura, Mauricy, 300
Moura, Paulo, 275-6, 296, 314, 434
Moura, Tavinho, 425
Moura, Tony, 259
Mourão, Flora (ver Flora Maria da Conceição)
Mozart, Wolfgang Amadeus, 185, 233
MPB-4, 184, 264, 351, 381
Mr. Catra, MC (Wagner Domingues da Costa), 457
Mundo Livre S.A., 460
Muniz, Fausto, 219
Murad, Jorge, 221-2, 224, 321
Muraro, Heriberto, 172, 203, 216, 222-3
Murat, Luís, 67
Murce, Renato, 157, 317-8, 320
Muricy, Andrade, 22
Murilo, Sérgio, 397-8
Murnau, 102
Murray, Jean, 398
Mussolini, Benito, 265
Mussorunga, Domingos da Rocha, 19-20
Mutantes, Os, 351, 383, 385, 425-7
Nação Zumbi, 460
Namorados da Lua, 262-3, 275

Nanai (Arnaldo Humberto de Medeiros), 263, 275
Nardo, Nhô, 240
Nascimento, Joel, 200, 432-3
Nascimento, Milton, 294, 352-3, 355-6, 369-72, 376, 378, 420, 425
Nascimento, Ubirajara Félix do, 447
Nássara, Antônio, 108, 116, 126-7, 164-5, 168-9, 174, 188, 190, 213, 215-7, 220-1, 223, 259, 317
Nasser, David, 163, 170, 183, 209-10, 215, 226, 256, 260, 269, 289, 292, 304-5
Nazarena (Nazinha), 282
Nazareth, Carolina Augusta da Cunha, 38
Nazareth, Ernesto, 9, 24, 30, 37-41, 62, 67, 83, 311, 433, 452
Nazareth, Vasco Lourenço da Silva, 38
Neco (Manoel Ferreira Capellani), 62
Ned, Nelson, 434
Negreiros, Eliete, 453
Neguinho da Beija-Flor (Luís Antônio Feliciano Marcondes), 419
Neguinho do Samba (Antônio Luís Alves de Souza), 450
Nelsinho (Nelson Martins dos Santos), 275-6
Nelson, Bob, 323
Nelson Cavaquinho (Nelson Antônio da Silva), 179, 406-7, 409-10, 412-3, 416
Nenhum de Nós, 437
Neoci, 429, 447
Nepomuceno, Alberto, 67
Nepomuceno, Rosa, 236, 238, 444
Neruda, Pablo, 233
Nesdan, Ubirajara, 269
Neto, Eduardo Souto, 376
Neto, Francisco, 100
Neto, Gagliano, 317
Neto, Ismael, 274, 298
Neto, Jerônimo José Ferreira Braga, 131
Neto, João Cabral de Melo, 365
Neto, Morais, 158
Neto, Prudente de Morais, 123
Neto, Silvino, 202-3, 209-10, 213, 289
Neto, Tião, 343
Neto, Torquato, 372, 376, 384, 392-3
Neukomm, Sigsmund, 17-8, 23
Neves, Cândido das (Índio), 62, 108, 202-3, 212-3
Neves, Eduardo das, 61-2, 90, 235
Neves, Ezequiel, 438
Neves, Geraldo das, 407
Neves, Gustavo Adolfo de Carvalho Baeta (Didi), 419
Neves, Oscar Castro, 337, 345
Neves, Sabino Antônio das, 61
Ney, Nora (Iracema de Souza Ferreira), 274, 297-8, 300, 324, 326, 396
Nezeli, 213
Nezinho, 419
Nhá Zefa (Maria di Leo), 239-40
Nhô Pai (João Alves dos Santos), 240
Nilo, Fausto, 422
Niltinho, 168
Niltinho Tristeza, 419
Nirez (Miguel Ângelo de Azevedo), 279
Nó em Pingo d'Água, 432
Nobre, Dudu (João Eduardo de Sales Nobre), 448-9
Nobre, Marlos, 253
Nobre, Sara, 89, 219, 223, 226
Nóbrega, Antônio Carlos, 253
Noca da Portela (Osvaldo Alves Pereira), 417, 430, 450
Nogueira, Alcebíades, 263
Nogueira, Célio, 196
Nogueira, João, 376, 429
Nogueira, Zé, 459
Nonô (Romualdo Peixoto), 109, 116, 140, 179, 294, 317
Noronha, Francisco de Sá, 53
Norte, Zé do (Alfredo Ricardo do Nascimento), 273, 281, 283
Novaes, Justino de Figueiredo, 54
Novarro, Ramon, 212
Novos Baianos, 420-1
Nozinho (Carlos Vasquez), 62
Nunes, Álvaro, 261
Nunes, Átila, 315
Nunes, César, 62
Nunes, Cícero, 304
Nunes, Clara, 337, 380, 428-9
Nunes, Djalma, 94, 128
Nunes, Edgar, 303
Nunes, Geraldo, 401
Nunes, José, 33, 93
Nunes, Josefina Teles (Fina), 141, 145
Nunes, Lino José, 18
Nunes, Mário, 55

Nunes, Mário Florêncio, 432
Nunes, Max, 80, 322
Nunes, Romeu, 358
Odete, Maria, 348, 376
Offenbach, 57
Oiticica, Hélio, 383
Oito Batutas, 83-4, 87, 193, 195, 244-5
Olinda, 146
Oliveira, Alberto de, 67
Oliveira, Aloisio de, 115-6, 152, 154, 224, 259, 332, 340, 417
Oliveira, Angelino de, 241
Oliveira, Aristides Júlio de, 86
Oliveira, Arquimedes de, 88
Oliveira, Bonfiglio de, 111, 194, 196, 217, 311
Oliveira, C. de, 409
Oliveira, Carlinhos de, 343
Oliveira, Dalva de (Vicentina de Paula Oliveira), 160, 163, 172, 209, 224, 229, 263, 277, 281, 289, 291-2, 294, 324, 380, 410
Oliveira, Darci de, 269
Oliveira, Gastão de, 255
Oliveira, Gonçalves de, 128
Oliveira, Jair, 459
Oliveira, Joaquim José de, 56
Oliveira, José Artur de, 264
Oliveira, José do Patrocínio de (Zé Carioca), 106, 257-8
Oliveira, Lourival de, 250
Oliveira, Magno de, 180
Oliveira, Milton de, 127, 168, 182, 184, 270
Oliveira, Miro de, 253
Oliveira, Noel Rosa de, 416
Oliveira, Renato de, 276
Oliveira, Sebastião, 240
Oliveira, Silas de, 418-9
Oliveira, Valdemar de, 250
Oliveira, Wellington, 397
Oliviera, Zaíra de, 254
Olodum, 450
Olsen & Johnson, 152
Orbison, Roy, 397
Orestes, Nei, 255
Orioles, The, 428
Orlandivo (Orlandivo Honório de Souza), 345
Orlando, Paulo, 215
Orquestra Colbaz, 201, 315
Orquestra Kosarin, 200
Orquestra Pan American, 100, 200
Orquestra Típica Pixinguinha-Donga, 87, 193, 308
Oscarito, 222, 224, 227
Osório, Armando, 259
Osório, General, 55
Osvaldo da Papoula (Boi da Papoula), 120
Oswald, Henrique, 67
Otelo, Grande, 127, 163, 225-7
Otero, Antônia, 94
Ozzetti, Ná, 453
P. A., Paulo, 441
Pace, Daniele, 401
Pacheco, Assis, 57, 91, 93
Paciência (Roberto Medeiros), 260
Pacífico, João, 238
Padeirinho, 407, 419
Paes, Luís Arruda, 276
Pagni, Paulo Antônio Figueiredo, 441
Pagodinho, Zeca (Jessé Gomes da Silva Filho), 448-9
Paiva, Leonel, 367
Paiva, Roberto (Helin Silveira Neves), 170, 175, 191, 278, 295
Paiva, Salvyano Cavalcanti de, 91
Paiva, Vicente, 127, 149, 172, 189, 201, 220, 260, 289, 394
Paixão, Amâncio José da, 65
Palitos, Pablo, 94-5, 219
Palmeira e Piraci, 240
Palmeira e Biá, 443
Palmieri, Jacó, 83, 245
Palmieri, Raul, 83
Pandeiro, Popeye do, 256
Panicali, Lírio, 172, 199
Panzeri, Mario, 401
Paquito, 184, 264
Paraguaçu (Roque Ricciardi), 62, 71, 111, 218
Paraíba, Canhoto da (Francisco Soares de Araújo), 433
Paralamas do Sucesso, 437, 439, 442
Paraná, Luís Carlos, 348, 351
Paranhos, Bernardino da Silva, 185
Paranhos, José Maria da Silva (Visconde do Rio Branco), 27
Paranhos, Juca, 55
Pardinho, 443
Paredes, José Nogueira de Azevedo, 24
Pascoal, Hermeto, 382
Passos, Antônio Maria, 64, 82
Passos, Arnaldo, 177
Passos, Edgar Marcelino dos, 108, 125

Passos, Enzo de Almeida, 289
Passos, Guimarães, 52
Pato Fu, 460
Patusca, Araré, 263
Paula, Edeor de, 418
Paula, Elano de, 294
Paula, Francisco de, 51
Paula, Nestor de, 286
Paulão, 454, 456
Paulinho da Viola (Paulo César Batista de Faria), 181, 314, 348, 354-5, 358, 366, 369, 379-80, 407, 410-12, 415-6, 459
Paulo, João (José Henrique dos Reis), 446
Paulo, José, 460
Paulo, Mário, 220
Pavão, Ari, 91
Pavão, Meire, 403
Payne, John, 152
Paz, Ermelinda A., 312
Pé Grande, Albino (Albino Correia da Silva), 414
Pedaço, J., 53
Pederneiras, Oscar, 56
Pederneiras, Raul, 88-90
Pederneiras, Regina, 338
Pedrinho da Flor, 448
Pedro Bento e Zé da Estrada, 444
Pedro I, D., 18, 22-3
Pedro II, D., 24, 36, 51
Pedro Luís e a Parede, 459
Peixoto, Araken, 276, 294
Peixoto, Cauby, 274, 293-4, 318, 324-6, 397
Peixoto, Ernâni do Amaral, 209
Peixoto, Luís, 88, 91-95, 111, 148-9, 156, 158, 215, 223, 269-70, 288-9, 330, 350
Peixoto, Mário Guedes, 253
Peixoto, Moacir, 275, 294
Peixoto, Romualdo (ver Nonô)
Pelay, E., 210
Pena Branca e Xavantinho, 444
Peninha, 343
Penosa, 258
Penteado, 419
Penteado, Roberto, 331
Pepe, Kid, 114, 127, 140, 186, 212
Pepeu (Pedro Aníbal de Oliveira), 421-2
Peracchi, Leo, 172, 199
Perdigão, Paulo, 321
Pereira, Albertina Nunes (ver Jandira Aimoré)
Pereira, Chico, 332
Pereira, Geraldo, 164, 169, 174-7, 179-80, 186, 191, 260, 277, 332, 394, 448
Pereira, Guilherme A., 204, 213
Pereira, Hélio Jordão, 259
Pereira, Luís Antônio Schiavon, 441
Pereira, Maria Madalena de Assunção, 265
Pereira, Nelson, 259
Pereira, Pedro de Sá, 91, 93
Pereira, Zé, 24
Peri, 87
Pernambuco, 289
Pernambuco, João (João Teixeira Guimarães), 67, 83, 242-5, 280
Pérola Negra, Jovelina (Jovelina Faria Belfort), 448
Perreta, E., 353
Perrone, Luciano, 111, 196, 199-200
Peruzzi, Edmundo, 276
Pescuma, Arnaldo, 109, 218, 220
Pessoa, Celso Frota, 339
Pessoa, Ciro, 440
Pessoa, Epitácio, 96-7
Pestana, Miguel Emídio, 52
Peterpan (José Fernandes de Paula), 169, 203, 262, 289
Pffeikorner, Henrique, 184
Picassos Falsos, 437
Pick, Rackel, 309
Piedade, J., 292
Piedade, José da (Tenente Baiacu), 54
Pignatari, Décio, 383
Pijuca (Esdras Falcão Guimarães), 261-2
Pimenta, Fernando, 175
Pimentel, Albertino, 67
Pimentinha (ver Elis Regina)
Pinheiro, Albino, 406
Pinheiro, Leila, 458
Pinheiro, Mário, 62
Pinheiro, Paulo César, 343, 354, 360, 363, 373, 376, 429
Pinheiro, Sebastião, 412
Pinheiro, Valter, 260
Pinto, Arlindo, 240-1, 260, 262, 264, 289, 292, 330
Pinto, Benedito, 194
Pinto, Edgard Roquette, 96-7, 99, 322
Pinto, Francisco da Luz, 18
Pinto, Marino, 163-4, 168-8, 188, 191, 213
Pinto, Rossini, 399, 401, 403
Pinto, Teixeira, 226
Piraci, 240, 443
Pires, Ariovaldo (ver Capitão Furtado)

Pires, Cornélio, 234-5, 237-8
Piska, 447
Pitz, Marcelo, 442
Pixinguinha (Alfredo da Rocha Viana), 62-64, 71, 73-4, 81-7, 93, 95, 100, 111, 116, 132, 175, 181, 193-6, 202, 212-3, 218, 243-5, 256-7, 270, 294, 307-9, 311, 312, 315, 319, 354, 413, 433
Planet Hemp, 460
Plebe Rude, 437
Poincaré, Raymond, 32
Polônio, Cinira, 89
Polônio, Sandro, 227
Pombo, Rosália, 90
Pongetti, Henrique, 223
Ponte Preta, Stanislaw (Sérgio Porto), 181, 353, 405
Pontes, Paulo, 368, 407
Pontes, Silvério, 433
Popular P, 480
Portela, J., 176, 284
Porter, Cole, 342
Porto Alegre, Araújo, 20
Porto, Cecília, 89
Porto, Humberto, 127, 191, 213, 224, 256
Porto, Marques, 91-5, 156
Porto, Sérgio (ver Stanislaw Ponte Preta)
Portugal, Marcos, 16, 19
Português, Alfredo, 175
Possi, Luiza, 460
Possi, Zizi (Maria Izildinha Possi), 434-5, 460
Powell, Baden, 294, 318, 336-7, 345, 347-8, 354, 360, 369, 376, 379, 382, 459
Powell, Marcel, 459
Powell, Philippe Baden, 459
Poyares, Carlos, 256, 275
Praxedes, José, 89
Prazeres, Aristides, 200
Prazeres, Heitor dos, 111, 127, 143, 167, 222
Premê (Premeditando o Breque), 453
Presidente, Bira, 447
Presley, Elvis, 396-7, 425
Prestes, Júlio, 92, 95
Prestes, Luís Carlos, 92
Pretinho, Príncipe (José Luís da Costa), 162
Pretinho, Zé, 114
Priminho, 240
Proença, Maria Lúcia (Lucinha), 337-8
Provenzano, Arnô, 175, 287
Proveta, Nailor, 459
Pujol, Valdemar, 189
Pujol, Vitor, 92
Puruca, 140, 173
Quarteto em Cy, 264, 337, 382
Quarteto Livre, 423
Quarteto Novo, 351
Quarteto Sambacana, 369
Quatro Ases e um Curinga, 158, 170, 226-7, 259, 261-2, 264, 279, 280, 323
Quatro Crioulos, Os, 411, 415
Quebra-Barraco, MC Tati (Tatiana dos Santos Lourenço), 457
Queen, 442
Queimadas, Falcão das, 243
Quinteto Violado, 422-3
Quitandinha Serenaders, 331
Rabelo, Heitor, 263
Rabelo, Laurindo (Poeta Lagartixa), 50-1
Rabelo, Luciana, 200, 432, 460
Rabelo, Rafael, 200, 432
Raça Negra, 450
Racionais MC's, 459
Rada, Antonio, 83
Rago, Antônio, 172, 257
Raimundinho do Acordeon, 392
Raimundos, 460
Ramalho, Elba, 422-3
Ramalho, Luís, 285
Ramalho, Zé (José Ramalho Neto), 287, 422-3
Ramil, Kledir Alves, 425
Ramil, Kleiton Alves, 425
Ramos, Caldeira, 200
Ramos, Graciliano, 266
Ramos, Marco Antônio da Silva, 358
Ramos, Maria Luísa da Silva, 307
Ramos, Severino, 285
Randolph, Z. T., 399
Rangel, 55
Rangel, Capitão, 37
Rangel, Francisco de Paula Brandão, 109
Rangel, Lúcio, 116, 178, 312, 353
Raphael, Grandmaster (Ângelo Antônio Rafael), 456
Rappa, O, 459
Rasimi, 90
Ratinho (Severino Rangel de Carvalho), 110, 245
Raul Torres e Serrinha, 240
Real, Roberta Corte, 400
Rebelde, 461
Reco (Henrique Lima Santos Filho), 433
Redondo, Jaime, 289
Reflexu's, 450

Regina, Elis, 10, 347, 354, 369, 372, 376-9, 428, 432, 435, 459
Rego, Antônio José do, 16
Rei (José Fontana), 184
Reichert, Mathieu-André, 36
Reis, Antônio José Coelho dos, 266
Reis, Aquiles Rique, 381
Reis, Ataliba, 88
Reis, Bidu, 297
Reis, Dilermando, 172, 312-3
Reis, F., 283
Reis, Júlio, 64
Reis, Luís, 289, 345
Reis, Mario, 75-6, 108, 112-7, 124-5, 148, 155-6, 158, 173, 178-80, 208-9, 220-2, 251, 288
Reis, Manoel, 204
Reis, Nando (José Fernando Gomes dos Reis), 440
Reis, Norival, 312, 419
Reis, Selma, 458-9
Reis, Sérgio, 401, 403, 444
Reis, Zequinha, 259
Renato e seus Blue Caps, 400, 402
Resnick, 401
Ressurreição, Valdemar, 163
Rey, Ruy, 323
Rezende, J., 33
Rezende, Raul, 114
Rezende, Sérgio, 363
Riachão, 240
Riachão, Mané do, 243
Riachão, Zé Coco do (José Barbosa dos Santos), 241
Rian, Déo (Déo Cesário Botelho), 433
Ribamar, José, 358
Ribas, J., 85-6
Ribeiro, Alberto, 108, 115-6, 127, 132-4, 148, 178, 181-2, 188, 199, 202-3, 209, 216, 220-2, 224, 259, 260, 269, 289-90, 296, 394
Ribeiro, Bi (Felipe Ribeiro), 439
Ribeiro, Filomeno, 77
Ribeiro, Francisco, 240
Ribeiro, José Borges, 55
Ribeiro, Lourenço, 13
Ribeiro, Mirian, 347
Ribeiro, Pery (Pery de Oliveira Martins), 163, 380
Ribeiro, Roberto, 430
Ribeiro, Sílvio Júlio, 329
Ribeiro, Solano, 360
Ribeiro, Zé, 447
Ricardo, 306-7
Ricardo, João, 426
Ricardo, José, 402
Ricardo, Paulo, 441
Ricardo, Sérgio (João Mansur Lufti), 274, 300, 352, 355
Rio Branco, Barão do (ver José Maria da Silva Paranhos Júnior)
Rio Branco, Visconde do (ver José Maria da Silva Paranhos)
Rio, João do, 66
Rita, Maria, 372, 379, 459-60
Ritchie (Richard David Court), 436-7
Ro Ro, Ângela (Ângela Maria Diniz Gonçalves), 434-5
Roberti, Roberto, 115, 127, 163, 165, 169, 182, 205, 213, 260, 268, 304
Robertinho (José Simão Alves), 444
Roberto, Cláudio, 426
Roberto, Luís, 348
Roberto, Paulo, 420
Rocha, Caribé da, 270
Rocha, Casemiro, 47
Rocha, Couto, 51
Rocha, Demócrito, 261
Rocha, Glauber, 383
Rocha, Hortênsio, 409
Rocha, Matias da, 250
Rocha, Oscar, 30
Rocha, Renato, 422
Rocha, Renato (Negrete), 442
Rocha, Valdir, 293
Rochael, Sílvio, 428
Rodger, 422
Rodolfo e Graúna, 417
Rodrigues, Edson, 249, 253
Rodrigues, Jair, 349, 354, 378, 380, 459
Rodrigues, Lolita, 346
Rodrigues, Lupicínio, 169, 179, 210, 277-8, 289, 291, 417
Rodrigues, Nelson, 296
Rodriguez, Marta, 338
Rodrix, Zé, 360
Roger (Roger Rocha Miranda), 441
Roland, Nuno (Reinol Correia de Oliveira), 170, 319
Roldan, Roberto, 62
Romano, Mário, 263
Romano, Orlando, 262
Romero, Cesar, 152
Romero, Nilo, 294, 438
Romero, Sílvio, 236
Romildo, 429
Ronaldo, 258
Rondon, J. J., 192, 200
Rooney, Mickey, 150
Roosevelt, Franklin Delano, 149-50
Roris, Sá, 127, 203, 213
Rosa, Hélio, 139, 204

Rosa, Lelita, 222
Rosa, Manoel Garcia de Medeiros, 139, 143
Rosa, Marta de Medeiros, 139, 142
Rosa, Noel, 9, 80, 107, 108-9, 114-6, 119, 122, 124-7, 131, 135-44, 164, 169, 171, 173-4, 177-8, 182-5, 190, 203-4, 208-9, 215, 219, 222-3, 233, 258-9, 288-9, 294, 317, 320, 364, 366, 429
Rosalinda e Florisbela, 239
Rose, David, 199
Rose, Vincent, 204
Rosemary (Rosemeire Pereira Gonçalves), 399-400, 402-3
Rossi, Darci, 446
Rossi, Josephine, 55
Rossi, Mário, 169-70, 179, 202, 204-5, 216-7, 260, 304, 417
Rossi, Padre Marcelo, 461
Rossi, Reginaldo, 403, 434
Rossini, Gioacchino, 136
Roulien, Raul, 223
Rousskaya, Norka, 94
RPM, 437, 441
Rufino, Nelson, 448, 450
Rui, Evaldo, 118, 169, 184, 195, 204-5, 215-7, 226, 288-9, 304
Rui, J., 116, 126, 220
Ruiz, Gabriel, 154
Ruiz, Maria, 90
Ruiz, Pepa, 57
Rumo, 453
Russel, B., 401
Russell, S. K., 159
Russinho (José Ferreira Soares), 263
Russo do Pandeiro (Antônio Cardoso Martins) (Alemão), 255, 331
Russo, Othon, 289, 292
Russo, Renato (Renato Manfredini Júnior), 442
Rutinaldo, 263
Sá, Rodrix e Guarabira, 427
Sá, Luís Carlos, 372
Sá, Sandra de, 428
Sá, Wanda, 356, 363
Sabiá (Artur Costa), 245
Sabina, 57
Sablon, Jean, 150
Sabóia, Carol (Carolina Job Sabóia), 459-60
Sacramento, Marcos, 460
Sacramento, Paulino, 30, 64, 91
Salaberry, Mário, 223
Salaberry, Zilka, 223
Saladini, Mário, 406
Salema, Sílvio, 316-7
Sales, Aloísio, 153
Sales, Guilherme Pinto da Silveira, 18, 53
Sales, Iara, 130
Sales, Olegário da Silveira, 53
Sales, Possidônio da Silveira, 53
Salgado, Álvaro, 267
Salgado, Manoel, 47
Salgado, Pedro, 252
Salleiro, Othon, 312
Salmaso, Mônica, 458
Salomão, Waly, 394
Salustiano, Eulíria, 175
Salvador, Dom (Salvador da Silva Filho), 358
Samamede, Júlio, 200
Sampaio, Bittencourt, 53
Sampaio, Luís Nunes (Careca), 71, 91
Sampaio, Moreira, 55-7, 88
Sampaio, Raul, 164, 274, 292, 294
Sampaio, Sebastião, 102
Sanches, Ari, 403
Sanchez, José Pepe, 290
Sandim, Álvaro, 84
Sando (Alexandre Johnson dos Santos), 423
Sandroni, Carlos, 120
Sandy e Júnior, 446, 459-60
Sangalo, Ivete, 450-2, 458
Santa Rosa, José Martins de, 52
Santana, 282
Santana, Arlindo, 235
Santana, Carlinhos, 448
Santana, Francisco, 429
Santana, Joacir, 412
Santiago, Baby (Fulgêncio Santiago), 397
Santiago, Osvaldo, 78, 108, 127, 148, 190, 202-4, 208, 216, 221, 224, 227, 256, 397
Santoro, Dante, 110, 196, 210, 257
Santos, Adauto, 348
Santos, Agostinho dos, 274, 298, 369
Santos, Amador, 317
Santos, Amaro dos, 200
Santos, Amélia de Jesus dos (Amélia Rezadeira), 414
Santos, Antônio Ribeiro dos, 14
Santos, Artur Napoleão dos, 38
Santos, Carmen, 144, 223
Santos, Helena dos, 403
Santos, Ismênia dos, 319
Santos, Januário dos, 282
Santos, Joaquim, 433

Santos, Júlio dos, 120-1, 255
Santos, Lourival dos, 443
Santos, Luciano Gomes dos, 450
Santos, Lulu (Luís Maurício Pragana dos Santos), 436-7, 442
Santos, Maurílio, 275
Santos, Moacir, 199, 274, 276
Santos, Mr. Funky (Oséas Moura dos Santos), 454
Santos, Nelson Pereira dos, 444
Santos, Olavo Manoel dos, 414
Santos, Osvaldo Lisboa dos (ver Osvaldo da Papoula)
Santos, Paulo Batista dos, 414
Santos, Paulo Sérgio, 460
Santos, Rui, 331
Santos, Sérgio, 459
Santos, Sílvio, 445
Santos, Turíbio, 414
Santos, Valter, 459
Santos, Vittor, 459
Sanz, Gaspar, 414
Sapateiro, Antônio, 250
Sapequinha (Robson Florence), 245
Sapucaí, Marquês de, 18
Sarajane, 450
Sargento, Nelson (Nelson Matos), 175, 406, 411, 416
Satã, Madame, 177
Sater, Almir, 395, 444
Savaget, Edna, 181
Sax, Antoine Adolphe, 242
Schauber, C. J., 350
Schiavon, Luís (ver Luís Antônio Schiavon Pereira)
Schonberger, John, 044
Schopenhauer, Arthur, 185
Schubert, Franz, 18, 64
Science, Chico (Francisco de Assis França), 385, 460
Sebastian, David Alfred, 152, 154
Sebastiani, João Valter, 206
Secos & Molhados, 425-6
Secundino, 224
Sedaka, Neil, 397
Sedícias, Dimas, 253
Seixas, Américo, 293
Seixas, Raul, 425
Selinuntino, Lereno (ver Domingos Caldas Barbosa)
Sempre Livre, 437
Sena, Francisco, 162-3
Sena, Saint-Clair, 202, 206
Serginho, MC, 457
Sérgio, João, 419
Sérgio, Mário, 448
Serra, Carlos, 100
Serra, Joaquim, 52, 55
Serrador, 243
Serrinha, 238, 445
Serrinha e Caboclinho, 240, 445
Seu Jorge (Jorge Mário da Silva), 459
Severo, Marieta, 365, 423
Sharp, Sidney, 222
Shilkret, N., 210
Shorter, Wayne, 371
Shubert, Lee, 149-50, 152
Silva, Abel, 394, 422
Silva, Alfredo, 89-90
Silva, Anísio, 434
Silva, Antenógenes, 111, 196
Silva, Antônio José da (Judeu), 13
Silva, Astor, 276
Silva, Balbina Garcia da, 211
Silva, Bezerra da, 186, 430
Silva, Caio, 424
Silva, Cândido Inácio da, 18, 20, 23-4
Silva, Candinho (Cândido Pereira da Silva), 64, 81
Silva, Celsinho (Celso José da Silva), 432-2, 460
Silva, Constantino, 260-1, 303
Silva, Erasmo, 165-6, 293
Silva, Ernâni (Sete), 140
Silva, Ernesto Barbosa da, 73
Silva, Esdras, 293
Silva, Estanislau, 261, 419
Silva, Felisberto, 209
Silva, Francisco Duarte, 175
Silva, Francisco Manoel da, 19, 20, 50, 57
Silva, Germano Lopes da, 70, 79
Silva, Homero, 346
Silva, Isabel Mendes da, 176
Silva, Ismael, 108, 114, 116, 118-26, 138, 140, 173-4, 184, 208, 354, 394
Silva, Ivan Paulo da (ver Carioca)
Silva, J. Correia da, 184
Silva, J. Veríssimo da, 52
Silva, Jerônimo, 37
Silva, João, 285
Silva, João Batista da (ver João Pacífico)
Silva, Jonas, 331-2
Silva, Jonas Pereira da, 434
Silva, José Celestino da, 211
Silva, José da, 242

Silva, José Henrique da, 53
Silva, Leonardo Dantas, 252-3
Silva, Lídio Francisco da, 250
Silva, Luís Pinto da, 83
Silva, Luiz Inácio Lula da, 392
Silva, Marcelo, 359
Silva, Marília T. Barbosa da, 408
Silva, Moacir, 172, 274, 276
Silva, Moreira da, 109, 175, 185-6, 194, 278, 430
Silva, Orlando Garcia da, 9, 158, 169-70, 177, 192, 197, 202-7, 211-6, 223-4, 240, 267-8, 270, 278, 295, 302-3, 319, 331
Silva, Osvaldo, 162
Silva, Patápio, 63-4, 315
Silva, Paulo, 339
Silva, Roberto, 276, 306, 448-9
Silva, Romeu, 196, 201
Silva, Sinval, 148-9, 169
Silva, Tancredo, 185
Silva, Valdemar, 169, 174, 209
Silva, Valfrido, 108, 140, 148, 179, 194, 219, 262
Silveira, Augusto Baltazar da, 18
Silveira, Ivanildo Maciel da, 250, 433
Silveira, Joaquim Guilherme da, 117
Silveira, Joel, 68
Silveira, Maria Cândida da, 117
Silveira, Orlando, 239, 256-7, 275-6, 285, 434
Silveira, Virgílio Pinto da, 37
Silvinha (Sílvia Maria Vieira Peixoto), 403
Simonal, Wilson, 357, 380, 403, 459
Simone (Simone Bittencourt de Oliveira), 422, 435
Simoninha, Wilson, 459
Sinatra, Frank, 295, 344
Sinfrônio, Cego, 243
Sinhá, 229
Sinhô (José Barbosa da Silva), 9, 33, 70-1, 73-7, 84, 90, 92-4, 113-6, 155, 173, 207-8, 233, 255, 288
Siqueira, Baptista, 23, 26-7, 30, 35, 49
Sivuca (Severino Dias de Oliveira), 275
Skank, 460
Smith, Ethel, 315
Smith, Harry B., 204
Snakes, The, 398
Snyder, Ted, 204
Só Pra Contrariar, 450
Soares, Alcides, 229
Soares, Baby, 230
Soares, Claudette, 273, 281
Soares, Elza (Elza Conceição), 417
Soares, J., 240
Soares, Jô, 400
Soares, Mário, 447
Soares, Paulinho, 359
Soares, Rubens, 127, 143, 209, 260, 262
Soares, Zazá, 89
Soberano, Luís, 184
Sobrinho, Pagano, 184
Sofia, Serafim, 304
Soledade, Paulo, 80, 274, 292, 298
Som Imaginário, 371
Som Nosso de Cada Dia, 427
Sombrinha (Montgomery Ferreira Nunes), 449
Sor, Fernando, 414
Soriano, Waldick, 434
Sorocabinha (Olegário José de Godoy), 240
Souto, Edmundo, 355, 357, 376
Souto, Eduardo, 77-9, 91, 93-4, 128, 141, 190, 208
Souza, Alcides de, 407
Souza, Carlos Monteiro de, 276
Souza, Ciro de, 164, 179, 182-3, 260
Souza, Claucirlei Juvêncio de (Bucheca), 456
Souza, Judite de, 94
Souza, Luciana, 459
Souza, Luís de, 37, 47, 64, 67
Souza, Luís José de Vasconcelos e, 14
Souza, Maria Isabel de, 306
Souza, Oscar José Luís de, 47
Souza, Raimundo Evandro Jataí de, 264
Souza, Rodolfo de, 417
Souza, Ronaldo Monteiro de, 357-8, 374, 376, 378
Souza, Tárik de, 329, 424, 440
Souza, Teresa, 459
Souza, Washington Luís Pereira de, 92
Souza, Xavier de, 115
Spoliansky, M., 210
Sponable, Earl, 101
Sputniks, The, 397, 428
Stanwyck, Barbara, 150
Stênio, 259
Stevens, Marie, 55

Stewart, James, 150
Stewart, Rod, 380, 442
Stocker, Olmir, 401
Stockhausen, 453
Stokler, Juca, 300
Stokowski, Leopold, 409
Stone, Lewis, 102
Stordhal, Axel, 199
Storoni, Juca (João José da Costa Júnior), 88
Strauss, Johann, 23, 40
Strauss II, Johann, 23, 40
Stravinsky, Igor Fyodorovich, 452
Stuart, Afonso, 221
Suassuna, Ariano, 354
Sukman, Hugo, 361
Sulino e Marroeiro, 444
Sute, 258
Taiguara (Taiguara Chalar da Silva), 357, 376
Tal, Valdemar de, 354
Tan e Cula, 457
Tapajós, Haroldo, 192, 204, 334
Tapajós, Maurício, 376
Tapajós, Osvaldo, 334
Tapajós, Paulinho (Paulo Tapajós Gomes Filho), 355, 357, 376
Tapajós, Paulo (Paulo Tapajós Gomes), 53, 192, 317, 320, 334, 414
Taranto, Aldo, 189
Tasso, Paulo de, 264
Tati, 338
Tatit, Luís, 453
Tatu, 418
Taubkin, Benjamin, 459
Taunay, Visconde de (Alfredo d'Escragnolle Taunay), 21
Tavares, Hekel, 92-3, 111, 350
Tavares, Napoleão, 201
Tavito (Luís Otávio de Melo Carvalho), 360, 425
Taylor, Creed, 371
Taylor, James, 442
Taylor, Robert, 150
Tcherkaski, José, 359
Teen Age Singers, 426
Teffé, Nair de, 45
Teixeira, Adolfo, 194
Teixeira, Afonso, 165, 262, 269
Teixeira, Humberto, 180, 262, 273, 279-80, 283-4
Teixeira, Manoelino, 221
Teixeira, Nelson, 183
Teixeira, Newton, 80, 169, 175, 188, 191, 202-3, 213, 215, 270
Teixeira, Patrício, 111, 162, 254, 270
Teixeira, Renato, 395, 444
Teixeira, Ugulino, 243
Teles, Luís, 331
Teles, Padre, 19-20
Telles, Sylvia, 345
Terán, Tomás, 339
Terço, O, 425, 427
Terra, Ana, 435
Terríveis, Os, 394
Tetty, 422
Thomas, David Clayton, 360
Tia Bebiana, 70, 79
Tia Ciata (Hilária Batista de Almeida), 70, 73, 79
Tia Gracinda, 70
Tiago, Paulo, 347
Tiaguinho, 457
Tibagi e Miltinho, 444
Tierra, Pedro, 372
Tigrão (Marcão Cordeiro Alves), 456-7
Tigre, Bastos, 88, 128, 212
Timóteo, Agnaldo, 434
Tinhorão, José Ramos, 13, 15, 19, 31, 50, 56
Tio Faustino (Faustino da Conceição), 194
Tiso, Wagner, 369, 371-2, 382
Titãs, 437, 440
Tito da Praia, 79
Tobias, José, 274, 293
Toinho (Antônio Alves), 423
Tojeiro, Gastão, 94
Toledo, Ari, 355
Toledo, Maria Helena, 342, 350
Tolentino, Nicolau, 14
Toller, Paula, 439
Tomás, J., 84-6, 194
Tonho, 430
Toni, 258
Tonico e Tinoco, 239-40, 443-4
Toninho, 429
Toquinho (Antônio Pecci Filho), 336-7, 376
Tornado, Toni (Antônio Viana Gomes), 358-9, 376, 428
Torres e Florêncio, 240, 443
Torres, Fernando, 366
Torres, Raul, 127, 235, 237-8, 241
Tostes, Adelaide (ver Stella Maris)
Tourinho, E., 244
Toussaint, Jules, 27
Travassos, Patrícia, 436
Três e Meio, Os (Deraldo, Luís e Zezinho), 230
Trigueiro, Nelson, 175, 261
Trindade, Edson, 428
Trindade, Gabriel Fernandes, 17
Trio, O, 460
Trio de Ouro, 163, 263, 288, 292

Trio Elétrico, 422
Trio Esperança, 357, 402
Trio Madeira Brasil, 460
Trio Odeon, 100
Trio Ternura, 359
Tuca (Valentina Zagni da Silva), 348, 350, 357, 376
Tuma, Nicolau, 318
Tupinambá, Marcelo, 33, 236, 239, 246
Turnbull, Lúcia, 427
Turunas da Mauriceia, 131, 237, 245-6, 258, 261
Turunas Pernambucanos, 245-6, 261
Tute (Artur de Souza Nascimento), 111, 194, 196, 257
Tutoya, Perpétua Guerra, 207-8
Ubirany, 447
Ultraje a Rigor, 437, 440
Um Romão, Dom, 275
Vadeco, 259
Vadico (Osvaldo Gogliano), 136, 140-1, 143-5, 169, 174, 208
Vale, João do, 273, 286-7, 390, 395, 407
Vale, José Antônio do, 55
Valença, Alceu Paiva, 287, 420, 422
Valença, João, 126, 251
Valença, Nelson, 285
Valença, Paulo, 126, 219
Valença, Raul, 126, 251
Valença, Rosinha de (Maria Rosa Canelas), 282
Valença, Suetônio Soares, 130
Valente, Assis, 126, 148-9, 162, 166-7, 170, 183, 194, 216, 219, 222-3, 259-60, 262, 269, 421
Valeriano, João, 196
Valle, Luiza del, 94
Valle, Marcos, 355-7, 361, 379
Valle, Paulo Sérgio, 355, 357, 379, 452
Valter e Valdir, 407
Vampré, Danton, 33
Vandré, Geraldo (Geraldo Pedrosa de Araújo Dias), 345, 348, 350, 354-6, 364, 373
Vanusa (Vanusa Santos Flores), 403
Vanzolini, Paulo, 289
Varela, Marcelo, 253
Vareto, Ercole, 199
Vargas do Amaral Peixoto, Alzira, 209
Vargas, Darcy, 115, 267, 270
Vargas, Getúlio, 95, 99, 205, 209, 266-7, 269-70
Vargas, Pedro, 290
Varnhagen, Francisco Adolfo, 16, 19
Varnhagen, Franz Ludwig Wilhelm, 19
Vasconcelos, Ary, 51, 62, 415
Vasconcelos, Cândido, 222
Vasconcelos, Gilberto, 431
Vasconcelos, José Luís de, 14
Vasconcelos, Naná (Juvenal de Holanda Vasconcelos), 422-3
Vasques, Francisco Correia, 24-5, 32
Vasques, Osvaldo (ver Baiaco)
Vassalo, Luís, 127
Vasseur, Augusto, 157, 189, 194
Vassourinha (Mário Ramos de Oliveira), 170, 178, 181
Veiga, Jorge, 276
Velha, Zé da (João Alberto Rodrigues Maia), 433
Veloso, Caetano, 10, 251, 284, 330, 348, 350-2, 354-6, 366, 369, 372, 383-9, 391, 393-5, 420, 437, 452-3, 459
Veloso, Moreno, 394, 459
Veloso, Nuno, 406
Veloso, Zezinho, 386
Veludo Elétrico (Veludo), 427
Ventura, 186
Venturini, Flávio, 425
Vercilo, Jorge, 458
Vergueiro, Carlinhos, 412
Vermelho, Alcir Pires, 80, 127, 130, 132, 134, 148, 158, 169, 199, 209-10, 224, 269-70, 278, 289
Vermelho, Joaquim, 238
Vernaut, Fanny, 51
Verocai, Artur, 376
Verona, Alda (Celeste Coelho Brandão), 109
Verri, Hélio, 460
Viáfora, Celso, 457
Viana, Aires, 286, 390
Viana, Cândido José de Araújo (ver Marquês de Sapucaí)
Viana, Elpídio, 176, 180
Viana, Gastão, 220
Viana, Osvaldo, 194
Vianna, Herbert, 439, 452
Vianna, Hermano, 455
Vibrações, 432
Vicentino, 419
Vidor, Florence, 102
Vidraça, 194
Vieira e Vieirinha, 444
Vieira, André, 261

Vieira, Jonas, 213
Vieira, Luís, 273, 281
Vieira, P., 164
Vieira, Teddy, 443
Vilar, Léo, 260-1
Vilela, Teotônio, 372
Vilhena, Bernardo, 437
Villa-Lobos, Dado (Eduardo Dutra Villa-Lobos), 442
Villa-Lobos, Heitor, 49, 66, 242, 244, 270, 339-40, 351, 362, 414-5, 452
Villas Boas, E. D., 20
Vímana, 427, 437
Vincent, B., 391
Vinhas, Luís Carlos, 347, 382
Vips, Os, 400-2
Vivas, Bernardino, 90, 93
Vocalistas Tropicais, 261-2, 264
Vogeler, Dalton, 293
Vogeler, Henrique, 93-4, 128, 288
Vogeler, Jaime, 316
Von, Ronnie (Ronaldo Nogueira), 400-2
W's Boys, 369
Wadekind, Nelson, 293
Wagner, 45
Waguinho, 457
Waldirene (Anabel Fraracchio), 403
Waldteufel, Emile, 40, 67
Wallace, Oliver G., 204
Wanderléa (Wanderléa Salim), 398-401
Wanderley, 194
Wanderley, Dico, 343
Wando (Wanderley Alves dos Reis), 431
Webster, Arthur Gordon, 99
Weeks, Harold, 204
Weill, Kurt, 368
Weiss, Rina, 218
Welles, Orson, 335
Werneck, Humberto, 365
Werneck, Regina, 412
Weytingh, Dulce, 222
Wheeler, Francis, 204
Whitcomb, I., 401
White, Betty (Vera Alves Guimarães), 304
William e Duda, 456
Wilson, Ed, 394, 403
Wisnik, José Miguel, 457
Wolkoff, Benny, 290
Xerém e Bentinho, 239
Yaçanã, 164
Yes, 442
Young, 401
Young, Victor, 199
Youngsters, The, 403
Yradier, Sebastian, 27
Zaccarias, Aristides, 172
Zacharias, Helmut, 350
Zagaia, 407
Zan, Mário (João Zandomenighi), 239, 241
Zdanowski, Paulo, 428
Zé do Rancho e Mariazinha, 446
Zé Mulato e Cassiano, 444
Zé, Tom (Antônio José Santana Martins), 355, 383-4, 391-3, 420
Zenatti, Célia, 207
Zezé di Camargo e Luciano, 446-7
Zezé e Zazá, 447
Zica (Euzébia Silva do Nascimento), 405-8, 413
Zico Dias e Ferrinho, 420
Zico e Zeca, 444
Zilda, Zé da (José Gonçalves), 169, 303, 330
Zimbo Trio, 294
Zimmerman, Vera, 388
Zlatopolsky, Anselmo, 99-100
Zuíta (Edelzuíta Rabelo), 285
Zumba, 250
Zuzinha, Capitão, 249
Zuzuca (Adil de Paula), 419

CRÉDITOS DAS IMAGENS

Antonio Nery/Agência O Globo: p. 438

Arquivo Funarte: pp. 44, 113, 129, 183, 243

Arquivo Jairo Severiano: pp. 22, 66, 189, 257, 267

Arquivo Manchete: pp. 387, 391, 394

Arquivo Público do Estado de São Paulo/Acervo Última Hora: pp. 333, 336, 341, 344, 349, 356, 362, 370, 374, 375, 379, 381, 400, 403, 415, 421, 427, 429

Arquivo Tinhorão/Instituto Moreira Salles: p. 15

Arquivo Zuza Homem de Mello: p. 85

Biblioteca Nacional/Divisão de Música e Arquivo Sonoro: pp. 20, 29, 39, 48, 63, 71, 74, 93, 110, 122, 133, 137, 151, 159, 165, 171, 176, 180, 191, 195, 198, 207, 217, 225, 227, 232, 255, 263, 275, 277, 278, 287, 291, 293, 295, 297, 299, 301, 306, 310, 324, 325, 338, 408, 413, 431

Camilla Maia/Agência O Globo: p. 459

Divulgação/Reprodução: pp. 284, 367, 445, 449

Mônica Imbuzeiro/Agência O Globo: p. 451

SOBRE O AUTOR

Jairo Severiano, historiador e produtor musical, nasceu em Fortaleza em 1927, morando no Rio de Janeiro desde 1950. É autor dos livros *Discografia brasileira em 78 rpm*, com Miguel A. Azevedo, Grácio Barbalho e Alcino Santos (1982), *Getúlio Vargas e a música popular* (1983), *Yes, nós temos Braguinha* (1987) e *A canção no tempo: 85 anos de músicas brasileiras*, obra em dois volumes, escrita em parceria com Zuza Homem de Mello (1997 e 1998). Na década de 1980, produziu diversos álbuns fonográficos, entre os quais O *Ciclo Vargas* (para a Fundação Roberto Marinho), *Native Brazilian Music* (para o Museu Villa-Lobos), *Nosso Sinhô do Samba* (para a Funarte) e os LPs duplos com Dorival Caymmi e Tom Jobim, ambos reeditados em CDs. Coordenou ainda os projetos "Memória Musical Carioca" (para o Arquivo da Cidade do Rio de Janeiro), com Paulo Tapajós, e "Mozart de Araújo" (para o Centro Cultural Banco do Brasil).

Este livro foi composto em Sabon pela Bracher & Malta, com CTP e impressão da Edições Loyola em papel Chambril Book 90 g/m² da Sylvamo para a Editora 34, em maio de 2022.